令和 2 年
都道府県別生命表

PREFECTURAL LIFE TABLES 2020

厚生労働省政策統括官（統計・情報システム管理、労使関係担当）編
DIRECTOR-GENERAL FOR STATISTICS,
INFORMATION SYSTEM MANAGEMENT AND INDUSTRIAL RELATIONS,
MINISTRY OF HEALTH, LABOUR AND WELFARE

一般財団法人　厚生労働統計協会
HEALTH, LABOUR AND WELFARE STATISTICS ASSOCIATION

令和2年

都道府県別生命表

PREFECTURAL LIFE TABLES 2020

厚生労働省政策統括官（統計・情報政策、政策評価担当）編
DIRECTOR-GENERAL FOR STATISTICS,
INFORMATION SYSTEMS MANAGEMENT AND INDUSTRIAL RELATIONS,
MINISTRY OF HEALTH, LABOUR AND WELFARE

一般財団法人　厚生労働統計協会
HEALTH, LABOUR AND WELFARE STATISTICS ASSOCIATION

まえがき

　都道府県別生命表は、都道府県の死亡状況が今後変化しないと仮定したときに、各年齢の人が死亡する確率や平均してあと何年生きられるかという期待値などを死亡率や平均余命などの指標によって表したものです。

　これらの指標は、都道府県の年齢構成に影響されない形で、純粋に死亡状況のみを表しており、都道府県間での死亡状況を比較分析する際に不可欠なものとなっています。また、０歳の平均余命である「平均寿命」は、全ての年齢の死亡状況を集約したものとなっており、保健福祉水準を示す総合的指標として広く活用されています。

　厚生労働省では、都道府県別生命表を昭和40年以降５年毎に作成しており、今回は12回目にあたります。今回の生命表は、令和元年から令和３年までの３年間の日本人の死亡状況及び令和２年国勢調査による日本人人口等を基礎資料として作成しています。

　本書が各方面で広くご活用いただければ幸いです。

　令和５年12月

　　　　　　　　　　　厚生労働省政策統括官（統計・情報システム管理、労使関係担当）

　　　　　　　　　　　　　　　　　　　　　　　　　　森　川　善　樹

担　当　係
人口動態・保健社会統計室計析第一係
電話　03（5253）1111
内線7470

目　次

まえがき

Ⅰ　令和2年都道府県別生命表の作成方法 …………………………………… 6

Ⅱ　令和2年都道府県別生命表の概況 ………………………………………… 17

Ⅲ　統計表（平均余命の年次推移） …………………………………………… 39

全　　　　国……… 40	愛　知　県……… 63	鹿児島県……… 86
北　海　道……… 41	三　重　県……… 64	沖　縄　県……… 87
青　森　県……… 42	滋　賀　県……… 65	東京都区部……… 88
岩　手　県……… 43	京　都　府……… 66	札　幌　市……… 89
宮　城　県……… 44	大　阪　府……… 67	仙　台　市……… 90
秋　田　県……… 45	兵　庫　府……… 68	さいたま市……… 91
山　形　県……… 46	奈　良　県……… 69	千　葉　市……… 92
福　島　県……… 47	和歌山県……… 70	横　浜　市……… 93
茨　城　県……… 48	鳥　取　県……… 71	川　崎　市……… 94
栃　木　県……… 49	鳥　根　県……… 72	相模原市……… 95
群　馬　県……… 50	岡　山　県……… 73	新　潟　市……… 96
埼　玉　県……… 51	広　島　県……… 74	静　岡　市……… 97
千　葉　県……… 52	山　口　県……… 75	浜　松　市……… 98
東　京　都……… 53	徳　島　県……… 76	名古屋市……… 99
神奈川県……… 54	香　川　県……… 77	京　都　市………100
新　潟　県……… 55	愛　媛　県……… 78	大　阪　市………101
富　山　県……… 56	高　知　県……… 79	堺　　　市………102
石　川　県……… 57	福　岡　県……… 80	神　戸　市………103
福　井　県……… 58	佐　賀　県……… 81	岡　山　市………104
山　梨　県……… 59	長　崎　県……… 82	広　島　市………105
長　野　県……… 60	熊　本　県……… 83	北九州市………106
岐　阜　県……… 61	大　分　県……… 84	福　岡　市………107
静　岡　県……… 62	宮　崎　県……… 85	熊　本　市………108

I 令和2年都道府県別生命表の作成方法

生命関数の定義

1 **生存率 $_np_x$、死亡率 $_nq_x$**

　ちょうど x 歳に達した者が $x+n$ 歳に達するまで生存する確率を x 歳以上 $x+n$ 歳未満における生存率といい、これを $_np_x$ で表し、$x+n$ 歳に達しないで死亡する確率を x 歳以上 $x+n$ 歳未満における死亡率といい、これを $_nq_x$ で表す。特に $_1p_x$、$_1q_x$ を x 歳における生存率、死亡率といい、これらを p_x、q_x で表す。

2 **生存数 l_x**

　生命表上で一定の出生者 l_0 人（100,000人とする。）が、上記の死亡率に従って死亡減少していくと考えた場合、x 歳に達するまで生きると期待される者の数を x 歳における生存数といい、これを l_x で表す。

3 **死亡数 $_nd_x$**

　x 歳における生存数 l_x のうち $x+n$ 歳に達しないで死亡すると期待される者の数を x 歳以上 $x+n$ 歳未満における死亡数といい、これを $_nd_x$ で表す。特に $_1d_x$ を x 歳における死亡数といい、これを d_x で表す。

4 **定常人口 $_nL_x$、T_x**

　x 歳における生存数 l_x について、これらの者が x 歳から $x+n$ 歳に達するまでの間に生存すると期待される年数の和を x 歳以上 $x+n$ 歳未満における定常人口といい、これを $_nL_x$ で表す。すなわち、常に一定の出生があって、これらの者が上記の死亡率に従って死亡すると仮定すると、一定期間経過後に一定の年齢構造を持つ人口集団が得られ、その集団の x 歳以上 $x+n$ 歳未満の人口に相当する。特に $_1L_x$ を x 歳における定常人口といい、これを L_x で表す。

　さらに x 歳における生存数 l_x について、これらの者が x 歳以降死亡に至るまでの間に生存すると期待される年数の和を x 歳以上の定常人口といい、これを T_x で表す。すなわち、上記の人口集団の x 歳以上人口に相当する。$_nL_x$、T_x は、

$$_nL_x = \int_x^{x+n} l_t\, dt,\quad T_x = \int_x^\infty l_t\, dt$$

により与えられる。

5 **平均余命 $\overset{\circ}{e}_x$**

　x 歳における生存数 l_x について、これらの者が x 歳以降に生存すると期待される年数の平均を x 歳における平均余命といい、これを $\overset{\circ}{e}_x$ で表す。$\overset{\circ}{e}_x$ は

$$\overset{\circ}{e}_x = \frac{T_x}{l_x}$$

により与えられ、特に0歳における平均余命 $\overset{\circ}{e}_0$ を平均寿命という。

作 成 方 法

1 作成に当たっての考え方
全国単位の生命表とは異なり、都道府県別生命表では、小地域における死亡数の偶然変動の影響を少なくするために、国勢調査年である令和2年を中心とする3年間（平成31年（令和元年）～令和3年）の死亡状況を基礎として死亡率を算定し、これらのデータをもとに作成している（計算の詳しい方法は4で述べる。）。

2 作成基礎期間
作成基礎期間は、平成31年1月1日から令和3年12月31日に至る3年間とした。

3 基礎資料
都道府県－東京都区部－指定都市別に、次の資料を用いた。
(1) 平成30年～令和3年　性・月別出生数
(2) 令和2年7月～9月　性・年齢別死亡数
(3) 令和元年～3年　性・年齢・死因別死亡数
　　－人口動態統計（厚生労働省政策統括官（統計・情報政策、労使関係担当））－
(4) 令和2年10月1日現在　性・年齢別不詳補完日本人人口
　　－令和2年国勢調査（総務省統計局）－

次に実際の計算に当たって、上記資料の利用区分及び後述の計算法に用いた記号を以下に示す。

乳児死亡数

死亡時の日・月齢	乳児死亡数	第 i 死因 乳児死亡数
4　週　未　満	$D\binom{0}{4w}$	$D^i\binom{0}{4w}$
4週以上2か月未満	$D\binom{4w}{2m}$	$D^i\binom{4w}{2m}$
2か月以上3か月未満	$D\binom{2m}{3m}$	$D^i\binom{2m}{3m}$
3か月以上6か月未満	$D\binom{3m}{6m}$	$D^i\binom{3m}{6m}$
6か月以上1年未満	$D\binom{6m}{1y}$	$D^i\binom{6m}{1y}$

乳児死亡数は平成31年（令和元年）から令和3年の3か年の合計

出生数

出生期間	出生数
平成 31(2019)年 1 月～令和 3 (2021)年 12 月	$B\binom{'19.1}{'21.12}$
平成 30(2018)年 12 月 4 日～令和 3 (2021)年 12 月 3 日	$B\binom{'18.12.4}{'21.12.3}$
平成 30(2018)年 11 月～令和 3 (2021)年 10 月	$B\binom{'18.11}{'21.10}$
平成 30(2018)年 10 月～令和 3 (2021)年 9 月	$B\binom{'18.10}{'21.9}$
平成 30(2018)年 7 月～令和 3 (2021)年 6 月	$B\binom{'18.7}{'21.6}$
平成 30(2018)年 1 月～令和 2 (2020)年 12 月	$B\binom{'18.1}{'20.12}$
令　和　3　(2021)　年　12　月	$B('21.12)$
平　成　30　(2018)　年　12　月	$B('18.12)$

人口及び死亡数

年齢階級	人口（令和2年10月1日）		死亡数		
	年齢階級別人口	各年齢階級の始年齢人口	令和2年7月～9月における年齢階級別死亡数	平成31年（令和元年）～令和3年における年齢階級別死亡数	平成31年（令和元年）～令和3年における年齢階級別第i死因死亡数
1歳		P_1^*	D_1^*	D_1	D_1^i
2		P_2^*	D_2^*	D_2	D_2^i
3		P_3^*	D_3^*	D_3	D_3^i
4		P_4^*	D_4^*	D_4	D_4^i
5～9	$_5P_5^*$	P_5	$_5D_5^*$	$_5D_5$	$_5D_5^i$
10～14	$_5P_{10}^*$	P_{10}	$_5D_{10}^*$	$_5D_{10}$	$_5D_{10}^i$
⋮	⋮	⋮	⋮	⋮	⋮
x～$x+4$	$_5P_x^*$	P_x	$_5D_x^*$	$_5D_x$	$_5D_x^i$
⋮	⋮	⋮	⋮	⋮	⋮
95～99	$_5P_{95}^*$	P_{95}	$_5D_{95}^*$	$_5D_{95}$	$_5D_{95}^i$
100～104	$_5P_{100}^*$	P_{100}	$_5D_{100}^*$	$_5D_{100}$	$_5D_{100}^i$
105～109	$_5P_{105}^*$	P_{105}	$_5D_{105}^*$	$_5D_{105}$	$_5D_{105}^i$
110～114	－	P_{110}	$_5D_{110}^*$	－	－

死亡数の補正

　死亡数には、年齢のみ不詳、住所地のみ不詳並びに年齢及び住所地ともに不詳という3つの不詳パターンが存在するため、これらの不詳死亡数を次の順序で按分し、補正を行った（4以下で述べる生命表の計算には、補正したデータを用いた。）。ただし、以下の按分は死因ごとに行い、その後足し上げることにより、都道府県ごとの全死因計を作成した。

（ⅰ）年齢のみ不詳
　　年齢・住所地ともに既知の死亡数をもとに、都道府県－東京都区部－指定都市ごとに年齢別死亡数に比例させて按分して加えた。
（ⅱ）住所地のみ不詳
　　（ⅰ）の結果をもとに、年齢ごとに都道府県別死亡数に比例させて按分して加えた。
（ⅲ）年齢及び住所地ともに不詳
　　（ⅱ）の結果をもとに、年齢別都道府県別死亡数に比例させて按分して加えた。

4　生命関数の算出方法

　3の基礎資料から、種々の近似、補間、補整及び外挿を行って、各歳別死亡率を算定し、これをもとにして生存数、死亡数、定常人口及び平均余命等の生命関数を計算した。ただし、1歳未満は日齢、月齢による細かな区分を設定し、計算した。

(1)　1歳未満の死亡率 $_nq_x$ の計算

　1歳未満の死亡率は、4週未満、4週以上2か月未満、2か月以上3か月未満、3か月以上6か月未満、6か月以上1年未満の年齢区分に従って算定した。
　まず、1歳未満における生存率 $_np_0$ を次の式により求めた。

$$_{4w}p_0 = 1 - \frac{D\binom{0}{4w}}{\frac{1}{2}\left\{B\binom{'18.12.4}{'21.12.3} + B\binom{'19.1}{'21.12}\right\}}$$

$$_{2m}p_0 = {}_{4w}p_0 - \frac{D\binom{4w}{2m}}{\frac{1}{2}\left\{B\binom{'18.11}{'21.10} + B\binom{'18.12.4}{'21.12.3}\right\}}$$

$$_{3m}p_0 = {}_{2m}p_0 - \frac{D\binom{2m}{3m}}{\frac{1}{2}\left\{B\binom{'18.10}{'21.9} + B\binom{'18.11}{'21.10}\right\}}$$

$$_{6m}p_0 = {}_{3m}p_0 - \frac{D\binom{3m}{6m}}{\frac{1}{2}\left\{B\binom{'18.7}{'21.6} + B\binom{'18.10}{'21.9}\right\}}$$

$$p_0 = {}_{6m}p_0 - \frac{D\binom{6m}{1y}}{\frac{1}{2}\left\{B\binom{'18.1}{'20.12} + B\binom{'18.7}{'21.6}\right\}}$$

ただし、$B\binom{'18.12.4}{'21.12.3}$ は月別の出生数から、

$$B\binom{'18.12.4}{'21.12.3} = B\binom{'19.1}{'21.12} + \frac{28}{31}\left(B('18.12) - B('21.12)\right)$$

と推計した。

これより死亡率 $_nq_x$ を、

$$_{4w}q_0 = 1 - {}_{4w}p_0$$

$$_{2m-4w}q_{4w} = 1 - \frac{{}_{2m}p_0}{{}_{4w}p_0}$$

$$_{1m}q_{2m} = 1 - \frac{{}_{3m}p_0}{{}_{2m}p_0}$$

$$_{3m}q_{3m} = 1 - \frac{{}_{6m}p_0}{{}_{3m}p_0}$$

$$_{1y-6m}q_{6m} = 1 - \frac{p_0}{{}_{6m}p_0}$$

$$q_0 = 1 - p_0$$

により求めた。

(2) 中央人口の推計

作成基礎期間の中央に当たる令和2年7月1日現在の人口を中央人口という。年齢階級別の人口及び死亡数から、x 歳の中央人口 P_x 及び x 歳以上 $x+5$ 歳未満の中央人口 $_5P_x$ を、

$$P_x = \frac{3}{4}P_x^* + \frac{1}{4}P_{x+1}^* + \frac{7}{8}D_x^* + \frac{1}{8}D_{x+1}^* \quad (x = 1,2,3)$$

$$P_4 = \frac{3}{4}P_4^* + \frac{1}{4}P_5^* + \frac{7}{8}D_4^* + \frac{1}{40}{}_5D_5^*$$

$$_5P_x = {}_5\overset{*}{P}_x + \frac{1}{4}\left(\overset{*}{P}_{x+5} - \overset{*}{P}_x\right) + \frac{39}{40}{}_5\overset{*}{D}_x + \frac{1}{40}{}_5\overset{*}{D}_{x+5} \quad (x = 5, 10, \cdots, 男\ 100, 女\ 105)$$

により求めた。

(3) 1歳以上の死亡率 $_n\tilde{q}_x$ の算定

まず、1歳以上の中央死亡率 $_nm_x$ を次式により求めた。

$$m_1 = \frac{D_1}{3P_1}$$

$$_3m_2 = \frac{{}_3D_2}{3\ {}_3P_2} \quad ({}_3P_2 = P_2 + P_3 + P_4,\ {}_3D_2 = D_2 + D_3 + D_4)$$

$$_5m_x = \frac{{}_5D_x}{3\ {}_5P_x} \quad (x = 5, 10, \cdots, 男\ 100, 女\ 105)$$

これから、死亡率 $_n\tilde{q}_x$ を

$$\tilde{q}_1 = \frac{m_1}{1 + \frac{1}{2}m_1}$$

$$_3\tilde{q}_2 = \frac{{}_3m_2}{\frac{1}{3} + \frac{1}{2}\ {}_3m_2}$$

$$_5\tilde{q}_x = \frac{{}_5m_x}{\frac{1}{5} + \frac{1}{2}\ {}_5m_x} \quad (x = 5, 10, \cdots, 35)$$

$$_5\tilde{q}_x = \frac{{}_5m_x}{\frac{1}{5} + \frac{1}{2}\ {}_5m_x + \frac{5}{12}\left\{{}_5m_x^2 - \frac{1}{10}({}_5m_{x+5} - {}_5m_{x-5})\right\}}$$

$$(x = 40, 45, \cdots, 男\ 95, 女\ 100)$$

により求めた。

(4) 1歳以上の死亡率の補間

(3)で得られた死亡率 $_n\tilde{q}_x$ をもとに、1～4歳、5～14歳、「男 15～89 歳、女 15～94 歳」、「男 90 歳以上、女 95 歳以上」の4つの年齢区間に分けて、それぞれ次のような方法で各歳別の死亡率 $\tilde{q}_x$ へと補間または外挿した。なお、計算の途中で死亡率が0を下回るまたは1を上回ることになった場合は、その都度値を0または1に修正した。

(ⅰ) 1～4歳の場合

1～4歳の各歳別死亡率 $\tilde{q}_x$ は、「0歳から x 歳まで生存する割合 $_x\tilde{p}_0$ は、$x \leq 10$ において Weibull 分布の分布関数で近似される」と仮定して補間した。すなわち、パラメータ θ, c を用いて、

$$_x\tilde{p}_0 = \exp\left\{-\left(\frac{x}{\theta}\right)^c\right\} \quad (x \leq 10\ \text{かつ}\ \theta, c > 0)$$

で表されるものとして、パラメータ値を決定することとした。

このとき、

$$\log(-\log\ {}_x\tilde{p}_0) = \log\left(\frac{x}{\theta}\right)^c$$
$$= c\log x - c\log\theta$$

であるから、点 $(\log x, \log(-\log\ {}_x\tilde{p}_0))$ のプロットは直線で近似されることとなる。そこで、$x = 1, 10$ に対する2点

$$\bigl(0, \log(-\log\, {}_1\tilde{p}_0)\bigr)、\bigl(\log 10, \log(-\log\, {}_{10}\tilde{p}_0)\bigr)$$

を通る直線を求めることで、パラメータ値を決定した。

容易に

$$c = \frac{\log(-\log\, {}_{10}\tilde{p}_0) - \log(-\log\, {}_1\tilde{p}_0)}{\log 10}、c\log\theta = -\log(-\log\, {}_1\tilde{p}_0)$$

であることが分かるので、これに

$$\begin{aligned}{}_1\tilde{p}_0 &= \tilde{p}_0 \\ {}_{10}\tilde{p}_0 &= \tilde{p}_0(1-\tilde{q}_1)(1-\,{}_3\tilde{q}_2)(1-\,{}_5\tilde{q}_5)\end{aligned}$$

を代入することで、c、$c\log\theta$の値を決定した。

これからあらためて死亡率を、

$${}_n\tilde{q}_x = 1 - \frac{{}_{x+n}\tilde{p}_0}{{}_x\tilde{p}_0} = 1 - \exp\left\{\frac{x^c - (x+n)^c}{e^{c\log\theta}}\right\} \quad (x=1,2,3,4)$$

により算出した。

(ⅱ) 5～14歳の場合

死力の定義

$$\mu_x = -\frac{1}{l_x}\cdot\frac{dl_t}{dt}\bigg|_{t=x} = -\frac{d(\log l_t)}{dt}\bigg|_{t=x}$$

から、一般に死力と死亡率の間には

$$\int_x^{x+n} \mu_t\, dt = -\log(1 - {}_nq_x) \quad\cdots\cdots\cdots\cdots\cdots\cdots\cdots\cdots\cdots\cdots\cdots\cdots\cdots (*)$$

なる関係式が成り立つ。

ここで、右辺の式にこれまで算出した死亡率 ${}_n\tilde{q}_x$ を代入したものを ${}_n\Psi_x$ とおく。すなわち、

$${}_n\Psi_x = -\log(1 - {}_n\tilde{q}_x)$$

であって、${}_4\Psi_1$、${}_5\Psi_5$、${}_5\Psi_{10}$、…、${}_5\Psi_{20}$ については具体的な値が求められる。

5～14歳の各歳別死亡率 $\tilde{q}_x$ は、$5 \leq x < 15$ における死力 μ_x が、x の4次多項式

$$f_5(x) = a_5(x-5)^4 + b_5(x-5)^3 + c_5(x-5)^2 + d_5(x-5) + e_5$$

で表されるものとして、補間法で計算した。

具体的には、関係式（*）に従って、連続する5個の ${}_n\Psi_x$ に関する条件

$$\int_1^5 f_5(t)\, dt = {}_4\Psi_1、\int_5^{10} f_5(t)\, dt = {}_5\Psi_5、\int_{10}^{15} f_5(t)\, dt = {}_5\Psi_{10}、$$

$$\int_{15}^{20} f_5(t)\, dt = {}_5\Psi_{15}、\int_{20}^{25} f_5(t)\, dt = {}_5\Psi_{20}$$

を、a_5、b_5、c_5、d_5、e_5 に関する連立一次方程式として解くと、

$$a_5 = \frac{5}{229824}\,{}_4\Psi_1 - \frac{1769}{28728000}\,{}_5\Psi_5 + \frac{829}{9576000}\,{}_5\Psi_{10} - \frac{77}{1368000}\,{}_5\Psi_{15} + \frac{1}{72000}\,{}_5\Psi_{20}$$

$$b_5 = -\frac{25}{28728}\,{}_4\Psi_1 + \frac{39437}{17955000}\,{}_5\Psi_5 - \frac{15937}{5985000}\,{}_5\Psi_{10} + \frac{1241}{855000}\,{}_5\Psi_{15} - \frac{13}{45000}\,{}_5\Psi_{20}$$

$$c_5 = \frac{125}{10944}\,{}_4\Psi_1 - \frac{6109}{273600}\,{}_5\Psi_5 + \frac{8869}{456000}\,{}_5\Psi_{10} - \frac{3443}{456000}\,{}_5\Psi_{15} + \frac{31}{24000}\,{}_5\Psi_{20}$$

$$d_5 = -\frac{3125}{57456}\,{}_4\Psi_1 + \frac{10709}{287280}\,{}_5\Psi_5 + \frac{6499}{478800}\,{}_5\Psi_{10} - \frac{127}{13680}\,{}_5\Psi_{15} + \frac{7}{3600}\,{}_5\Psi_{20}$$

$$e_5 = \frac{625}{9576}\,{}_4\Psi_1 + \frac{2221}{9576}\,{}_5\Psi_5 - \frac{1973}{15960}\,{}_5\Psi_{10} + \frac{109}{2280}\,{}_5\Psi_{15} - \frac{1}{120}\,{}_5\Psi_{20}$$

なる解を得るので、

$$\int_5^6 f_5(t)\,dt = \frac{1}{5985000}\left(249375\,{}_4\Psi_1 + 1458345\,{}_5\Psi_5 - 664335\,{}_5\Psi_{10} + 245385\,{}_5\Psi_{15} - 41895\,{}_5\Psi_{20}\right)$$

$$\int_6^7 f_5(t)\,dt = \frac{1}{5985000}\left(43125\,{}_4\Psi_1 + 1457979\,{}_5\Psi_5 - 402957\,{}_5\Psi_{10} + 127827\,{}_5\Psi_{15} - 20349\,{}_5\Psi_{20}\right)$$

$$\int_7^8 f_5(t)\,dt = \frac{1}{5985000}\left(-69375\,{}_4\Psi_1 + 1297599\,{}_5\Psi_5 - 36657\,{}_5\Psi_{10} - 12033\,{}_5\Psi_{15} + 3591\,{}_5\Psi_{20}\right)$$

$$\int_8^9 f_5(t)\,dt = \frac{1}{5985000}\left(-113125\,{}_4\Psi_1 + 1038389\,{}_5\Psi_5 + 363813\,{}_5\Psi_{10} - 138243\,{}_5\Psi_{15} + 23541\,{}_5\Psi_{20}\right)$$

$$\int_9^{10} f_5(t)\,dt = \frac{1}{5985000}\left(-110000\,{}_4\Psi_1 + 732688\,{}_5\Psi_5 + 740136\,{}_5\Psi_{10} - 222936\,{}_5\Psi_{15} + 35112\,{}_5\Psi_{20}\right)$$

$$\int_{10}^{11} f_5(t)\,dt = \frac{1}{5985000}\left(-78750\,{}_4\Psi_1 + 423990\,{}_5\Psi_5 + 1046430\,{}_5\Psi_{10} - 246330\,{}_5\Psi_{15} + 35910\,{}_5\Psi_{20}\right)$$

$$\int_{11}^{12} f_5(t)\,dt = \frac{1}{5985000}\left(-35000\,{}_4\Psi_1 + 146944\,{}_5\Psi_5 + 1249248\,{}_5\Psi_{10} - 196728\,{}_5\Psi_{15} + 25536\,{}_5\Psi_{20}\right)$$

$$\int_{12}^{13} f_5(t)\,dt = \frac{1}{5985000}\left(8750\,{}_4\Psi_1 - 72646\,{}_5\Psi_5 + 1327578\,{}_5\Psi_{10} - 70518\,{}_5\Psi_{15} + 5586\,{}_5\Psi_{20}\right)$$

$$\int_{13}^{14} f_5(t)\,dt = \frac{1}{5985000}\left(43125\,{}_4\Psi_1 - 217821\,{}_5\Psi_5 + 1272843\,{}_5\Psi_{10} + 127827\,{}_5\Psi_{15} - 20349\,{}_5\Psi_{20}\right)$$

$$\int_{14}^{15} f_5(t)\,dt = \frac{1}{5985000}\left(61875\,{}_4\Psi_1 - 280467\,{}_5\Psi_5 + 1088901\,{}_5\Psi_{10} + 385749\,{}_5\Psi_{15} - 46683\,{}_5\Psi_{20}\right)$$

となる。

こうして得られた積分値をもとに、あらためて死亡率 $\tilde{q}_x$ を、関係式（＊）から、

$$\tilde{q}_x = 1 - \exp\left(-\int_x^{x+1} \tilde{\mu}_t\,dt\right) = 1 - \exp\left(-\int_x^{x+1} f_5(t)\,dt\right) \quad (x = 5, 6, \cdots, 14)$$

により算出した。

(iii) 男15～89歳、女15～94歳の場合

男15～89歳、女15～94歳の各歳別死亡率 $\tilde{q}_x$ は、5の倍数 s（$s = 15, 20, \cdots$, 男85, 女90）を取り、$s \leq x < s+5$ における死力 $\tilde{\mu}_x$ が、x の4次多項式

$$f_s(x) = a_s(x-s)^4 + b_s(x-s)^3 + c_s(x-s)^2 + d_s(x-s) + e_s$$

で表されるものとして、補間法で計算した。

具体的には(ii)と同様に、これまで算出した死亡率 ${}_n\tilde{q}_x$ を代入した ${}_n\Psi_x$ を定義し、関係式（＊）に従って、連続する5個の ${}_n\Psi_x$ に関する条件

$$\int_{s-10}^{s-5} f_s(t)\,dt = {}_5\Psi_{s-10}、\quad \int_{s-5}^{s} f_s(t)\,dt = {}_5\Psi_{s-5}、\quad \int_{s}^{s+5} f_s(t)\,dt = {}_5\Psi_s、$$

$$\int_{s+5}^{s+10} f_s(t)\,dt = {}_5\Psi_{s+5}、\quad \int_{s+10}^{s+15} f_s(t)\,dt = {}_5\Psi_{s+10}$$

を、a_s、b_s、c_s、d_s、e_s に関する連立一次方程式として解くと、

$$a_s = \frac{1}{75000}\,{}_5\Psi_{s-10} - \frac{1}{18750}\,{}_5\Psi_{s-5} + \frac{1}{12500}\,{}_5\Psi_s - \frac{1}{18750}\,{}_5\Psi_{s+5} + \frac{1}{75000}\,{}_5\Psi_{s+10}$$

$$b_s = -\frac{1}{3750}\,_5\Psi_{s-10} + \frac{1}{1250}\,_5\Psi_{s-5} - \frac{1}{1250}\,_5\Psi_s + \frac{1}{3750}\,_5\Psi_{s+5}$$

$$c_s = \frac{1}{1000}\,_5\Psi_{s-10} + \frac{1}{500}\,_5\Psi_{s-5} - \frac{1}{125}\,_5\Psi_s + \frac{3}{500}\,_5\Psi_{s+5} - \frac{1}{1000}\,_5\Psi_{s+10}$$

$$d_s = \frac{1}{300}\,_5\Psi_{s-10} - \frac{1}{20}\,_5\Psi_{s-5} + \frac{1}{20}\,_5\Psi_s - \frac{1}{300}\,_5\Psi_{s+5}$$

$$e_s = -\frac{1}{100}\,_5\Psi_{s-10} + \frac{9}{100}\,_5\Psi_{s-5} + \frac{47}{300}\,_5\Psi_s - \frac{13}{300}\,_5\Psi_{s+5} + \frac{1}{150}\,_5\Psi_{s+10}$$

なる解を得るので、

$$\int_s^{s+1} f_s(t)\,dt = \frac{1}{15625}\left(-126\,_5\Psi_{s-10} + 1029\,_5\Psi_{s-5} + 2794\,_5\Psi_s - 671\,_5\Psi_{s+5} + 99\,_5\Psi_{s+10}\right)$$

$$\int_{s+1}^{s+2} f_s(t)\,dt = \frac{1}{15625}\left(-56\,_5\Psi_{s-10} + 349\,_5\Psi_{s-5} + 3289\,_5\Psi_s - 526\,_5\Psi_{s+5} + 69\,_5\Psi_{s+10}\right)$$

$$\int_{s+2}^{s+3} f_s(t)\,dt = \frac{1}{15625}\left(14\,_5\Psi_{s-10} - 181\,_5\Psi_{s-5} + 3459\,_5\Psi_s - 181\,_5\Psi_{s+5} + 14\,_5\Psi_{s+10}\right)$$

$$\int_{s+3}^{s+4} f_s(t)\,dt = \frac{1}{15625}\left(69\,_5\Psi_{s-10} - 526\,_5\Psi_{s-5} + 3289\,_5\Psi_s + 349\,_5\Psi_{s+5} - 56\,_5\Psi_{s+10}\right)$$

$$\int_{s+4}^{s+5} f_s(t)\,dt = \frac{1}{15625}\left(99\,_5\Psi_{s-10} - 671\,_5\Psi_{s-5} + 2794\,_5\Psi_s + 1029\,_5\Psi_{s+5} - 126\,_5\Psi_{s+10}\right)$$

となる。

こうして得られた積分値をもとに、あらためて死亡率 $\tilde{q}_x$ を、関係式（＊）から、

$$\tilde{q}_x = 1 - \exp\left(-\int_x^{x+1} \tilde{\mu}_t\,dt\right) = 1 - \exp\left(-\int_x^{x+1} f_s(t)\,dt\right)$$
$$(x = s, s+1, s+2, s+3, s+4)$$

により算出した。

(ⅳ) 男90歳以上、女95歳以上の場合

男90歳以上、女95歳以上の各歳別死亡率 $\tilde{q}_x$ は、男85歳以上、女90歳以上の死力 $\tilde{\mu}_x$ が Gompertz-Makeham 関数

$$\tilde{\mu}_x = A + BC^x$$

で表されるものとして、補間、外挿した。

具体的には、(3)で算出した死亡率 $_n\tilde{q}_x$ を代入した $_n\Psi_x$ を定義し、関係式（＊）に従って、連続する3個の $_n\Psi_x$ に関する条件

男 $\displaystyle\int_{85}^{90}(A+BC^t)\,dt = {}_5\Psi_{85}$、 $\displaystyle\int_{90}^{95}(A+BC^t)\,dt = {}_5\Psi_{90}$、 $\displaystyle\int_{95}^{100}(A+BC^t)\,dt = {}_5\Psi_{95}$

女 $\displaystyle\int_{90}^{95}(A+BC^t)\,dt = {}_5\Psi_{90}$、 $\displaystyle\int_{95}^{100}(A+BC^t)\,dt = {}_5\Psi_{95}$、 $\displaystyle\int_{100}^{105}(A+BC^t)\,dt = {}_5\Psi_{100}$

を、A、B、C について解くと、まず、

男 $\displaystyle C^5 = \frac{{}_5\Psi_{95} - {}_5\Psi_{90}}{{}_5\Psi_{90} - {}_5\Psi_{85}}$ $\displaystyle \therefore C = \sqrt[5]{\frac{{}_5\Psi_{95} - {}_5\Psi_{90}}{{}_5\Psi_{90} - {}_5\Psi_{85}}}$

女 $C^5 = \dfrac{{}_5\Psi_{100} - {}_5\Psi_{95}}{{}_5\Psi_{95} - {}_5\Psi_{90}}$ ∴ $C = \sqrt[5]{\dfrac{{}_5\Psi_{100} - {}_5\Psi_{95}}{{}_5\Psi_{95} - {}_5\Psi_{90}}}$

が分かり、これから、

男 $A = \dfrac{1}{5}\left\{{}_5\Psi_{90} - \dfrac{1}{C^5 - 1}({}_5\Psi_{95} - {}_5\Psi_{90})\right\}$、$B = \dfrac{\log C}{C^{90}(C^5 - 1)^2}({}_5\Psi_{95} - {}_5\Psi_{90})$

女 $A = \dfrac{1}{5}\left\{{}_5\Psi_{95} - \dfrac{1}{C^5 - 1}({}_5\Psi_{100} - {}_5\Psi_{95})\right\}$、$B = \dfrac{\log C}{C^{95}(C^5 - 1)^2}({}_5\Psi_{100} - {}_5\Psi_{95})$

なる解を得るので、

男 $\displaystyle\int_x^{x+1}(A + BC^t)dt = \dfrac{1}{5}\left\{{}_5\Psi_{90} - \dfrac{1}{C^5 - 1}({}_5\Psi_{95} - {}_5\Psi_{90})\right\} + \dfrac{C - 1}{(C^5 - 1)^2}C^{x-90}({}_5\Psi_{95} - {}_5\Psi_{90})$

女 $\displaystyle\int_x^{x+1}(A + BC^t)dt = \dfrac{1}{5}\left\{{}_5\Psi_{95} - \dfrac{1}{C^5 - 1}({}_5\Psi_{100} - {}_5\Psi_{95})\right\} + \dfrac{C - 1}{(C^5 - 1)^2}C^{x-95}({}_5\Psi_{100} - {}_5\Psi_{95})$

となる。

こうして得られた積分値をもとに、各歳別死亡率 $\tilde{q}_x$ を、関係式（＊）から、

$$\tilde{q}_x = 1 - \exp\left(-\int_x^{x+1}\tilde{\mu}_t\,dt\right) = 1 - \exp\left(-\int_x^{x+1}(A + BC^t)dt\right)$$

（男 $x = 90, 91, \cdots, 133$、女 $x = 95, 96, \cdots, 133$）

により算出した。

(5) 死亡率の補整

(4)で得られた各歳別死亡率 $\tilde{q}_x$ について、Greville の3次9項の式による補整を行い、補整後の各歳別死亡率 q_x を求めた。すなわち、

$$q_x = -0.040724\tilde{q}_{x-4} - 0.009873\tilde{q}_{x-3} + 0.118470\tilde{q}_{x-2} + 0.266557\tilde{q}_{x-1} + 0.331140\tilde{q}_x$$
$$+ 0.266557\tilde{q}_{x+1} + 0.118470\tilde{q}_{x+2} - 0.009873\tilde{q}_{x+3} - 0.040724\tilde{q}_{x+4}$$

$(x = 1, 2, \cdots, 129)$

ここで $\tilde{q}_x\ (x = 0, -1, -2, -3)$ は形式的に次式により外挿した。

$$\tilde{q}_x = 1.352613\tilde{q}_{x+1} + 0.114696\tilde{q}_{x+2} - 0.287231\tilde{q}_{x+3} - 0.180078\tilde{q}_{x+4}$$

$(x = 0, -1, -2, -3)$

(6) 生存数 l_x 及び死亡数 ${}_nd_x$ の計算

$l_0 = 100{,}000$ とし、1歳未満では

$l_{4w} = l_0 \times {}_{4w}p_0$　　　　　${}_{4w}d_0 = l_0 - l_{4w}$

$l_{2m} = l_0 \times {}_{2m}p_0$　　　　　${}_{2m-4w}d_{4w} = l_{4w} - l_{2m}$

$l_{3m} = l_0 \times {}_{3m}p_0$　　　　　${}_{1m}d_{2m} = l_{2m} - l_{3m}$

$l_{6m} = l_0 \times {}_{6m}p_0$　　　　　${}_{3m}d_{3m} = l_{3m} - l_{6m}$

$l_1 = l_0 \times p_0$　　　　　　${}_{1y-6m}d_{6m} = l_{6m} - l_1$

　　　　　　　　　　　　　　$d_0 = l_0 - l_1$

また、1歳以上については

$l_{x+1} = l_x \times (1 - q_x)$　　　$d_x = l_x - l_{x+1}$　$(x = 1, 2, 3, \cdots, 129)$

により求めた。

(7) 定常人口 $_nL_x$ 及び T_x の計算

定常人口 $_nL_x$ は、台形近似を用いて、
$$_nL_x = \frac{n}{2}(l_x + l_{x+n}) \quad (x = 0, 4w, 2m, 3m, 6m, 1, 2, \cdots, 129)$$
により求めた。0歳における定常人口 L_0 は、
$$L_0 = {}_{4w}L_0 + {}_{2m-4w}L_{4w} + {}_{1m}L_{2m} + {}_{3m}L_{3m} + {}_{1y-6m}L_{6m}$$
により求めた。

また定常人口 T_x は、
$$T_x = \sum_{t=x}^{129} {}_{n(t)}L_t \quad (x = 0, 4w, 2m, 3m, 6m, 1, 2, \cdots, 129)$$
により求めた。ただし、
$n(0) = 4w, \ n(4w) = 2m - 4w, \ n(2m) = 1m, \ n(3m) = 3m, \ n(6m) = 1y - 6m,$
$n(t) = 1 \ (t = 1, 2, \cdots, 129)$
である。

(8) 平均余命 $\overset{\circ}{e}_x$ の計算

平均余命 $\overset{\circ}{e}_x$ は
$$\overset{\circ}{e}_x = \frac{T_x}{l_x}$$
により求めた。

5 特定死因を除去した場合の生命表の作成方法

通常の生命表で第 i 死因による死亡数、死力などを $_nd_x^i$、μ_x^i などと表し、
$$\frac{_nd_x^i}{_nd_x} \fallingdotseq \frac{_nD_x^i}{_nD_x} \quad \cdots\cdots\cdots\cdots\cdots\cdots\cdots\cdots\cdots\cdots\cdots\cdots\cdots\cdots\cdots\cdots\cdots ①$$
と近似する。一方、第 i 死因を除去した生命表の生命関数には通常の生命関数を表す記号の右肩に $(-i)$ をつけて表すことにすると、死因は互いに独立と仮定すれば、第 i 死因以外の死因による死力は両生命表（通常の生命表と第 i 死因を除去した生命表）で等しくなるから、
$$\mu_x^{(-i)} = \mu_x - \mu_x^i \quad \cdots\cdots\cdots\cdots\cdots\cdots\cdots\cdots\cdots\cdots\cdots\cdots\cdots\cdots\cdots\cdots\cdots ②$$
が成立する。

さて、$\mu_x^i / \mu_x = \gamma_x^i$ とおくと、平均値の定理より次式を満たす $s \ (x < s < x+n)$ が存在する。
$$_nd_x^i = \int_x^{x+n} l_t \cdot \mu_t^i \, dt = \gamma_s^i \cdot {}_nd_x \quad \cdots\cdots\cdots\cdots\cdots\cdots\cdots\cdots\cdots ③$$

次に②式を x から $x+n$ まで積分すると、平均値の定理より次式を満たす
$u \ (x < u < x+n)$ が存在する。

$$\log {}_np_x^{(-i)} = -\int_x^{x+n}(1-\gamma_t^i)\cdot\mu_t\,dt = (1-\gamma_u^i)\log {}_np_x$$

上式に③と①を代入して（$\gamma_u^i \fallingdotseq \gamma_s^i$ とみなす）、

$$\log {}_np_x^{(-i)} \fallingdotseq \left(1-\frac{{}_nD_s^i}{{}_nD_s}\right)\log {}_np_x$$

$$\therefore {}_np_x^{(-i)} \fallingdotseq \exp\left\{\left(1-\frac{{}_nD_s^i}{{}_nD_s}\right)\log {}_np_x\right\}$$

この関係式をもとにして、

$${}_nq_x^{(-i)} \fallingdotseq 1 - \exp\left\{\left(1-\frac{{}_nD_s^i}{{}_nD_s}\right)\log(1-{}_nq_x)\right\} \quad (x=0,4w,2m,3m,6m,1,2,\cdots,129)$$

により、第 i 死因を除去した場合の生命表を作成した。ここで ${}_nD_s^i/{}_nD_s$ の値は、sが属する年齢区分にしたがって、$x=0,4w,2m,3m,6m$ のときは $D^i\binom{x}{x+n}/D\binom{x}{x+n}$ とし、$x=1,2,3,4$ のときは ${}_4D_1^i/{}_4D_1$ とし、$x=5,6,\cdots,99$ のときは $s\leqq x<s+5$ なる5の倍数 s を用いて ${}_5D_s^i/{}_5D_s$ とし、$x=100,101,\cdots,129$ のときは ${}_\infty D_{100}^i/{}_\infty D_{100}$ とした。特定死因を除去した場合の平均余命の延びは $\overset{\circ}{e}_x^{(-i)}-\overset{\circ}{e}_x$ により求めた。

6　死因別死亡確率の算定方法

x 歳における死因別死亡確率 R_x^i は、次式により算定した。

$$R_x^i = \frac{{}_\infty d_x^i}{l_x} = \frac{1}{l_x}\sum_{t=x}^{129}{}_nd_t^i = \frac{1}{l_x}\sum_{t=x}^{129}\frac{{}_nD_s^i}{{}_nD_s}\cdot {}_nd_t$$

ここで ${}_nD_s^i/{}_nD_s$ の値は5と同様の取り方をしている。

（備考）　5及び6は

Mortality Tables Analyzed by Cause of Death, T.N.E.Greville, 1948 によった。

Ⅱ 令和2年都道府県別生命表の概況

都道府県別生命表について

(1) 生命表とは

　生命表とは、ある人口集団の死亡状況が今後変化しないと仮定したときに、各年齢の者が死亡する確率や平均してあと何年生きられるかという期待値などを死亡率や平均余命などの指標によって表したものである。
　これらの指標は、男女別に各年齢の死亡数と人口を基にして計算しており、ある人口集団の年齢構成には左右されず、死亡状況のみを表している。したがって、ある人口集団の死亡状況を厳密に分析する上で不可欠なものとなっている。また、0歳の平均余命である「平均寿命」は、ある人口集団の全ての年齢の死亡状況を集約したものとなっており、保健福祉水準を総合的に示す指標として広く活用されている。

(2) 都道府県別生命表

　都道府県別生命表は、人口動態統計及び国勢調査のデータを用いて、5年ごとに作成しており、昭和40年（1965）より通算して今回が12回目となる。都道府県別生命表は、死亡状況を都道府県単位で比較分析するために不可欠なものとなっている。
　なお、都道府県別生命表に掲載されている全国値は都道府県の値との比較の観点から、各都道府県と同様の方法で算出しており、完全生命表の算出方法及び結果とは異なったものとなっている。全国における死亡状況を表したものとしては、完全生命表を用いるのが適切である。

(3) 基礎資料

　令和2年都道府県別生命表は、小地域における死亡数の偶然変動の影響を少なくするために、人口動態統計（確定数）による日本における日本人の死亡数（令和元年～3年）及び出生数（平成30年～令和3年）、令和2年国勢調査による日本人人口（確定数）を基礎資料としており、令和元年～3年の都道府県別の日本人の死亡状況を表している（なお、簡易生命表及び完全生命表は、人口動態統計における単年の死亡数及び2年分の出生数を基礎資料としている）。

＜利用上の注意＞

(1) 表章記号の規約

計数不明または表章することが不適当な場合	…
計数が微小（0.005未満）の場合	0.00

(2) 表示数値が同じであった場合、表示桁以下の数値を基に順位付けを行っている。

(3) 表示の桁に満たない端数については、掲載時に四捨五入している。

(4) 公表している生命表の資料は次のとおりである。

簡易生命表(基幹統計)	完全生命表(基幹統計)	都道府県別生命表	市区町村別生命表
作成頻度：毎年	作成頻度：5年ごと	作成頻度：5年ごと	作成頻度：5年ごと
作成方法：推計人口による日本人人口、人口動態統計（概数）をもとに作成	作成方法：国勢調査による日本人人口（確定数）、人口動態統計（確定数）をもとに作成	作成方法：国勢調査による日本人人口（確定数）、国勢調査年を含む前後3年間の人口動態統計（確定数）をもとに作成	作成方法：国勢調査による日本人人口（確定数）、国勢調査年を含む前後3年間の人口動態統計（確定数）をもとに作成

※本概況は太線の部分である。

1 都道府県別にみた平均余命

（1） 平均寿命

平均寿命（0歳の平均余命）は、全国の男で81.49年、女で87.60年となっているが、これを都道府県別にみると、男では、滋賀が82.73年で最も長く、次いで長野の82.68年、奈良の82.40年の順となっている。女では、岡山が88.29で最も長く、次いで滋賀の88.26年、京都の88.25年の順となっている。

平均寿命の最も長い都道府県と最も短い都道府県との差は、男3.46年、女1.96年となっている。
（表1、図1）

表1　平均寿命　（令和2年（2020））

（単位：年）

順位	男 都道府県	男 平均寿命	女 都道府県	女 平均寿命
	全　国	81.49	全　国	87.60
1	滋　賀	82.73	岡　山	88.29
2	長　野	82.68	滋　賀	88.26
3	奈　良	82.40	京　都	88.25
4	京　都	82.24	長　野	88.23
5	神奈川	82.04	熊　本	88.22
6	石　川	82.00	島　根	88.21
7	福　井	81.98	広　島	88.16
8	広　島	81.95	石　川	88.11
9	熊　本	81.91	大　分	87.99
10	岡　山	81.90	富　山	87.97
11	岐　阜	81.90	奈　良	87.95
12	大　分	81.88	山　梨	87.94
13	愛　知	81.77	鳥　取	87.91
14	東　京	81.77	兵　庫	87.90
15	富　山	81.74	神奈川	87.89
16	兵　庫	81.72	沖　縄	87.88
17	山　梨	81.71	東　京	87.86
18	宮　城	81.70	高　知	87.84
19	三　重	81.68	福　井	87.84
20	島　根	81.63	佐　賀	87.78
21	静　岡	81.59	福　岡	87.70
22	香　川	81.56	香　川	87.64
23	千　葉	81.45	宮　崎	87.60
24	埼　玉	81.44	三　重	87.59
25	佐　賀	81.41	新　潟	87.57
26	山　形	81.39	鹿児島	87.53
27	福　岡	81.38	愛　知	87.52
28	鳥　取	81.34	岐　阜	87.51
29	新　潟	81.29	宮　城	87.51
30	徳　島	81.27	千　葉	87.50
31	宮　崎	81.15	静　岡	87.48
32	愛　媛	81.13	山　口	87.43
33	群　馬	81.13	徳　島	87.42
34	山　口	81.12	長　崎	87.41
35	和歌山	81.03	山　形	87.38
36	長　崎	81.01	大　阪	87.37
37	栃　木	81.00	和歌山	87.36
38	鹿児島	80.95	愛　媛	87.34
39	北海道	80.92	埼　玉	87.31
40	茨　城	80.89	群　馬	87.18
41	大　阪	80.81	秋　田	87.10
42	高　知	80.79	北海道	87.08
43	沖　縄	80.73	岩　手	87.05
44	岩　手	80.64	茨　城	86.94
45	福　島	80.60	栃　木	86.89
46	秋　田	80.48	福　島	86.81
47	青　森	79.27	青　森	86.33

図1　平均寿命　（令和2年（2020））

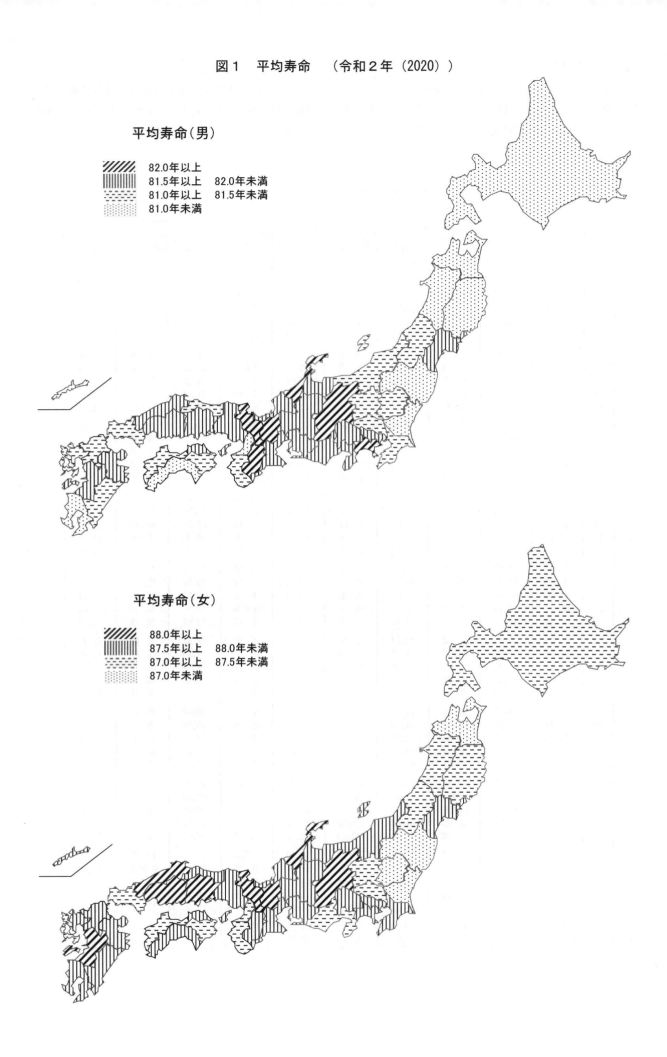

(2) 主な年齢の平均余命

主な年齢の平均余命を都道府県別にみると、男女とも、平均寿命が長い都道府県は他の年齢の平均余命も長いという傾向がみられるが、75歳の平均余命の順位を0歳と比較すると、男では、沖縄、宮崎、鹿児島、高知で大きく上がっているのに対し、石川、福井、富山、愛知で大きく下がっている（表2-1、表2-2）。

表2-1　主な年齢の平均余命（男）　（令和2年（2020））

(単位：年)

順位	0歳 都道府県	平均寿命	20歳 都道府県	平均余命	40歳 都道府県	平均余命	65歳 都道府県	平均余命	75歳 都道府県	平均余命
	全国	81.49	全国	61.84	全国	42.43	全国	19.89	全国	12.47
1	滋賀	82.73	滋賀	63.07	長野	43.73	長野	20.86	長野	13.12
2	長野	82.68	長野	63.07	滋賀	43.67	滋賀	20.68	沖縄	12.93
3	奈良	82.40	奈良	62.76	奈良	43.36	奈良	20.53	滋賀	12.91
4	京都	82.24	京都	62.54	京都	43.12	熊本	20.45	熊本	12.88
5	神奈川	82.04	福井	62.43	福井	42.99	京都	20.39	奈良	12.80
6	石川	82.00	神奈川	62.36	岡山	42.93	広島	20.28	京都	12.79
7	福井	81.98	石川	62.34	熊本	42.91	神奈川	20.23	広島	12.77
8	広島	81.95	熊本	62.29	大分	42.91	大分	20.22	神奈川	12.76
9	熊本	81.91	岡山	62.29	神奈川	42.89	岡山	20.21	山梨	12.68
10	岡山	81.90	広島	62.26	石川	42.87	山梨	20.21	大分	12.68
11	岐阜	81.90	岐阜	62.22	広島	42.86	宮城	20.12	岡山	12.65
12	大分	81.88	大分	62.20	岐阜	42.84	福井	20.11	宮崎	12.63
13	愛知	81.77	愛知	62.12	山梨	42.72	岐阜	20.08	鹿児島	12.61
14	東京	81.77	山梨	62.09	宮城	42.70	石川	20.07	香川	12.59
15	富山	81.74	東京	62.08	兵庫	42.68	沖縄	20.07	島根	12.58
16	兵庫	81.72	兵庫	62.04	愛知	42.66	兵庫	20.06	兵庫	12.57
17	山梨	81.71	富山	62.03	富山	42.65	香川	20.04	東京	12.56
18	宮城	81.70	宮城	62.02	静岡	42.62	島根	20.01	鳥取	12.53
19	三重	81.68	三重	62.00	三重	42.62	山形	19.98	千葉	12.52
20	島根	81.63	静岡	61.98	香川	42.59	静岡	19.98	宮城	12.52
21	静岡	81.59	島根	61.93	島根	42.59	宮崎	19.97	静岡	12.48
22	香川	81.56	香川	61.90	東京	42.53	三重	19.96	佐賀	12.46
23	千葉	81.45	千葉	61.83	山形	42.52	千葉	19.95	石川	12.44
24	埼玉	81.44	埼玉	61.75	佐賀	42.42	鹿児島	19.94	高知	12.44
25	佐賀	81.41	山形	61.75	千葉	42.40	佐賀	19.94	岐阜	12.44
26	山形	81.39	佐賀	61.74	徳島	42.33	富山	19.93	愛媛	12.43
27	福岡	81.38	福岡	61.73	福岡	42.33	東京	19.89	福岡	12.42
28	鳥取	81.34	鳥取	61.70	鳥取	42.31	愛知	19.87	三重	12.40
29	新潟	81.29	徳島	61.65	埼玉	42.29	徳島	19.83	福井	12.39
30	徳島	81.27	新潟	61.59	新潟	42.24	鳥取	19.80	長崎	12.38
31	宮崎	81.15	宮崎	61.55	宮崎	42.23	埼玉	19.79	徳島	12.38
32	愛媛	81.13	山口	61.50	山口	42.13	福岡	19.78	埼玉	12.37
33	群馬	81.13	群馬	61.43	鹿児島	42.12	愛媛	19.77	山形	12.37
34	山口	81.12	愛媛	61.43	群馬	42.10	新潟	19.73	富山	12.37
35	和歌山	81.03	栃木	61.41	愛媛	42.08	高知	19.73	愛知	12.36
36	長崎	81.01	長崎	61.36	栃木	42.07	長崎	19.70	北海道	12.35
37	栃木	81.00	和歌山	61.35	高知	42.06	栃木	19.70	栃木	12.32
38	鹿児島	80.95	鹿児島	61.35	長崎	42.04	北海道	19.67	茨城	12.28
39	北海道	80.92	高知	61.35	北海道	42.02	山口	19.64	山口	12.28
40	茨城	80.89	茨城	61.31	和歌山	42.02	茨城	19.62	新潟	12.26
41	大阪	80.81	北海道	61.30	茨城	42.00	和歌山	19.62	群馬	12.23
42	高知	80.79	大阪	61.15	福島	41.74	群馬	19.60	和歌山	12.18
43	沖縄	80.73	沖縄	61.08	沖縄	41.71	福島	19.48	大阪	12.17
44	岩手	80.64	福島	61.05	大阪	41.71	岩手	19.42	福島	12.12
45	福島	80.60	岩手	61.00	岩手	41.64	大阪	19.35	岩手	12.11
46	秋田	80.48	秋田	60.80	秋田	41.52	秋田	19.23	秋田	11.92
47	青森	79.27	青森	59.66	青森	40.46	青森	18.51	青森	11.54

一方、女では、男ほどの大きな順位の変動はないが、沖縄、高知、北海道、愛媛などで上がっているのに対し、滋賀、石川、富山、岐阜、三重などで下がっている（表２－２）。

表２－２　主な年齢の平均余命（女）　（令和２年（2020））

(単位：年)

順位	0歳		20歳		40歳		65歳		75歳	
	都道府県	平均寿命	都道府県	平均余命	都道府県	平均余命	都道府県	平均余命	都道府県	平均余命
	全　国	87.60	全　国	67.91	全　国	48.26	全　国	24.77	全　国	16.12
1	岡　山	88.29	岡　山	68.58	長　野	48.91	沖　縄	25.44	沖　縄	16.85
2	滋　賀	88.26	滋　賀	68.57	滋　賀	48.89	長　野	25.37	熊　本	16.54
3	京　都	88.25	島　根	68.51	岡　山	48.88	島　根	25.30	長　野	16.53
4	長　野	88.23	長　野	68.51	島　根	48.85	岡　山	25.27	岡　山	16.52
5	熊　本	88.22	京　都	68.51	京　都	48.82	熊　本	25.26	島　根	16.51
6	島　根	88.21	熊　本	68.50	熊　本	48.81	京　都	25.18	高　知	16.51
7	広　島	88.16	広　島	68.44	広　島	48.74	広　島	25.14	広　島	16.44
8	石　川	88.11	石　川	68.35	奈　良	48.69	滋　賀	25.14	京　都	16.44
9	大　分	87.99	奈　良	68.32	大　分	48.69	高　知	25.14	鳥　取	16.41
10	富　山	87.97	大　分	68.31	石　川	48.66	奈　良	25.11	神奈川	16.35
11	奈　良	87.95	福　井	68.26	鳥　取	48.62	鳥　取	25.11	大　分	16.33
12	山　梨	87.94	鳥　取	68.23	福　井	48.58	大　分	25.08	東　京	16.33
13	鳥　取	87.91	富　山	68.21	高　知	48.57	山　梨	25.04	奈　良	16.32
14	兵　庫	87.90	山　梨	68.19	山　梨	48.57	神奈川	24.99	滋　賀	16.32
15	神奈川	87.89	沖　縄	68.19	沖　縄	48.56	石　川	24.96	山　梨	16.31
16	沖　縄	87.88	神奈川	68.19	兵　庫	48.54	兵　庫	24.95	福　岡	16.28
17	東　京	87.86	兵　庫	68.18	富　山	48.52	東　京	24.93	兵　庫	16.24
18	高　知	87.84	高　知	68.16	神奈川	48.52	富　山	24.92	宮　崎	16.23
19	福　井	87.84	東　京	68.13	佐　賀	48.46	福　井	24.91	石　川	16.22
20	佐　賀	87.78	佐　賀	68.12	東　京	48.45	福　岡	24.91	富　山	16.20
21	福　岡	87.70	福　岡	68.02	福　岡	48.37	佐　賀	24.88	鹿児島	16.18
22	香　川	87.64	新　潟	67.91	鹿児島	48.32	宮　崎	24.87	佐　賀	16.17
23	宮　崎	87.60	香　川	67.90	香　川	48.31	鹿児島	24.87	香　川	16.17
24	三　重	87.59	宮　崎	67.90	宮　崎	48.29	香　川	24.84	福　井	16.11
25	新　潟	87.57	鹿児島	67.87	新　潟	48.28	新　潟	24.78	北海道	16.11
26	鹿児島	87.53	三　重	67.86	宮　城	48.23	長　崎	24.72	長　崎	16.07
27	愛　知	87.52	静　岡	67.84	静　岡	48.22	千　葉	24.72	千　葉	16.05
28	岐　阜	87.51	愛　知	67.83	三　重	48.21	宮　城	24.71	山　口	16.03
29	宮　城	87.51	千　葉	67.82	山　形	48.18	山　口	24.70	愛　媛	16.02
30	千　葉	87.50	宮　城	67.82	千　葉	48.17	静　岡	24.69	静　岡	16.01
31	静　岡	87.48	長　崎	67.80	長　崎	48.16	山　形	24.65	新　潟	16.01
32	山　口	87.43	岐　阜	67.80	愛　知	48.16	愛　媛	24.62	宮　城	16.01
33	徳　島	87.42	山　口	67.79	岐　阜	48.16	岐　阜	24.62	大　阪	15.98
34	長　崎	87.41	山　形	67.76	山　口	48.15	愛　知	24.58	愛　知	15.92
35	山　形	87.38	和歌山	67.73	徳　島	48.08	三　重	24.57	埼　玉	15.92
36	大　阪	87.37	徳　島	67.71	和歌山	48.07	埼　玉	24.55	徳　島	15.91
37	和歌山	87.36	愛　媛	67.66	愛　媛	48.02	大　阪	24.55	山　形	15.90
38	愛　媛	87.34	大　阪	67.63	大　阪	47.98	徳　島	24.55	岐　阜	15.89
39	埼　玉	87.31	埼　玉	67.58	埼　玉	47.94	北海道	24.54	和歌山	15.89
40	群　馬	87.18	群　馬	67.51	群　馬	47.91	和歌山	24.54	三　重	15.86
41	秋　田	87.10	秋　田	67.41	秋　田	47.84	秋　田	24.51	秋　田	15.86
42	北海道	87.08	北海道	67.41	北海道	47.82	岩　手	24.44	岩　手	15.85
43	岩　手	87.05	茨　城	67.41	茨　城	47.81	群　馬	24.43	群　馬	15.78
44	茨　城	86.94	岩　手	67.33	岩　手	47.73	茨　城	24.36	茨　城	15.69
45	栃　木	86.89	福　島	67.22	福　島	47.65	栃　木	24.28	福　島	15.67
46	福　島	86.81	栃　木	67.20	栃　木	47.65	福　島	24.26	栃　木	15.65
47	青　森	86.33	青　森	66.69	青　森	47.10	青　森	23.92	青　森	15.41

(3) 主な年齢の平均余命の男女差

　男女の平均寿命の差は全国で6.11年となっており、これを都道府県別にみると、沖縄が7.15年で最も大きく、次いで高知の7.06年、青森の7.05年となっている。一方、男女差の最も小さな都道府県は滋賀の5.53年であり、次いで奈良の5.54年、長野の5.55年となっている。（表3－1、表3－2）

表3－1　主な年齢の平均余命の男女差　（令和2年（2020））

(単位：年)

順位	0歳 都道府県	男女差（女－男）	20歳 都道府県	男女差（女－男）	40歳 都道府県	男女差（女－男）	65歳 都道府県	男女差（女－男）	75歳 都道府県	男女差（女－男）
	全　国	6.11	全　国	6.07	全　国	5.83	全　国	4.88	全　国	3.65
1	沖　縄	7.15	沖　縄	7.10	沖　縄	6.84	青　森	5.41	高　知	4.07
2	高　知	7.06	青　森	7.03	青　森	6.63	高　知	5.40	島　根	3.94
3	青　森	7.05	高　知	6.81	高　知	6.51	沖　縄	5.37	秋　田	3.93
4	秋　田	6.62	秋　田	6.61	秋　田	6.32	鳥　取	5.31	沖　縄	3.92
5	鹿児島	6.59	島　根	6.59	鳥　取	6.31	島　根	5.28	鳥　取	3.88
6	島　根	6.58	鳥　取	6.53	大　阪	6.27	秋　田	5.28	青　森	3.88
7	鳥　取	6.57	鹿児島	6.52	島　根	6.26	大　阪	5.20	岡　山	3.86
8	大　阪	6.56	大　阪	6.48	鹿児島	6.20	福　岡	5.13	福　岡	3.86
9	宮　崎	6.45	長　崎	6.44	長　崎	6.12	山　口	5.06	富　山	3.83
10	岩　手	6.42	佐　賀	6.38	岩　手	6.09	岡　山	5.05	大　阪	3.80
11	長　崎	6.40	和歌山	6.37	宮　崎	6.06	新　潟	5.05	石　川	3.78
12	岡　山	6.39	宮　崎	6.34	和歌山	6.05	東　京	5.04	東　京	3.77
13	佐　賀	6.36	岩　手	6.33	佐　賀	6.04	岩　手	5.02	北海道	3.76
14	和歌山	6.33	新　潟	6.32	新　潟	6.04	長　崎	5.02	山　口	3.75
15	福　岡	6.32	山　口	6.30	福　岡	6.04	富　山	4.99	新　潟	3.75
16	熊　本	6.32	岡　山	6.29	山　口	6.02	佐　賀	4.95	岩　手	3.74
17	山　口	6.31	福　岡	6.29	岡　山	5.95	鹿児島	4.93	福　井	3.72
18	新　潟	6.28	愛　媛	6.23	愛　媛	5.94	和歌山	4.92	佐　賀	3.71
19	山　梨	6.23	熊　本	6.21	東　京	5.92	宮　崎	4.90	和歌山	3.71
20	富　山	6.23	広　島	6.18	福　島	5.91	兵　庫	4.90	長　崎	3.68
21	福　島	6.21	富　山	6.18	熊　本	5.91	石　川	4.89	兵　庫	3.67
22	広　島	6.21	福　島	6.18	広　島	5.88	北海道	4.87	広　島	3.67
23	愛　媛	6.20	兵　庫	6.14	富　山	5.87	広　島	4.86	熊　本	3.67
24	兵　庫	6.18	大　分	6.11	兵　庫	5.86	大　分	4.86	大　分	3.65
25	北海道	6.16	北海道	6.11	山　梨	5.85	愛　媛	4.85	京　都	3.65
26	徳　島	6.15	山　梨	6.10	群　馬	5.82	群　馬	4.83	山　梨	3.63
27	大　分	6.11	茨　城	6.09	茨　城	5.81	山　梨	4.83	宮　崎	3.60
28	石　川	6.10	群　馬	6.08	北海道	5.80	熊　本	4.81	神奈川	3.59
29	東　京	6.09	徳　島	6.06	石　川	5.80	福　井	4.80	香　川	3.58
30	香　川	6.08	東　京	6.05	大　分	5.78	香　川	4.80	愛　媛	3.58
31	千　葉	6.06	石　川	6.01	千　葉	5.78	京　都	4.79	鹿児島	3.57
32	群　馬	6.05	山　形	6.01	徳　島	5.75	福　島	4.79	愛　知	3.56
33	茨　城	6.05	香　川	6.00	香　川	5.72	千　葉	4.77	群　馬	3.56
34	京　都	6.01	千　葉	6.00	京　都	5.70	埼　玉	4.76	福　島	3.55
35	山　形	6.00	京　都	5.97	山　形	5.66	神奈川	4.75	埼　玉	3.54
36	三　重	5.92	静　岡	5.86	埼　玉	5.65	茨　城	4.74	静　岡	3.54
37	静　岡	5.90	三　重	5.85	神奈川	5.62	静　岡	4.71	千　葉	3.53
38	栃　木	5.89	福　井	5.83	三　重	5.60	徳　島	4.71	山　形	3.53
39	埼　玉	5.88	埼　玉	5.83	静　岡	5.59	愛　知	4.71	徳　島	3.52
40	福　井	5.86	神奈川	5.82	福　井	5.59	山　形	4.67	奈　良	3.51
41	神奈川	5.85	宮　城	5.80	栃　木	5.58	三　重	4.61	宮　城	3.49
42	宮　城	5.81	栃　木	5.79	宮　城	5.53	宮　城	4.59	三　重	3.47
43	愛　知	5.75	愛　知	5.71	愛　知	5.51	栃　木	4.58	岐　阜	3.45
44	岐　阜	5.61	岐　阜	5.57	奈　良	5.33	奈　良	4.58	茨　城	3.41
45	長　野	5.55	奈　良	5.56	岐　阜	5.32	岐　阜	4.54	長　野	3.41
46	奈　良	5.54	滋　賀	5.50	滋　賀	5.22	長　野	4.51	滋　賀	3.40
47	滋　賀	5.53	長　野	5.44	長　野	5.18	滋　賀	4.46	栃　木	3.32

表3-2 主な年齢の平均余命の男女差（都道府県順） （令和2年（2020））

(単位:年)

都道府県	0歳 男女差（女-男）	順位	20歳 男女差（女-男）	順位	40歳 男女差（女-男）	順位	65歳 男女差（女-男）	順位	75歳 男女差（女-男）	順位
全　　国	6.11		6.07		5.83		4.88		3.65	
北　海　道	6.16	25	6.11	25	5.80	28	4.87	22	3.76	13
青　　森	7.05	3	7.03	2	6.63	2	5.41	1	3.88	6
岩　　手	6.42	10	6.33	13	6.09	10	5.02	13	3.74	16
宮　　城	5.81	42	5.80	41	5.53	42	4.59	42	3.49	41
秋　　田	6.62	4	6.61	4	6.32	4	5.28	6	3.93	3
山　　形	6.00	35	6.01	32	5.66	35	4.67	40	3.53	38
福　　島	6.21	21	6.18	22	5.91	20	4.79	32	3.55	34
茨　　城	6.05	33	6.09	27	5.81	27	4.74	36	3.41	44
栃　　木	5.89	38	5.79	42	5.58	41	4.58	43	3.32	47
群　　馬	6.05	32	6.08	28	5.82	26	4.83	26	3.56	33
埼　　玉	5.88	39	5.83	39	5.65	36	4.76	34	3.54	35
千　　葉	6.06	31	6.00	34	5.78	31	4.77	33	3.53	37
東　　京	6.09	29	6.05	30	5.92	19	5.04	12	3.77	12
神　奈　川	5.85	41	5.82	40	5.62	37	4.75	35	3.59	28
新　　潟	6.28	18	6.32	14	6.04	14	5.05	11	3.75	15
富　　山	6.23	20	6.18	21	5.87	23	4.99	15	3.83	9
石　　川	6.10	28	6.01	31	5.80	29	4.89	21	3.78	11
福　　井	5.86	40	5.83	38	5.59	40	4.80	29	3.72	17
山　　梨	6.23	19	6.10	26	5.85	25	4.83	27	3.63	26
長　　野	5.55	45	5.44	47	5.18	47	4.51	46	3.41	45
岐　　阜	5.61	44	5.57	44	5.32	45	4.54	45	3.45	43
静　　岡	5.90	37	5.86	36	5.59	39	4.71	37	3.54	36
愛　　知	5.75	43	5.71	43	5.51	43	4.71	39	3.56	32
三　　重	5.92	36	5.85	37	5.60	38	4.61	41	3.47	42
滋　　賀	5.53	47	5.50	46	5.22	46	4.46	47	3.40	46
京　　都	6.01	34	5.97	35	5.70	34	4.79	31	3.65	25
大　　阪	6.56	8	6.48	8	6.27	6	5.20	7	3.80	10
兵　　庫	6.18	24	6.14	23	5.86	24	4.90	20	3.67	21
奈　　良	5.54	46	5.56	45	5.33	44	4.58	44	3.51	40
和　歌　山	6.33	14	6.37	11	6.05	12	4.92	18	3.71	19
鳥　　取	6.57	7	6.53	6	6.31	5	5.31	4	3.88	5
島　　根	6.58	6	6.59	5	6.26	7	5.28	5	3.94	2
岡　　山	6.39	12	6.29	16	5.95	17	5.05	10	3.86	7
広　　島	6.21	22	6.18	20	5.88	22	4.86	23	3.67	22
山　　口	6.31	17	6.30	15	6.02	16	5.06	9	3.75	14
徳　　島	6.15	26	6.06	29	5.75	32	4.71	38	3.52	39
香　　川	6.08	30	6.00	33	5.72	33	4.80	30	3.58	29
愛　　媛	6.20	23	6.23	18	5.94	18	4.85	25	3.58	30
高　　知	7.06	2	6.81	3	6.51	3	5.40	2	4.07	1
福　　岡	6.32	15	6.29	17	6.04	15	5.13	8	3.86	8
佐　　賀	6.36	13	6.38	10	6.04	13	4.95	16	3.71	18
長　　崎	6.40	11	6.44	9	6.12	9	5.02	14	3.68	20
熊　　本	6.32	16	6.21	19	5.91	21	4.81	28	3.67	23
大　　分	6.11	27	6.11	24	5.78	30	4.86	24	3.65	24
宮　　崎	6.45	9	6.34	12	6.06	11	4.90	19	3.60	27
鹿　児　島	6.59	5	6.52	7	6.20	8	4.93	17	3.57	31
沖　　縄	7.15	1	7.10	1	6.84	1	5.37	3	3.92	4

2　都道府県別にみた平均寿命の年次推移

（1）　平均寿命の年次推移

昭和40年（1965）から令和2年（2020）までの平均寿命の年次推移を都道府県別にみると、常に上位10位以内に入っているのは、男では、長野、神奈川の2県、女では、岡山の1県となっている（表4-1、表4-2）。

表4-1　平均寿命の年次推移（男）

(単位：年)

順位	昭和40年(1965) 都道府県	平均寿命	順位	昭和50年(1975) 都道府県	平均寿命	順位	昭和60年(1985) 都道府県	平均寿命	順位	平成7年(1995) 都道府県	平均寿命	順位	平成17年(2005) 都道府県	平均寿命	順位	平成27年(2015) 都道府県	平均寿命	順位	令和2年(2020) 都道府県	平均寿命
	全国	67.74		全国	71.79		全国	74.95		全国	76.70 (76.72)		全国	78.79		全国	80.77		全国	81.49
1	東京	69.84	1	東京	73.19	1	沖縄	76.34	1	長野	78.08	1	長野	79.84	1	滋賀	81.78	1	滋賀	82.73
2	京都	69.18	2	神奈川	72.95	2	長野	75.91	2	福井	77.51	2	滋賀	79.60	2	長野	81.75	2	長野	82.68
3	神奈川	69.05	3	京都	72.63	3	福井	75.64	3	熊本	77.31	3	神奈川	79.52	3	京都	81.40	3	奈良	82.40
4	愛知	69.00	4	長野	72.40	4	香川	75.61	4	沖縄	77.22	4	福井	79.47	4	奈良	81.36	4	京都	82.24
5	岐阜	68.90	5	愛知	72.39	5	東京	75.60	5	静岡	77.22	5	東京	79.36	5	神奈川	81.32	5	神奈川	82.04
6	岡山	68.68	6	静岡	72.32	6	神奈川	75.59	6	神奈川	77.20	6	静岡	79.35	6	福井	81.27	6	石川	82.00
7	三重	68.61	7	岡山	72.25	7	岐阜	75.53	7	岐阜	77.17	7	京都	79.34	7	熊本	81.22	7	福井	81.98
7	広島	68.61	8	福井	72.21	8	静岡	75.48	8	石川	77.16	8	石川	79.26	8	愛知	81.10	8	広島	81.95
9	長野	68.45	9	岐阜	72.18	9	愛知	75.44	9	富山	77.16	9	奈良	79.25	9	広島	81.08	9	熊本	81.91
10	兵庫	68.29	10	沖縄	72.15	10	京都	75.39	10	奈良	77.14	10	熊本	79.22	10	大分	81.08	10	岡山	81.90
11	静岡	68.21	11	広島	72.04	11	滋賀	75.34	11	京都	77.14	11	岡山	79.22	11	東京	81.07	11	岐阜	81.90
12	大阪	68.02	12	奈良	72.00	12	島根	75.30	12	滋賀	77.13	12	富山	79.07	12	石川	81.04	12	大分	81.88
13	奈良	67.97	13	千葉	71.99	13	石川	75.28	13	香川	77.12	13	広島	79.06	13	岡山	81.03	13	愛知	81.77
14	福井	67.96	14	香川	71.91	13	岡山	75.28	14	岡山	77.03	14	愛知	79.06	14	岐阜	81.00	14	東京	81.77
15	愛媛	67.81	15	埼玉	71.88	15	千葉	75.27	15	宮城	77.00	15	埼玉	79.05	15	宮城	80.99	15	富山	81.74
16	島根	67.77	16	兵庫	71.82	16	熊本	75.24	16	山形	76.99	16	岐阜	79.00	16	千葉	80.96	16	兵庫	81.72
17	和歌山	67.75	17	三重	71.75	17	埼玉	75.20	17	新潟	76.98	17	大分	78.99	17	静岡	80.95	17	山梨	81.71
18	千葉	67.71	18	山梨	71.66	18	広島	75.19	18	群馬	76.98	18	千葉	78.95	18	兵庫	80.92	18	宮城	81.70
19	香川	67.67	19	石川	71.63	19	宮城	75.11	19	埼玉	76.95	19	香川	78.91	19	三重	80.86	19	三重	81.68
20	山梨	67.56	20	大阪	71.60	19	群馬	75.11	20	東京	76.91	20	三重	78.90	20	香川	80.85	20	島根	81.63
21	北海道	67.46	21	島根	71.55	21	山梨	75.02	21	愛知	76.90	21	山梨	78.89	21	山梨	80.85	21	静岡	81.59
22	鹿児島	67.36	22	滋賀	71.51	22	山形	74.99	22	島根	76.90	22	群馬	78.78	22	埼玉	80.82	22	香川	81.56
23	群馬	67.34	23	宮城	71.50	23	三重	74.87	23	千葉	76.89	23	新潟	78.75	23	島根	80.79	23	千葉	81.45
24	福岡	67.32	24	北海道	71.46	23	奈良	74.87	24	大分	76.83	24	兵庫	78.72	24	新潟	80.69	24	埼玉	81.44
25	山口	67.30	25	鳥取	71.42	25	新潟	74.83	25	山梨	76.82	25	沖縄	78.64	25	福岡	80.66	25	佐賀	81.41
26	宮城	67.29	26	福岡	71.41	26	大分	74.82	26	広島	76.77	26	宮崎	78.62	26	佐賀	80.65	26	山形	81.39
27	埼玉	67.26	27	熊本	71.36	27	富山	74.81	27	三重	76.76	27	宮城	78.60	27	富山	80.61	27	福岡	81.38
27	滋賀	67.26	28	和歌山	71.25	28	愛媛	74.75	28	北海道	76.56	28	山形	78.54	28	群馬	80.61	28	鳥取	81.34
29	新潟	67.18	28	愛媛	71.25	29	北海道	74.50	29	宮崎	76.53	29	島根	78.49	29	山形	80.52	29	新潟	81.29
29	鳥取	67.18	30	群馬	71.23	30	兵庫	74.47	30	福島	76.47	30	茨城	78.35	30	山口	80.51	30	徳島	81.27
29	熊本	67.18	31	山口	71.20	31	山口	74.45	31	愛媛	76.43	31	福岡	78.35	31	長崎	80.38	31	宮崎	81.15
32	石川	67.14	32	新潟	71.14	32	鳥取	74.40	32	山口	76.36	32	佐賀	78.31	32	宮崎	80.34	32	愛媛	81.13
33	茨城	66.99	33	富山	71.11	33	宮崎	74.39	33	岩手	76.35	33	北海道	78.30	33	徳島	80.32	33	群馬	81.13
34	高知	66.94	34	佐賀	71.10	34	福島	74.38	34	茨城	76.32	34	鳥取	78.26	34	茨城	80.28	34	山口	81.12
35	宮崎	66.93	35	大分	71.03	35	栃木	74.36	35	佐賀	76.26	35	愛媛	78.25	35	北海道	80.28	35	和歌山	81.03
36	大分	66.83	36	山形	70.96	36	茨城	74.35	36	徳島	76.21	36	大阪	78.21	36	沖縄	80.27	36	長崎	81.01
37	富山	66.70	37	宮崎	70.75	36	徳島	74.35	37	高知	76.18	37	長崎	78.13	37	高知	80.26	37	栃木	81.00
38	徳島	66.69	38	長崎	70.74	38	佐賀	74.32	38	長崎	76.15	38	山口	78.11	38	大阪	80.23	38	鹿児島	80.95
38	佐賀	66.69	39	福島	70.71	39	岩手	74.27	39	鹿児島	76.13	39	徳島	78.09	39	鳥取	80.17	39	北海道	80.92
40	山形	66.49	39	徳島	70.71	40	和歌山	74.19	40	福岡	76.12	40	栃木	78.01	40	愛媛	80.16	40	茨城	80.89
41	栃木	66.47	41	栃木	70.61	40	福岡	74.19	41	栃木	76.12	41	和歌山	77.97	41	福島	80.12	41	大阪	80.81
42	福島	66.46	42	茨城	70.58	42	秋田	74.12	42	鳥取	76.09	42	福島	77.97	42	栃木	80.10	42	高知	80.79
43	長崎	66.29	43	鹿児島	70.54	43	長崎	74.09	43	和歌山	76.07	43	鹿児島	77.97	43	鹿児島	80.02	43	沖縄	80.73
44	岩手	65.87	44	岩手	70.27	43	鹿児島	74.09	44	秋田	75.92	44	高知	77.93	44	和歌山	79.94	44	岩手	80.64
45	秋田	65.39	45	高知	70.20	45	高知	74.04	45	大阪	75.90	45	岩手	77.81	45	岩手	79.86	45	福島	80.60
46	青森	65.32	46	秋田	70.17	46	大阪	74.01	46	兵庫	75.54 (76.10)	46	秋田	77.44	46	秋田	79.51	46	秋田	80.48
			47	青森	69.69	47	青森	73.05	47	青森	74.71	47	青森	76.27	47	青森	78.67	47	青森	79.27

注：1）昭和40年は沖縄を含まない。
　　2）平成7年の（　）内の数値は、阪神・淡路大震災の影響を除去した場合の数値である。

表4－2 平均寿命の年次推移（女）

(単位：年)

順位	昭和40年(1965) 都道府県	平均寿命	順位	昭和50年(1975) 都道府県	平均寿命	順位	昭和60年(1985) 都道府県	平均寿命	順位	平成7年(1995) 都道府県	平均寿命	順位	平成17年(2005) 都道府県	平均寿命	順位	平成27年(2015) 都道府県	平均寿命	順位	令和2年(2020) 都道府県	平均寿命
	全国	72.92		全国	77.01		全国	80.75		全国	83.22 (83.26)		全国	85.75		全国	87.01		全国	87.60
1	東京	74.70	1	沖縄	78.96	1	沖縄	83.70	1	沖縄	85.08	1	沖縄	86.88	1	長野	87.67	1	岡山	88.29
2	神奈川	74.08	2	東京	77.89	2	島根	81.60	2	熊本	84.39	2	島根	86.57	2	岡山	87.67	2	滋賀	88.26
3	静岡	74.07	3	神奈川	77.85	3	熊本	81.47	3	島根	84.03	3	熊本	86.54	3	島根	87.64	3	京都	88.25
4	岡山	74.03	4	岡山	77.76	4	静岡	81.37	4	長野	83.89	4	岡山	86.49	4	滋賀	87.57	4	長野	88.23
5	広島	73.93	5	静岡	77.64	5	岡山	81.31	5	富山	83.86	5	長野	86.48	5	福井	87.54	5	熊本	88.22
6	京都	73.75	6	島根	77.53	6	香川	81.28	6	岡山	83.81	6	石川	86.46	6	熊本	87.49	6	島根	88.21
7	愛知	73.67	7	広島	77.48	7	神奈川	81.22	7	静岡	83.70	7	富山	86.32	7	沖縄	87.44	7	広島	88.16
8	和歌山	73.57	8	鳥取	77.45	8	山口	81.16	8	山梨	83.67	8	鳥取	86.27	8	富山	87.42	8	石川	88.11
9	兵庫	73.48	9	福岡	77.44	9	長野	81.13	9	広島	83.66	9	新潟	86.27	9	京都	87.35	9	大分	87.99
10	鳥取	73.39	10	山梨	77.43	10	鳥取	81.11	10	宮崎	83.66	10	広島	86.27	10	広島	87.33	10	富山	87.97
11	三重	73.32	11	京都	77.30	11	東京	81.09	11	新潟	83.66	11	福井	86.25	11	新潟	87.32	11	奈良	87.95
11	高知	73.32	12	山口	77.27	12	福井	81.01	12	福井	83.63	12	山梨	86.17	12	大分	87.31	12	山梨	87.94
13	大阪	73.30	13	兵庫	77.13	12	愛媛	81.01	13	大分	83.61	13	滋賀	86.17	13	石川	87.28	13	鳥取	87.91
13	愛媛	73.30	14	香川	77.12	14	高知	80.97	14	鳥取	83.59	14	宮崎	86.11	14	鳥取	87.27	14	兵庫	87.90
15	千葉	73.29	15	千葉	77.07	15	山梨	80.94	15	山口	83.57	15	大分	86.06	15	東京	87.26	15	神奈川	87.89
15	山梨	73.29	16	宮城	77.00	15	広島	80.94	16	高知	83.57	16	静岡	86.06	16	奈良	87.25	16	沖縄	87.88
17	宮城	73.19	16	長野	77.00	15	佐賀	80.94	17	石川	83.54	17	佐賀	86.04	17	神奈川	87.24	17	東京	87.86
18	香川	73.16	18	愛媛	76.91	18	福岡	80.91	18	香川	83.47	18	神奈川	86.03	18	山梨	87.22	18	高知	87.84
19	福岡	73.11	19	熊本	76.89	19	石川	80.89	19	京都	83.44	19	京都	85.92	19	香川	87.21	19	福井	87.84
20	岐阜	73.03	20	三重	76.84	20	千葉	80.88	20	福岡	83.44	20	香川	85.89	20	宮城	87.16	20	佐賀	87.78
21	島根	73.01	21	佐賀	76.83	21	山形	80.86	21	佐賀	83.43	21	高知	85.87	21	福岡	87.14	21	福岡	87.70
22	山口	72.98	22	福井	76.81	21	新潟	80.86	22	北海道	83.41	22	長崎	85.85	22	宮崎	87.12	22	香川	87.64
23	奈良	72.89	22	和歌山	76.81	23	宮崎	80.84	23	岩手	83.41	23	福岡	85.84	23	佐賀	87.12	23	宮崎	87.60
24	福井	72.87	24	宮崎	76.77	24	長崎	80.81	24	鹿児島	83.36	24	奈良	85.84	24	静岡	87.10	24	三重	87.59
25	北海道	72.82	25	新潟	76.76	25	富山	80.80	25	神奈川	83.35	25	北海道	85.78	25	兵庫	87.07	25	新潟	87.57
26	長野	72.81	25	奈良	76.76	26	岩手	80.69	26	宮城	83.32	26	宮城	85.75	26	高知	87.01	26	鹿児島	87.53
27	鹿児島	72.71	27	北海道	76.74	26	宮城	80.69	27	愛媛	83.28	27	山形	85.72	27	三重	86.99	27	愛知	87.52
28	佐賀	72.65	28	大分	76.73	28	京都	80.68	28	長崎	83.23	28	東京	85.70	28	長崎	86.97	28	岐阜	87.51
29	熊本	72.60	29	愛知	76.63	29	埼玉	80.65	29	山形	83.23	29	鹿児島	85.70	29	山形	86.96	29	宮城	87.51
30	茨城	72.52	30	埼玉	76.61	30	滋賀	80.63	30	滋賀	83.20	30	徳島	85.67	30	千葉	86.91	30	千葉	87.50
31	滋賀	72.48	31	石川	76.58	31	三重	80.61	31	千葉	83.19	31	愛媛	85.64	31	山口	86.88	31	静岡	87.48
32	埼玉	72.45	32	大阪	76.57	32	大分	80.58	32	徳島	83.17	32	山口	85.63	32	愛知	86.86	32	山口	87.43
32	宮崎	72.45	33	富山	76.56	33	徳島	80.56	33	東京	83.13	33	兵庫	85.62	33	群馬	86.84	33	徳島	87.42
34	栃木	72.44	34	鹿児島	76.53	34	愛知	80.51	34	群馬	83.12	34	三重	85.58	34	岐阜	86.82	34	長崎	87.41
35	石川	72.40	35	青森	76.50	35	北海道	80.42	35	秋田	83.12	35	岐阜	85.56	35	愛媛	86.82	35	山形	87.38
36	群馬	72.38	35	高知	76.50	36	兵庫	80.40	36	三重	83.02	36	千葉	85.49	36	鹿児島	86.78	36	大阪	87.37
37	新潟	72.19	37	滋賀	76.47	37	群馬	80.39	37	岐阜	83.00	37	岩手	85.49	37	北海道	86.77	37	和歌山	87.36
38	徳島	72.14	38	長崎	76.46	38	鹿児島	80.34	38	奈良	82.96	38	群馬	85.47	38	大阪	86.73	38	愛媛	87.34
39	大分	72.07	39	群馬	76.42	39	岐阜	80.31	39	福島	82.93	39	福島	85.45	39	埼玉	86.66	39	埼玉	87.31
40	長崎	72.06	40	岐阜	76.41	40	秋田	80.29	40	埼玉	82.92	40	愛知	85.40	40	徳島	86.66	40	群馬	87.18
41	福島	72.04	41	山形	76.35	41	奈良	80.27	41	茨城	82.87	41	和歌山	85.34	41	和歌山	86.47	41	秋田	87.10
41	富山	72.04	41	福島	76.35	42	福島	80.25	42	愛知	82.80	42	埼玉	85.29	42	岩手	86.44	42	北海道	87.08
43	山形	71.94	43	栃木	76.31	43	和歌山	80.13	43	栃木	82.76	43	茨城	85.26	43	福島	86.40	43	岩手	87.05
44	青森	71.77	44	岩手	76.20	44	栃木	79.98	44	和歌山	82.71	44	大阪	85.20	44	秋田	86.38	44	茨城	86.94
45	岩手	71.58	45	茨城	76.12	45	茨城	79.97	45	大阪	82.52	45	秋田	85.19	45	茨城	86.33	45	栃木	86.89
46	秋田	71.24	46	徳島	76.00	46	青森	79.90	46	青森	82.51	46	栃木	85.03	46	栃木	86.24	46	福島	86.81
			47	秋田	75.86	47	大阪	79.84	47	兵庫	81.83 (82.68)	47	青森	84.80	47	青森	85.93	47	青森	86.33

注：1) 昭和40年は沖縄を含まない。
　　2) 平成7年の（ ）内の数値は、阪神・淡路大震災の影響を除去した場合の数値である。

（2） 平均寿命の延び

平成27年（2015）と令和2年（2020）を比較すると、男女とも全都道府県で平均寿命は延びている。大きな延びを示した都道府県は、男では、鳥取（1.17年）、富山（1.13年）、和歌山（1.09年）の順となっており、女では、京都（0.89年）、和歌山（0.88年）、兵庫（0.84年）の順となっている。（表5）

表5 平均寿命の延び（平成27年から令和2年への延び）

（単位：年）

順位	男		女	
	都道府県	延び	都道府県	延び
	全国	0.72	全国	0.60
1	鳥取	1.17	京都	0.89
2	富山	1.13	和歌山	0.88
3	和歌山	1.09	兵庫	0.84
4	奈良	1.04	高知	0.83
5	愛媛	0.97	広島	0.83
6	秋田	0.96	石川	0.83
7	石川	0.96	徳島	0.76
8	滋賀	0.95	鹿児島	0.75
9	徳島	0.95	熊本	0.73
10	長野	0.93	秋田	0.72
11	鹿児島	0.92	山梨	0.72
12	栃木	0.90	奈良	0.69
13	岐阜	0.90	岐阜	0.69
14	岡山	0.87	滋賀	0.69
15	山形	0.87	大分	0.68
16	山梨	0.86	愛知	0.66
17	広島	0.86	佐賀	0.66
18	島根	0.84	神奈川	0.65
19	京都	0.84	埼玉	0.65
20	三重	0.82	栃木	0.65
21	宮崎	0.81	鳥取	0.64
22	大分	0.81	大阪	0.64
23	兵庫	0.80	岩手	0.62
24	岩手	0.78	岡山	0.62
25	佐賀	0.76	茨城	0.61
26	神奈川	0.72	三重	0.60
27	福岡	0.71	東京	0.60
28	福井	0.71	千葉	0.59
29	香川	0.71	島根	0.57
30	宮城	0.71	福岡	0.56
31	東京	0.70	長野	0.56
32	熊本	0.69	山口	0.55
33	愛知	0.67	富山	0.55
34	北海道	0.64	愛媛	0.52
35	静岡	0.63	宮崎	0.48
36	長崎	0.63	長崎	0.44
37	埼玉	0.62	沖縄	0.44
38	山口	0.61	香川	0.43
39	青森	0.61	山形	0.42
40	茨城	0.60	福島	0.41
41	新潟	0.60	青森	0.39
42	大阪	0.57	静岡	0.38
43	高知	0.52	宮城	0.35
44	群馬	0.52	群馬	0.34
45	千葉	0.48	北海道	0.31
46	福島	0.48	福井	0.30
47	沖縄	0.46	新潟	0.25

3 統計表

表1-1 主な年齢の平均余命(男)

令和2年(2020)
(単位:年)

都道府県	0歳 平均寿命	順位	20歳 平均余命	順位	40歳 平均余命	順位	65歳 平均余命	順位	75歳 平均余命	順位
全国	81.49		61.84		42.43		19.89		12.47	
北海道	80.92	39	61.30	41	42.02	39	19.67	38	12.35	36
青森	79.27	47	59.66	47	40.46	47	18.51	47	11.54	47
岩手	80.64	44	61.00	45	41.64	45	19.42	44	12.11	45
宮城	81.70	18	62.02	18	42.70	14	20.12	11	12.52	20
秋田	80.48	46	60.80	46	41.52	46	19.23	46	11.92	46
山形	81.39	26	61.75	25	42.52	23	19.98	19	12.37	33
福島	80.60	45	61.05	44	41.74	42	19.48	43	12.12	44
茨城	80.89	40	61.31	40	42.00	41	19.62	40	12.28	38
栃木	81.00	37	61.41	35	42.07	36	19.70	37	12.32	37
群馬	81.13	33	61.43	33	42.10	34	19.60	42	12.23	41
埼玉	81.44	24	61.75	24	42.29	29	19.79	31	12.37	32
千葉	81.45	23	61.83	23	42.40	25	19.95	23	12.52	19
東京	81.77	14	62.08	15	42.53	22	19.89	27	12.56	17
神奈川	82.04	5	62.36	6	42.89	9	20.23	7	12.76	8
新潟	81.29	29	61.59	30	42.24	30	19.73	34	12.26	40
富山	81.74	15	62.03	17	42.65	17	19.93	26	12.37	34
石川	82.00	6	62.34	7	42.87	10	20.07	14	12.44	23
福井	81.98	7	62.43	5	42.99	5	20.11	12	12.39	29
山梨	81.71	17	62.09	14	42.72	13	20.21	10	12.68	9
長野	82.68	2	63.07	2	43.73	1	20.86	1	13.12	1
岐阜	81.90	11	62.22	11	42.84	12	20.08	13	12.44	25
静岡	81.59	21	61.98	20	42.62	18	19.98	20	12.48	21
愛知	81.77	13	62.12	13	42.66	16	19.87	28	12.36	35
三重	81.68	19	62.00	19	42.62	19	19.96	22	12.40	28
滋賀	82.73	1	63.07	1	43.67	2	20.68	2	12.91	3
京都	82.24	4	62.54	4	43.12	4	20.39	5	12.79	6
大阪	80.81	41	61.15	42	41.71	44	19.35	45	12.17	43
兵庫	81.72	16	62.04	16	42.68	15	20.06	16	12.57	16
奈良	82.40	3	62.76	3	43.36	3	20.53	3	12.80	5
和歌山	81.03	35	61.35	37	42.02	40	19.62	41	12.18	42
鳥取	81.34	28	61.70	28	42.31	28	19.80	30	12.53	18
島根	81.63	20	61.93	21	42.59	21	20.01	18	12.58	15
岡山	81.90	10	62.29	9	42.93	6	20.21	9	12.65	11
広島	81.95	8	62.26	10	42.86	11	20.28	6	12.77	7
山口	81.12	34	61.50	32	42.13	32	19.64	39	12.28	39
徳島	81.27	30	61.65	29	42.33	26	19.83	29	12.38	31
香川	81.56	22	61.90	22	42.59	20	20.04	17	12.59	14
愛媛	81.13	32	61.43	34	42.08	35	19.77	33	12.43	26
高知	80.79	42	61.35	39	42.06	37	19.73	35	12.44	24
福岡	81.38	27	61.73	27	42.33	27	19.78	32	12.42	27
佐賀	81.41	25	61.74	26	42.42	24	19.94	25	12.46	22
長崎	81.01	36	61.36	36	42.04	38	19.70	36	12.38	30
熊本	81.91	9	62.29	8	42.91	7	20.45	4	12.88	4
大分	81.88	12	62.20	12	42.91	8	20.22	8	12.68	10
宮崎	81.15	31	61.55	31	42.23	31	19.97	21	12.63	12
鹿児島	80.95	38	61.35	38	42.12	33	19.94	24	12.61	13
沖縄	80.73	43	61.08	43	41.71	43	20.07	15	12.93	2
(再掲)										
東京都区部	81.54	…	61.84	…	42.27	…	19.65	…	12.41	…
札幌	81.31	…	61.69	…	42.33	…	19.86	…	12.49	…
仙台	82.39	…	62.71	…	43.32	…	20.59	…	12.94	…
さいたま	81.95	…	62.28	…	42.76	…	19.99	…	12.55	…
千葉	81.22	…	61.56	…	42.19	…	19.88	…	12.58	…
横浜	82.32	…	62.62	…	43.14	…	20.34	…	12.84	…
川崎	81.67	…	62.00	…	42.45	…	19.80	…	12.54	…
相模原	81.55	…	61.92	…	42.49	…	20.13	…	12.74	…
新潟	81.55	…	61.76	…	42.35	…	19.83	…	12.38	…
静岡	81.67	…	62.03	…	42.55	…	19.85	…	12.39	…
浜松	82.24	…	62.66	…	43.21	…	20.37	…	12.74	…
名古屋	81.32	…	61.65	…	42.14	…	19.45	…	12.15	…
京都	82.09	…	62.39	…	42.93	…	20.24	…	12.72	…
大阪	79.32	…	59.68	…	40.25	…	18.24	…	11.54	…
堺	81.09	…	61.34	…	41.90	…	19.54	…	12.30	…
神戸	81.79	…	62.11	…	42.69	…	20.13	…	12.65	…
岡山	82.27	…	62.59	…	43.13	…	20.32	…	12.77	…
広島	82.53	…	62.81	…	43.38	…	20.55	…	12.96	…
北九州	81.01	…	61.35	…	41.96	…	19.59	…	12.43	…
福岡	81.65	…	62.01	…	42.53	…	19.85	…	12.49	…
熊本	82.29	…	62.70	…	43.19	…	20.57	…	12.97	…

表1-2 主な年齢の平均余命（女）

令和2年(2020)
(単位：年)

都道府県	0歳 平均寿命	順位	20歳 平均余命	順位	40歳 平均余命	順位	65歳 平均余命	順位	75歳 平均余命	順位
全　　国	87.60		67.91		48.26		24.77		16.12	
北　海　道	87.08	42	67.41	42	47.82	42	24.54	39	16.11	25
青　　森	86.33	47	66.69	47	47.10	47	23.92	47	15.41	47
岩　　手	87.05	43	67.33	44	47.73	44	24.44	42	15.85	42
宮　　城	87.51	29	67.82	30	48.23	26	24.71	28	16.01	32
秋　　田	87.10	41	67.41	41	47.84	41	24.51	41	15.86	41
山　　形	87.38	35	67.76	34	48.18	29	24.65	31	15.90	37
福　　島	86.81	46	67.22	45	47.65	45	24.26	46	15.67	45
茨　　城	86.94	44	67.41	43	47.81	43	24.36	44	15.69	44
栃　　木	86.89	45	67.20	46	47.65	46	24.28	45	15.65	46
群　　馬	87.18	40	67.51	40	47.91	40	24.43	43	15.78	43
埼　　玉	87.31	39	67.58	39	47.94	39	24.55	36	15.92	35
千　　葉	87.50	30	67.82	29	48.17	30	24.72	27	16.05	27
東　　京	87.86	17	68.13	19	48.45	20	24.93	17	16.33	12
神 奈 川	87.89	15	68.19	16	48.52	18	24.99	14	16.35	10
新　　潟	87.57	25	67.91	22	48.28	25	24.78	25	16.01	31
富　　山	87.97	10	68.21	13	48.52	17	24.92	18	16.20	20
石　　川	88.11	8	68.35	8	48.66	10	24.96	15	16.22	19
福　　井	87.84	19	68.26	11	48.58	12	24.91	19	16.11	24
山　　梨	87.94	12	68.19	14	48.57	14	25.04	13	16.31	15
長　　野	88.23	4	68.51	4	48.91	1	25.37	2	16.53	3
岐　　阜	87.51	28	67.80	32	48.16	33	24.62	33	15.89	38
静　　岡	87.48	31	67.84	27	48.22	27	24.69	30	16.01	30
愛　　知	87.52	27	67.83	28	48.16	32	24.58	34	15.92	34
三　　重	87.59	24	67.86	26	48.21	28	24.57	35	15.86	40
滋　　賀	88.26	2	68.57	2	48.89	2	25.14	8	16.32	14
京　　都	88.25	3	68.51	5	48.82	5	25.18	6	16.44	8
大　　阪	87.37	36	67.63	38	47.98	38	24.55	37	15.98	33
兵　　庫	87.90	14	68.18	17	48.54	16	24.95	16	16.24	17
奈　　良	87.95	11	68.32	9	48.69	8	25.11	10	16.32	13
和 歌 山	87.36	37	67.73	35	48.07	36	24.54	40	15.89	39
鳥　　取	87.91	13	68.23	12	48.62	11	25.11	11	16.41	9
島　　根	88.21	6	68.51	3	48.85	4	25.30	3	16.51	5
岡　　山	88.29	1	68.58	1	48.88	3	25.27	4	16.52	4
広　　島	88.16	7	68.44	7	48.74	7	25.14	7	16.44	7
山　　口	87.43	32	67.79	33	48.15	34	24.70	29	16.03	28
徳　　島	87.42	33	67.71	36	48.08	35	24.55	38	15.91	36
香　　川	87.64	22	67.90	23	48.31	23	24.84	24	16.17	23
愛　　媛	87.34	38	67.66	37	48.02	37	24.62	32	16.02	29
高　　知	87.84	18	68.16	18	48.57	13	25.14	9	16.51	6
福　　岡	87.70	21	68.02	21	48.37	21	24.91	20	16.28	16
佐　　賀	87.78	20	68.12	20	48.46	19	24.88	21	16.17	22
長　　崎	87.41	34	67.80	31	48.16	31	24.72	26	16.07	26
熊　　本	88.22	5	68.50	6	48.81	6	25.26	5	16.54	2
大　　分	87.99	9	68.31	10	48.69	9	25.08	12	16.33	11
宮　　崎	87.60	23	67.90	24	48.29	24	24.87	22	16.23	18
鹿 児 島	87.53	26	67.87	25	48.32	22	24.87	23	16.18	21
沖　　縄	87.88	16	68.19	15	48.56	15	25.44	1	16.85	1
（再掲）										
東京都区部	87.79	…	68.06	…	48.38	…	24.87	…	16.30	…
札　　幌	87.40	…	67.68	…	48.09	…	24.76	…	16.30	…
仙　　台	88.14	…	68.41	…	48.80	…	25.22	…	16.51	…
さいたま	87.93	…	68.18	…	48.51	…	25.01	…	16.38	…
千　　葉	87.68	…	67.99	…	48.37	…	24.91	…	16.25	…
横　　浜	88.08	…	68.39	…	48.73	…	25.15	…	16.47	…
川　　崎	88.23	…	68.46	…	48.73	…	25.12	…	16.51	…
相 模 原	87.44	…	67.74	…	48.15	…	24.74	…	16.15	…
新　　潟	87.72	…	68.05	…	48.41	…	24.93	…	16.24	…
静　　岡	87.50	…	67.78	…	48.15	…	24.66	…	16.01	…
浜　　松	87.76	…	68.21	…	48.51	…	24.95	…	16.21	…
名 古 屋	87.39	…	67.71	…	48.04	…	24.52	…	15.96	…
京　　都	88.22	…	68.49	…	48.75	…	25.19	…	16.51	…
大　　阪	86.75	…	67.05	…	47.43	…	24.15	…	15.72	…
堺	87.53	…	67.74	…	48.07	…	24.69	…	16.09	…
神　　戸	88.03	…	68.25	…	48.62	…	25.09	…	16.41	…
岡　　山	88.43	…	68.71	…	49.02	…	25.40	…	16.63	…
広　　島	88.41	…	68.68	…	49.00	…	25.45	…	16.71	…
北 九 州	87.69	…	68.03	…	48.39	…	24.98	…	16.38	…
福　　岡	87.91	…	68.20	…	48.55	…	25.09	…	16.45	…
熊　　本	88.32	…	68.64	…	48.95	…	25.31	…	16.62	…

表２－１　平均寿命の年次推移（男）

（単位:年）

都道府県	昭和40年 (1965)		昭和45年 ('70)		昭和50年 ('75)		昭和55年 ('80)		昭和60年 ('85)		平成2年 ('90)		平成7年 ('95)		平成12年 (2000)		平成17年 ('05)		平成22年 ('10)		平成27年 ('15)		令和2年 ('20)		令和2年－平成27年 ('20-'15)	
	平均寿命	順位	平均寿命	順位	平均寿命	順位	平均寿命	順位	平均寿命	順位	平均寿命	順位	平均寿命	順位	平均寿命	順位	平均寿命	順位	平均寿命	順位	平均寿命	順位	平均寿命	順位	延び	順位
全国	67.74		69.84		71.79		73.57		74.95		76.04		76.70 (76.72)		77.71		78.79		79.59		80.77		81.49		0.72	
北海道	67.46	21	69.26	26	71.46	24	72.96	33	74.50	29	75.67	32	76.56	28	77.55	28	78.30	33	79.17	34	80.28	35	80.92	39	0.64	34
青森	65.32	46	67.82	45	69.69	47	71.41	47	73.05	47	74.18	47	74.71	47	75.67	47	76.27	47	77.28	47	78.67	47	79.27	47	0.61	39
岩手	65.87	44	68.03	43	70.27	44	72.72	41	74.27	39	75.43	39	76.35	33	77.09	39	77.81	45	78.53	45	79.86	45	80.64	44	0.78	24
宮城	67.29	26	69.49	20	71.50	23	73.40	21	75.11	19	76.29	18	77.00	15	77.71	23	78.60	27	79.65	22	80.99	15	81.70	18	0.71	30
秋田	65.39	45	67.56	46	70.17	46	72.48	44	74.12	42	75.29	42	75.92	44	76.81	46	77.44	46	78.22	46	79.51	46	80.48	46	0.96	6
山形	66.49	40	68.71	35	70.96	36	73.12	29	74.99	22	76.37	11	76.99	16	77.69	24	78.54	28	79.97	9	80.52	29	81.39	26	0.87	15
福島	66.46	42	68.52	37	70.71	39	72.90	36	74.38	34	75.71	30	76.47	30	77.18	37	77.97	42	78.84	44	80.12	41	80.60	45	0.48	46
茨城	66.99	33	68.32	39	70.58	42	72.78	39	74.35	36	75.67	31	76.32	34	77.20	35	78.35	30	79.09	36	80.28	34	80.89	40	0.60	40
栃木	66.47	41	68.30	40	70.61	41	72.86	37	74.36	35	75.38	41	76.12	41	77.14	38	78.01	40	79.06	38	80.10	42	81.00	37	0.90	12
群馬	67.34	23	69.22	28	71.23	30	73.72	15	75.11	19	76.36	13	76.98	18	77.86	20	78.78	22	79.40	29	80.61	28	81.13	33	0.52	44
埼玉	67.26	27	69.38	23	71.88	15	73.79	14	75.20	17	76.31	17	76.95	19	78.05	10	79.05	15	79.62	23	80.82	22	81.44	24	0.62	37
千葉	67.71	18	69.61	18	71.99	13	73.85	12	75.27	15	76.46	8	76.89	23	78.05	11	78.95	18	79.88	13	80.96	16	81.45	23	0.48	45
東京	69.84	1	71.30	1	73.19	1	74.46	4	75.60	5	76.35	14	76.91	20	77.98	15	79.36	5	79.82	14	81.07	11	81.77	14	0.70	31
神奈川	69.05	3	70.85	3	72.95	2	74.52	1	75.59	6	76.70	4	77.20	6	78.24	5	79.52	3	80.25	5	81.32	5	82.04	5	0.72	26
新潟	67.18	29	69.07	31	71.14	32	73.29	24	74.83	25	76.49	7	76.98	17	77.66	25	78.75	23	79.47	27	80.69	24	81.29	29	0.60	41
富山	66.70	37	69.18	29	71.11	33	73.27	25	74.81	27	76.14	24	77.16	9	78.03	12	79.07	12	79.71	19	80.61	27	81.74	15	1.13	2
石川	67.14	32	69.77	16	71.63	19	73.48	19	75.28	13	76.38	10	77.16	8	77.96	16	79.26	8	79.71	18	81.04	12	82.00	6	0.96	7
福井	67.96	14	70.18	12	72.21	8	74.24	6	75.64	3	76.84	2	77.51	2	78.55	2	79.47	4	80.47	3	81.27	6	81.98	7	0.71	28
山梨	67.56	20	69.42	22	71.66	18	73.26	26	75.02	21	76.26	20	76.82	25	77.90	19	78.89	21	79.54	25	80.85	21	81.71	17	0.86	16
長野	68.45	9	70.46	7	72.40	4	74.50	3	75.91	2	77.44	1	78.08	1	78.90	1	79.84	1	80.88	1	81.75	2	82.68	2	0.93	10
岐阜	68.90	5	70.69	5	72.18	9	74.13	9	75.53	7	76.72	3	77.17	7	78.10	9	79.00	16	79.92	11	81.00	14	81.90	11	0.90	13
静岡	68.21	11	70.31	9	72.32	6	74.10	10	75.48	8	76.58	6	77.22	5	78.15	8	79.35	6	79.95	10	80.95	17	81.59	21	0.63	35
愛知	69.00	4	70.74	4	72.39	5	74.08	11	75.44	9	76.32	15	76.90	21	78.01	13	79.05	14	79.71	17	81.10	8	81.77	13	0.67	33
三重	68.61	7	70.23	11	71.75	17	73.83	13	74.87	23	76.03	26	76.76	27	77.90	18	78.90	20	79.68	21	80.86	19	81.68	19	0.82	20
滋賀	67.26	27	69.66	17	71.51	22	73.61	17	75.34	11	76.36	12	77.13	12	78.19	6	79.60	2	80.58	2	81.78	1	82.73	1	0.95	8
京都	69.18	2	71.08	2	72.63	3	74.20	8	75.39	10	76.39	9	77.14	11	78.15	7	79.34	7	80.21	6	81.40	3	82.24	4	0.84	19
大阪	68.02	12	70.16	13	71.60	20	72.96	33	74.01	46	75.02	46	75.90	45	76.97	43	78.21	36	78.99	41	80.23	38	80.81	41	0.57	42
兵庫	68.29	10	70.32	8	71.82	16	73.31	23	74.47	30	75.59	34	75.54 (76.10)	46	77.57	27	78.72	24	79.59	24	80.92	18	81.72	16	0.80	23
奈良	67.97	13	70.29	10	72.00	12	73.43	20	74.87	23	76.15	23	77.14	10	78.36	3	79.25	9	80.14	7	81.36	4	82.40	3	1.04	4
和歌山	67.75	17	69.48	21	71.25	28	72.79	38	74.19	40	75.23	44	76.07	43	77.01	41	77.97	41	79.07	37	79.94	44	81.03	35	1.09	3
鳥取	67.18	29	69.29	25	71.42	25	73.02	31	74.40	32	75.66	33	76.09	42	77.39	31	78.26	34	79.01	40	80.17	39	81.34	28	1.17	1
島根	67.77	16	69.54	19	71.55	21	73.38	22	75.30	12	76.15	22	76.90	22	77.54	29	78.49	29	79.51	26	80.79	23	81.63	20	0.84	18
岡山	68.68	6	70.69	5	72.25	7	74.21	7	75.28	13	76.32	16	77.03	14	77.80	21	79.22	11	79.77	15	81.03	13	81.90	10	0.87	14
広島	68.61	7	70.15	14	72.04	11	73.69	16	75.19	18	76.22	21	76.77	26	77.76	22	79.06	13	79.91	12	81.08	9	81.95	8	0.86	17
山口	67.30	25	69.16	30	71.20	31	72.96	33	74.45	31	75.74	29	76.36	32	77.03	40	78.11	38	79.03	39	80.51	30	81.12	34	0.61	38
徳島	66.69	38	68.56	36	70.71	39	72.54	42	74.35	36	75.47	35	76.21	36	77.19	36	78.09	39	79.44	28	80.32	33	81.27	30	0.95	9
香川	67.67	19	69.95	15	71.91	14	74.28	5	75.61	4	76.09	25	77.12	13	77.99	14	78.91	19	79.73	16	80.85	20	81.56	22	0.71	29
愛媛	67.81	15	69.26	26	71.25	28	73.16	28	74.75	28	75.82	28	76.43	31	77.30	32	78.25	35	79.13	35	80.16	40	81.13	32	0.97	5
高知	66.94	34	68.02	44	70.20	45	72.20	46	74.04	45	75.44	38	76.18	37	76.85	45	77.93	44	78.91	42	80.26	37	80.79	42	0.52	43
福岡	67.32	24	69.32	24	71.41	26	72.99	32	74.19	40	75.24	43	76.12	40	77.21	34	78.35	31	79.30	31	80.66	25	81.38	27	0.71	27
佐賀	66.69	38	68.83	34	71.10	34	73.09	30	74.32	38	75.45	36	76.26	35	76.95	44	78.31	32	79.28	32	80.65	26	81.41	25	0.76	25
長崎	66.29	43	68.17	41	70.74	38	72.41	45	74.09	43	75.14	45	76.15	38	77.21	33	78.13	37	78.88	43	80.38	31	81.01	36	0.63	36
熊本	67.18	29	69.06	32	71.36	27	73.61	17	75.24	16	76.27	19	77.31	3	78.29	4	79.22	10	80.29	4	81.22	7	81.91	9	0.69	32
大分	66.83	36	68.99	33	71.03	35	73.21	27	74.82	26	75.98	27	76.83	24	77.91	17	78.99	17	80.06	8	81.08	10	81.88	12	0.81	22
宮崎	66.93	35	68.40	38	70.75	37	72.77	40	74.39	33	75.45	37	76.53	29	77.42	30	78.62	26	79.70	20	80.34	32	81.15	31	0.81	21
鹿児島	67.36	22	68.14	42	70.54	43	72.53	43	74.09	43	75.39	40	76.13	39	76.98	42	77.97	43	79.21	33	80.02	43	80.95	38	0.92	11
沖縄	…	…	…	…	72.15	10	74.52	1	76.34	1	76.67	5	77.22	4	77.64	26	78.64	25	79.40	30	80.27	36	80.73	43	0.46	47
（再掲）																										
東京都区部	…	…	71.23	…	73.08	…	74.31	…	75.34	…	76.07	…	76.57	…	77.67	…	79.04	…	79.48	…	80.81	…	81.54	…	0.73	…
札幌	…	…	70.77	…	72.76	…	73.89	…	75.33	…	76.27	…	77.41	…	78.55	…	79.05	…	79.79	…	80.68	…	81.31	…	0.63	…
仙台	…	…	…	…	…	…	…	…	…	…	76.98	…	77.79	…	78.50	…	79.73	…	80.49	…	81.66	…	82.39	…	0.73	…
さいたま	…	…	…	…	…	…	…	…	…	…	…	…	…	…	…	…	79.75	…	80.09	…	81.34	…	81.95	…	0.61	…
千葉	…	…	…	…	…	…	…	…	…	…	…	…	77.26	…	78.82	…	79.39	…	80.02	…	81.19	…	81.22	…	0.02	…
横浜	…	…	70.81	…	72.88	…	74.31	…	75.45	…	76.62	…	77.17	…	78.46	…	79.77	…	80.29	…	81.47	…	82.32	…	0.85	…
川崎	…	…	71.11	…	72.75	…	74.41	…	75.53	…	76.38	…	76.65	…	77.62	…	79.01	…	79.92	…	81.11	…	81.67	…	0.55	…
相模原	…	…	…	…	…	…	…	…	…	…	…	…	…	…	…	…	…	…	80.56	…	81.24	…	81.55	…	0.30	…
新潟	…	…	…	…	…	…	…	…	…	…	…	…	…	…	…	…	…	…	79.59	…	81.24	…	81.55	…	0.31	…
静岡	…	…	…	…	…	…	…	…	…	…	…	…	…	…	…	…	78.97	…	79.48	…	80.87	…	81.67	…	0.80	…
浜松	…	…	…	…	…	…	…	…	…	…	…	…	…	…	…	…	…	…	81.14	…	81.64	…	82.24	…	0.60	…
名古屋	…	…	71.02	…	72.28	…	73.78	…	75.00	…	75.78	…	76.42	…	77.67	…	78.60	…	79.22	…	80.63	…	81.32	…	0.69	…
京都	…	…	71.20	…	72.73	…	74.22	…	75.22	…	76.23	…	76.94	…	78.08	…	79.13	…	79.98	…	81.47	…	82.09	…	0.62	…
大阪	…	…	69.49	…	70.63	…	72.00	…	72.91	…	73.97	…	74.69	…	75.74	…	76.99	…	77.40	…	78.81	…	79.32	…	0.50	…
堺	…	…	…	…	…	…	…	…	…	…	…	…	…	…	…	…	78.58	…	79.00	…	80.36	…	81.09	…	0.72	…
神戸	…	…	70.42	…	71.57	…	72.83	…	74.18	…	75.20	…	74.11 (75.46)	…	77.48	…	78.81	…	79.60	…	80.87	…	81.79	…	0.93	…
岡山	…	…	…	…	…	…	…	…	…	…	…	…	…	…	…	…	…	…	79.60	…	81.45	…	82.27	…	0.82	…
広島	…	…	…	…	…	…	73.90	…	75.85	…	76.47	…	76.98	…	77.96	…	79.45	…	79.90	…	81.43	…	82.53	…	1.09	…
北九州	…	…	69.24	…	70.95	…	72.70	…	73.94	…	74.73	…	75.82	…	77.00	…	77.81	…	78.85	…	80.44	…	81.01	…	0.57	…
福岡	…	…	70.48	…	72.54	…	73.54	…	74.75	…	75.81	…	76.62	…	77.72	…	79.17	…	79.84	…	81.10	…	81.65	…	0.55	…
熊本	…	…	…	…	…	…	…	…	…	…	…	…	…	…	…	…	…	…	…	…	81.89	…	82.29	…	0.41	…

注：平成７年の( )内の数値は、阪神・淡路大震災の影響を除去した場合の数値である。

表2－2　平均寿命の年次推移（女）

(単位：年)

都道府県	昭和40年(1965) 平均寿命	順位	昭和45年('70) 平均寿命	順位	昭和50年('75) 平均寿命	順位	昭和55年('80) 平均寿命	順位	昭和60年('85) 平均寿命	順位	平成2年('90) 平均寿命	順位	平成7年('95) 平均寿命	順位	平成12年(2000) 平均寿命	順位	平成17年('05) 平均寿命	順位	平成22年('10) 平均寿命	順位	平成27年('15) 平均寿命	順位	令和2年('20) 平均寿命	順位	令和2年-平成27年('20-'15) 延び	順位
全　　　国	72.92		75.23		77.01		79.00		80.75		82.07		83.22 (83.26)		84.62		85.75		86.35		87.01		87.60		0.60	
北　海　道	72.82	25	74.73	31	76.74	27	78.58	35	80.42	35	81.92	34	83.41	22	84.84	18	85.78	25	86.30	25	86.77	37	87.08	42	0.31	45
青　　　森	71.77	44	74.68	32	76.50	35	78.39	44	79.90	46	81.49	45	82.51	46	83.69	47	84.80	47	85.34	47	85.93	47	86.33	47	0.39	41
岩　　　手	71.58	45	74.13	46	76.20	44	78.59	34	80.69	26	81.93	33	83.41	23	84.60	29	85.49	37	85.86	43	86.44	42	87.05	43	0.62	23
宮　　　城	73.19	17	75.30	16	77.00	16	78.85	25	80.69	26	82.15	22	83.32	26	84.74	24	85.75	26	86.39	23	87.16	20	87.51	29	0.35	43
秋　　　田	71.24	46	74.14	45	75.86	47	78.64	32	80.29	41	81.80	41	83.12	35	84.32	40	85.19	45	85.93	39	86.38	44	87.10	41	0.72	10
山　　　形	71.94	43	74.46	39	76.35	41	78.58	35	80.86	21	82.10	25	83.23	29	84.57	31	85.72	27	86.28	28	86.96	29	87.38	35	0.42	39
福　　　島	72.04	41	74.46	39	76.35	41	78.46	41	80.25	42	81.95	31	82.93	39	84.21	43	85.45	39	86.05	38	86.40	43	86.81	46	0.41	40
茨　　　城	72.52	30	74.43	41	76.12	45	78.35	46	79.97	45	81.59	44	82.87	41	84.21	43	85.26	43	85.83	44	86.33	45	86.94	44	0.61	25
栃　　　木	72.44	34	74.27	44	76.31	43	78.13	47	79.98	44	81.30	46	82.76	43	84.04	45	85.03	46	85.66	46	86.24	46	86.89	45	0.65	20
群　　　馬	72.38	36	74.50	38	76.42	39	78.46	41	80.39	37	81.90	35	83.12	34	84.47	35	85.47	38	85.91	41	86.84	33	87.18	40	0.34	44
埼　　　玉	72.45	32	74.62	35	76.61	30	78.68	29	80.65	29	81.75	39	82.92	40	84.34	37	85.29	42	85.88	42	86.66	39	87.31	39	0.65	19
千　　　葉	73.29	15	75.33	14	77.07	15	79.07	18	80.88	20	82.19	19	83.19	31	84.51	32	85.49	36	86.20	34	86.91	30	87.50	30	0.59	28
東　　　京	74.70	1	75.96	3	77.89	2	79.49	7	81.09	11	82.09	27	83.12	33	84.38	36	85.70	28	86.39	22	87.26	15	87.86	17	0.60	27
神　奈　川	74.08	2	75.97	2	77.85	4	79.55	5	81.22	7	82.35	14	83.35	25	84.74	23	86.03	18	86.63	15	87.24	17	87.89	15	0.65	18
新　　　潟	72.19	37	74.65	34	76.76	25	78.97	22	80.86	21	82.50	6	83.66	11	85.19	9	86.27	9	86.96	5	87.32	11	87.57	25	0.25	47
富　　　山	72.04	41	74.78	29	76.56	33	78.93	23	80.80	25	82.35	13	83.86	5	85.24	7	86.32	7	86.75	10	87.42	8	87.97	10	0.55	33
石　　　川	72.40	35	75.04	23	76.58	31	78.88	24	80.89	19	82.24	17	83.54	17	85.18	10	86.46	6	86.75	11	87.28	13	88.11	8	0.83	6
福　　　井	72.87	24	75.04	23	76.81	22	79.18	16	81.01	12	82.36	12	83.63	12	85.39	2	86.25	11	86.94	7	87.54	5	87.84	19	0.30	46
山　　　梨	73.29	15	75.38	12	76.79	10	79.21	13	80.94	15	82.39	11	83.67	8	85.21	8	86.17	12	86.65	13	87.22	11	87.94	12	0.72	12
長　　　野	72.81	26	75.22	19	77.00	16	79.44	9	81.13	9	82.71	4	83.89	4	85.31	3	86.48	3	87.18	1	87.67	1	88.23	4	0.56	31
岐　　　阜	73.03	20	74.96	27	76.41	40	78.47	39	80.31	39	81.69	41	83.00	37	84.33	39	85.56	35	86.26	29	86.82	34	87.51	28	0.69	13
静　　　岡	74.07	3	75.88	4	77.64	5	79.62	4	81.37	4	82.47	7	83.70	7	84.95	14	86.06	16	86.22	32	87.10	24	87.48	31	0.38	42
愛　　　知	73.67	7	75.28	18	76.63	29	78.73	28	80.51	34	81.63	43	82.80	42	84.22	42	85.40	40	86.22	31	86.86	32	87.52	27	0.66	16
三　　　重	73.32	14	75.29	17	76.84	20	79.07	18	80.61	31	82.01	30	83.02	36	84.49	34	85.58	34	86.25	30	86.99	27	87.59	24	0.60	26
滋　　　賀	72.48	31	74.75	30	76.47	37	78.64	32	80.63	30	81.88	37	83.20	30	84.92	15	86.17	13	86.69	12	87.57	4	88.26	2	0.69	14
京　　　都	73.75	6	75.66	6	77.30	11	79.19	15	80.68	27	82.07	29	83.44	19	84.81	20	85.92	19	86.65	14	87.35	9	88.25	3	0.89	1
大　　　阪	73.30	13	75.21	20	76.57	32	78.36	45	79.84	47	81.16	47	82.52	45	84.01	46	85.20	44	85.93	40	86.73	38	87.37	36	0.64	22
兵　　　庫	73.48	9	75.63	7	77.13	13	78.84	26	80.40	36	81.64	42	81.83 (82.68)	47	84.34	38	85.62	33	86.14	35	87.07	25	87.90	14	0.84	3
奈　　　良	72.89	23	75.16	22	76.76	25	78.65	31	80.27	41	81.89	36	82.96	38	84.80	21	85.84	24	86.60	17	87.25	16	87.95	11	0.69	12
和　歌　山	73.57	8	75.19	21	76.81	22	78.47	39	80.13	43	81.70	40	82.71	44	84.23	41	85.34	41	85.69	45	86.47	41	87.36	37	0.88	2
鳥　　　取	73.39	10	75.44	8	77.45	8	79.45	8	81.11	10	82.33	15	83.59	14	84.91	16	86.27	8	86.08	36	87.27	14	87.91	13	0.64	21
島　　　根	73.01	21	75.37	13	77.53	6	79.42	11	81.60	2	83.09	2	84.03	3	85.30	5	86.57	2	87.07	2	87.64	3	88.21	6	0.57	29
岡　　　山	74.03	4	75.76	5	77.76	3	79.78	2	81.31	5	82.70	5	83.81	6	85.25	6	86.49	4	86.93	8	87.67	2	88.29	1	0.62	24
広　　　島	73.93	5	75.80	5	77.48	7	79.51	6	80.94	15	82.38	11	83.66	9	85.09	12	86.27	10	86.94	6	87.33	10	88.16	7	0.83	5
山　　　口	72.98	22	75.33	14	77.27	12	79.14	17	81.16	8	82.46	8	83.57	15	84.61	28	85.63	32	86.07	37	86.88	31	87.43	32	0.55	32
徳　　　島	72.14	38	74.30	43	76.00	46	78.48	38	80.56	33	81.93	32	83.17	32	84.49	33	85.67	30	86.21	33	86.66	40	87.42	33	0.76	7
香　　　川	73.16	18	75.44	8	77.12	14	79.64	3	81.28	6	82.13	23	83.47	18	84.85	17	85.89	20	86.34	24	87.21	19	87.64	22	0.43	38
愛　　　媛	73.30	13	75.41	11	76.91	18	79.43	10	81.01	12	82.28	19	83.28	27	84.57	30	85.64	31	86.54	19	86.82	35	87.34	38	0.52	34
高　　　知	73.32	11	74.99	25	76.50	35	78.98	21	80.97	14	82.44	9	83.57	16	84.76	22	85.87	21	86.47	21	87.01	26	87.84	19	0.83	4
福　　　岡	73.11	19	75.44	8	77.44	9	79.21	13	80.91	18	82.19	20	83.44	20	84.62	27	85.84	23	86.48	20	87.14	21	87.70	21	0.56	30
佐　　　賀	72.65	28	74.85	28	76.83	21	79.02	20	80.94	15	82.17	21	83.43	21	85.07	13	86.04	17	86.58	18	87.12	23	87.78	20	0.66	17
長　　　崎	72.06	40	74.37	42	76.46	38	78.67	30	80.81	24	82.10	23	83.23	23	84.81	19	85.85	22	86.30	26	86.97	28	87.41	34	0.44	36
熊　　　本	72.60	29	74.97	26	76.89	19	79.37	12	81.47	3	82.85	3	84.39	2	85.30	4	86.54	3	86.98	4	87.49	6	88.22	5	0.73	9
大　　　分	72.07	39	74.66	33	76.73	28	78.54	37	80.58	32	82.08	28	83.61	13	84.69	25	85.06	15	86.91	9	87.31	12	87.90	14	0.68	15
宮　　　崎	72.45	32	74.62	35	76.77	24	78.84	26	80.84	29	82.30	16	83.66	10	85.09	11	86.11	14	86.61	16	87.12	22	87.60	23	0.48	35
鹿　児　島	72.71	27	74.62	35	76.53	34	78.44	43	80.34	38	82.10	24	83.36	24	84.68	26	85.70	29	86.28	27	86.78	36	87.53	26	0.75	8
沖　　　縄	…	…	…	…	78.96	1	81.72	1	83.70	1	84.47	1	85.08	1	86.01	1	86.88	1	87.02	3	87.44	7	87.88	16	0.44	37
(再掲)																										
東京都区部	…	…	75.98	…	77.89	…	79.39	…	80.93	…	81.94	…	82.88	…	84.23	…	85.59	…	86.28	…	87.17	…	87.79	…	0.62	…
札　　　幌	…	…	76.01	…	77.42	…	78.85	…	80.87	…	82.57	…	84.41	…	85.61	…	86.26	…	86.56	…	87.20	…	87.40	…	0.21	…
仙　　　台											82.50		83.79		85.32		86.21		86.79		87.56		88.14		0.58	
さいたま															85.83		86.59		86.59		87.23		87.93		0.69	
千　　　葉													83.55		84.73		85.75		86.64		86.94		87.68		0.74	
横　　　浜	…	…	76.05	…	77.93	…	79.52	…	81.06	…	82.19	…	83.25	…	84.83	…	86.18	…	86.79	…	87.28	…	88.08	…	0.81	
川　　　崎	…	…	76.16	…	77.80	…	79.59	…	81.24	…	82.07	…	83.07	…	84.46	…	86.22	…	86.70	…	87.56	…	88.23	…	0.68	
相　模　原																			86.81		87.35		87.44		0.08	
新　　　潟																					87.29		87.58		87.72		0.13	
静　　　岡																			85.91		86.56		87.01		87.50		0.49	
浜　　　松																					86.57		87.58		87.76		0.18	
名　古　屋	…	…	75.47	…	76.66	…	78.59	…	80.42	…	81.32	…	82.70	…	84.06	…	85.23	…	86.33	…	86.72	…	87.39	…	0.67	
京　　　都	…	…	75.57	…	77.32	…	79.19	…	80.62	…	81.95	…	83.31	…	84.73	…	85.77	…	86.65	…	87.39	…	88.22	…	0.82	
大　　　阪	…	…	74.79	…	76.08	…	77.70	…	79.38	…	80.60	…	81.95	…	83.38	…	84.53	…	85.20	…	86.23	…	86.75	…	0.53	
堺																			85.22		85.82		86.74		87.53		0.79	
神　　　戸	…	…	75.70	…	76.99	…	78.71	…	80.26	…	81.52	…	79.98 (82.06)	…	84.26	…	85.70	…	86.00	…	86.97	…	88.03	…	1.05	…
岡　　　山																					87.22		87.89		88.43		0.54	
広　　　島								79.78		81.39		82.60		83.82		85.20		86.33		86.99		87.52		88.41		0.88	
北　九　州	…	…	75.08	…	76.94	…	78.84	…	80.66	…	81.91	…	83.04	…	84.21	…	85.55	…	86.20	…	87.06	…	87.69	…	0.63	…
福　　　岡	…	…	…	…	76.18	…	78.02	…	79.43	…	81.33	…	82.63	…	84.13	…	84.79	…	86.27	…	86.71	…	87.62	…	0.29	…
熊　　　本																					87.77		88.32		0.55	

注：平成7年の（ ）内の数値は、阪神・淡路大震災の影響を除去した場合の数値である。

参考

参考1－1　死因別死亡確率（男）

令和2年(2020)
（単位：％）

都道府県	悪性新生物 ＜腫瘍＞		心疾患 （高血圧性を除く）		脳血管疾患		悪性新生物 ＜腫瘍＞、心疾患 （高血圧性を除く） 及び脳血管疾患 （再掲）		肺炎		不慮の事故		交通事故 （再掲）	
	確率	順位	確率	順位	確率	順位	確率	順位	確率	順位	確率	順位	確率	順位
全　　　国	28.13		14.33		7.03		49.49		7.21		3.06		0.34	
北　海　道	30.82	1	13.60	35	6.71	33	51.12	8	7.05	24	2.93	38	0.36	30
青　　　森	29.69	4	14.38	25	7.90	12	51.98	3	7.47	19	3.54	12	0.42	19
岩　　　手	27.71	29	15.61	6	10.12	1	53.44	1	6.43	37	3.37	19	0.42	15
宮　　　城	28.69	14	15.10	16	8.51	4	52.29	2	5.72	42	3.04	34	0.35	33
秋　　　田	29.52	5	12.12	44	8.90	2	50.54	12	7.08	23	3.42	16	0.36	28
山　　　形	28.13	19	15.34	11	8.28	7	51.75	4	6.62	35	3.14	30	0.30	41
福　　　島	27.79	24	14.92	17	8.08	10	50.79	10	6.71	32	3.69	7	0.40	22
茨　　　城	27.75	28	14.34	26	8.36	6	50.45	14	8.31	6	3.10	33	0.44	10
栃　　　木	27.09	36	15.62	5	8.68	3	51.38	5	7.08	22	2.92	39	0.48	7
群　　　馬	26.66	43	14.65	20	7.56	17	48.87	31	7.99	11	3.00	35	0.34	36
埼　　　玉	27.58	30	15.20	14	6.45	41	49.23	26	8.89	1	2.42	47	0.28	45
千　　　葉	27.75	27	15.23	13	6.81	29	49.79	22	8.08	9	2.54	44	0.33	37
東　　　京	27.92	23	14.90	18	6.73	31	49.55	24	7.05	25	2.58	43	0.18	47
神　奈　川	28.09	20	14.72	19	6.36	42	49.17	28	6.68	33	3.25	26	0.23	46
新　　　潟	28.90	10	12.90	41	8.50	5	50.30	15	5.69	43	3.34	22	0.37	26
富　　　山	28.37	16	12.21	43	7.99	11	48.56	35	7.61	18	4.07	1	0.34	35
石　　　川	28.97	8	14.14	28	7.62	16	50.73	11	7.22	20	3.36	20	0.40	23
福　　　井	27.35	33	15.31	12	7.21	25	49.87	20	8.01	10	3.85	4	0.43	12
山　　　梨	26.63	44	13.42	37	7.53	18	47.58	43	6.66	34	3.82	5	0.47	8
長　　　野	26.17	46	14.34	27	8.08	9	48.59	34	5.66	44	3.65	8	0.35	32
岐　　　阜	27.44	32	13.82	32	6.79	30	48.05	40	6.85	30	3.78	6	0.32	40
静　　　岡	26.68	42	13.59	36	8.27	8	48.53	37	5.99	40	3.13	32	0.32	39
愛　　　知	27.76	26	11.67	46	6.34	43	45.77	47	6.71	31	2.94	37	0.29	44
三　　　重	27.16	35	14.11	29	6.91	26	48.18	39	7.00	26	3.13	31	0.47	9
滋　　　賀	28.27	18	14.46	22	6.24	44	48.97	30	6.16	39	3.50	15	0.43	11
京　　　都	28.92	9	15.70	4	6.54	39	51.16	7	6.36	38	2.50	45	0.36	29
大　　　阪	28.79	13	15.41	9	5.76	46	49.97	18	8.34	5	2.75	42	0.29	43
兵　　　庫	28.85	11	14.42	24	6.62	38	49.89	19	6.61	36	3.25	27	0.35	31
奈　　　良	28.32	17	15.97	2	5.71	47	50.01	16	8.29	7	2.79	41	0.39	24
和　歌　山	28.64	15	15.92	3	5.97	45	50.53	13	7.62	17	3.53	13	0.38	25
鳥　　　取	29.75	3	12.00	45	7.47	19	49.23	25	5.82	41	3.42	17	0.43	13
島　　　根	28.85	12	12.96	40	7.25	23	49.06	29	5.09	46	2.80	40	0.29	42
岡　　　山	27.46	31	14.42	23	6.83	27	48.71	32	7.99	12	3.34	23	0.50	5
広　　　島	27.77	25	15.42	8	6.66	35	49.84	21	7.15	21	3.24	28	0.42	17
山　　　口	27.99	22	15.47	7	7.62	14	51.08	9	8.86	2	2.95	36	0.42	18
徳　　　島	26.94	40	13.71	34	6.72	32	47.38	44	8.49	3	3.91	3	0.60	3
香　　　川	26.61	45	15.40	10	6.65	36	48.66	33	4.67	47	3.52	14	0.65	1
愛　　　媛	26.97	39	16.92	1	7.30	22	51.19	6	6.98	28	3.60	10	0.52	4
高　　　知	27.99	21	14.49	21	7.21	24	49.69	23	8.18	8	4.05	2	0.62	2
福　　　岡	29.91	2	10.94	47	6.51	40	47.36	45	7.63	16	3.31	24	0.33	38
佐　　　賀	29.44	6	12.26	42	6.81	28	48.51	38	7.94	13	3.21	29	0.41	20
長　　　崎	29.20	7	13.35	38	6.65	37	49.20	27	7.63	15	3.28	25	0.36	27
熊　　　本	27.06	37	14.00	30	6.69	34	47.75	42	6.96	29	3.54	11	0.42	16
大　　　分	27.01	38	13.81	33	7.73	13	48.54	36	6.99	27	3.62	9	0.49	6
宮　　　崎	27.27	34	15.11	15	7.62	15	50.00	17	7.76	14	3.41	18	0.41	21
鹿　児　島	26.75	41	13.86	31	7.33	21	47.94	41	8.46	4	3.36	21	0.42	14
沖　　　縄	25.91	47	13.20	39	7.45	20	46.56	46	5.54	45	2.43	46	0.34	34
（再掲）														
東京都区部	28.32	…	14.87	…	6.56	…	49.75	…	6.75	…	2.60	…	0.18	…
札　　　幌	30.57	…	11.67	…	6.51	…	48.76	…	7.62	…	2.53	…	0.28	…
仙　　　台	29.13	…	13.68	…	8.08	…	50.90	…	5.61	…	2.81	…	0.26	…
さいたま	27.29	…	13.65	…	6.26	…	47.20	…	8.57	…	2.29	…	0.24	…
千　　　葉	27.73	…	14.75	…	6.90	…	49.38	…	8.08	…	2.33	…	0.23	…
横　　　浜	28.08	…	15.00	…	6.07	…	49.16	…	6.24	…	3.38	…	0.21	…
川　　　崎	27.79	…	14.84	…	6.24	…	48.87	…	7.09	…	3.20	…	0.19	…
相　模　原	26.92	…	15.40	…	6.86	…	49.18	…	7.01	…	3.00	…	0.24	…
新　　　潟	30.28	…	12.30	…	8.28	…	50.86	…	5.69	…	2.70	…	0.26	…
静　　　岡	27.07	…	13.38	…	7.26	…	47.71	…	5.97	…	3.05	…	0.36	…
浜　　　松	25.22	…	13.07	…	8.79	…	47.09	…	5.49	…	3.04	…	0.32	…
名　古　屋	28.16	…	11.49	…	6.02	…	45.66	…	6.89	…	2.64	…	0.23	…
京　　　都	29.08	…	16.08	…	6.67	…	51.82	…	6.23	…	2.41	…	0.31	…
大　　　阪	28.41	…	13.54	…	6.13	…	48.08	…	8.43	…	2.97	…	0.27	…
堺	29.11	…	14.19	…	6.50	…	49.81	…	9.19	…	2.54	…	0.29	…
神　　　戸	28.92	…	13.81	…	5.76	…	48.50	…	6.26	…	3.36	…	0.29	…
岡　　　山	27.91	…	13.14	…	6.76	…	47.81	…	7.28	…	3.01	…	0.40	…
広　　　島	28.37	…	15.13	…	6.71	…	50.21	…	6.64	…	2.58	…	0.30	…
北　九　州	30.15	…	10.07	…	6.92	…	47.14	…	7.43	…	3.21	…	0.33	…
福　　　岡	30.14	…	10.95	…	5.97	…	47.07	…	7.08	…	3.37	…	0.25	…
熊　　　本	27.80	…	13.59	…	6.26	…	47.65	…	6.09	…	3.41	…	0.34	…

注：1）死因別死亡確率とは、生命表の上で、ある年齢の者が将来どの死因で死亡するかを計算し、確率の形で表したものであり、実際の死亡割合とは異なる。
　　2）表中の死因別死亡確率は、0歳における数値である。

参考1－1　死因別死亡確率（男、続き）

令和2年(2020)
(単位：%)

都道府県	自殺 確率	順位	腎不全 確率	順位	肝疾患 確率	順位	糖尿病 確率	順位	高血圧性疾患 確率	順位	新型コロナウイルス感染症(COVID-19) 確率	順位	老衰 確率	順位
全国	1.72		2.10		1.38		1.00		0.60		0.53		6.92	
北海道	1.80	24	2.55	1	1.28	23	1.08	18	0.70	10	0.83	5	5.24	41
青森	2.16	2	2.36	6	1.43	9	1.20	5	0.46	31	0.06	44	5.46	39
岩手	2.07	4	2.11	22	1.33	20	1.05	23	0.52	22	0.10	40	6.23	30
宮城	1.90	19	2.03	31	1.22	33	0.95	34	0.57	15	0.19	28	7.95	9
秋田	2.02	8	2.14	20	1.25	29	1.15	11	0.53	21	0.03	46	6.20	31
山形	2.10	3	2.32	8	0.99	46	0.63	47	0.34	44	0.15	37	7.53	11
福島	2.06	5	1.93	40	1.29	22	1.14	12	0.57	16	0.28	18	6.99	18
茨城	1.85	20	1.84	43	1.28	24	1.18	6	0.47	28	0.25	20	6.65	25
栃木	1.79	26	2.00	37	1.33	19	1.16	7	0.47	30	0.24	21	7.06	17
群馬	1.98	12	2.09	25	1.12	41	1.16	9	1.68	1	0.27	19	5.68	37
埼玉	1.57	44	2.17	18	1.23	32	0.92	37	0.51	24	0.64	8	6.77	23
千葉	1.65	39	2.00	36	1.21	35	1.16	8	1.42	2	0.64	7	7.26	13
東京	1.48	46	2.00	35	1.65	4	0.99	30	0.44	35	1.04	3	7.44	12
神奈川	1.50	45	1.85	42	1.70	3	0.81	45	0.34	43	0.64	6	9.41	2
新潟	2.00	10	1.82	45	1.12	42	1.00	28	0.69	12	0.10	39	7.62	10
富山	1.98	11	1.78	46	1.20	37	1.07	19	0.55	19	0.16	33	6.87	21
石川	1.60	42	1.76	47	1.16	38	1.01	27	0.48	27	0.32	16	5.63	38
福井	1.79	25	2.09	26	0.93	47	1.11	14	0.44	34	0.15	35	5.99	33
山梨	1.81	23	2.44	3	1.42	11	1.12	13	0.50	26	0.09	41	6.90	20
長野	1.91	17	1.82	44	1.10	44	1.09	17	0.58	14	0.18	31	8.79	5
岐阜	1.73	31	2.03	32	1.05	45	0.82	44	0.26	47	0.35	13	7.99	8
静岡	1.76	28	2.23	16	1.13	40	1.06	21	0.51	25	0.22	25	10.41	1
愛知	1.59	43	1.90	41	1.15	39	0.69	46	0.30	46	0.64	9	8.86	4
三重	1.65	40	2.35	7	1.11	43	1.05	22	0.54	20	0.33	15	9.02	3
滋賀	1.73	30	2.37	5	1.21	36	0.95	35	0.39	39	0.34	14	7.25	15
京都	1.45	47	2.14	19	1.34	18	0.92	38	0.39	41	0.47	11	6.31	28
大阪	1.72	34	2.24	15	1.78	2	0.99	31	0.97	3	1.19	2	5.22	42
兵庫	1.76	29	2.24	14	1.56	5	1.06	20	0.56	17	1.00	4	6.65	26
奈良	1.70	36	1.93	39	1.25	28	1.03	24	0.89	4	0.45	12	7.19	16
和歌山	2.01	9	2.31	9	1.40	12	0.84	42	0.36	42	0.20	27	7.26	14
鳥取	1.72	33	1.96	38	1.27	25	0.98	33	0.39	40	0.02	47	8.17	7
島根	1.95	13	2.01	34	1.26	26	1.01	26	0.42	36	0.04	45	6.72	24
岡山	1.70	38	2.06	28	1.35	16	0.91	39	0.32	45	0.30	17	6.25	29
広島	1.70	37	2.30	11	1.39	13	1.00	29	0.51	23	0.23	23	6.64	27
山口	1.92	16	2.21	17	1.35	17	0.99	32	0.75	7	0.18	30	4.97	45
徳島	1.70	35	2.27	13	1.50	6	1.21	4	0.47	29	0.23	22	5.88	35
香川	1.73	32	2.05	29	1.25	30	1.42	1	0.70	11	0.14	38	8.23	6
愛媛	1.92	15	2.10	24	1.45	8	1.16	10	0.60	13	0.17	32	6.92	19
高知	2.04	6	2.53	2	1.42	10	0.85	41	0.45	32	0.16	34	5.06	44
福岡	1.78	27	2.02	33	1.37	15	1.09	16	0.82	6	0.52	10	4.34	47
佐賀	1.83	22	2.07	27	1.21	34	1.01	25	0.75	8	0.08	43	5.18	43
長崎	1.65	41	2.12	21	1.26	27	0.84	43	0.41	38	0.18	29	4.73	46
熊本	1.84	21	2.30	10	1.38	14	0.90	40	0.42	37	0.21	26	6.14	32
大分	1.90	18	2.29	12	1.24	31	0.93	36	0.56	18	0.23	24	5.99	34
宮崎	2.22	1	2.04	30	1.47	7	1.26	3	0.73	9	0.15	36	5.40	40
鹿児島	2.04	7	2.40	4	1.32	21	1.09	15	0.44	33	0.08	42	5.70	36
沖縄	1.93	14	2.11	23	2.61	1	1.30	2	0.87	5	1.23	1	6.81	22
（再掲）														
東京都区部	1.47	…	2.05	…	1.79	…	1.00	…	0.47	…	1.16	…	7.22	…
札幌	1.68	…	2.52	…	1.33	…	1.13	…	0.50	…	1.46	…	5.20	…
仙台	1.64	…	1.72	…	1.19	…	1.18	…	0.79	…	0.26	…	8.83	…
さいたま	1.38	…	2.04	…	1.14	…	0.81	…	0.29	…	0.51	…	8.94	…
千葉	1.56	…	2.18	…	1.17	…	1.09	…	1.16	…	0.56	…	7.31	…
横浜	1.48	…	1.81	…	1.77	…	0.72	…	0.27	…	0.74	…	10.18	…
川崎	1.46	…	1.77	…	1.94	…	0.82	…	0.43	…	0.80	…	8.88	…
相模原	1.70	…	1.92	…	1.72	…	0.80	…	0.35	…	0.61	…	8.52	…
新潟	1.61	…	1.90	…	0.99	…	0.94	…	0.39	…	0.07	…	6.79	…
静岡	1.60	…	2.04	…	1.13	…	0.94	…	0.41	…	0.31	…	12.07	…
浜松	1.61	…	2.30	…	1.12	…	0.94	…	0.56	…	0.28	…	11.64	…
名古屋	1.48	…	1.90	…	1.19	…	0.65	…	0.29	…	0.76	…	8.18	…
京都	1.38	…	2.13	…	1.42	…	1.03	…	0.41	…	0.61	…	5.82	…
大阪	1.89	…	2.28	…	2.31	…	1.12	…	1.46	…	1.51	…	4.26	…
堺	1.79	…	2.52	…	1.56	…	0.86	…	1.09	…	0.99	…	5.01	…
神戸	1.72	…	2.07	…	1.52	…	1.14	…	0.52	…	1.51	…	6.57	…
岡山	1.52	…	1.96	…	1.17	…	1.02	…	0.27	…	0.34	…	7.29	…
広島	1.62	…	2.29	…	1.35	…	0.94	…	0.61	…	0.43	…	6.85	…
北九州	1.65	…	1.88	…	1.57	…	1.23	…	0.84	…	0.44	…	3.92	…
福岡	1.69	…	1.97	…	1.29	…	1.17	…	1.11	…	0.73	…	5.05	…
熊本	1.66	…	2.30	…	1.23	…	0.96	…	0.38	…	0.34	…	6.67	…

参考1－2　死因別死亡確率（女）

令和2年(2020)
(単位：％)

都道府県	悪性新生物 ＜腫瘍＞		心疾患 (高血圧性を除く)		脳血管疾患		悪性新生物 ＜腫瘍＞、心疾患 (高血圧性を除く) 及び脳血管疾患 (再掲)		肺炎		不慮の事故		交通事故 (再掲)	
	確率	順位	確率	順位	確率	順位	確率	順位	確率	順位	確率	順位	確率	順位
全　　国	20.05		16.45		7.78		44.28	．	5.50		2.31		0.15	
北　海　道	22.72	1	16.42	29	7.48	29	46.62	4	5.46	22	2.24	36	0.15	32
青　　森	21.26	3	16.45	28	8.52	17	46.22	6	5.95	16	2.52	16	0.15	31
岩　　手	20.65	6	16.90	21	11.17	1	48.72	1	4.61	36	2.27	35	0.18	18
宮　　城	20.32	13	16.76	23	9.61	5	46.68	2	3.85	45	2.28	34	0.10	45
秋　　田	20.59	8	14.51	43	10.59	2	45.68	11	5.00	27	2.59	13	0.18	20
山　　形	19.66	24	16.09	33	9.55	6	45.30	15	4.48	38	2.40	24	0.19	14
福　　島	19.16	36	16.91	20	9.22	8	45.29	16	4.83	32	2.73	4	0.19	16
茨　　城	19.60	25	16.46	27	8.71	11	44.76	19	7.11	6	2.38	26	0.21	11
栃　　木	19.59	26	16.22	32	9.42	7	45.23	18	5.20	25	2.11	40	0.18	19
群　　馬	19.34	32	16.73	24	8.53	15	44.60	20	6.24	12	2.46	19	0.16	27
埼　　玉	19.57	28	17.23	16	7.40	31	44.20	28	6.92	8	1.94	44	0.12	42
千　　葉	19.58	27	17.00	18	7.49	28	44.07	31	6.39	11	1.92	45	0.15	34
東　　京	20.33	12	16.29	30	7.22	36	43.85	34	5.22	24	2.03	42	0.07	47
神　奈　川	19.92	18	15.04	41	7.01	44	41.96	44	4.61	35	2.66	7	0.09	46
新　　潟	19.81	21	14.56	42	9.65	4	44.03	32	4.19	41	2.52	15	0.18	22
富　　山	20.58	9	15.34	38	8.43	19	44.35	25	4.79	33	2.92	1	0.19	15
石　　川	20.88	4	17.04	17	8.74	10	46.66	3	4.85	30	2.35	30	0.12	41
福　　井	18.70	44	18.17	6	8.70	12	45.57	12	5.90	17	2.78	3	0.25	7
山　　梨	19.33	33	15.74	36	8.26	20	43.33	39	4.64	34	2.62	10	0.14	37
長　　野	19.27	34	15.14	39	9.86	3	44.27	26	4.02	43	2.67	6	0.14	39
岐　　阜	19.87	20	16.26	31	7.68	27	43.81	35	5.12	26	2.88	2	0.23	10
静　　岡	18.88	42	15.11	40	8.50	18	42.49	42	4.33	39	2.42	23	0.18	17
愛　　知	19.76	22	13.94	47	7.17	38	40.87	47	4.84	31	2.37	27	0.15	30
三　　重	18.39	47	15.92	34	7.70	26	42.00	43	4.86	29	2.31	31	0.26	5
滋　　賀	19.48	30	17.31	15	7.21	37	44.00	33	4.30	40	2.73	5	0.21	12
京　　都	20.65	7	17.96	8	7.09	40	45.70	10	4.54	37	1.59	46	0.14	38
大　　阪	20.51	11	17.63	11	5.99	47	44.13	29	7.08	7	2.11	39	0.11	43
兵　　庫	20.15	15	17.35	14	7.00	45	44.50	22	4.98	28	2.44	22	0.13	40
奈　　良	20.12	16	18.09	7	7.08	41	45.29	17	5.64	20	2.07	41	0.14	35
和　歌　山	19.00	39	17.82	10	6.38	46	43.20	41	6.16	14	2.63	8	0.26	4
鳥　　取	20.26	14	14.50	45	8.89	9	43.65	37	4.15	42	2.44	21	0.17	26
島　　根	20.01	17	15.46	37	8.61	14	44.08	30	3.28	47	2.20	38	0.15	33
岡　　山	18.98	40	17.48	13	7.30	34	43.75	36	6.00	15	2.35	29	0.18	21
広　　島	19.72	23	18.28	3	7.39	32	45.39	13	5.64	23	2.20	37	0.16	29
山　　口	19.56	29	18.18	5	8.20	21	45.94	7	7.34	2	2.02	43	0.17	25
徳　　島	18.44	46	15.77	35	7.26	35	41.47	45	7.29	4	2.45	20	0.23	9
香　　川	18.57	45	17.53	12	7.12	39	43.22	40	3.86	44	2.30	33	0.32	1
愛　　媛	18.97	41	18.85	1	7.99	23	45.81	8	5.64	21	2.51	17	0.21	13
高　　知	19.15	37	18.24	4	7.98	24	45.37	14	7.32	3	2.55	14	0.25	6
福　　岡	21.83	2	14.50	46	7.02	43	43.35	38	6.19	13	2.61	12	0.14	36
佐　　賀	20.53	10	16.71	25	7.35	33	44.60	21	7.35	1	2.62	11	0.28	2
長　　崎	20.85	5	17.93	9	7.04	42	45.81	9	6.53	10	2.30	32	0.16	28
熊　　本	19.92	19	16.93	19	7.41	30	44.26	27	5.66	19	2.36	28	0.18	23
大　　分	19.43	31	16.77	22	8.15	22	44.36	24	5.86	18	2.62	9	0.24	8
宮　　崎	19.12	38	18.66	2	8.61	13	46.39	5	6.82	9	2.51	18	0.27	3
鹿　児　島	19.26	35	16.67	26	8.52	16	44.45	23	7.23	5	2.39	25	0.17	24
沖　　縄	18.82	43	14.51	44	7.75	25	41.08	46	3.69	46	1.48	47	0.11	44
（再掲）														
東京都区部	20.63	…	16.14	…	7.07	…	43.84	…	5.06	…	2.12	…	0.07	…
札　　幌	22.56	…	15.55	…	7.11	…	45.22	…	5.70	…	1.90	…	0.10	…
仙　　台	20.03	…	14.78	…	8.99	…	43.80	…	3.61	…	2.14	…	0.06	…
さいたま	19.30	…	14.81	…	7.07	…	41.18	…	5.76	…	1.79	…	0.11	…
千　　葉	20.13	…	15.81	…	7.22	…	43.16	…	6.74	…	1.73	…	0.10	…
横　　浜	19.83	…	14.87	…	6.61	…	41.31	…	4.23	…	2.70	…	0.06	…
川　　崎	20.23	…	14.84	…	6.91	…	41.98	…	5.38	…	2.87	…	0.11	…
相　模　原	19.96	…	16.72	…	7.48	…	44.16	…	4.77	…	2.44	…	0.11	…
新　　潟	20.73	…	14.86	…	9.45	…	45.05	…	4.71	…	2.16	…	0.12	…
静　　岡	19.34	…	14.65	…	7.34	…	41.33	…	4.09	…	2.31	…	0.22	…
浜　　松	17.78	…	14.77	…	8.94	…	41.49	…	3.81	…	2.22	…	0.13	…
名　古　屋	20.41	…	13.76	…	6.44	…	40.61	…	4.65	…	2.24	…	0.14	…
京　　都	21.55	…	17.80	…	6.89	…	46.25	…	4.39	…	1.59	…	0.14	…
大　　阪	21.14	…	16.07	…	6.02	…	43.22	…	7.35	…	2.22	…	0.09	…
堺	20.14	…	16.06	…	6.81	…	43.01	…	8.00	…	1.97	…	0.11	…
神　　戸	20.43	…	15.80	…	6.51	…	42.74	…	5.08	…	2.45	…	0.11	…
岡　　山	19.28	…	15.60	…	7.21	…	42.09	…	5.36	…	2.33	…	0.18	…
広　　島	20.43	…	17.52	…	7.26	…	45.20	…	4.91	…	1.95	…	0.12	…
北　九　州	21.93	…	13.91	…	7.29	…	43.14	…	5.97	…	2.63	…	0.15	…
福　　岡	22.27	…	14.31	…	6.09	…	42.68	…	5.76	…	2.83	…	0.11	…
熊　　本	21.18	…	16.28	…	6.41	…	43.87	…	4.97	…	2.03	…	0.09	…

注：1）死因別死亡確率とは、生命表の上で、ある年齢の者が将来どの死因で死亡するかを計算し、確率の形で表したものであり、実際の死亡割合とは異なる。
　　2）表中の死因別死亡確率は、0歳における数値である。

参考1-2　死因別死亡確率（女、続き）

令和2年(2020)
(単位：％)

都道府県	自殺 確率	順位	腎不全 確率	順位	肝疾患 確率	順位	糖尿病 確率	順位	高血圧性疾患 確率	順位	新型コロナウイルス感染症(COVID-19) 確率	順位	老衰 確率	順位
全国	0.83		1.94		0.77		0.86		0.92		0.39		17.69	
北海道	0.92	5	2.53	1	0.81	8	1.05	4	0.92	28	0.70	5	14.15	45
青森	0.81	19	2.14	14	0.62	44	0.98	8	0.90	31	0.08	42	15.94	33
岩手	0.86	10	1.84	31	0.62	43	0.97	10	0.92	26	0.05	45	16.75	31
宮城	0.88	8	1.74	38	0.64	42	0.77	38	0.96	21	0.16	27	18.32	15
秋田	0.76	28	1.82	33	0.74	27	0.92	17	0.98	19	0.07	44	15.46	35
山形	0.78	26	1.74	39	0.71	33	0.66	47	0.73	38	0.11	35	19.52	7
福島	0.86	14	1.75	36	0.79	12	1.03	5	0.94	23	0.19	19	16.99	28
茨城	0.80	23	1.66	41	0.86	6	0.96	12	0.94	25	0.25	14	16.98	29
栃木	0.94	3	1.64	43	0.89	4	1.01	6	0.94	24	0.14	31	18.11	17
群馬	0.99	1	1.86	28	0.86	5	0.93	16	1.58	2	0.21	18	14.99	41
埼玉	0.84	15	1.96	25	0.75	20	0.84	31	0.78	36	0.53	6	17.39	24
千葉	0.91	7	1.61	44	0.73	29	0.91	21	1.62	1	0.42	9	18.71	12
東京	0.86	13	1.67	40	0.76	18	0.75	41	0.74	37	0.75	4	19.48	8
神奈川	0.80	22	1.59	45	0.79	14	0.77	39	0.65	44	0.48	7	22.78	2
新潟	0.97	2	1.66	42	0.60	46	0.91	18	1.01	16	0.08	41	18.44	14
富山	0.76	29	1.82	32	0.73	28	0.76	40	0.79	35	0.11	36	18.46	13
石川	0.68	42	1.76	34	0.76	16	0.88	26	1.00	17	0.26	13	15.48	34
福井	0.74	34	2.06	19	0.66	39	1.10	2	1.13	6	0.18	24	15.24	37
山梨	0.79	24	1.84	30	0.68	37	1.01	7	1.03	14	0.16	28	18.01	19
長野	0.86	12	1.28	47	0.58	47	0.91	19	1.06	10	0.07	43	19.85	6
岐阜	0.81	20	1.93	27	0.70	35	0.73	44	0.65	45	0.21	16	19.15	11
静岡	0.75	33	1.74	37	0.69	36	0.88	27	0.92	29	0.14	30	23.39	1
愛知	0.77	27	1.75	35	0.79	13	0.69	46	0.52	47	0.45	8	21.39	4
三重	0.82	16	2.04	21	0.67	38	0.95	13	1.06	9	0.19	20	21.92	3
滋賀	0.92	6	2.10	15	0.74	23	0.91	20	0.84	33	0.24	15	17.43	23
京都	0.75	32	2.08	18	0.72	31	0.78	36	0.70	39	0.36	10	18.07	18
大阪	0.92	4	2.33	8	0.91	3	0.82	32	1.05	11	1.00	2	15.05	40
兵庫	0.82	18	2.06	20	0.79	10	0.85	28	0.85	32	0.81	3	17.45	22
奈良	0.88	9	1.95	26	0.74	26	0.89	24	1.11	7	0.32	12	17.85	21
和歌山	0.79	25	2.33	9	0.75	21	0.72	45	0.59	46	0.15	29	19.36	9
鳥取	0.57	46	1.48	46	0.71	32	0.77	37	0.68	41	0.03	46	20.28	5
島根	0.75	30	1.85	29	0.61	45	0.85	29	1.00	18	0.01	47	17.92	20
岡山	0.68	41	1.99	22	0.79	11	0.80	33	0.67	42	0.21	17	17.07	26
広島	0.81	21	2.15	13	0.75	22	0.98	9	0.92	27	0.17	25	17.03	27
山口	0.67	43	2.28	10	0.66	40	0.94	15	0.95	22	0.18	22	15.11	39
徳島	0.74	36	2.35	5	1.03	2	0.97	11	1.09	8	0.19	21	16.83	30
香川	0.73	37	1.99	23	0.71	34	1.09	3	1.14	5	0.12	33	19.26	10
愛媛	0.66	44	1.97	24	0.72	30	0.94	14	1.02	15	0.12	34	18.20	16
高知	0.74	35	2.48	2	0.74	25	0.74	42	0.68	40	0.10	37	14.50	42
福岡	0.82	17	2.10	16	0.76	17	0.90	22	1.19	4	0.33	11	12.92	47
佐賀	0.70	38	2.17	12	0.65	41	0.74	43	1.04	13	0.10	38	14.37	43
長崎	0.57	47	2.10	17	0.74	24	0.79	34	0.91	30	0.14	32	13.34	46
熊本	0.70	40	2.26	11	0.78	15	0.78	35	0.81	34	0.18	23	16.07	32
大分	0.70	39	2.34	6	0.84	7	0.89	23	0.97	20	0.16	26	15.39	36
宮崎	0.86	11	2.33	7	0.80	9	0.85	30	1.05	12	0.09	39	14.34	44
鹿児島	0.75	31	2.46	3	0.75	19	0.89	25	0.66	43	0.09	40	15.14	38
沖縄	0.63	45	2.36	4	1.37	1	1.15	1	1.43	3	1.12	1	17.32	25
(再掲)														
東京都区部	0.87	…	1.69	…	0.80	…	0.74	…	0.79	…	0.84	…	19.15	…
札幌	0.93	…	2.47	…	0.86	…	0.93	…	0.56	…	1.20	…	13.25	…
仙台	0.88	…	1.54	…	0.57	…	0.87	…	1.54	…	0.22	…	20.46	…
さいたま	0.89	…	1.60	…	0.73	…	0.79	…	0.51	…	0.43	…	21.28	…
千葉	0.98	…	1.60	…	0.76	…	0.94	…	1.33	…	0.52	…	19.73	…
横浜	0.83	…	1.55	…	0.77	…	0.72	…	0.58	…	0.57	…	24.53	…
川崎	0.74	…	1.51	…	0.82	…	0.85	…	0.54	…	0.57	…	22.41	…
相模原	0.85	…	1.66	…	1.02	…	0.84	…	0.51	…	0.62	…	20.59	…
新潟	0.83	…	1.86	…	0.57	…	0.82	…	0.64	…	0.07	…	16.74	…
静岡	0.77	…	1.48	…	0.57	…	0.77	…	0.95	…	0.12	…	27.82	…
浜松	0.63	…	2.14	…	0.69	…	0.77	…	0.64	…	0.16	…	24.81	…
名古屋	0.83	…	1.59	…	0.80	…	0.69	…	0.51	…	0.59	…	21.27	…
京都	0.75	…	2.08	…	0.77	…	0.78	…	0.68	…	0.45	…	17.38	…
大阪	1.06	…	2.38	…	1.04	…	0.80	…	1.33	…	1.38	…	13.96	…
堺	0.80	…	2.54	…	0.93	…	0.79	…	1.26	…	0.75	…	15.67	…
神戸	0.85	…	1.92	…	0.75	…	0.92	…	0.75	…	1.20	…	17.33	…
岡山	0.72	…	1.82	…	0.78	…	0.70	…	0.68	…	0.21	…	17.98	…
広島	0.80	…	2.06	…	0.66	…	0.90	…	0.92	…	0.33	…	17.76	…
北九州	0.77	…	2.13	…	0.74	…	1.10	…	1.13	…	0.30	…	11.90	…
福岡	0.91	…	1.83	…	0.82	…	0.76	…	1.20	…	0.42	…	14.36	…
熊本	0.65	…	2.18	…	0.77	…	0.68	…	0.50	…	0.27	…	17.38	…

参考2-1 特定死因を除去した場合の平均寿命の延び(男)

令和2年(2020)
(単位:年)

都道府県	悪性新生物<腫瘍> 延び	順位	心疾患(高血圧性を除く) 延び	順位	脳血管疾患 延び	順位	悪性新生物<腫瘍>、心疾患(高血圧性を除く)及び脳血管疾患 延び	順位	肺炎 延び	順位	不慮の事故 延び	順位	交通事故(再掲) 延び	順位
全国	3.51		1.43		0.71		6.63		0.50		0.39		0.09	
北海道	3.94	1	1.35	33	0.70	26	7.07	4	0.50	24	0.45	18	0.11	16
青森	3.85	2	1.51	16	0.84	8	7.45	2	0.56	7	0.54	3	0.10	25
岩手	3.49	21	1.63	4	1.05	1	7.50	1	0.44	37	0.46	16	0.09	29
宮城	3.55	15	1.46	22	0.90	4	7.05	6	0.38	44	0.40	32	0.10	27
秋田	3.76	3	1.13	43	0.95	2	6.89	12	0.49	26	0.45	21	0.07	46
山形	3.46	28	1.56	10	0.81	11	6.95	8	0.44	36	0.38	36	0.07	45
福島	3.51	18	1.54	14	0.81	10	6.96	7	0.47	32	0.51	6	0.09	30
茨城	3.48	25	1.44	23	0.88	5	6.87	13	0.57	6	0.40	30	0.11	15
栃木	3.39	36	1.62	5	0.90	3	7.10	3	0.51	20	0.39	35	0.13	3
群馬	3.24	46	1.48	18	0.74	17	6.47	33	0.56	10	0.37	41	0.08	38
埼玉	3.41	31	1.54	12	0.65	38	6.58	25	0.61	3	0.29	47	0.08	40
千葉	3.45	30	1.57	9	0.71	25	6.72	17	0.56	9	0.34	44	0.09	33
東京	3.48	24	1.46	21	0.70	27	6.64	23	0.49	25	0.30	46	0.05	47
神奈川	3.51	17	1.59	7	0.66	37	6.70	20	0.45	35	0.38	38	0.07	44
新潟	3.58	13	1.24	40	0.85	7	6.71	18	0.37	45	0.41	28	0.09	34
富山	3.40	34	1.09	44	0.79	12	6.18	45	0.50	21	0.50	7	0.08	43
石川	3.51	19	1.30	37	0.72	20	6.55	27	0.50	23	0.45	22	0.10	21
福井	3.32	43	1.47	20	0.67	30	6.47	35	0.54	14	0.48	14	0.09	32
山梨	3.27	45	1.26	39	0.77	15	6.24	42	0.50	22	0.50	8	0.11	13
長野	3.14	47	1.34	35	0.79	13	6.20	43	0.38	43	0.45	19	0.09	36
岐阜	3.33	40	1.31	36	0.63	40	6.18	46	0.47	30	0.49	9	0.08	37
静岡	3.32	42	1.35	31	0.86	6	6.49	31	0.41	40	0.39	34	0.09	35
愛知	3.40	33	1.05	46	0.62	42	5.82	47	0.46	34	0.36	42	0.08	41
三重	3.30	44	1.37	28	0.72	23	6.30	40	0.47	28	0.39	33	0.13	6
滋賀	3.46	27	1.35	32	0.61	44	6.33	38	0.40	41	0.46	15	0.13	4
京都	3.56	14	1.60	6	0.66	36	6.86	14	0.43	38	0.33	45	0.11	14
大阪	3.63	11	1.65	3	0.59	45	6.90	11	0.60	4	0.37	39	0.08	39
兵庫	3.62	12	1.42	24	0.67	33	6.70	19	0.46	33	0.41	29	0.09	31
奈良	3.48	23	1.54	15	0.55	47	6.52	29	0.56	8	0.37	40	0.11	17
和歌山	3.64	10	1.67	2	0.58	46	6.95	9	0.53	16	0.51	5	0.11	12
鳥取	3.74	4	1.06	45	0.72	22	6.49	30	0.42	39	0.44	23	0.10	22
島根	3.64	8	1.20	41	0.67	29	6.48	32	0.35	47	0.35	43	0.08	42
岡山	3.38	37	1.39	26	0.67	31	6.36	37	0.55	11	0.45	20	0.12	8
広島	3.48	22	1.54	13	0.65	39	6.69	21	0.49	27	0.44	24	0.12	9
山口	3.50	20	1.56	11	0.73	18	6.91	10	0.62	2	0.38	37	0.10	20
徳島	3.32	41	1.39	27	0.63	41	6.25	41	0.64	1	0.55	2	0.13	5
香川	3.35	38	1.58	8	0.68	28	6.57	26	0.36	46	0.48	13	0.16	1
愛媛	3.39	35	1.78	1	0.72	21	7.05	5	0.51	19	0.49	11	0.12	7
高知	3.64	9	1.37	29	0.71	24	6.75	16	0.54	15	0.60	1	0.14	2
福岡	3.73	5	0.99	47	0.62	43	6.18	44	0.52	18	0.42	27	0.10	23
佐賀	3.71	6	1.18	42	0.66	34	6.47	34	0.53	17	0.43	25	0.10	26
長崎	3.68	7	1.30	38	0.66	35	6.61	24	0.55	12	0.43	26	0.10	24
熊本	3.41	32	1.36	30	0.67	32	6.32	39	0.47	29	0.48	12	0.11	11
大分	3.35	39	1.35	34	0.75	16	6.38	36	0.47	31	0.49	10	0.11	10
宮崎	3.53	16	1.48	17	0.77	14	6.85	15	0.55	13	0.46	17	0.10	28
鹿児島	3.46	26	1.39	25	0.73	19	6.53	28	0.60	5	0.54	4	0.11	18
沖縄	3.45	29	1.48	19	0.83	9	6.64	22	0.39	42	0.40	31	0.10	19
(再掲)														
東京都区部	3.53	...	1.47	...	0.68	...	6.70	...	0.48	...	0.30	...	0.05	...
札幌	3.89	...	1.13	...	0.67	...	6.62	...	0.53	...	0.40	...	0.09	...
仙台	3.63	...	1.34	...	0.85	...	6.82	...	0.35	...	0.34	...	0.08	...
さいたま	3.40	...	1.36	...	0.63	...	6.23	...	0.58	...	0.28	...	0.08	...
千葉	3.52	...	1.53	...	0.74	...	6.79	...	0.59	...	0.31	...	0.06	...
横浜	3.48	...	1.62	...	0.62	...	6.65	...	0.42	...	0.38	...	0.07	...
川崎	3.50	...	1.64	...	0.67	...	6.77	...	0.49	...	0.38	...	0.06	...
相模原	3.45	...	1.68	...	0.74	...	6.89	...	0.51	...	0.36	...	0.08	...
新潟	3.85	...	1.13	...	0.84	...	6.86	...	0.36	...	0.33	...	0.06	...
静岡	3.38	...	1.32	...	0.78	...	6.34	...	0.40	...	0.35	...	0.10	...
浜松	3.06	...	1.29	...	0.92	...	6.14	...	0.37	...	0.37	...	0.08	...
名古屋	3.46	...	1.07	...	0.61	...	5.92	...	0.48	...	0.33	...	0.07	...
京都	3.57	...	1.66	...	0.68	...	7.02	...	0.43	...	0.32	...	0.09	...
大阪	3.59	...	1.46	...	0.67	...	6.72	...	0.65	...	0.40	...	0.07	...
堺	3.76	...	1.47	...	0.68	...	6.91	...	0.65	...	0.30	...	0.07	...
神戸	3.66	...	1.45	...	0.56	...	6.60	...	0.44	...	0.41	...	0.08	...
岡山	3.44	...	1.26	...	0.65	...	6.22	...	0.50	...	0.40	...	0.10	...
広島	3.48	...	1.50	...	0.65	...	6.67	...	0.45	...	0.35	...	0.09	...
北九州	3.79	...	0.96	...	0.66	...	6.22	...	0.52	...	0.41	...	0.09	...
福岡	3.78	...	0.96	...	0.57	...	6.15	...	0.49	...	0.39	...	0.09	...
熊本	3.49	...	1.28	...	0.62	...	6.28	...	0.41	...	0.44	...	0.09	...

注:1) 特定死因を除去した場合の平均寿命の延びとは、ある死因が克服されたと仮定した場合の平均寿命の延びである。
2) 「悪性新生物<腫瘍>、心疾患(高血圧性を除く。以下同じ)及び脳血管疾患」の数値は、以下の理由により「悪性新生物<腫瘍>」、「心疾患」及び「脳血管疾患」のそれぞれを合計した数値にはならない。
○「悪性新生物<腫瘍>、心疾患及び脳血管疾患」の数値:3つの死因を同時に除去していることから、3つのどの死因による死亡も発生しないものとして延びが計算される。
○「悪性新生物<腫瘍>」「心疾患」「脳血管疾患」それぞれの数値:単独に死因を除去し、他の2つの死因を除去していないことから、当該2つの死因による死亡が発生するものとして延びが計算される。

死因	左記特定死因を除去した場合におけるその死因で死亡していた者の死亡状況
悪性新生物<腫瘍>	悪性新生物<腫瘍>以外で亡くなる(心疾患・脳血管疾患でも亡くなる)
心疾患	心疾患以外で亡くなる(悪性新生物<腫瘍>・脳血管疾患でも亡くなる)
脳血管疾患	脳血管疾患以外で亡くなる(悪性新生物<腫瘍>・心疾患でも亡くなる)
悪性新生物<腫瘍>、心疾患及び脳血管疾患	悪性新生物<腫瘍>、心疾患及び脳血管疾患以外で亡くなる

参考2-1 特定死因を除去した場合の平均寿命の延び（男、続き）

令和2年(2020)
(単位：年)

都道府県	自殺 延び	順位	腎不全 延び	順位	肝疾患 延び	順位	糖尿病 延び	順位	高血圧性疾患 延び	順位	新型コロナウイルス感染症(COVID-19) 延び	順位
全　　　国	0.57		0.16		0.24		0.11		0.05		0.05	
北　海　道	0.63	19	0.20	1	0.22	26	0.13	13	0.07	10	0.08	5
青　　森	0.68	6	0.19	2	0.27	6	0.14	10	0.04	28	0.00	44
岩　　手	0.66	12	0.18	8	0.24	13	0.12	19	0.05	14	0.01	41
宮　　城	0.66	13	0.14	39	0.20	33	0.11	32	0.05	16	0.02	30
秋　　田	0.58	34	0.18	6	0.21	30	0.14	9	0.06	13	0.00	46
山　　形	0.72	1	0.18	7	0.18	41	0.07	46	0.03	42	0.01	37
福　　島	0.68	4	0.16	20	0.24	16	0.14	6	0.04	27	0.03	21
茨　　城	0.64	17	0.14	37	0.22	29	0.13	11	0.04	32	0.03	19
栃　　木	0.60	28	0.15	32	0.23	19	0.13	16	0.03	35	0.03	18
群　　馬	0.68	7	0.16	23	0.18	40	0.13	12	0.19	1	0.02	26
埼　　玉	0.52	45	0.16	25	0.20	36	0.11	30	0.05	18	0.07	7
千　　葉	0.56	38	0.15	35	0.20	34	0.14	5	0.15	2	0.07	8
東　　京	0.50	47	0.15	36	0.29	4	0.12	24	0.03	36	0.11	3
神奈川	0.52	44	0.13	44	0.31	2	0.08	44	0.02	47	0.07	6
新　　潟	0.66	10	0.14	42	0.19	38	0.11	26	0.06	11	0.01	40
富　　山	0.66	11	0.14	41	0.19	39	0.13	18	0.05	21	0.02	29
石　　川	0.53	41	0.13	43	0.20	35	0.10	34	0.06	12	0.03	14
福　　井	0.59	31	0.14	38	0.14	47	0.13	17	0.02	45	0.01	35
山　　梨	0.60	26	0.18	5	0.24	15	0.14	8	0.04	31	0.01	39
長　　野	0.69	3	0.13	47	0.18	43	0.11	27	0.04	29	0.02	31
岐　　阜	0.58	35	0.15	31	0.16	46	0.09	43	0.02	46	0.03	16
静　　岡	0.61	22	0.16	17	0.19	37	0.12	20	0.04	24	0.03	20
愛　　知	0.54	40	0.13	45	0.18	42	0.07	47	0.02	44	0.06	9
三　　重	0.55	39	0.17	13	0.18	45	0.11	28	0.04	22	0.04	13
滋　　賀	0.60	27	0.17	11	0.18	44	0.09	41	0.03	41	0.03	15
京　　都	0.50	46	0.15	33	0.22	27	0.09	40	0.03	39	0.05	11
大　　阪	0.56	37	0.17	12	0.31	3	0.12	21	0.10	3	0.12	1
兵　　庫	0.59	30	0.16	19	0.27	5	0.12	23	0.04	23	0.10	4
奈　　良	0.60	25	0.13	46	0.21	31	0.11	25	0.08	6	0.04	12
和歌山	0.63	20	0.16	24	0.25	12	0.08	45	0.03	37	0.01	36
鳥　　取	0.61	24	0.17	14	0.21	32	0.11	29	0.03	38	0.00	47
島　　根	0.65	14	0.16	26	0.22	23	0.10	37	0.03	34	0.00	45
岡　　山	0.62	21	0.14	40	0.22	22	0.10	39	0.02	43	0.03	17
広　　島	0.57	36	0.16	22	0.24	17	0.11	31	0.04	30	0.02	22
山　　口	0.64	16	0.16	21	0.22	24	0.10	36	0.07	8	0.01	38
徳　　島	0.59	32	0.18	9	0.25	11	0.14	7	0.05	17	0.02	23
香　　川	0.60	29	0.15	29	0.23	20	0.16	2	0.07	9	0.01	34
愛　　媛	0.64	18	0.16	18	0.26	9	0.13	15	0.05	20	0.02	28
高　　知	0.69	2	0.19	4	0.26	7	0.09	42	0.05	19	0.02	24
福　　岡	0.58	33	0.15	34	0.24	18	0.13	14	0.08	5	0.05	10
佐　　賀	0.64	15	0.15	30	0.22	21	0.12	22	0.05	15	0.01	42
長　　崎	0.52	43	0.15	27	0.22	25	0.10	35	0.03	40	0.01	33
熊　　本	0.61	23	0.17	15	0.25	10	0.11	33	0.03	33	0.02	27
大　　分	0.67	8	0.17	10	0.22	28	0.10	38	0.04	25	0.02	25
宮　　崎	0.67	9	0.15	28	0.26	8	0.16	1	0.08	7	0.02	32
鹿児島	0.68	5	0.19	3	0.24	14	0.14	4	0.04	26	0.01	43
沖　　縄	0.53	42	0.17	16	0.56	1	0.16	3	0.09	4	0.11	2
（再掲）												
東京都区部	0.48	…	0.15	…	0.32	…	0.12	…	0.04	…	0.12	…
札　　幌	0.59	…	0.19	…	0.22	…	0.14	…	0.05	…	0.14	…
仙　　台	0.58	…	0.13	…	0.20	…	0.13	…	0.07	…	0.03	…
さいたま	0.46	…	0.15	…	0.18	…	0.09	…	0.02	…	0.06	…
千　　葉	0.56	…	0.16	…	0.21	…	0.12	…	0.14	…	0.06	…
横　　浜	0.51	…	0.13	…	0.31	…	0.07	…	0.01	…	0.08	…
川　　崎	0.48	…	0.13	…	0.35	…	0.10	…	0.03	…	0.09	…
相　模　原	0.58	…	0.15	…	0.31	…	0.09	…	0.03	…	0.06	…
新　　潟	0.54	…	0.13	…	0.17	…	0.10	…	0.03	…	0.01	…
静　　岡	0.55	…	0.15	…	0.18	…	0.10	…	0.03	…	0.03	…
浜　　松	0.55	…	0.16	…	0.20	…	0.11	…	0.05	…	0.03	…
名古屋	0.48	…	0.14	…	0.19	…	0.07	…	0.02	…	0.07	…
京　　都	0.47	…	0.15	…	0.23	…	0.10	…	0.04	…	0.06	…
大　　阪	0.57	…	0.18	…	0.42	…	0.14	…	0.16	…	0.15	…
堺	0.58	…	0.18	…	0.27	…	0.10	…	0.13	…	0.10	…
神　　戸	0.57	…	0.15	…	0.28	…	0.12	…	0.04	…	0.15	…
岡　　山	0.55	…	0.14	…	0.20	…	0.10	…	0.02	…	0.03	…
広　　島	0.55	…	0.16	…	0.23	…	0.10	…	0.05	…	0.05	…
北九州	0.56	…	0.13	…	0.28	…	0.14	…	0.09	…	0.05	…
福　　岡	0.55	…	0.14	…	0.24	…	0.14	…	0.13	…	0.07	…
熊　　本	0.56	…	0.17	…	0.24	…	0.11	…	0.03	…	0.04	…

参考2-2　特定死因を除去した場合の平均寿命の延び（女）

令和2年(2020)
(単位：年)

都道府県	悪性新生物<腫瘍> 延び	順位	心疾患（高血圧性を除く）延び	順位	脳血管疾患 延び	順位	悪性新生物<腫瘍>、心疾患（高血圧性を除く）及び脳血管疾患 延び	順位	肺炎 延び	順位	不慮の事故 延び	順位	交通事故（再掲）延び	順位
全　　　　国	2.84		1.27		0.65		5.44		0.36		0.25		0.03	
北　海　道	3.27	1	1.27	26	0.65	26	5.97	2	0.35	21	0.28	16	0.04	22
青　　　森	3.13	2	1.28	23	0.73	15	5.92	3	0.40	13	0.33	2	0.05	15
岩　　　手	2.96	5	1.35	13	0.97	1	6.16	1	0.29	38	0.26	23	0.03	26
宮　　　城	2.84	15	1.28	25	0.82	3	5.72	6	0.25	46	0.24	37	0.03	42
秋　　　田	2.88	8	1.03	45	0.88	2	5.54	14	0.32	28	0.30	9	0.04	20
山　　　形	2.72	36	1.29	22	0.75	10	5.49	19	0.28	40	0.26	20	0.05	12
福　　　島	2.74	31	1.33	15	0.78	6	5.58	10	0.32	31	0.29	11	0.04	18
茨　　　城	2.80	23	1.25	29	0.76	8	5.52	16	0.46	6	0.25	32	0.05	16
栃　　　木	2.78	29	1.30	21	0.81	4	5.63	9	0.34	24	0.21	41	0.03	28
群　　　馬	2.74	32	1.30	18	0.69	18	5.45	21	0.41	12	0.24	34	0.03	33
埼　　　玉	2.83	17	1.40	10	0.63	29	5.55	13	0.46	7	0.19	45	0.03	41
千　　　葉	2.79	25	1.35	14	0.65	27	5.45	20	0.41	11	0.20	43	0.03	34
東　　　京	2.89	7	1.25	28	0.62	30	5.41	24	0.34	22	0.20	42	0.02	47
神　奈　川	2.86	10	1.22	35	0.61	34	5.27	36	0.30	35	0.28	17	0.02	44
新　　　潟	2.74	33	1.09	42	0.78	5	5.28	35	0.25	45	0.28	15	0.05	14
富　　　山	2.82	18	1.08	43	0.73	13	5.33	30	0.32	32	0.34	1	0.03	27
石　　　川	2.85	13	1.23	30	0.67	23	5.53	15	0.33	26	0.25	26	0.02	46
福　　　井	2.50	47	1.36	12	0.69	20	5.27	38	0.37	18	0.32	5	0.07	1
山　　　梨	2.69	40	1.16	39	0.69	19	5.18	43	0.31	34	0.25	27	0.02	43
長　　　野	2.69	41	1.13	40	0.78	7	5.26	40	0.25	44	0.25	28	0.02	45
岐　　　阜	2.79	27	1.22	33	0.61	32	5.28	34	0.32	30	0.31	6	0.05	11
静　　　岡	2.74	34	1.17	38	0.76	9	5.29	33	0.30	36	0.26	24	0.04	17
愛　　　知	2.79	26	1.03	46	0.60	35	4.96	47	0.31	33	0.25	29	0.03	36
三　　　重	2.57	46	1.22	32	0.64	28	5.03	45	0.32	29	0.25	31	0.06	5
滋　　　賀	2.64	45	1.27	27	0.57	43	5.12	44	0.27	42	0.28	14	0.05	10
京　　　都	2.85	14	1.43	4	0.58	41	5.58	11	0.29	37	0.16	47	0.04	21
大　　　阪	2.90	6	1.43	7	0.52	46	5.50	17	0.46	5	0.24	38	0.03	40
兵　　　庫	2.80	22	1.30	20	0.60	37	5.37	27	0.32	27	0.24	33	0.03	29
奈　　　良	2.79	28	1.39	11	0.57	45	5.43	22	0.35	20	0.20	44	0.03	38
和　歌　山	2.71	38	1.41	8	0.51	47	5.24	41	0.39	15	0.33	3	0.07	2
鳥　　　取	2.86	11	1.04	44	0.74	12	5.31	31	0.29	39	0.28	13	0.04	19
島　　　根	2.81	19	1.12	41	0.68	22	5.27	37	0.22	47	0.22	40	0.03	39
岡　　　山	2.66	43	1.31	16	0.59	39	5.21	42	0.38	17	0.25	30	0.04	23
広　　　島	2.74	30	1.44	3	0.60	36	5.50	18	0.34	25	0.24	36	0.03	35
山　　　口	2.81	21	1.49	2	0.65	25	5.69	7	0.47	4	0.23	39	0.04	25
徳　　　島	2.65	44	1.19	37	0.60	38	5.00	46	0.50	1	0.30	8	0.05	9
香　　　川	2.72	37	1.43	6	0.59	40	5.38	26	0.26	43	0.27	18	0.06	6
愛　　　媛	2.73	35	1.58	1	0.66	24	5.73	5	0.38	16	0.31	7	0.06	4
高　　　知	2.79	24	1.40	9	0.71	16	5.64	8	0.48	2	0.29	10	0.05	13
福　　　岡	3.06	3	1.02	47	0.58	42	5.29	32	0.39	14	0.26	22	0.03	32
佐　　　賀	2.86	12	1.20	36	0.61	33	5.35	29	0.45	8	0.26	21	0.05	8
長　　　崎	2.97	4	1.30	19	0.57	44	5.57	12	0.41	10	0.26	25	0.03	30
熊　　　本	2.81	20	1.28	24	0.62	31	5.37	28	0.34	23	0.24	35	0.04	24
大　　　分	2.67	42	1.22	31	0.68	21	5.26	39	0.36	19	0.32	4	0.07	3
宮　　　崎	2.84	16	1.43	5	0.75	11	5.79	4	0.44	9	0.27	19	0.06	7
鹿　児　島	2.70	39	1.31	17	0.73	14	5.43	23	0.47	3	0.29	12	0.03	31
沖　　　縄	2.88	9	1.22	34	0.70	17	5.39	25	0.27	41	0.18	46	0.03	37
（再掲）														
東京都区部	2.93	…	1.24	…	0.61	…	5.42	…	0.33	…	0.22	…	0.02	…
札　　　幌	3.24	…	1.15	…	0.61	…	5.73	…	0.36	…	0.24	…	0.03	…
仙　　　台	2.82	…	1.12	…	0.77	…	5.35	…	0.23	…	0.20	…	0.01	…
さいたま	2.81	…	1.22	…	0.59	…	5.21	…	0.38	…	0.17	…	0.02	…
千　　　葉	2.88	…	1.26	…	0.63	…	5.39	…	0.42	…	0.20	…	0.03	…
横　　　浜	2.82	…	1.22	…	0.56	…	5.16	…	0.27	…	0.27	…	0.02	…
川　　　崎	2.90	…	1.24	…	0.60	…	5.34	…	0.34	…	0.30	…	0.02	…
相　模　原	2.95	…	1.37	…	0.64	…	5.63	…	0.33	…	0.28	…	0.02	…
新　　　潟	2.94	…	1.08	…	0.77	…	5.50	…	0.28	…	0.24	…	0.03	…
静　　　岡	2.85	…	1.15	…	0.63	…	5.19	…	0.26	…	0.26	…	0.07	…
浜　　　松	2.58	…	1.14	…	0.84	…	5.15	…	0.25	…	0.22	…	0.02	…
名　古　屋	2.92	…	1.03	…	0.55	…	5.02	…	0.30	…	0.25	…	0.02	…
京　　　都	2.97	…	1.45	…	0.57	…	5.73	…	0.29	…	0.17	…	0.05	…
大　　　阪	3.04	…	1.28	…	0.54	…	5.51	…	0.50	…	0.26	…	0.02	…
堺	2.94	…	1.23	…	0.62	…	5.39	…	0.52	…	0.19	…	0.02	…
神　　　戸	2.86	…	1.20	…	0.57	…	5.21	…	0.32	…	0.25	…	0.03	…
岡　　　山	2.76	…	1.14	…	0.57	…	5.08	…	0.33	…	0.23	…	0.05	…
広　　　島	2.90	…	1.39	…	0.59	…	5.59	…	0.32	…	0.21	…	0.02	…
北　九　州	3.04	…	0.99	…	0.60	…	5.27	…	0.38	…	0.26	…	0.04	…
福　　　岡	3.12	…	1.03	…	0.50	…	5.26	…	0.35	…	0.28	…	0.02	…
熊　　　本	3.00	…	1.21	…	0.54	…	5.37	…	0.30	…	0.20	…	0.02	…

注：1）特定死因を除去した場合の平均寿命の延びとは、ある死因が克服されたと仮定した場合の平均寿命の延びである。
　　2）「悪性新生物<腫瘍>、心疾患(高血圧性を除く。以下同じ)及び脳血管疾患」の数値は、以下の理由により「悪性新生物<腫瘍>」、「心疾患」及び「脳血管疾患」のそれぞれを合計した数値にはならない。
　　　○「悪性新生物<腫瘍>、心疾患及び脳血管疾患」の数値：3つの死因を同時に除去していることから、3つのどの死因による死亡も発生しないものとして延びが計算される。
　　　○「悪性新生物<腫瘍>」「心疾患」「脳血管疾患」それぞれの数値：単独に死因を除去し、他の2つの死因を除去していないことから、当該2つの死因による死亡が発生するものとして延びが計算される。

死　因	左記特定死因を除去した場合におけるその死因で死亡していた者の死亡状況
悪性新生物<腫瘍>	悪性新生物<腫瘍>以外で亡くなる（心疾患・脳血管疾患でも亡くなる）
心　疾　患	心疾患以外で亡くなる（悪性新生物<腫瘍>・脳血管疾患でも亡くなる）
脳血管疾患	脳血管疾患以外で亡くなる（悪性新生物<腫瘍>・心疾患でも亡くなる）
悪性新生物<腫瘍>、心疾患及び脳血管疾患	悪性新生物<腫瘍>、心疾患及び脳血管疾患以外で亡くなる

参考2-2　特定死因を除去した場合の平均寿命の延び（女、続き）

令和2年(2020)
(単位：年)

都道府県	自殺 延び	自殺 順位	腎不全 延び	腎不全 順位	肝疾患 延び	肝疾患 順位	糖尿病 延び	糖尿病 順位	高血圧性疾患 延び	高血圧性疾患 順位	新型コロナウイルス感染症(COVID-19) 延び	新型コロナウイルス感染症(COVID-19) 順位
全　　国	0.31		0.14		0.11		0.08		0.06		0.03	
北 海 道	0.34	5	0.18	1	0.12	9	0.11	2	0.07	8	0.06	5
青　　森	0.29	22	0.17	5	0.09	41	0.09	8	0.05	23	0.01	37
岩　　手	0.29	24	0.14	22	0.08	43	0.10	4	0.06	18	0.01	45
宮　　城	0.34	8	0.13	34	0.10	35	0.07	41	0.06	19	0.01	35
秋　　田	0.26	38	0.13	31	0.12	6	0.08	25	0.06	21	0.01	44
山　　形	0.28	30	0.14	27	0.11	20	0.06	46	0.04	42	0.01	26
福　　島	0.33	9	0.12	38	0.13	4	0.10	5	0.05	29	0.01	30
茨　　城	0.30	18	0.12	39	0.12	7	0.10	6	0.06	20	0.02	14
栃　　木	0.37	1	0.13	37	0.12	11	0.09	17	0.05	26	0.01	28
群　　馬	0.36	2	0.13	36	0.12	14	0.09	16	0.12	1	0.02	21
埼　　玉	0.33	10	0.14	20	0.11	23	0.08	21	0.04	34	0.05	6
千　　葉	0.34	4	0.12	44	0.10	32	0.09	14	0.11	2	0.04	9
東　　京	0.34	7	0.12	45	0.12	13	0.07	39	0.04	39	0.07	3
神 奈 川	0.31	17	0.12	46	0.12	10	0.06	45	0.03	45	0.04	7
新　　潟	0.33	11	0.12	42	0.09	42	0.08	18	0.06	12	0.01	41
富　　山	0.27	33	0.12	41	0.11	18	0.07	34	0.05	33	0.01	32
石　　川	0.26	39	0.13	35	0.11	21	0.07	31	0.06	13	0.02	12
福　　井	0.27	34	0.15	15	0.08	44	0.09	13	0.05	24	0.01	31
山　　梨	0.33	12	0.14	25	0.11	27	0.08	22	0.05	25	0.01	33
長　　野	0.32	13	0.09	47	0.09	40	0.08	24	0.06	22	0.01	43
岐　　阜	0.30	20	0.14	21	0.09	39	0.06	42	0.03	44	0.02	18
静　　岡	0.28	27	0.13	32	0.11	30	0.08	28	0.05	31	0.01	24
愛　　知	0.28	29	0.12	40	0.11	26	0.06	47	0.03	47	0.04	8
三　　重	0.29	25	0.14	19	0.09	37	0.09	9	0.06	17	0.02	16
滋　　賀	0.32	14	0.14	30	0.09	38	0.07	33	0.04	38	0.02	17
京　　都	0.26	36	0.14	28	0.11	31	0.06	43	0.04	37	0.03	10
大　　阪	0.35	3	0.16	10	0.14	3	0.08	27	0.08	6	0.08	2
兵　　庫	0.31	16	0.14	18	0.13	5	0.07	32	0.05	28	0.06	4
奈　　良	0.34	6	0.14	26	0.10	34	0.08	20	0.08	4	0.02	13
和 歌 山	0.27	32	0.16	8	0.10	33	0.06	44	0.03	46	0.01	34
鳥　　取	0.22	46	0.12	43	0.12	12	0.07	40	0.04	41	0.00	47
島　　根	0.29	23	0.14	23	0.08	47	0.07	36	0.06	16	0.00	46
岡　　山	0.25	43	0.13	33	0.11	17	0.07	30	0.03	43	0.02	15
広　　島	0.30	19	0.15	16	0.11	28	0.08	23	0.05	27	0.02	19
山　　口	0.26	40	0.16	11	0.08	45	0.08	26	0.06	11	0.01	29
徳　　島	0.27	35	0.16	9	0.16	2	0.09	7	0.06	14	0.02	23
香　　川	0.28	28	0.15	14	0.11	24	0.10	3	0.08	5	0.01	39
愛　　媛	0.25	44	0.14	29	0.11	16	0.09	11	0.06	10	0.01	27
高　　知	0.25	45	0.18	2	0.11	22	0.07	38	0.04	36	0.01	40
福　　岡	0.32	15	0.14	24	0.11	29	0.08	19	0.08	7	0.03	11
佐　　賀	0.26	37	0.15	13	0.08	46	0.07	37	0.06	15	0.02	22
長　　崎	0.19	47	0.15	17	0.10	36	0.07	35	0.05	30	0.01	36
熊　　本	0.25	42	0.15	12	0.11	25	0.08	29	0.04	35	0.02	20
大　　分	0.27	31	0.17	6	0.11	15	0.09	10	0.05	32	0.01	25
宮　　崎	0.29	21	0.16	7	0.12	8	0.09	12	0.07	9	0.01	38
鹿 児 島	0.28	26	0.17	4	0.11	19	0.09	15	0.04	40	0.01	42
沖　　縄	0.26	41	0.18	3	0.25	1	0.12	1	0.10	3	0.10	1
（再掲）												
東京都区部	0.34	…	0.12	…	0.13	…	0.07	…	0.05	…	0.07	…
札　　幌	0.36	…	0.17	…	0.13	…	0.10	…	0.04	…	0.10	…
仙　　台	0.36	…	0.12	…	0.09	…	0.08	…	0.09	…	0.02	…
さ い た ま	0.34	…	0.12	…	0.10	…	0.07	…	0.03	…	0.04	…
千　　葉	0.38	…	0.11	…	0.11	…	0.09	…	0.10	…	0.04	…
横　　浜	0.32	…	0.11	…	0.12	…	0.06	…	0.03	…	0.05	…
川　　崎	0.29	…	0.12	…	0.12	…	0.07	…	0.03	…	0.05	…
相 模 原	0.33	…	0.14	…	0.14	…	0.07	…	0.03	…	0.04	…
新　　潟	0.31	…	0.12	…	0.08	…	0.08	…	0.04	…	0.01	…
静　　岡	0.26	…	0.12	…	0.08	…	0.07	…	0.05	…	0.01	…
浜　　松	0.25	…	0.15	…	0.12	…	0.07	…	0.04	…	0.01	…
名 古 屋	0.32	…	0.11	…	0.11	…	0.06	…	0.03	…	0.05	…
京　　都	0.27	…	0.13	…	0.12	…	0.07	…	0.04	…	0.04	…
大　　阪	0.41	…	0.17	…	0.18	…	0.08	…	0.11	…	0.11	…
堺	0.31	…	0.18	…	0.14	…	0.08	…	0.09	…	0.06	…
神　　戸	0.33	…	0.14	…	0.12	…	0.08	…	0.05	…	0.09	…
岡　　山	0.28	…	0.12	…	0.12	…	0.06	…	0.03	…	0.02	…
広　　島	0.30	…	0.14	…	0.09	…	0.07	…	0.05	…	0.03	…
北 九 州	0.30	…	0.14	…	0.11	…	0.10	…	0.07	…	0.03	…
福　　岡	0.34	…	0.12	…	0.11	…	0.07	…	0.09	…	0.03	…
熊　　本	0.25	…	0.14	…	0.10	…	0.07	…	0.03	…	0.03	…

Ⅲ 統計表（平均余命の年次推移）

全　国

(単位：年)

年齢	男										女									
	昭和40年 (1965)	50 ('75)	60 ('85)	平成2 ('90)	7 ('95)	12 (2000)	17 ('05)	22 ('10)	27 ('15)	令和2 ('20)	昭和40年 (1965)	50 ('75)	60 ('85)	平成2 ('90)	7 ('95)	12 (2000)	17 ('05)	22 ('10)	27 ('15)	令和2 ('20)
0(W)	67.74	71.79	74.95	76.04	76.70	77.71	78.79	79.59	80.77	81.49	72.92	77.01	80.75	82.07	83.22	84.62	85.75	86.35	87.01	87.60
4	68.56	72.27	75.15	76.17	76.81	77.78	78.84	79.61	80.77	81.49	73.58	77.37	80.92	82.19	83.30	84.68	85.78	86.36	87.01	87.60
2(M)	68.60	72.24	75.10	76.12	76.75	77.72	78.77	79.54	80.70	81.41	73.60	77.34	80.87	82.13	83.25	84.62	85.71	86.29	86.94	87.52
3	68.59	72.19	75.04	76.06	76.69	77.65	78.70	79.48	80.63	81.34	73.59	77.28	80.81	82.07	83.19	84.55	85.65	86.22	86.87	87.45
6	68.48	72.01	74.85	75.86	76.49	77.44	78.49	79.26	80.41	81.12	73.47	77.10	80.60	81.86	82.98	84.33	85.43	86.00	86.65	87.22
0(Y)	67.74	71.79	74.95	76.04	76.70	77.71	78.79	79.59	80.77	81.49	72.92	77.01	80.75	82.07	83.22	84.62	85.75	86.35	87.01	87.60
1	68.16	71.60	74.40	75.41	76.04	76.98	78.02	78.79	79.94	80.65	73.13	76.69	80.16	81.41	82.53	83.87	84.96	85.53	86.17	86.75
2	67.31	70.70	73.47	74.47	75.10	76.02	77.06	77.82	78.96	79.67	72.26	75.78	79.22	80.46	81.58	82.91	83.99	84.56	85.20	85.77
3	66.42	69.77	72.52	73.51	74.13	75.05	76.08	76.84	77.98	78.68	71.35	74.83	78.25	79.50	80.60	81.93	83.02	83.57	84.21	84.78
4	65.51	68.82	71.55	72.54	73.16	74.07	75.10	75.85	76.99	77.69	70.42	73.87	77.28	78.52	79.62	80.95	82.03	82.59	83.22	83.79
5	64.57	67.86	70.57	71.56	72.18	73.09	74.11	74.86	76.00	76.70	69.47	72.91	76.30	77.54	78.64	79.96	81.04	81.60	82.23	82.80
10	59.80	63.01	65.66	66.63	67.24	68.14	69.16	69.90	71.04	71.72	64.62	68.00	71.35	72.59	73.69	75.00	76.07	76.63	77.26	77.83
15	54.93	58.10	60.72	61.69	62.30	63.18	64.20	64.93	66.07	66.75	59.71	63.07	66.40	67.63	68.73	70.04	71.10	71.66	72.29	72.85
20	50.18	53.34	55.92	56.87	57.46	58.32	59.31	60.03	61.16	61.84	54.85	58.17	61.47	62.70	63.80	65.10	66.17	66.71	67.33	67.91
25	45.54	48.61	51.14	52.09	52.65	53.51	54.48	55.20	56.30	56.98	50.06	53.32	56.57	57.80	58.89	60.19	61.26	61.79	62.40	62.98
30	40.90	43.85	46.34	47.27	47.83	48.68	49.66	50.38	51.46	52.11	45.31	48.48	51.69	52.89	53.98	55.28	56.35	56.88	57.48	58.06
35	36.28	39.12	41.55	42.45	43.01	43.88	44.85	45.56	46.62	47.26	40.58	43.66	46.82	48.01	49.09	50.40	51.46	51.99	52.58	53.15
40	31.73	34.48	36.81	37.69	38.24	39.13	40.08	40.77	41.80	42.43	35.91	38.89	41.99	43.17	44.24	45.54	46.61	47.13	47.70	48.26
45	27.28	29.99	32.20	33.02	33.57	34.46	35.40	36.06	37.04	37.65	31.31	34.19	37.23	38.38	39.45	40.75	41.80	42.32	42.87	43.42
50	23.00	25.63	27.75	28.50	29.03	29.93	30.85	31.47	32.39	32.96	26.85	29.59	32.56	33.68	34.74	36.03	37.07	37.57	38.10	38.64
55	18.94	21.41	23.56	24.17	24.67	25.60	26.48	27.02	27.88	28.42	22.54	25.13	27.99	29.07	30.12	31.42	32.44	32.91	33.42	33.95
60	15.20	17.45	19.53	20.13	20.54	21.46	22.30	22.79	23.54	24.04	18.42	20.81	23.52	24.57	25.60	26.88	27.89	28.33	28.81	29.32
65	11.88	13.80	15.71	16.32	16.74	17.56	18.33	18.78	19.46	19.89	14.56	16.69	19.21	20.21	21.23	22.46	23.42	23.84	24.30	24.77
70	8.99	10.60	12.20	12.76	13.22	14.00	14.60	15.00	15.62	16.03	11.09	12.91	15.15	16.06	17.04	18.22	19.12	19.48	19.90	20.36
75	6.63	7.94	9.14	9.61	10.03	10.78	11.27	11.50	12.06	12.47	8.11	9.61	11.46	12.24	13.14	14.24	15.06	15.33	15.68	16.12
80	4.81	5.85	6.69	6.99	7.35	7.99	8.41	8.47	8.87	9.25	5.80	6.95	8.33	8.90	9.71	10.67	11.35	11.52	11.77	12.15
85	3.51	4.42	4.85	5.02	5.25	5.82	6.06	6.04	6.27	6.53	4.19	5.09	5.88	6.26	6.89	7.70	8.21	8.20	8.36	8.65
90			3.61	3.61	3.75	4.25	4.33	4.20	4.31	4.45			4.21	4.34	4.84	5.46	5.79	5.59	5.62	5.80
95				2.63	2.75	3.38	3.12	2.93	2.95	3.00				3.08	3.51	4.04	4.14	3.71	3.69	3.76
100							2.06	2.02	2.02								2.56	2.52	2.60	

注：昭和40年は第12回生命表による。

北海道

(単位：年)

年齢	男										女									
	昭和40年 (1965)	50 ('75)	60 ('85)	平成2 ('90)	7 ('95)	12 (2000)	17 ('05)	22 ('10)	27 ('15)	令和2 ('20)	昭和40年 (1965)	50 ('75)	60 ('85)	平成2 ('90)	7 ('95)	12 (2000)	17 ('05)	22 ('10)	27 ('15)	令和2 ('20)
0(W)	67.46	71.46	74.50	75.67	76.56	77.55	78.30	79.17	80.28	80.92	72.82	76.74	80.42	81.92	83.41	84.84	85.78	86.30	86.77	87.08
4	68.26	71.97	74.72	75.80	76.66	77.60	78.34	79.17	80.28	80.90	73.46	77.17	80.64	82.02	83.48	84.90	85.83	86.32	86.77	87.09
2(M)	68.33	71.95	74.68	75.73	76.60	77.54	78.27	79.12	80.21	80.83	73.52	77.13	80.58	81.96	83.41	84.83	85.76	86.24	86.71	87.00
3	68.35	71.90	74.62	75.68	76.54	77.47	78.21	79.04	80.14	80.77	73.52	77.08	80.53	81.90	83.36	84.76	85.69	86.16	86.63	86.93
6	68.30	71.74	74.42	75.48	76.34	77.26	78.00	78.83	79.91	80.55	73.43	76.89	80.32	81.70	83.14	84.54	85.48	85.93	86.41	86.72
0(Y)	67.46	71.46	74.50	75.67	76.56	77.55	78.30	79.17	80.28	80.92	72.82	76.74	80.42	81.92	83.41	84.84	85.78	86.30	86.77	87.08
1	68.02	71.33	73.98	75.04	75.90	76.79	77.53	78.36	79.43	80.10	73.12	76.49	79.88	81.25	82.69	84.07	85.02	85.46	85.94	86.24
2	67.18	70.45	73.06	74.10	74.96	75.83	76.56	77.39	78.45	79.12	72.28	75.59	78.94	80.29	81.75	83.11	84.07	84.49	84.96	85.27
3	66.30	69.53	72.11	73.14	74.00	74.87	75.59	76.41	77.47	78.13	71.37	74.65	77.98	79.33	80.79	82.14	83.10	83.51	83.98	84.28
4	65.39	68.58	71.15	72.17	73.03	73.89	74.61	75.42	76.48	77.14	70.43	73.69	77.01	78.35	79.81	81.16	82.11	82.53	82.99	83.29
5	64.46	67.62	70.17	71.19	72.05	72.91	73.62	74.43	75.49	76.15	69.48	72.73	76.03	77.37	78.82	80.18	81.13	81.54	82.00	82.30
10	59.70	62.77	65.27	66.28	67.13	67.96	68.68	69.47	70.52	71.18	64.65	67.84	71.09	72.43	73.89	75.22	76.16	76.58	77.03	77.33
15	54.85	57.88	60.34	61.33	62.19	63.01	63.72	64.51	65.55	66.21	59.75	62.91	66.14	67.48	68.93	70.26	71.18	71.59	72.05	72.35
20	50.11	53.12	55.56	56.53	57.35	58.17	58.85	59.59	60.65	61.30	54.89	58.03	61.24	62.56	64.00	65.33	66.24	66.64	67.10	67.41
25	45.52	48.41	50.82	51.79	52.58	53.41	54.06	54.78	55.81	56.47	50.11	53.19	56.36	57.66	59.10	60.44	61.35	61.72	62.18	62.50
30	40.93	43.68	46.06	47.02	47.80	48.62	49.28	50.03	50.99	51.63	45.36	48.35	51.47	52.77	54.18	55.55	56.46	56.82	57.28	57.59
35	36.32	38.98	41.29	42.24	43.01	43.87	44.52	45.27	46.19	46.81	40.60	43.53	46.61	47.89	49.29	50.68	51.60	51.95	52.38	52.70
40	31.79	34.37	36.60	37.49	38.25	39.17	39.82	40.51	41.41	42.02	35.91	38.76	41.79	43.07	44.44	45.83	46.77	47.09	47.52	47.82
45	27.37	29.88	32.04	32.85	33.60	34.52	35.20	35.82	36.69	37.28	31.30	34.04	37.05	38.29	39.66	41.04	41.99	42.30	42.71	42.99
50	23.15	25.56	27.64	28.37	29.08	30.02	30.71	31.26	32.09	32.63	26.86	29.45	32.38	33.60	34.97	36.36	37.28	37.59	37.98	38.23
55	19.16	21.39	23.44	24.07	24.75	25.72	26.38	26.87	27.59	28.12	22.61	24.98	27.82	29.02	30.40	31.78	32.69	32.99	33.33	33.59
60	15.45	17.50	19.44	20.00	20.62	21.63	22.23	22.71	23.29	23.78	18.53	20.70	23.35	24.52	25.88	27.27	28.17	28.46	28.80	29.01
65	12.11	13.90	15.66	16.18	16.81	17.79	18.32	18.75	19.25	19.67	14.70	16.65	19.08	20.15	21.52	22.87	23.77	24.05	24.36	24.54
70	9.27	10.76	12.24	12.69	13.34	14.23	14.65	15.05	15.46	15.86	11.31	12.92	15.08	16.03	17.32	18.63	19.48	19.76	20.03	20.24
75	6.91	8.10	9.26	9.64	10.22	11.01	11.35	11.64	12.02	12.35	8.38	9.72	11.51	12.31	13.46	14.66	15.42	15.65	15.89	16.11
80	5.16	5.99	6.80	7.06	7.62	8.25	8.52	8.65	8.94	9.24	6.19	7.11	8.42	9.05	10.08	11.10	11.70	11.84	12.03	12.24
85	3.97	4.43	4.91	5.18	5.56	6.13	6.19	6.26	6.35	6.61	4.76	5.33	6.00	6.44	7.35	8.13	8.54	8.47	8.60	8.81
90			3.80	3.81	4.08	4.60	4.41	4.36	4.40	4.56			4.24	4.46	5.31	5.92	6.05	5.79	5.78	5.94
95				2.70	3.00	3.67	3.16	3.19	3.00	3.12				3.16	4.01	4.49	4.36	3.80	3.72	3.81
100								2.44	2.03	2.12								2.63	2.48	2.59

青森県

(単位：年)

年齢	男										女									
	昭和40年(1965)	50('75)	60('85)	平成2('90)	7('95)	12(2000)	17('05)	22('10)	27('15)	令和2('20)	昭和40年(1965)	50('75)	60('85)	平成2('90)	7('95)	12(2000)	17('05)	22('10)	27('15)	令和2('20)
0(W)	65.32	69.69	73.05	74.18	74.71	75.67	76.27	77.28	78.67	79.27	71.77	76.50	79.90	81.49	82.51	83.69	84.80	85.34	85.93	86.33
4	66.55	70.27	73.29	74.37	74.88	75.81	76.34	77.33	78.66	79.34	72.76	76.94	80.14	81.68	82.64	83.89	84.87	85.34	85.99	86.37
2(M)	66.70	70.24	73.24	74.31	74.81	75.77	76.27	77.27	78.57	79.27	72.88	76.90	80.09	81.63	82.56	83.84	84.81	85.25	85.92	86.28
3	66.78	70.21	73.17	74.25	74.76	75.68	76.18	77.18	78.49	79.20	72.95	76.87	80.03	81.58	82.52	83.77	84.73	85.20	85.85	86.21
6	66.76	70.05	72.99	74.06	74.54	75.46	75.95	76.95	78.27	78.98	72.93	76.73	79.81	81.40	82.33	83.55	84.49	84.99	85.62	86.00
0(Y)	65.32	69.69	73.05	74.18	74.71	75.67	76.27	77.28	78.67	79.27	71.77	76.50	79.90	81.49	82.51	83.69	84.80	85.34	85.93	86.33
1	66.54	69.67	72.55	73.64	74.09	75.00	75.46	76.48	77.80	78.49	72.65	76.35	79.36	80.95	81.86	83.09	84.04	84.49	85.15	85.52
2	65.83	68.80	71.62	72.71	73.15	74.02	74.50	75.52	76.83	77.50	71.88	75.49	78.44	80.00	80.93	82.13	83.08	83.52	84.18	84.55
3	64.96	67.91	70.67	71.75	72.18	73.04	73.53	74.54	75.85	76.52	70.99	74.54	77.47	79.03	79.95	81.16	82.11	82.54	83.20	83.56
4	64.04	67.00	69.70	70.78	71.20	72.06	72.56	73.56	74.86	75.52	70.07	73.58	76.51	78.06	78.97	80.18	81.13	81.56	82.22	82.58
5	63.12	66.05	68.74	69.80	70.22	71.08	71.57	72.58	73.87	74.53	69.13	72.62	75.52	77.07	77.98	79.20	80.14	80.58	81.23	81.59
10	58.36	61.21	63.84	64.89	65.29	66.13	66.64	67.63	68.90	69.54	64.27	67.73	70.58	72.15	73.03	74.21	75.17	75.63	76.27	76.61
15	53.50	56.30	58.91	59.94	60.35	61.18	61.68	62.68	63.93	64.57	59.36	62.79	65.62	67.18	68.07	69.24	70.19	70.66	71.29	71.63
20	48.78	51.59	54.15	55.11	55.52	56.30	56.79	57.81	59.04	59.66	54.50	57.88	60.68	62.25	63.13	64.31	65.26	65.73	66.32	66.69
25	44.23	46.96	49.43	50.42	50.78	51.50	52.01	53.01	54.28	54.84	49.79	53.07	55.81	57.39	58.22	59.41	60.35	60.83	61.40	61.77
30	39.72	42.28	44.68	45.64	46.01	46.71	47.22	48.24	49.46	50.04	45.03	48.22	50.94	52.47	53.34	54.51	55.44	55.92	56.49	56.89
35	35.17	37.66	39.95	40.86	41.24	41.95	42.51	43.49	44.65	45.22	40.35	43.44	46.11	47.58	48.46	49.65	50.56	51.11	51.58	51.98
40	30.68	33.15	35.29	36.17	36.52	37.27	37.88	38.72	39.88	40.46	35.66	38.68	41.29	42.77	43.65	44.79	45.74	46.24	46.72	47.10
45	26.33	28.77	30.77	31.56	31.97	32.74	33.33	34.14	35.20	35.74	31.04	33.95	36.55	37.99	38.90	40.05	40.97	41.43	41.93	42.28
50	22.16	24.51	26.49	27.25	27.53	28.34	28.96	29.79	30.63	31.14	26.65	29.34	31.91	33.33	34.19	35.36	36.26	36.75	37.21	37.55
55	18.23	20.36	22.42	23.12	23.31	24.13	24.76	25.47	26.23	26.66	22.37	24.87	27.34	28.75	29.60	30.78	31.70	32.17	32.60	32.94
60	14.70	16.54	18.56	19.17	19.40	20.23	20.80	21.42	22.05	22.45	18.26	20.51	22.89	24.25	25.09	26.29	27.21	27.68	28.05	28.38
65	11.51	13.07	14.89	15.51	15.72	16.52	17.04	17.59	18.17	18.51	14.40	16.40	18.63	19.85	20.67	21.87	22.77	23.28	23.59	23.92
70	8.90	10.13	11.59	12.08	12.29	13.08	13.53	14.00	14.53	14.88	11.03	12.68	14.59	15.67	16.46	17.65	18.50	18.98	19.28	19.60
75	6.66	7.63	8.71	9.12	9.20	10.00	10.39	10.67	11.18	11.54	8.25	9.41	10.88	11.84	12.58	13.63	14.45	14.87	15.13	15.41
80	5.04	5.72	6.40	6.65	6.76	7.33	7.78	7.90	8.23	8.59	6.10	6.77	7.83	8.55	9.20	10.11	10.73	11.15	11.27	11.51
85	4.20	4.51	4.57	4.83	4.79	5.33	5.63	5.67	5.78	6.11	4.71	4.97	5.51	5.94	6.42	7.22	7.61	7.82	7.95	8.11
90			3.29	3.36	3.49	3.85	4.08	4.03	3.97	4.21			3.91	4.07	4.38	5.23	5.37	5.24	5.32	5.41
95					1.90	2.41	2.60	2.88	2.75	2.73	3.00			2.85	3.01	4.37	3.95	3.49	3.50	3.52
100								1.81	1.90	2.22								2.08	2.50	2.61

岩手県

(単位：年)

年齢	男										女									
	昭和40年(1965)	50('75)	60('85)	平成2('90)	7('95)	12(2000)	17('05)	22('10)	27('15)	令和2('20)	昭和40年(1965)	50('75)	60('85)	平成2('90)	7('95)	12(2000)	17('05)	22('10)	27('15)	令和2('20)
0(W)	65.87	70.27	74.27	75.43	76.35	77.09	77.81	78.53	79.86	80.64	71.58	76.20	80.69	81.93	83.41	84.60	85.49	85.86	86.44	87.05
4	67.10	70.97	74.48	75.50	76.38	77.12	77.84	78.58	79.86	80.63	72.56	76.69	80.87	82.03	83.45	84.66	85.55	85.92	86.42	87.02
2(M)	67.25	70.94	74.43	75.43	76.34	77.06	77.76	78.50	79.78	80.54	72.63	76.67	80.81	81.97	83.40	84.58	85.47	85.87	86.38	86.94
3	67.34	70.89	74.38	75.36	76.29	77.00	77.69	78.42	79.69	80.48	72.71	76.65	80.73	81.91	83.35	84.51	85.40	85.82	86.31	86.88
6	67.33	70.71	74.18	75.16	76.07	76.78	77.48	78.20	79.49	80.25	72.70	76.50	80.52	81.71	83.16	84.28	85.19	85.57	86.10	86.66
0(Y)	65.87	70.27	74.27	75.43	76.35	77.09	77.81	78.53	79.86	80.64	71.58	76.20	80.69	81.93	83.41	84.60	85.49	85.86	86.44	87.05
1	67.11	70.34	73.76	74.70	75.65	76.32	77.03	77.73	79.03	79.77	72.49	76.12	80.06	81.25	82.71	83.81	84.71	85.09	85.66	86.19
2	66.38	69.51	72.86	73.78	74.70	75.37	76.06	76.77	78.05	78.79	71.72	75.26	79.13	80.29	81.78	82.87	83.75	84.13	84.69	85.20
3	65.52	68.57	71.89	72.83	73.73	74.40	75.08	75.79	77.08	77.81	70.82	74.31	78.17	79.32	80.81	81.91	82.78	83.16	83.71	84.21
4	64.63	67.63	70.92	71.86	72.75	73.42	74.10	74.81	76.09	76.82	69.91	73.37	77.19	78.33	79.83	80.93	81.79	82.18	82.73	83.22
5	63.69	66.66	69.95	70.89	71.77	72.43	73.12	73.82	75.10	75.83	68.95	72.41	76.21	77.35	78.84	79.95	80.80	81.19	81.74	82.22
10	58.93	61.81	65.02	65.99	66.83	67.49	68.17	68.87	70.14	70.87	64.09	67.53	71.28	72.41	73.93	74.98	75.84	76.25	76.78	77.24
15	54.06	56.89	60.09	61.03	61.91	62.52	63.21	63.95	65.16	65.90	59.20	62.59	66.33	67.46	68.96	70.01	70.88	71.29	71.81	72.27
20	49.33	52.18	55.31	56.20	57.09	57.65	58.35	59.04	60.25	61.00	54.33	57.70	61.40	62.58	64.02	65.07	65.95	66.32	66.88	67.33
25	44.79	47.52	50.58	51.47	52.28	52.84	53.54	54.33	55.44	56.15	49.63	52.85	56.53	57.71	59.11	60.18	61.06	61.43	61.97	62.42
30	40.23	42.86	45.80	46.70	47.47	48.08	48.74	49.56	50.66	51.30	44.88	48.02	51.65	52.83	54.20	55.28	56.17	56.48	57.07	57.53
35	35.69	38.21	41.03	41.93	42.70	43.35	43.95	44.77	45.89	46.46	40.16	43.27	46.81	47.95	49.32	50.39	51.30	51.55	52.19	52.64
40	31.17	33.70	36.36	37.28	38.00	38.66	39.24	40.09	41.12	41.64	35.46	38.47	41.99	43.15	44.48	45.55	46.47	46.76	47.33	47.73
45	26.82	29.27	31.86	32.68	33.39	34.05	34.66	35.48	36.43	36.92	30.88	33.74	37.24	38.37	39.69	40.78	41.67	41.98	42.51	42.92
50	22.62	24.94	27.49	28.24	28.91	29.54	30.23	30.95	31.80	32.32	26.41	29.13	32.56	33.67	34.99	36.09	36.93	37.24	37.80	38.18
55	18.62	20.82	23.32	23.98	24.65	25.31	25.94	26.61	27.35	27.84	22.08	24.68	27.97	29.04	30.35	31.51	32.29	32.64	33.13	33.53
60	14.96	16.89	19.32	19.91	20.54	21.22	21.85	22.48	23.08	23.51	18.04	20.35	23.43	24.53	25.82	26.98	27.76	28.12	28.57	28.95
65	11.73	13.32	15.51	16.11	16.69	17.33	17.96	18.46	19.12	19.42	14.22	16.27	19.10	20.16	21.38	22.51	23.31	23.69	24.10	24.44
70	8.95	10.22	12.03	12.58	13.13	13.76	14.28	14.75	15.33	15.64	10.92	12.55	15.05	16.01	17.13	18.22	18.97	19.39	19.74	20.06
75	6.71	7.64	8.99	9.45	9.99	10.54	10.95	11.33	11.82	12.11	8.18	9.29	11.40	12.16	13.16	14.16	14.85	15.20	15.54	15.85
80	4.92	5.68	6.63	6.83	7.28	7.77	8.13	8.32	8.70	8.99	6.03	6.68	8.28	8.85	9.66	10.60	11.02	11.36	11.60	11.91
85	4.08	4.41	4.81	4.87	5.18	5.57	5.86	5.98	6.13	6.35	4.82	4.81	5.81	6.11	6.82	7.66	7.85	8.10	8.21	8.41
90			3.26	3.58	3.68	4.01	4.22	4.27	4.23	4.34		4.14	4.09	4.69	5.44	5.39	5.47	5.51	5.60	
95				2.57	2.60	3.15	3.10	3.18	3.00	2.93			2.76	3.44	4.31	3.67	3.62	3.64	3.62	
100							2.45	2.19	1.97							2.41	2.51	2.44		

宮城県

(単位：年)

年齢	男										女									
	昭和40年 (1965)	50 ('75)	60 ('85)	平成2 ('90)	7 ('95)	12 (2000)	17 ('05)	22 ('10)	27 ('15)	令和2 ('20)	昭和40年 (1965)	50 ('75)	60 ('85)	平成2 ('90)	7 ('95)	12 (2000)	17 ('05)	22 ('10)	27 ('15)	令和2 ('20)
0(W)	67.29	71.50	75.11	76.29	77.00	77.71	78.60	79.65	80.99	81.70	73.19	77.00	80.69	82.15	83.32	84.74	85.75	86.39	87.16	87.51
4	68.19	71.97	75.29	76.43	77.08	77.75	78.63	79.64	81.01	81.72	73.88	77.40	80.84	82.26	83.37	84.81	85.79	86.41	87.18	87.51
2(M)	68.26	71.94	75.24	76.37	77.00	77.68	78.56	79.56	80.92	81.64	73.89	77.37	80.79	82.20	83.30	84.74	85.70	86.34	87.12	87.42
3	68.26	71.88	75.18	76.31	76.95	77.61	78.50	79.51	80.84	81.57	73.88	77.32	80.73	82.13	83.24	84.67	85.64	86.26	87.05	87.35
6	68.19	71.73	74.97	76.12	76.74	77.40	78.28	79.31	80.61	81.33	73.76	77.12	80.53	81.93	83.03	84.44	85.41	86.08	86.82	87.12
0(Y)	67.29	71.50	75.11	76.29	77.00	77.71	78.60	79.65	80.99	81.70	73.19	77.00	80.69	82.15	83.32	84.74	85.75	86.39	87.16	87.51
1	67.88	71.31	74.53	75.66	76.30	76.93	77.81	78.84	80.14	80.84	73.45	76.72	80.07	81.47	82.58	83.98	84.96	85.61	86.33	86.66
2	67.05	70.44	73.61	74.72	75.35	75.96	76.85	77.86	79.16	79.85	72.62	75.82	79.15	80.54	81.65	83.03	83.97	84.63	85.36	85.67
3	66.17	69.51	72.66	73.77	74.38	74.99	75.87	76.88	78.19	78.87	71.68	74.88	78.18	79.58	80.66	82.06	82.99	83.65	84.38	84.69
4	65.25	68.58	71.68	72.81	73.39	74.01	74.89	75.89	77.20	77.88	70.74	73.93	77.20	78.61	79.67	81.08	82.00	82.66	83.39	83.70
5	64.32	67.63	70.71	71.84	72.42	73.03	73.91	74.91	76.22	76.88	69.79	72.95	76.21	77.63	78.68	80.09	81.01	81.67	82.41	82.70
10	59.53	62.76	65.80	66.92	67.48	68.08	68.98	69.94	71.26	71.90	64.92	68.07	71.27	72.69	73.72	75.14	76.03	76.69	77.44	77.73
15	54.63	57.86	60.86	61.98	62.54	63.14	64.01	64.99	66.29	66.93	60.00	63.12	66.31	67.73	68.76	70.18	71.07	71.73	72.47	72.76
20	49.90	53.09	56.06	57.15	57.71	58.30	59.13	60.11	61.37	62.02	55.11	58.22	61.39	62.80	63.83	65.23	66.14	66.81	67.51	67.82
25	45.30	48.39	51.28	52.34	52.90	53.51	54.30	55.25	56.52	57.17	50.32	53.36	56.48	57.88	58.91	60.31	61.24	61.90	62.55	62.91
30	40.66	43.64	46.47	47.50	48.08	48.71	49.51	50.39	51.69	52.32	45.53	48.51	51.59	52.97	54.01	55.41	56.31	56.98	57.61	58.00
35	36.05	38.93	41.68	42.68	43.27	43.95	44.74	45.62	46.87	47.50	40.77	43.70	46.73	48.07	49.11	50.51	51.42	52.09	52.70	53.10
40	31.49	34.30	36.95	37.93	38.53	39.22	40.05	40.81	42.09	42.70	36.07	38.91	41.90	43.23	44.26	45.64	46.56	47.20	47.82	48.23
45	26.99	29.81	32.33	33.25	33.81	34.54	35.41	36.14	37.37	37.92	31.43	34.21	37.15	38.45	39.47	40.85	41.76	42.35	42.99	43.39
50	22.73	25.40	27.90	28.72	29.23	30.03	30.90	31.53	32.76	33.25	26.97	29.59	32.44	33.77	34.76	36.11	37.07	37.58	38.23	38.62
55	18.67	21.20	23.63	24.36	24.88	25.70	26.54	27.11	28.27	28.71	22.67	25.07	27.84	29.17	30.13	31.48	32.40	32.92	33.56	33.91
60	14.99	17.19	19.52	20.26	20.68	21.52	22.33	22.85	23.91	24.31	18.59	20.71	23.29	24.62	25.58	26.93	27.85	28.26	28.94	29.26
65	11.67	13.53	15.66	16.39	16.80	17.53	18.30	18.81	19.81	20.12	14.77	16.57	18.95	20.21	21.17	22.48	23.38	23.70	24.38	24.71
70	8.96	10.32	12.13	12.80	13.22	13.91	14.58	14.99	15.89	16.18	11.38	12.78	14.85	15.99	16.89	18.21	19.06	19.31	19.92	20.28
75	6.73	7.72	9.08	9.56	9.94	10.64	11.23	11.45	12.23	12.52	8.45	9.49	11.17	12.13	12.90	14.16	14.95	15.16	15.68	16.01
80	5.00	5.75	6.59	6.96	7.29	7.85	8.31	8.41	9.01	9.23	6.14	6.95	8.03	8.79	9.52	10.53	11.21	11.30	11.74	12.02
85	4.10	4.31	4.74	4.93	5.14	5.73	5.94	6.00	6.32	6.51	4.80	5.06	5.54	6.12	6.68	7.54	8.02	7.91	8.28	8.52
90			3.74	3.56	3.55	4.18	4.29	4.17	4.41	4.40			3.91	4.26	4.61	5.36	5.58	5.32	5.54	5.69
95				2.80	2.57	3.62	3.08	2.93	3.02	2.98				3.03	3.37	4.05	3.97	3.57	3.57	3.69
100								2.08	2.04	2.04								2.54	2.42	2.58

秋田県

(単位：年)

年齢	男										女									
	昭和40年 (1965)	50 ('75)	60 ('85)	平成2 ('90)	7 ('95)	12 (2000)	17 ('05)	22 ('10)	27 ('15)	令和2 ('20)	昭和40年 (1965)	50 ('75)	60 ('85)	平成2 ('90)	7 ('95)	12 (2000)	17 ('05)	22 ('10)	27 ('15)	令和2 ('20)
0(W)	65.39	70.17	74.12	75.29	75.92	76.81	77.44	78.22	79.51	80.48	71.24	75.86	80.29	81.80	83.12	84.32	85.19	85.93	86.38	87.10
4	66.42	70.75	74.36	75.46	76.07	76.87	77.46	78.21	79.51	80.48	72.22	76.37	80.49	81.95	83.18	84.40	85.26	85.93	86.35	87.09
2(M)	66.49	70.71	74.33	75.41	76.01	76.83	77.39	78.14	79.43	80.41	72.29	76.36	80.43	81.88	83.11	84.33	85.19	85.90	86.28	87.02
3	66.51	70.67	74.27	75.35	75.95	76.76	77.30	78.08	79.35	80.34	72.32	76.30	80.38	81.81	83.06	84.27	85.10	85.81	86.21	86.97
6	66.43	70.49	74.07	75.14	75.73	76.54	77.09	77.83	79.11	80.10	72.25	76.10	80.17	81.60	82.83	84.04	84.91	85.59	86.00	86.72
0(Y)	65.39	70.17	74.12	75.29	75.92	76.81	77.44	78.22	79.51	80.48	71.24	75.86	80.29	81.80	83.12	84.32	85.19	85.93	86.38	87.10
1	66.12	70.06	73.61	74.66	75.28	76.07	76.61	77.37	78.67	79.63	71.95	75.70	79.73	81.17	82.38	83.55	84.43	85.14	85.52	86.24
2	65.34	69.17	72.70	73.72	74.34	75.10	75.65	76.41	77.70	78.64	71.10	74.80	78.81	80.24	81.43	82.59	83.47	84.18	84.55	85.26
3	64.43	68.25	71.75	72.76	73.38	74.12	74.68	75.43	76.73	77.65	70.19	73.85	77.83	79.28	80.43	81.62	82.50	83.20	83.57	84.28
4	63.52	67.31	70.78	71.79	72.41	73.14	73.71	74.45	75.74	76.66	69.26	72.91	76.85	78.30	79.46	80.64	81.52	82.22	82.59	83.29
5	62.58	66.36	69.80	70.82	71.43	72.16	72.74	73.46	74.76	75.67	68.34	71.94	75.87	77.32	78.47	79.65	80.53	81.24	81.60	82.30
10	57.78	61.48	64.88	65.91	66.51	67.23	67.79	68.50	69.81	70.69	63.47	67.02	70.94	72.40	73.52	74.68	75.56	76.29	76.65	77.32
15	52.93	56.58	59.93	60.97	61.57	62.30	62.82	63.56	64.83	65.71	58.55	62.06	65.99	67.46	68.56	69.71	70.57	71.32	71.67	72.35
20	48.16	51.80	55.13	56.15	56.70	57.46	58.01	58.62	59.90	60.80	53.70	57.16	61.07	62.52	63.64	64.80	65.62	66.37	66.76	67.41
25	43.54	47.16	50.40	51.42	51.93	52.65	53.21	53.80	55.11	55.98	48.91	52.32	56.16	57.64	58.75	59.87	60.72	61.44	61.85	62.50
30	38.92	42.43	45.64	46.64	47.16	47.81	48.45	49.02	50.32	51.17	44.16	47.49	51.29	52.73	53.83	54.95	55.86	56.56	56.96	57.58
35	34.30	37.80	40.87	41.88	42.37	43.06	43.69	44.29	45.55	46.33	39.38	42.67	46.41	47.86	48.95	50.09	51.00	51.70	52.09	52.67
40	29.80	33.20	36.18	37.15	37.63	38.35	38.98	39.58	40.77	41.52	34.66	37.92	41.60	43.03	44.08	45.22	46.18	46.82	47.26	47.84
45	25.40	28.79	31.60	32.50	32.99	33.71	34.40	34.94	36.10	36.79	30.00	33.21	36.81	38.22	39.29	40.44	41.39	42.03	42.45	43.03
50	21.23	24.50	27.24	28.08	28.51	29.23	29.95	30.44	31.56	32.12	25.58	28.56	32.11	33.49	34.62	35.74	36.69	37.40	37.75	38.30
55	17.37	20.34	23.05	23.81	24.25	25.00	25.66	26.13	27.14	27.65	21.31	24.12	27.50	28.85	30.08	31.14	32.07	32.71	33.07	33.66
60	13.90	16.43	19.01	19.78	20.19	20.91	21.55	22.03	22.91	23.28	17.27	19.77	22.97	24.30	25.52	26.60	27.52	28.11	28.48	29.03
65	10.86	12.94	15.22	15.98	16.38	17.05	17.73	18.10	18.91	19.23	13.62	15.70	18.60	19.84	21.09	22.12	23.05	23.64	23.99	24.51
70	8.30	10.02	11.75	12.46	12.88	13.51	14.03	14.36	15.09	15.44	10.38	12.01	14.51	15.61	16.78	17.82	18.69	19.25	19.62	20.12
75	6.31	7.62	8.80	9.37	9.76	10.33	10.69	11.02	11.63	11.92	7.71	8.86	10.84	11.74	12.80	13.76	14.54	15.10	15.40	15.86
80	4.97	5.64	6.52	6.83	7.17	7.64	7.90	8.11	8.54	8.87	5.80	6.28	7.82	8.40	9.24	10.16	10.76	11.23	11.47	11.87
85	4.24	4.48	4.82	4.99	5.07	5.62	5.67	5.80	5.99	6.16	4.73	4.82	5.50	5.75	6.43	7.22	7.61	7.90	8.03	8.32
90			3.57	3.53	3.54	4.23	3.98	4.07	4.09	4.12			4.14	4.01	4.54	5.10	5.28	5.37	5.30	5.51
95				2.28	2.48	3.67	2.80	2.91	2.90	2.77				2.82	3.41	3.96	3.76	3.69	3.46	3.47
100								2.12	2.13	1.87								2.78	2.37	2.45

山形県

(単位：年)

年齢	男 昭和40年(1965)	50('75)	60('85)	平成2('90)	7('95)	12(2000)	17('05)	22('10)	27('15)	令和2('20)	女 昭和40年(1965)	50('75)	60('85)	平成2('90)	7('95)	12(2000)	17('05)	22('10)	27('15)	令和2('20)
0(W)	66.49	70.96	74.99	76.37	76.99	77.69	78.54	79.97	80.52	81.39	71.94	76.35	80.86	82.10	83.23	84.57	85.72	86.28	86.96	87.38
4	67.48	71.52	75.19	76.46	77.08	77.83	78.61	80.00	80.57	81.41	72.72	76.84	81.03	82.22	83.32	84.61	85.75	86.33	86.99	87.36
2(M)	67.53	71.48	75.15	76.41	77.02	77.77	78.55	79.91	80.50	81.33	72.74	76.80	80.96	82.17	83.25	84.57	85.68	86.28	86.91	87.28
3	67.51	71.42	75.08	76.34	76.96	77.71	78.50	79.85	80.44	81.26	72.70	76.74	80.90	82.11	83.19	84.50	85.60	86.24	86.82	87.23
6	67.43	71.23	74.89	76.11	76.74	77.50	78.27	79.63	80.23	81.02	72.58	76.54	80.69	81.92	83.00	84.29	85.37	86.07	86.58	87.01
0(Y)	66.49	70.96	74.99	76.37	76.99	77.69	78.54	79.97	80.52	81.39	71.94	76.35	80.86	82.10	83.23	84.57	85.72	86.28	86.96	87.38
1	67.12	70.81	74.44	75.65	76.29	77.02	77.80	79.13	79.77	80.55	72.29	76.13	80.25	81.46	82.54	83.81	84.89	85.61	86.13	86.53
2	66.34	69.94	73.49	74.71	75.32	76.07	76.83	78.14	78.80	79.58	71.50	75.24	79.31	80.51	81.61	82.85	83.90	84.62	85.16	85.55
3	65.43	69.02	72.56	73.75	74.36	75.11	75.85	77.15	77.82	78.60	70.61	74.32	78.36	79.54	80.62	81.87	82.91	83.62	84.18	84.57
4	64.52	68.08	71.58	72.78	73.38	74.14	74.87	76.15	76.83	77.61	69.67	73.35	77.39	78.56	79.64	80.88	81.93	82.62	83.20	83.59
5	63.57	67.14	70.61	71.80	72.40	73.16	73.88	75.15	75.84	76.62	68.74	72.39	76.41	77.57	78.67	79.90	80.94	81.62	82.21	82.60
10	58.77	62.27	65.71	66.85	67.48	68.22	68.94	70.16	70.87	71.65	63.87	67.52	71.46	72.63	73.72	74.93	75.97	76.63	77.25	77.64
15	53.90	57.36	60.78	61.91	62.53	63.27	63.97	65.22	65.93	66.68	58.97	62.56	66.50	67.66	68.77	69.95	70.99	71.69	72.26	72.69
20	49.09	52.60	55.93	57.04	57.68	58.44	59.10	60.31	61.01	61.75	54.07	57.68	61.57	62.74	63.83	65.01	66.05	66.78	67.31	67.76
25	44.54	47.87	51.18	52.23	52.90	53.64	54.27	55.44	56.22	56.95	49.30	52.83	56.65	57.85	58.94	60.13	61.15	61.87	62.40	62.89
30	39.93	43.14	46.39	47.43	48.08	48.82	49.48	50.61	51.45	52.12	44.50	47.99	51.74	52.93	54.03	55.22	56.24	57.02	57.47	57.97
35	35.29	38.41	41.59	42.62	43.29	44.00	44.74	45.82	46.62	47.32	39.74	43.16	46.87	48.03	49.16	50.34	51.34	52.16	52.59	53.06
40	30.70	33.76	36.85	37.86	38.52	39.25	39.99	41.02	41.80	42.52	34.99	38.36	42.02	43.18	44.30	45.47	46.50	47.34	47.70	48.18
45	26.20	29.24	32.24	33.19	33.82	34.58	35.35	36.36	37.05	37.73	30.35	33.70	37.24	38.39	39.49	40.64	41.72	42.52	42.89	43.35
50	21.88	24.91	27.78	28.65	29.25	30.04	30.83	31.66	32.43	33.05	25.86	29.05	32.52	33.66	34.78	35.91	36.99	37.84	38.10	38.57
55	17.83	20.67	23.54	24.30	24.87	25.66	26.46	27.22	27.90	28.52	21.57	24.50	27.91	29.01	30.13	31.25	32.32	33.15	33.40	33.88
60	14.22	16.70	19.38	20.14	20.63	21.51	22.25	22.92	23.53	24.14	17.50	20.14	23.40	24.42	25.51	26.66	27.74	28.51	28.77	29.22
65	11.07	13.02	15.47	16.26	16.74	17.57	18.22	18.82	19.42	19.98	13.70	16.04	19.02	19.95	21.06	22.18	23.24	23.98	24.22	24.65
70	8.43	9.96	11.92	12.65	13.12	13.93	14.50	14.95	15.55	16.04	10.38	12.31	14.92	15.71	16.74	17.88	18.87	19.58	19.78	20.17
75	6.34	7.42	8.79	9.42	9.86	10.61	11.06	11.30	11.93	12.37	7.69	9.11	11.20	11.86	12.75	13.81	14.75	15.32	15.53	15.90
80	4.76	5.49	6.33	6.77	7.14	7.83	8.14	8.23	8.71	9.08	5.69	6.61	8.04	8.53	9.23	10.14	10.95	11.41	11.56	11.90
85	3.88	4.38	4.57	4.81	4.99	5.63	5.84	5.75	6.11	6.37	4.53	4.81	5.62	5.98	6.40	7.13	7.78	7.99	8.12	8.39
90			3.17	3.44	3.49	4.17	4.17	3.91	4.17	4.31			4.13	4.10	4.39	4.98	5.40	5.35	5.40	5.58
95				2.27	2.73	3.65	2.99	2.54	2.89	2.87				3.14	3.08	3.52	3.85	3.57	3.54	3.60
100							1.60	2.05	1.89									2.40	2.37	2.55

福島県

(単位：年)

年齢	男										女									
	昭和40年 (1965)	50 ('75)	60 ('85)	平成2 ('90)	7 ('95)	12 (2000)	17 ('05)	22 ('10)	27 ('15)	令和2 ('20)	昭和40年 (1965)	50 ('75)	60 ('85)	平成2 ('90)	7 ('95)	12 (2000)	17 ('05)	22 ('10)	27 ('15)	令和2 ('20)
0(W)	66.46	70.71	74.38	75.71	76.47	77.18	77.97	78.84	80.12	80.60	72.04	76.35	80.25	81.95	82.93	84.21	85.45	86.05	86.40	86.81
4	67.47	71.30	74.64	75.84	76.58	77.23	78.02	78.89	80.12	80.60	72.83	76.78	80.49	82.07	83.05	84.29	85.46	86.04	86.39	86.83
2(M)	67.59	71.29	74.59	75.79	76.53	77.16	77.95	78.83	80.07	80.56	72.93	76.76	80.44	82.03	83.00	84.22	85.40	86.00	86.31	86.75
3	67.62	71.24	74.53	75.73	76.47	77.10	77.89	78.79	80.01	80.51	72.95	76.72	80.39	81.99	82.93	84.15	85.33	85.94	86.25	86.67
6	67.58	71.08	74.32	75.54	76.28	76.91	77.66	78.58	79.80	80.28	72.89	76.55	80.19	81.80	82.72	83.94	85.11	85.72	86.00	86.46
0(Y)	66.46	70.71	74.38	75.71	76.47	77.18	77.97	78.84	80.12	80.60	72.04	76.35	80.25	81.95	82.93	84.21	85.45	86.05	86.40	86.81
1	67.30	70.67	73.91	75.10	75.86	76.46	77.20	78.13	79.32	79.81	72.63	76.15	79.76	81.36	82.29	83.48	84.63	85.25	85.54	86.00
2	66.51	69.81	72.97	74.20	74.91	75.52	76.23	77.15	78.34	78.84	71.82	75.26	78.83	80.44	81.35	82.54	83.65	84.27	84.57	85.03
3	65.65	68.87	72.01	73.26	73.93	74.56	75.26	76.17	77.36	77.86	70.92	74.32	77.86	79.48	80.37	81.58	82.66	83.29	83.58	84.05
4	64.75	67.94	71.04	72.30	72.95	73.58	74.27	75.18	76.37	76.87	70.00	73.38	76.88	78.51	79.39	80.61	81.68	82.31	82.60	83.06
5	63.83	66.98	70.06	71.32	71.98	72.59	73.29	74.19	75.39	75.88	69.06	72.42	75.90	77.53	78.40	79.62	80.69	81.32	81.61	82.07
10	59.08	62.15	65.17	66.43	67.03	67.62	68.35	69.21	70.42	70.91	64.21	67.53	70.97	72.58	73.45	74.66	75.73	76.36	76.64	77.10
15	54.22	57.27	60.23	61.49	62.08	62.67	63.39	64.25	65.45	65.95	59.31	62.59	66.01	67.62	68.49	69.69	70.76	71.36	71.66	72.14
20	49.50	52.55	55.49	56.69	57.27	57.83	58.50	59.34	60.59	61.05	54.45	57.69	61.09	62.69	63.58	64.78	65.83	66.41	66.73	67.22
25	44.97	47.90	50.75	51.99	52.47	53.06	53.74	54.57	55.80	56.20	49.69	52.87	56.21	57.80	58.67	59.86	60.95	61.51	61.81	62.33
30	40.40	43.18	45.99	47.22	47.67	48.26	48.95	49.78	50.98	51.34	44.96	48.06	51.36	52.91	53.77	54.95	56.05	56.61	56.88	57.43
35	35.81	38.47	41.21	42.43	42.87	43.48	44.19	44.99	46.17	46.53	40.23	43.25	46.53	48.04	48.91	50.07	51.18	51.72	52.00	52.52
40	31.30	33.91	36.53	37.67	38.12	38.73	39.48	40.26	41.40	41.74	35.55	38.49	41.73	43.18	44.08	45.24	46.35	46.85	47.13	47.65
45	26.83	29.47	32.00	33.01	33.45	34.06	34.85	35.61	36.67	37.02	30.91	33.79	37.00	38.41	39.31	40.45	41.55	42.04	42.31	42.83
50	22.54	25.14	27.65	28.48	28.93	29.56	30.32	31.03	32.03	32.37	26.44	29.18	32.30	33.72	34.60	35.74	36.84	37.32	37.56	38.07
55	18.52	20.93	23.42	24.16	24.57	25.25	25.99	26.63	27.56	27.88	22.16	24.66	27.70	29.09	30.01	31.12	32.21	32.68	32.92	33.40
60	14.83	16.97	19.39	20.09	20.51	21.10	21.83	22.41	23.26	23.57	18.04	20.34	23.19	24.57	25.46	26.60	27.67	28.08	28.31	28.79
65	11.59	13.37	15.51	16.30	16.67	17.19	17.90	18.45	19.20	19.48	14.21	16.26	18.83	20.15	21.03	22.19	23.20	23.57	23.82	24.26
70	8.83	10.27	11.99	12.71	13.10	13.67	14.23	14.75	15.37	15.66	10.83	12.52	14.74	15.96	16.76	17.95	18.90	19.26	19.50	19.90
75	6.60	7.66	8.92	9.51	9.93	10.47	10.96	11.28	11.81	12.12	7.98	9.28	11.01	12.10	12.78	13.93	14.85	15.12	15.32	15.67
80	4.89	5.80	6.45	6.87	7.30	7.71	8.20	8.38	8.66	8.96	5.81	6.68	7.91	8.75	9.34	10.32	11.07	11.33	11.43	11.77
85	3.95	4.62	4.63	4.95	5.23	5.57	5.89	5.96	6.06	6.31	4.50	4.94	5.50	6.08	6.51	7.38	7.92	7.99	8.02	8.32
90			3.31	3.48	3.71	4.09	4.16	4.11	4.19	4.33			3.90	4.17	4.51	5.22	5.49	5.39	5.34	5.51
95				2.43	2.66	3.24	2.86	2.79	2.93	2.89				2.94	3.12	4.01	3.86	3.59	3.46	3.54
100								1.88	2.07	1.89								2.57	2.36	2.50

茨城県

(単位：年)

年齢	男 昭和40年(1965)	50('75)	60('85)	平成2('90)	7('95)	12(2000)	17('05)	22('10)	27('15)	令和2('20)	女 昭和40年(1965)	50('75)	60('85)	平成2('90)	7('95)	12(2000)	17('05)	22('10)	27('15)	令和2('20)
0(W)	66.99	70.58	74.35	75.67	76.32	77.20	78.35	79.09	80.28	80.89	72.52	76.12	79.97	81.59	82.87	84.21	85.26	85.83	86.33	86.94
4	68.09	71.15	74.59	75.78	76.45	77.24	78.36	79.16	80.29	80.90	73.43	76.55	80.19	81.71	82.93	84.25	85.29	85.86	86.36	86.98
2(M)	68.18	71.13	74.54	75.73	76.39	77.19	78.29	79.09	80.22	80.84	73.50	76.54	80.13	81.65	82.87	84.18	85.23	85.78	86.30	86.92
3	68.19	71.09	74.48	75.68	76.34	77.13	78.22	79.03	80.15	80.76	73.51	76.50	80.07	81.60	82.80	84.11	85.16	85.71	86.23	86.86
6	68.10	70.92	74.31	75.48	76.13	76.92	78.01	78.78	79.92	80.55	73.42	76.32	79.88	81.41	82.60	83.90	84.94	85.47	86.02	86.63
0(Y)	66.99	70.58	74.35	75.67	76.32	77.20	78.35	79.09	80.28	80.89	72.52	76.12	79.97	81.59	82.87	84.21	85.26	85.83	86.33	86.94
1	67.82	70.50	73.88	75.05	75.71	76.46	77.55	78.33	79.46	80.08	73.07	75.91	79.44	80.96	82.14	83.44	84.48	84.99	85.55	86.18
2	66.97	69.63	72.97	74.12	74.78	75.51	76.59	77.37	78.48	79.10	72.21	75.01	78.50	80.00	81.20	82.48	83.51	84.01	84.57	85.21
3	66.07	68.69	72.02	73.16	73.81	74.54	75.61	76.40	77.49	78.12	71.29	74.05	77.55	79.03	80.23	81.52	82.54	83.02	83.59	84.22
4	65.15	67.76	71.05	72.19	72.83	73.56	74.63	75.43	76.51	77.13	70.37	73.09	76.57	78.06	79.24	80.54	81.55	82.03	82.60	83.24
5	64.23	66.81	70.07	71.21	71.86	72.58	73.65	74.45	75.51	76.14	69.43	72.14	75.60	77.08	78.26	79.56	80.57	81.04	81.61	82.25
10	59.46	61.96	65.17	66.27	66.94	67.64	68.68	69.50	70.54	71.17	64.59	67.25	70.66	72.13	73.33	74.62	75.60	76.05	76.65	77.28
15	54.60	57.08	60.23	61.34	62.00	62.69	63.72	64.52	65.58	66.21	59.66	62.32	65.70	67.18	68.36	69.65	70.64	71.08	71.69	72.32
20	49.92	52.46	55.59	56.65	57.25	57.87	58.87	59.63	60.68	61.31	54.82	57.44	60.81	62.29	63.44	64.74	65.72	66.18	66.75	67.41
25	45.37	47.81	50.91	51.98	52.49	53.08	54.09	54.85	55.87	56.48	50.05	52.63	55.92	57.39	58.55	59.84	60.82	61.30	61.82	62.50
30	40.75	43.13	46.13	47.18	47.69	48.31	49.28	50.05	51.05	51.66	45.31	47.81	51.04	52.48	53.64	54.94	55.91	56.38	56.91	57.61
35	36.15	38.42	41.35	42.38	42.89	43.54	44.50	45.26	46.24	46.82	40.60	43.00	46.18	47.60	48.78	50.08	51.03	51.51	52.02	52.69
40	31.59	33.82	36.62	37.62	38.13	38.81	39.78	40.48	41.45	42.00	35.93	38.25	41.35	42.77	43.92	45.21	46.15	46.67	47.16	47.81
45	27.14	29.34	32.04	32.94	33.46	34.19	35.11	35.81	36.72	37.26	31.31	33.59	36.60	38.01	39.12	40.41	41.37	41.90	42.34	42.97
50	22.81	25.02	27.59	28.40	28.94	29.68	30.57	31.24	32.09	32.57	26.84	28.99	31.93	33.31	34.43	35.69	36.63	37.19	37.60	38.22
55	18.72	20.78	23.40	24.09	24.58	25.33	26.18	26.78	27.62	28.06	22.52	24.54	27.37	28.71	29.80	31.08	32.02	32.54	32.95	33.52
60	14.97	16.83	19.35	20.10	20.45	21.15	21.99	22.59	23.32	23.74	18.43	20.23	22.90	24.22	25.28	26.53	27.47	27.93	28.39	28.92
65	11.68	13.18	15.51	16.26	16.68	17.29	17.99	18.58	19.25	19.62	14.60	16.13	18.58	19.87	20.88	22.12	23.00	23.44	23.87	24.36
70	8.84	9.99	11.92	12.66	13.18	13.74	14.26	14.77	15.41	15.81	11.19	12.39	14.53	15.73	16.68	17.93	18.75	19.09	19.49	19.95
75	6.59	7.42	8.90	9.51	10.04	10.57	11.02	11.28	11.83	12.28	8.29	9.15	10.83	11.90	12.77	13.95	14.71	14.96	15.30	15.69
80	4.84	5.45	6.52	6.85	7.30	7.82	8.19	8.34	8.67	9.09	6.03	6.60	7.82	8.49	9.30	10.42	11.03	11.16	11.41	11.75
85	3.86	4.18	4.73	4.84	5.15	5.77	5.93	5.87	6.14	6.38	4.45	4.95	5.39	5.84	6.46	7.52	7.95	7.90	8.08	8.35
90			3.72	3.54	3.68	4.34	4.24	4.04	4.25	4.36			3.74	4.05	4.48	5.32	5.61	5.40	5.39	5.57
95				2.85	2.83	3.72	3.06	2.76	2.86	2.90				2.89	3.15	4.20	4.05	3.61	3.55	3.67
100								1.88	1.89	1.89								2.48	2.53	2.56

栃木県

(単位：年)

年齢	男										女									
	昭和40年(1965)	50('75)	60('85)	平成2('90)	7('95)	12(2000)	17('05)	22('10)	27('15)	令和2('20)	昭和40年(1965)	50('75)	60('85)	平成2('90)	7('95)	12(2000)	17('05)	22('10)	27('15)	令和2('20)
0(W)	66.47	70.61	74.36	75.38	76.12	77.14	78.01	79.06	80.10	81.00	72.44	76.31	79.98	81.30	82.76	84.04	85.03	85.66	86.24	86.89
4	67.50	71.21	74.57	75.53	76.27	77.20	78.07	79.05	80.11	81.00	73.24	76.71	80.15	81.42	82.88	84.14	85.13	85.66	86.28	86.92
2(M)	67.61	71.19	74.51	75.49	76.22	77.14	78.02	78.98	80.04	80.95	73.30	76.67	80.10	81.37	82.83	84.08	85.05	85.58	86.21	86.86
3	67.62	71.14	74.46	75.43	76.16	77.09	77.96	78.91	79.99	80.87	73.29	76.61	80.03	81.31	82.75	84.01	84.99	85.50	86.14	86.78
6	67.54	70.95	74.27	75.21	75.97	76.90	77.74	78.68	79.77	80.67	73.19	76.44	79.83	81.09	82.56	83.81	84.77	85.26	85.92	86.54
0(Y)	66.47	70.61	74.36	75.38	76.12	77.14	78.01	79.06	80.10	81.00	72.44	76.31	79.98	81.30	82.76	84.04	85.03	85.66	86.24	86.89
1	67.28	70.54	73.82	74.77	75.52	76.45	77.28	78.24	79.28	80.20	72.93	76.02	79.39	80.65	82.11	83.35	84.30	84.81	85.45	86.07
2	66.50	69.65	72.92	73.83	74.59	75.52	76.35	77.26	78.31	79.22	72.09	75.13	78.45	79.72	81.16	82.38	83.34	83.83	84.47	85.08
3	65.60	68.73	71.97	72.88	73.63	74.56	75.39	76.27	77.33	78.23	71.18	74.19	77.48	78.76	80.19	81.40	82.36	82.84	83.49	84.10
4	64.71	67.79	71.00	71.92	72.66	73.60	74.41	75.28	76.34	77.24	70.26	73.24	76.49	77.79	79.21	80.42	81.38	81.85	82.50	83.10
5	63.80	66.84	70.02	70.95	71.68	72.62	73.42	74.29	75.36	76.25	69.33	72.28	75.51	76.80	78.22	79.43	80.39	80.86	81.51	82.11
10	59.01	61.99	65.11	66.03	66.74	67.70	68.45	69.31	70.39	71.27	64.49	67.36	70.56	71.85	73.28	74.46	75.42	75.89	76.54	77.13
15	54.16	57.08	60.17	61.09	61.79	62.75	63.48	64.34	65.42	66.31	59.62	62.40	65.61	66.89	68.31	69.50	70.46	70.91	71.56	72.15
20	49.47	52.40	55.43	56.33	57.02	57.92	58.63	59.46	60.54	61.41	54.74	57.50	60.69	61.99	63.37	64.57	65.52	65.99	66.62	67.20
25	44.94	47.74	50.69	51.58	52.27	53.15	53.84	54.67	55.75	56.58	49.99	52.67	55.80	57.12	58.47	59.66	60.63	61.02	61.72	62.30
30	40.35	43.00	45.89	46.78	47.47	48.34	49.06	49.83	50.90	51.71	45.25	47.83	50.94	52.22	53.56	54.79	55.73	56.10	56.80	57.42
35	35.77	38.32	41.10	42.00	42.71	43.56	44.23	45.00	46.08	46.88	40.52	43.03	46.07	47.35	48.67	49.91	50.83	51.22	51.88	52.52
40	31.20	33.70	36.37	37.26	37.93	38.83	39.47	40.21	41.28	42.07	35.83	38.28	41.25	42.55	43.82	45.07	45.96	46.41	47.03	47.65
45	26.75	29.25	31.83	32.61	33.24	34.14	34.78	35.52	36.53	37.30	31.22	33.59	36.50	37.78	39.02	40.29	41.17	41.60	42.23	42.85
50	22.45	24.90	27.40	28.12	28.68	29.63	30.22	30.98	31.93	32.62	26.77	28.99	31.86	33.09	34.30	35.56	36.44	36.88	37.47	38.08
55	18.36	20.70	23.25	23.87	24.33	25.25	25.82	26.55	27.46	28.15	22.49	24.53	27.33	28.53	29.67	30.96	31.84	32.22	32.82	33.39
60	14.71	16.72	19.22	19.87	20.22	21.13	21.65	22.35	23.14	23.83	18.37	20.21	22.86	24.05	25.17	26.44	27.30	27.66	28.21	28.81
65	11.54	13.10	15.35	16.05	16.45	17.26	17.73	18.30	19.06	19.70	14.53	16.10	18.54	19.65	20.80	22.06	22.86	23.22	23.73	24.28
70	8.74	9.98	11.84	12.46	12.99	13.74	14.06	14.54	15.26	15.85	11.15	12.43	14.49	15.55	16.63	17.84	18.56	18.95	19.34	19.88
75	6.52	7.31	8.81	9.33	9.85	10.54	10.83	11.06	11.72	12.32	8.27	9.18	10.86	11.79	12.75	13.88	14.52	14.88	15.18	15.65
80	4.90	5.41	6.38	6.81	7.16	7.78	8.03	8.19	8.57	9.11	6.10	6.57	7.82	8.46	9.37	10.30	10.88	11.10	11.34	11.73
85	3.95	4.15	4.58	4.93	5.10	5.70	5.72	5.97	6.00	6.44	4.81	4.78	5.53	5.93	6.63	7.41	7.73	7.85	8.08	8.32
90			3.41	3.59	3.65	4.14	4.03	4.17	4.13	4.42			3.92	4.12	4.57	5.19	5.42	5.29	5.44	5.60
95				2.68	2.64	3.21	2.93	2.98	2.73	3.09				2.81	3.24	3.93	3.93	3.54	3.61	3.67
100								2.18	1.75	2.20								2.51	2.62	2.52

群馬県

(単位：年)

年齢	男										女									
	昭和40年 (1965)	50 ('75)	60 ('85)	平成2 ('90)	7 ('95)	12 (2000)	17 ('05)	22 ('10)	27 ('15)	令和2 ('20)	昭和40年 (1965)	50 ('75)	60 ('85)	平成2 ('90)	7 ('95)	12 (2000)	17 ('05)	22 ('10)	27 ('15)	令和2 ('20)
0(W)	67.34	71.23	75.11	76.36	76.98	77.86	78.78	79.40	80.61	81.13	72.38	76.42	80.39	81.90	83.12	84.47	85.47	85.91	86.84	87.18
4	68.35	71.84	75.31	76.52	77.10	77.93	78.83	79.41	80.59	81.11	73.23	76.87	80.58	82.04	83.17	84.52	85.51	85.93	86.83	87.20
2(M)	68.42	71.83	75.27	76.47	77.05	77.87	78.76	79.34	80.51	81.04	73.26	76.84	80.54	81.98	83.12	84.45	85.44	85.87	86.75	87.13
3	68.40	71.77	75.21	76.40	76.98	77.80	78.68	79.28	80.44	80.97	73.25	76.79	80.47	81.90	83.05	84.41	85.38	85.80	86.67	87.06
6	68.31	71.59	75.01	76.18	76.80	77.60	78.47	79.05	80.20	80.73	73.12	76.60	80.24	81.70	82.84	84.19	85.17	85.60	86.46	86.82
0(Y)	67.34	71.23	75.11	76.36	76.98	77.86	78.78	79.40	80.61	81.13	72.38	76.42	80.39	81.90	83.12	84.47	85.47	85.91	86.84	87.18
1	67.99	71.18	74.55	75.77	76.38	77.14	78.00	78.58	79.72	80.24	72.77	76.17	79.78	81.22	82.39	83.73	84.70	85.10	85.97	86.38
2	67.16	70.27	73.60	74.83	75.43	76.18	77.03	77.61	78.74	79.26	71.90	75.30	78.82	80.26	81.44	82.76	83.74	84.12	84.99	85.40
3	66.26	69.36	72.64	73.87	74.47	75.21	76.05	76.64	77.76	78.28	70.99	74.35	77.86	79.30	80.47	81.79	82.77	83.14	84.01	84.41
4	65.35	68.42	71.67	72.89	73.49	74.22	75.07	75.66	76.77	77.29	70.06	73.41	76.88	78.32	79.48	80.80	81.78	82.15	83.02	83.42
5	64.42	67.46	70.69	71.91	72.51	73.24	74.08	74.67	75.77	76.30	69.11	72.44	75.90	77.33	78.49	79.81	80.79	81.16	82.03	82.43
10	59.68	62.62	65.78	66.97	67.58	68.28	69.13	69.73	70.80	71.32	64.26	67.56	70.95	72.36	73.56	74.84	75.81	76.19	77.06	77.45
15	54.81	57.70	60.85	62.02	62.63	63.32	64.17	64.78	65.84	66.34	59.35	62.63	65.98	67.41	68.60	69.87	70.83	71.22	72.08	72.47
20	50.12	53.03	56.09	57.20	57.78	58.50	59.29	59.89	60.94	61.43	54.50	57.73	61.09	62.50	63.68	64.94	65.91	66.28	67.12	67.51
25	45.54	48.36	51.36	52.46	53.00	53.72	54.50	55.13	56.10	56.61	49.75	52.90	56.17	57.59	58.76	60.02	61.01	61.42	62.20	62.60
30	40.98	43.65	46.55	47.64	48.19	48.91	49.69	50.33	51.28	51.76	45.02	48.08	51.30	52.69	53.85	55.10	56.09	56.50	57.31	57.69
35	36.39	38.94	41.75	42.84	43.35	44.10	44.89	45.55	46.43	46.91	40.33	43.29	46.44	47.84	48.97	50.21	51.20	51.57	52.41	52.77
40	31.80	34.32	37.04	38.05	38.58	39.33	40.14	40.81	41.61	42.10	35.64	38.52	41.62	42.99	44.12	45.34	46.35	46.70	47.54	47.91
45	27.35	29.84	32.41	33.37	33.92	34.63	35.49	36.07	36.85	37.36	31.05	33.83	36.89	38.19	39.31	40.54	41.54	41.90	42.73	43.08
50	23.01	25.45	27.96	28.86	29.36	30.09	30.91	31.46	32.23	32.69	26.60	29.25	32.25	33.50	34.59	35.83	36.77	37.14	37.96	38.32
55	18.95	21.16	23.69	24.48	24.99	25.73	26.51	27.03	27.74	28.16	22.34	24.76	27.64	28.93	29.94	31.24	32.10	32.49	33.23	33.63
60	15.16	17.11	19.58	20.33	20.85	21.57	22.31	22.78	23.43	23.78	18.26	20.43	23.17	24.42	25.45	26.69	27.57	27.93	28.60	29.00
65	11.90	13.49	15.73	16.43	16.99	17.63	18.33	18.77	19.31	19.60	14.42	16.34	18.87	20.05	21.07	22.28	23.16	23.47	24.08	24.43
70	9.02	10.30	12.12	12.81	13.41	14.03	14.59	14.98	15.48	15.77	11.01	12.54	14.77	15.89	16.89	18.03	18.87	19.13	19.72	20.02
75	6.73	7.66	8.94	9.68	10.10	10.81	11.28	11.48	11.94	12.23	8.18	9.31	11.05	12.04	12.99	14.04	14.84	15.04	15.49	15.78
80	4.87	5.65	6.56	7.01	7.35	8.01	8.43	8.53	8.80	9.02	5.93	6.75	7.95	8.75	9.57	10.47	11.18	11.28	11.60	11.84
85	3.63	4.18	4.80	4.93	5.24	5.80	6.07	6.06	6.26	6.39	4.43	4.87	5.46	6.00	6.74	7.56	8.09	7.96	8.24	8.42
90			3.50	3.56	3.79	4.27	4.28	4.12	4.33	4.37			4.02	4.08	4.71	5.33	5.70	5.46	5.55	5.67
95				2.68	2.80	3.42	3.07	2.78	2.90	2.94				2.84	3.35	3.92	4.02	3.62	3.70	3.69
100							1.87	1.89	1.96								2.53	2.51	2.66	

埼玉県

(単位：年)

年齢	男										女									
	昭和40年 (1965)	50 ('75)	60 ('85)	平成2 ('90)	7 ('95)	12 (2000)	17 ('05)	22 ('10)	27 ('15)	令和2 ('20)	昭和40年 (1965)	50 ('75)	60 ('85)	平成2 ('90)	7 ('95)	12 (2000)	17 ('05)	22 ('10)	27 ('15)	令和2 ('20)
0(W)	67.26	71.88	75.20	76.31	76.95	78.05	79.05	79.62	80.82	81.44	72.45	76.61	80.65	81.75	82.92	84.34	85.29	85.88	86.66	87.31
4	68.24	72.38	75.38	76.46	77.05	78.12	79.09	79.63	80.82	81.42	73.22	76.97	80.81	81.86	82.99	84.38	85.30	85.89	86.67	87.27
2(M)	68.31	72.35	75.33	76.41	77.00	78.06	79.02	79.55	80.74	81.35	73.24	76.93	80.75	81.80	82.95	84.32	85.24	85.82	86.60	87.20
3	68.30	72.30	75.28	76.34	76.93	77.99	78.95	79.49	80.68	81.27	73.23	76.88	80.69	81.74	82.89	84.25	85.17	85.76	86.52	87.12
6	68.19	72.12	75.09	76.14	76.74	77.77	78.74	79.28	80.46	81.05	73.13	76.70	80.47	81.55	82.68	84.04	84.96	85.54	86.30	86.90
0(Y)	67.26	71.88	75.20	76.31	76.95	78.05	79.05	79.62	80.82	81.44	72.45	76.61	80.65	81.75	82.92	84.34	85.29	85.88	86.66	87.31
1	67.87	71.71	74.66	75.68	76.29	77.31	78.28	78.81	79.99	80.58	72.80	76.29	80.03	81.08	82.22	83.58	84.50	85.06	85.83	86.43
2	67.03	70.80	73.72	74.74	75.34	76.35	77.31	77.83	79.02	79.59	71.91	75.37	79.09	80.12	81.28	82.62	83.53	84.09	84.86	85.45
3	66.12	69.85	72.75	73.77	74.38	75.38	76.33	76.85	78.03	78.61	70.99	74.43	78.12	79.15	80.30	81.65	82.55	83.11	83.88	84.46
4	65.18	68.89	71.79	72.80	73.41	74.40	75.35	75.86	77.04	77.61	70.04	73.46	77.14	78.17	79.33	80.66	81.57	82.13	82.89	83.47
5	64.24	67.92	70.81	71.82	72.43	73.42	74.36	74.87	76.05	76.62	69.10	72.49	76.15	77.19	78.34	79.68	80.58	81.14	81.90	82.47
10	59.47	63.06	65.89	66.89	67.48	68.46	69.40	69.90	71.08	71.64	64.25	67.58	71.20	72.24	73.39	74.72	75.61	76.17	76.93	77.49
15	54.61	58.15	60.95	61.94	62.54	63.51	64.44	64.94	66.11	66.67	59.34	62.65	66.24	67.28	68.42	69.76	70.64	71.20	71.96	72.52
20	49.90	53.41	56.14	57.11	57.66	58.63	59.56	60.02	61.20	61.75	54.48	57.74	61.32	62.34	63.48	64.83	65.71	66.25	67.00	67.58
25	45.26	48.65	51.34	52.30	52.82	53.78	54.72	55.20	56.34	56.89	49.69	52.86	56.40	57.43	58.57	59.91	60.80	61.32	62.07	62.66
30	40.60	43.87	46.51	47.46	47.98	48.95	49.87	50.38	51.48	52.00	44.90	48.00	51.50	52.52	53.66	55.00	55.91	56.41	57.14	57.73
35	35.94	39.10	41.67	42.61	43.15	44.13	45.05	45.56	46.64	47.13	40.17	43.15	46.62	47.63	48.77	50.11	51.02	51.53	52.24	52.83
40	31.35	34.40	36.88	37.82	38.37	39.36	40.27	40.79	41.81	42.29	35.50	38.36	41.76	42.77	43.91	45.26	46.16	46.70	47.36	47.94
45	26.85	29.85	32.21	33.10	33.66	34.65	35.55	36.08	37.05	37.50	30.93	33.65	36.98	37.98	39.10	40.46	41.36	41.88	42.53	43.13
50	22.50	25.43	27.70	28.52	29.08	30.09	30.96	31.48	32.38	32.82	26.47	29.07	32.30	33.26	34.39	35.75	36.62	37.15	37.76	38.36
55	18.40	21.16	23.45	24.11	24.65	25.71	26.53	26.99	27.86	28.29	22.21	24.62	27.73	28.65	29.75	31.12	31.98	32.49	33.09	33.68
60	14.70	17.16	19.40	20.02	20.44	21.51	22.29	22.72	23.52	23.92	18.12	20.30	23.28	24.16	25.22	26.58	27.42	27.92	28.47	29.07
65	11.48	13.42	15.53	16.17	16.60	17.55	18.26	18.71	19.41	19.79	14.30	16.20	19.01	19.83	20.87	22.14	22.92	23.42	23.97	24.55
70	8.73	10.23	12.03	12.60	13.09	13.97	14.50	14.93	15.56	15.92	10.94	12.48	14.98	15.72	16.72	17.94	18.63	19.04	19.58	20.16
75	6.50	7.64	9.00	9.44	9.91	10.77	11.13	11.39	12.00	12.37	8.13	9.29	11.36	11.98	12.92	14.03	14.63	14.90	15.36	15.92
80	4.76	5.60	6.64	6.90	7.23	8.03	8.32	8.35	8.81	9.18	6.00	6.72	8.28	8.74	9.59	10.53	11.06	11.15	11.50	11.98
85	3.80	4.43	4.63	5.02	5.17	5.95	6.07	5.95	6.23	6.46	4.53	4.86	5.90	6.16	6.87	7.73	8.07	8.02	8.15	8.55
90			3.45	3.62	3.80	4.51	4.37	4.16	4.28	4.39		4.37	4.26	4.88	5.60	5.78	5.52	5.53	5.77
95				2.60	2.75	3.84	3.26	2.81	2.98	2.93				2.95	3.59	4.39	4.23	3.75	3.70	3.82
100								1.84	2.11	1.94								2.58	2.55	2.72

千葉県

(単位：年)

年齢	男										女									
	昭和40年 (1965)	50 ('75)	60 ('85)	平成2 ('90)	7 ('95)	12 (2000)	17 ('05)	22 ('10)	27 ('15)	令和2 ('20)	昭和40年 (1965)	50 ('75)	60 ('85)	平成2 ('90)	7 ('95)	12 (2000)	17 ('05)	22 ('10)	27 ('15)	令和2 ('20)
0(W)	67.71	71.99	75.27	76.46	76.89	78.05	78.95	79.88	80.96	81.45	73.29	77.07	80.88	82.19	83.19	84.51	85.49	86.20	86.91	87.50
4	68.60	72.45	75.46	76.56	76.97	78.11	78.99	79.91	80.97	81.46	73.99	77.42	81.04	82.31	83.23	84.57	85.53	86.19	86.93	87.49
2(M)	68.64	72.43	75.40	76.50	76.93	78.04	78.94	79.83	80.90	81.39	74.02	77.37	80.99	82.24	83.17	84.51	85.47	86.12	86.86	87.42
3	68.65	72.38	75.34	76.44	76.87	77.97	78.87	79.77	80.82	81.32	74.00	77.32	80.93	82.18	83.10	84.44	85.40	86.04	86.80	87.35
6	68.59	72.19	75.14	76.24	76.67	77.75	78.65	79.56	80.60	81.09	73.89	77.14	80.72	81.98	82.89	84.23	85.18	85.83	86.58	87.14
0(Y)	67.71	71.99	75.27	76.46	76.89	78.05	78.95	79.88	80.96	81.45	73.29	77.07	80.88	82.19	83.19	84.51	85.49	86.20	86.91	87.50
1	68.27	71.78	74.70	75.78	76.22	77.30	78.17	79.10	80.13	80.63	73.53	76.73	80.26	81.53	82.43	83.76	84.72	85.35	86.11	86.67
2	67.40	70.86	73.77	74.83	75.27	76.34	77.20	78.12	79.16	79.65	72.65	75.81	79.31	80.58	81.47	82.80	83.74	84.37	85.13	85.68
3	66.51	69.91	72.81	73.87	74.30	75.36	76.23	77.14	78.18	78.66	71.74	74.86	78.33	79.61	80.51	81.83	82.76	83.39	84.15	84.70
4	65.59	68.95	71.84	72.90	73.32	74.38	75.24	76.15	77.19	77.68	70.82	73.89	77.36	78.62	79.53	80.84	81.78	82.41	83.17	83.71
5	64.66	68.00	70.86	71.92	72.34	73.40	74.25	75.16	76.20	76.69	69.86	72.91	76.37	77.63	78.54	79.86	80.79	81.42	82.18	82.71
10	59.88	63.14	65.94	66.99	67.40	68.45	69.29	70.19	71.24	71.71	65.01	68.02	71.42	72.69	73.59	74.88	75.83	76.45	77.21	77.73
15	55.07	58.22	61.00	62.03	62.46	63.50	64.33	65.22	66.28	66.75	60.11	63.08	66.47	67.73	68.63	69.92	70.85	71.47	72.23	72.76
20	50.35	53.48	56.21	57.21	57.63	58.64	59.44	60.32	61.37	61.83	55.25	58.17	61.55	62.80	63.70	64.99	65.92	66.53	67.27	67.82
25	45.72	48.74	51.44	52.42	52.82	53.82	54.61	55.50	56.53	56.95	50.47	53.31	56.65	57.90	58.77	60.08	61.00	61.60	62.35	62.90
30	41.05	43.96	46.61	47.59	47.99	48.98	49.79	50.67	51.67	52.08	45.69	48.45	51.76	52.99	53.86	55.18	56.10	56.69	57.43	57.97
35	36.42	39.19	41.81	42.76	43.16	44.18	44.98	45.86	46.84	47.22	40.96	43.60	46.89	48.09	48.97	50.29	51.21	51.79	52.52	53.06
40	31.85	34.51	37.05	37.96	38.36	39.41	40.21	41.10	42.02	42.40	36.27	38.81	42.06	43.22	44.10	45.43	46.37	46.92	47.65	48.17
45	27.35	29.99	32.39	33.25	33.66	34.71	35.52	36.39	37.27	37.62	31.69	34.08	37.28	38.43	39.32	40.62	41.58	42.12	42.84	43.34
50	23.05	25.61	27.91	28.69	29.09	30.17	30.97	31.79	32.62	32.95	27.23	29.47	32.58	33.70	34.60	35.90	36.83	37.39	38.08	38.56
55	18.96	21.32	23.70	24.30	24.68	25.80	26.58	27.32	28.12	28.42	22.87	25.00	28.02	29.07	29.97	31.25	32.20	32.71	33.39	33.88
60	15.22	17.34	19.65	20.25	20.52	21.63	22.37	23.06	23.80	24.07	18.77	20.70	23.52	24.57	25.43	26.69	27.63	28.14	28.76	29.26
65	11.90	13.67	15.80	16.42	16.71	17.67	18.36	18.97	19.69	19.95	14.86	16.60	19.21	20.19	21.05	22.25	23.15	23.63	24.26	24.72
70	9.03	10.46	12.24	12.83	13.16	14.07	14.59	15.14	15.85	16.10	11.35	12.83	15.12	16.03	16.87	18.01	18.85	19.25	19.85	20.30
75	6.76	7.83	9.12	9.68	10.01	10.85	11.23	11.57	12.23	12.52	8.42	9.54	11.39	12.17	13.00	14.06	14.79	15.12	15.59	16.05
80	4.96	5.75	6.72	7.00	7.40	8.07	8.37	8.48	9.00	9.31	6.08	6.86	8.26	8.82	9.57	10.55	11.10	11.35	11.65	12.06
85	3.84	4.33	4.86	5.02	5.26	5.92	6.10	5.97	6.32	6.57	4.73	5.08	5.81	6.20	6.78	7.68	8.04	8.06	8.26	8.56
90			3.64	3.55	3.76	4.33	4.43	4.03	4.33	4.45			4.05	4.30	4.72	5.51	5.72	5.54	5.54	5.74
95				2.31	2.79	3.58	3.27	2.75	3.06	2.96				2.98	3.42	4.19	4.16	3.75	3.68	3.69
100								1.91	2.22	1.94								2.56	2.58	2.60

東京都

(単位：年)

年齢	男											女										
	昭和40年(1965)	50('75)	60('85)	平成2('90)	7('95)	12(2000)	17('05)	22('10)	27('15)	令和2('20)		昭和40年(1965)	50('75)	60('85)	平成2('90)	7('95)	12(2000)	17('05)	22('10)	27('15)	令和2('20)	
0(W)	69.84	73.19	75.60	76.35	76.91	77.98	79.36	79.82	81.07	81.77		74.70	77.89	81.09	82.09	83.12	84.38	85.70	86.39	87.26	87.86	
4	70.50	73.62	75.76	76.46	77.02	78.05	79.40	79.82	81.07	81.74		75.24	78.20	81.24	82.20	83.21	84.45	85.73	86.39	87.24	87.84	
2(M)	70.50	73.58	75.70	76.41	76.96	77.99	79.33	79.75	80.99	81.66		75.23	78.16	81.18	82.14	83.16	84.39	85.67	86.32	87.17	87.76	
3	70.47	73.53	75.64	76.34	76.90	77.93	79.26	79.67	80.92	81.60		75.19	78.11	81.13	82.07	83.10	84.32	85.60	86.25	87.10	87.69	
6	70.33	73.34	75.44	76.14	76.70	77.72	79.05	79.46	80.69	81.37		75.04	77.91	80.93	81.87	82.90	84.11	85.38	86.03	86.88	87.46	
0(Y)	69.84	73.19	75.60	76.35	76.91	77.98	79.36	79.82	81.07	81.77		74.70	77.89	81.09	82.09	83.12	84.38	85.70	86.39	87.26	87.86	
1	69.95	72.91	74.99	75.69	76.25	77.26	78.59	78.99	80.22	80.89		74.65	77.48	80.47	81.41	82.44	83.63	84.91	85.56	86.41	86.98	
2	69.06	71.99	74.04	74.73	75.30	76.30	77.63	78.01	79.25	79.91		73.75	76.56	79.52	80.46	81.48	82.67	83.94	84.58	85.43	86.00	
3	68.13	71.04	73.08	73.76	74.33	75.33	76.66	77.03	78.26	78.92		72.81	75.60	78.55	79.49	80.51	81.69	82.96	83.59	84.44	85.01	
4	67.18	70.08	72.10	72.79	73.35	74.35	75.67	76.04	77.28	77.93		71.86	74.63	77.58	78.51	79.53	80.71	81.97	82.60	83.46	84.02	
5	66.23	69.11	71.12	71.81	72.37	73.36	74.68	75.05	76.28	76.93		70.89	73.66	76.59	77.52	78.55	79.72	80.98	81.61	82.46	83.02	
10	61.41	64.23	66.20	66.87	67.42	68.41	69.72	70.08	71.32	71.96		66.01	68.76	71.64	72.57	73.59	74.76	76.01	76.64	77.49	78.04	
15	56.52	59.31	61.26	61.93	62.47	63.44	64.76	65.13	66.35	67.00		61.10	63.81	66.69	67.61	68.62	69.79	71.04	71.67	72.51	73.07	
20	51.70	54.46	56.42	57.06	57.59	58.54	59.84	60.20	61.43	62.08		56.20	58.89	61.76	62.67	63.67	64.85	66.11	66.72	67.55	68.13	
25	46.94	49.63	51.57	52.22	52.74	53.68	54.96	55.33	56.54	57.19		51.35	54.01	56.83	57.74	58.74	59.93	61.19	61.80	62.61	63.20	
30	42.20	44.82	46.72	47.36	47.89	48.83	50.09	50.47	51.66	52.28		46.55	49.15	51.94	52.83	53.83	55.02	56.29	56.88	57.68	58.28	
35	37.51	40.05	41.90	42.54	43.06	44.02	45.26	45.61	46.78	47.39		41.78	44.30	47.06	47.94	48.94	50.14	51.39	51.98	52.76	53.35	
40	32.90	35.35	37.15	37.77	38.28	39.24	40.46	40.80	41.94	42.53		37.08	39.51	42.23	43.10	44.09	45.28	46.53	47.11	47.87	48.45	
45	28.39	30.81	32.52	33.10	33.60	34.55	35.75	36.06	37.15	37.72		32.45	34.80	37.47	38.32	39.29	40.49	41.72	42.29	43.03	43.59	
50	24.01	26.42	28.06	28.58	29.09	30.04	31.17	31.44	32.47	33.01		27.95	30.19	32.81	33.61	34.59	35.79	36.98	37.52	38.25	38.80	
55	19.85	22.15	23.85	24.26	24.76	25.73	26.78	26.99	27.92	28.45		23.60	25.71	28.24	29.01	29.98	31.19	32.36	32.87	33.57	34.09	
60	16.05	18.15	19.82	20.22	20.65	21.64	22.62	22.78	23.59	24.04		19.42	21.36	23.78	24.52	25.47	26.67	27.82	28.31	28.96	29.46	
65	12.67	14.46	16.00	16.42	16.85	17.79	18.72	18.82	19.53	19.89		15.51	17.20	19.48	20.19	21.12	22.26	23.35	23.85	24.46	24.93	
70	9.71	11.23	12.51	12.88	13.33	14.26	15.05	15.11	15.74	16.07		11.98	13.39	15.42	16.06	16.95	18.04	19.06	19.49	20.07	20.55	
75	7.38	8.49	9.41	9.74	10.14	11.08	11.73	11.67	12.25	12.56		8.96	10.02	11.74	12.26	13.11	14.10	15.00	15.33	15.85	16.33	
80	5.54	6.41	6.92	7.10	7.48	8.26	8.81	8.59	9.10	9.40		6.65	7.28	8.59	8.96	9.74	10.56	11.32	11.50	11.93	12.38	
85	4.55	5.03	5.02	5.09	5.38	6.07	6.40	6.08	6.46	6.74		5.33	5.36	6.08	6.32	6.93	7.61	8.18	8.17	8.50	8.86	
90			3.72	3.63	3.85	4.46	4.55	4.22	4.42	4.62			4.37	4.40	4.91	5.34	5.74	5.58	5.71	5.96		
95				2.63	2.77	3.56	3.22	2.86	3.02	3.07				3.18	3.55	3.87	4.09	3.70	3.76	3.80		
100								1.90	2.07	1.99									2.60	2.56	2.60	

神奈川県

(単位：年)

年齢	男										女									
	昭和40年 (1965)	50 ('75)	60 ('85)	平成2 ('90)	7 ('95)	12 (2000)	17 ('05)	22 ('10)	27 ('15)	令和2 ('20)	昭和40年 (1965)	50 ('75)	60 ('85)	平成2 ('90)	7 ('95)	12 (2000)	17 ('05)	22 ('10)	27 ('15)	令和2 ('20)
0(W)	69.05	72.95	75.59	76.70	77.20	78.24	79.52	80.25	81.32	82.04	74.08	77.85	81.22	82.35	83.35	84.74	86.03	86.63	87.24	87.89
4	69.70	73.39	75.78	76.83	77.33	78.33	79.57	80.30	81.34	82.03	74.59	78.17	81.38	82.45	83.46	84.82	86.08	86.64	87.24	87.89
2(M)	69.70	73.36	75.72	76.77	77.27	78.27	79.51	80.23	81.27	81.96	74.60	78.13	81.32	82.39	83.40	84.75	86.02	86.58	87.17	87.81
3	69.67	73.31	75.66	76.72	77.20	78.20	79.44	80.16	81.20	81.88	74.56	78.07	81.26	82.33	83.34	84.69	85.94	86.51	87.10	87.74
6	69.55	73.12	75.47	76.51	77.00	78.00	79.23	79.93	80.97	81.66	74.43	77.88	81.05	82.12	83.14	84.47	85.73	86.30	86.87	87.51
0(Y)	69.05	72.95	75.59	76.70	77.20	78.24	79.52	80.25	81.32	82.04	74.08	77.85	81.22	82.35	83.35	84.74	86.03	86.63	87.24	87.89
1	69.19	72.70	75.02	76.07	76.55	77.54	78.76	79.46	80.49	81.17	74.05	77.45	80.60	81.66	82.68	84.00	85.27	85.84	86.40	87.03
2	68.29	71.78	74.08	75.12	75.59	76.57	77.80	78.48	79.52	80.19	73.15	76.52	79.64	80.71	81.72	83.03	84.30	84.86	85.41	86.05
3	67.38	70.83	73.11	74.16	74.62	75.60	76.83	77.49	78.54	79.20	72.22	75.57	78.67	79.74	80.74	82.05	83.31	83.87	84.43	85.06
4	66.44	69.87	72.14	73.18	73.65	74.61	75.84	76.50	77.55	78.21	71.27	74.60	77.68	78.76	79.76	81.07	82.32	82.88	83.44	84.07
5	65.50	68.91	71.16	72.19	72.66	73.62	74.86	75.51	76.56	77.22	70.32	73.62	76.70	77.78	78.78	80.08	81.33	81.89	82.44	83.08
10	60.69	64.03	66.23	67.25	67.72	68.66	69.90	70.53	71.59	72.23	65.46	68.70	71.75	72.83	73.83	75.12	76.36	76.91	77.47	78.10
15	55.82	59.12	61.29	62.31	62.78	63.71	64.94	65.55	66.62	67.26	60.54	63.76	66.78	67.87	68.87	70.15	71.39	71.94	72.50	73.13
20	51.05	54.32	56.49	57.49	57.91	58.82	60.03	60.65	61.71	62.36	55.66	58.84	61.85	62.93	63.93	65.19	66.44	67.01	67.54	68.19
25	46.35	49.52	51.67	52.65	53.07	53.98	55.17	55.80	56.83	57.49	50.84	53.98	56.94	58.01	59.01	60.28	61.52	62.08	62.61	63.25
30	41.65	44.71	46.83	47.81	48.21	49.14	50.31	50.93	51.96	52.60	46.03	49.11	52.05	53.10	54.08	55.36	56.62	57.14	57.68	58.32
35	36.99	39.94	42.01	42.96	43.37	44.31	45.47	46.08	47.10	47.74	41.27	44.26	47.16	48.20	49.19	50.46	51.73	52.23	52.77	53.41
40	32.40	35.25	37.24	38.17	38.57	39.53	40.66	41.27	42.25	42.89	36.58	39.46	42.33	43.34	44.31	45.60	46.87	47.37	47.90	48.52
45	27.91	30.73	32.58	33.46	33.87	34.82	35.93	36.54	37.48	38.10	31.98	34.75	37.53	38.54	39.52	40.81	42.05	42.53	43.06	43.66
50	23.59	26.33	28.09	28.90	29.30	30.27	31.33	31.90	32.80	33.39	27.51	30.14	32.85	33.82	34.80	36.09	37.30	37.77	38.29	38.88
55	19.47	22.07	23.86	24.53	24.93	25.89	26.90	27.39	28.25	28.82	23.21	25.68	28.28	29.21	30.18	31.46	32.66	33.08	33.61	34.17
60	15.67	18.00	19.82	20.45	20.76	21.72	22.68	23.12	23.88	24.42	19.09	21.32	23.81	24.72	25.63	26.92	28.11	28.50	29.00	29.53
65	12.36	14.24	15.98	16.65	16.95	17.78	18.67	19.06	19.77	20.23	15.25	17.18	19.51	20.38	21.25	22.50	23.64	24.03	24.50	24.99
70	9.57	10.98	12.47	13.11	13.42	14.18	14.93	15.26	15.92	16.35	11.73	13.37	15.46	16.23	17.09	18.26	19.32	19.66	20.10	20.59
75	7.22	8.27	9.34	9.93	10.25	10.93	11.54	11.73	12.33	12.76	8.80	10.01	11.78	12.45	13.23	14.31	15.27	15.49	15.87	16.35
80	5.50	6.18	6.86	7.26	7.54	8.11	8.65	8.66	9.12	9.51	6.47	7.28	8.67	9.13	9.82	10.79	11.61	11.67	11.95	12.35
85	4.29	4.83	5.04	5.30	5.43	5.92	6.27	6.20	6.46	6.76	5.09	5.42	6.21	6.49	7.04	7.87	8.55	8.37	8.54	8.84
90			3.90	3.79	3.86	4.36	4.57	4.39	4.46	4.62			4.51	4.53	4.97	5.64	6.13	5.74	5.82	5.97
95				2.76	2.80	3.39	3.31	3.06	3.07	3.04				3.21	3.64	4.26	4.52	3.89	3.90	3.87
100							2.12	2.11	1.95								2.69	2.72	2.65	

新潟県

(単位：年)

年齢	男										女									
	昭和40年(1965)	50('75)	60('85)	平成2('90)	7('95)	12(2000)	17('05)	22('10)	27('15)	令和2('20)	昭和40年(1965)	50('75)	60('85)	平成2('90)	7('95)	12(2000)	17('05)	22('10)	27('15)	令和2('20)
0(W)	67.18	71.14	74.83	76.49	76.98	77.66	78.75	79.47	80.69	81.29	72.19	76.76	80.86	82.50	83.66	85.19	86.27	86.96	87.32	87.57
4	68.13	71.67	75.05	76.56	77.05	77.75	78.80	79.49	80.68	81.28	73.01	77.13	81.04	82.60	83.76	85.22	86.30	86.90	87.31	87.58
2(M)	68.19	71.65	75.01	76.51	77.00	77.70	78.73	79.41	80.61	81.19	73.05	77.09	80.99	82.54	83.69	85.17	86.24	86.81	87.23	87.50
3	68.19	71.60	74.94	76.44	76.93	77.64	78.66	79.34	80.54	81.13	73.03	77.04	80.93	82.48	83.63	85.11	86.17	86.73	87.16	87.43
6	68.08	71.42	74.73	76.22	76.73	77.42	78.43	79.11	80.31	80.90	72.91	76.84	80.71	82.27	83.43	84.89	85.96	86.54	86.94	87.20
0(Y)	67.18	71.14	74.83	76.49	76.98	77.66	78.75	79.47	80.69	81.29	72.19	76.76	80.86	82.50	83.66	85.19	86.27	86.96	87.32	87.57
1	67.78	71.03	74.29	75.77	76.27	76.95	77.95	78.65	79.84	80.43	72.60	76.43	80.29	81.81	82.98	84.42	85.50	86.05	86.46	86.72
2	66.96	70.14	73.36	74.83	75.33	76.00	76.99	77.68	78.86	79.44	71.82	75.53	79.36	80.87	82.04	83.47	84.53	85.09	85.48	85.74
3	66.09	69.23	72.41	73.86	74.36	75.03	76.02	76.71	77.87	78.46	70.94	74.58	78.42	79.90	81.06	82.51	83.56	84.11	84.50	84.76
4	65.17	68.29	71.45	72.89	73.38	74.05	75.04	75.73	76.88	77.46	70.00	73.61	77.43	78.92	80.07	81.52	82.57	83.13	83.51	83.77
5	64.22	67.33	70.48	71.90	72.40	73.07	74.05	74.74	75.89	76.47	69.06	72.65	76.45	77.94	79.08	80.54	81.59	82.15	82.52	82.79
10	59.43	62.47	65.56	66.97	67.48	68.11	69.10	69.80	70.91	71.49	64.21	67.74	71.51	73.00	74.13	75.57	76.62	77.21	77.55	77.82
15	54.55	57.55	60.63	62.03	62.54	63.16	64.15	64.86	65.95	66.52	59.30	62.82	66.55	68.04	69.16	70.60	71.64	72.23	72.56	72.85
20	49.78	52.85	55.83	57.22	57.68	58.30	59.28	60.01	61.04	61.59	54.42	57.94	61.63	63.12	64.23	65.67	66.71	67.26	67.62	67.91
25	45.15	48.19	51.06	52.47	52.91	53.51	54.48	55.23	56.20	56.75	49.68	53.09	56.74	58.22	59.32	60.75	61.82	62.37	62.72	62.98
30	40.48	43.43	46.29	47.65	48.10	48.70	49.67	50.44	51.36	51.91	44.93	48.25	51.87	53.31	54.40	55.83	56.92	57.46	57.81	58.08
35	35.84	38.72	41.52	42.85	43.30	43.94	44.88	45.65	46.53	47.07	40.18	43.42	46.99	48.44	49.52	50.95	52.01	52.58	52.92	53.17
40	31.24	34.13	36.80	38.08	38.52	39.19	40.12	40.91	41.72	42.24	35.47	38.65	42.15	43.60	44.66	46.09	47.14	47.75	48.03	48.28
45	26.75	29.64	32.20	33.41	33.84	34.53	35.49	36.20	36.99	37.46	30.79	33.91	37.37	38.80	39.86	41.29	42.34	42.93	43.21	43.44
50	22.44	25.23	27.75	28.87	29.28	30.01	30.97	31.62	32.36	32.81	26.32	29.24	32.64	34.08	35.14	36.59	37.61	38.15	38.45	38.67
55	18.38	21.00	23.47	24.50	24.93	25.68	26.60	27.21	27.85	28.28	21.99	24.71	28.02	29.43	30.50	31.93	32.95	33.46	33.74	34.00
60	14.63	17.01	19.41	20.39	20.74	21.57	22.39	22.99	23.53	23.89	17.84	20.33	23.47	24.86	25.94	27.32	28.37	28.85	29.11	29.35
65	11.39	13.39	15.55	16.42	16.83	17.60	18.40	18.87	19.44	19.73	14.06	16.17	19.06	20.43	21.48	22.85	23.86	24.28	24.54	24.78
70	8.66	10.20	11.99	12.80	13.22	13.99	14.66	15.05	15.56	15.87	10.67	12.34	14.91	16.14	17.17	18.50	19.50	19.87	20.09	20.30
75	6.48	7.58	8.91	9.56	9.99	10.76	11.27	11.49	11.99	12.26	7.85	9.06	11.12	12.18	13.12	14.39	15.34	15.58	15.82	16.01
80	4.77	5.53	6.46	6.94	7.27	7.97	8.35	8.42	8.74	9.02	5.72	6.49	7.91	8.71	9.58	10.63	11.48	11.66	11.85	12.01
85	3.81	4.00	4.70	4.98	5.14	5.72	5.99	6.00	6.19	6.29	4.41	4.71	5.47	6.07	6.68	7.56	8.22	8.24	8.38	8.47
90			3.49	3.41	3.63	4.08	4.26	4.16	4.29	4.30			3.87	4.19	4.61	5.28	5.74	5.49	5.63	5.64
95				2.50	2.69	3.33	3.12	2.92	3.01	2.91				2.94	3.37	3.76	4.06	3.58	3.69	3.71
100								2.08	2.13	1.96								2.40	2.51	2.49

富山県

(単位：年)

年齢	男										女									
	昭和40年 (1965)	50 ('75)	60 ('85)	平成2 ('90)	7 ('95)	12 (2000)	17 ('05)	22 ('10)	27 ('15)	令和2 ('20)	昭和40年 (1965)	50 ('75)	60 ('85)	平成2 ('90)	7 ('95)	12 (2000)	17 ('05)	22 ('10)	27 ('15)	令和2 ('20)
0(W)	66.70	71.11	74.81	76.14	77.16	78.03	79.07	79.71	80.61	81.74	72.04	76.56	80.80	82.35	83.86	85.24	86.32	86.75	87.42	87.97
4	67.85	71.63	75.08	76.37	77.31	78.12	79.14	79.74	80.61	81.78	73.12	76.96	80.98	82.50	83.99	85.32	86.38	86.79	87.46	87.93
2(M)	67.91	71.59	75.02	76.31	77.27	78.07	79.10	79.67	80.53	81.69	73.12	76.95	80.94	82.46	83.91	85.25	86.32	86.72	87.38	87.85
3	67.89	71.56	74.98	76.24	77.22	78.00	79.02	79.59	80.46	81.61	73.14	76.91	80.88	82.40	83.84	85.18	86.25	86.68	87.31	87.78
6	67.81	71.39	74.78	76.04	77.03	77.79	78.79	79.38	80.22	81.37	73.05	76.71	80.65	82.21	83.64	84.96	86.03	86.47	87.08	87.55
0(Y)	66.70	71.11	74.81	76.14	77.16	78.03	79.07	79.71	80.61	81.74	72.04	76.56	80.80	82.35	83.86	85.24	86.32	86.75	87.42	87.97
1	67.47	70.97	74.35	75.60	76.58	77.37	78.32	78.89	79.76	80.90	72.70	76.29	80.21	81.75	83.20	84.48	85.54	86.07	86.61	87.09
2	66.69	70.08	73.45	74.68	75.65	76.40	77.32	77.93	78.78	79.92	71.89	75.44	79.27	80.79	82.23	83.52	84.57	85.09	85.63	86.11
3	65.83	69.16	72.49	73.73	74.67	75.42	76.33	76.95	77.80	78.93	70.98	74.49	78.30	79.83	81.26	82.54	83.58	84.10	84.65	85.12
4	64.93	68.22	71.52	72.76	73.72	74.43	75.35	75.97	76.81	77.94	70.06	73.53	77.32	78.85	80.27	81.55	82.60	83.11	83.66	84.12
5	64.02	67.26	70.56	71.78	72.75	73.45	74.36	74.98	75.82	76.94	69.14	72.57	76.33	77.86	79.28	80.56	81.61	82.12	82.67	83.13
10	59.26	62.44	65.67	66.85	67.83	68.52	69.42	70.02	70.85	71.96	64.29	67.65	71.40	72.91	74.31	75.59	76.65	77.13	77.70	78.15
15	54.38	57.52	60.73	61.88	62.86	63.57	64.46	65.06	65.90	66.98	59.39	62.72	66.42	67.96	69.35	70.63	71.69	72.15	72.74	73.17
20	49.66	52.75	55.89	57.05	58.01	58.70	59.57	60.12	61.01	62.03	54.51	57.84	61.50	63.04	64.42	65.72	66.75	67.20	67.78	68.21
25	45.09	48.09	51.15	52.30	53.19	53.87	54.78	55.40	56.23	57.18	49.77	52.97	56.64	58.14	59.51	60.82	61.83	62.30	62.86	63.28
30	40.47	43.37	46.35	47.49	48.36	49.06	49.98	50.56	51.42	52.35	45.06	48.13	51.75	53.27	54.59	55.90	56.94	57.41	57.95	58.32
35	35.86	38.65	41.56	42.65	43.50	44.25	45.16	45.74	46.63	47.49	40.34	43.31	46.89	48.41	49.71	51.02	52.06	52.55	53.05	53.45
40	31.35	33.99	36.84	37.88	38.69	39.47	40.40	40.95	41.86	42.65	35.66	38.56	42.07	43.57	44.88	46.12	47.20	47.71	48.17	48.52
45	26.90	29.47	32.20	33.20	33.96	34.80	35.72	36.30	37.11	37.86	31.06	33.86	37.31	38.79	40.09	41.30	42.38	42.90	43.32	43.66
50	22.56	25.07	27.74	28.66	29.40	30.21	31.10	31.71	32.43	33.19	26.62	29.25	32.61	34.07	35.36	36.60	37.64	38.09	38.51	38.86
55	18.54	20.82	23.50	24.30	25.01	25.84	26.68	27.30	27.89	28.65	22.33	24.76	27.98	29.45	30.74	31.96	33.01	33.33	33.84	34.14
60	14.85	16.87	19.45	20.23	20.83	21.66	22.48	22.97	23.49	24.21	18.22	20.43	23.50	24.90	26.17	27.41	28.47	28.78	29.20	29.49
65	11.56	13.23	15.56	16.36	16.93	17.79	18.42	18.86	19.35	19.93	14.35	16.34	19.17	20.47	21.68	22.99	23.97	24.26	24.64	24.92
70	8.77	10.16	11.96	12.76	13.27	14.19	14.67	15.02	15.44	15.99	10.94	12.57	15.08	16.23	17.42	18.70	19.57	19.83	20.19	20.50
75	6.52	7.57	8.79	9.61	10.03	10.93	11.37	11.52	11.81	12.37	8.16	9.28	11.36	12.34	13.45	14.65	15.48	15.70	15.92	16.20
80	4.88	5.48	6.44	6.93	7.26	8.04	8.43	8.41	8.63	9.07	5.94	6.75	8.22	8.94	9.91	11.02	11.71	11.82	11.93	12.23
85	3.96	4.12	4.56	5.04	5.18	5.82	6.09	6.00	6.14	6.36	4.59	5.08	5.78	6.24	7.08	8.03	8.43	8.46	8.48	8.76
90			3.71	3.69	3.73	4.21	4.31	4.22	4.23	4.32			4.07	4.22	4.95	5.79	5.96	5.83	5.75	5.90
95				2.70	2.59	3.28	2.93	2.92	2.92	2.86				2.77	3.72	4.51	4.25	3.90	3.72	3.82
100							2.00	2.02	1.86									2.65	2.32	2.66

石川県

(単位：年)

年齢	男										女									
	昭和40年 (1965)	50 ('75)	60 ('85)	平成2 ('90)	7 ('95)	12 (2000)	17 ('05)	22 ('10)	27 ('15)	令和2 ('20)	昭和40年 (1965)	50 ('75)	60 ('85)	平成2 ('90)	7 ('95)	12 (2000)	17 ('05)	22 ('10)	27 ('15)	令和2 ('20)
0(W)	67.14	71.63	75.28	76.38	77.16	77.96	79.26	79.71	81.04	82.00	72.40	76.58	80.89	82.24	83.54	85.18	86.46	86.75	87.28	88.11
4	68.10	72.13	75.47	76.49	77.35	78.03	79.32	79.79	81.01	82.02	73.28	77.00	81.06	82.32	83.61	85.26	86.46	86.80	87.27	88.09
2(M)	68.13	72.09	75.42	76.40	77.30	77.97	79.26	79.79	80.96	81.94	73.30	76.93	80.99	82.26	83.55	85.18	86.41	86.73	87.19	88.01
3	68.15	72.02	75.37	76.34	77.25	77.91	79.20	79.70	80.91	81.85	73.33	76.88	80.93	82.22	83.49	85.12	86.34	86.64	87.12	87.93
6	68.06	71.85	75.18	76.15	77.06	77.69	78.97	79.48	80.70	81.64	73.29	76.71	80.73	82.01	83.28	84.92	86.11	86.43	86.90	87.71
0(Y)	67.14	71.63	75.28	76.38	77.16	77.96	79.26	79.71	81.04	82.00	72.40	76.58	80.89	82.24	83.54	85.18	86.46	86.75	87.28	88.11
1	67.76	71.42	74.75	75.71	76.61	77.25	78.52	79.00	80.21	81.16	72.89	76.31	80.28	81.57	82.84	84.45	85.66	85.97	86.43	87.24
2	66.93	70.50	73.82	74.75	75.65	76.28	77.56	78.03	79.24	80.18	72.00	75.43	79.34	80.61	81.89	83.49	84.68	84.99	85.46	86.25
3	66.05	69.58	72.87	73.80	74.69	75.31	76.59	77.05	78.25	79.20	71.10	74.48	78.36	79.64	80.91	82.52	83.70	84.00	84.48	85.26
4	65.16	68.64	71.91	72.83	73.70	74.33	75.61	76.07	77.26	78.21	70.18	73.52	77.39	78.65	79.93	81.54	82.72	83.01	83.50	84.27
5	64.25	67.68	70.96	71.87	72.71	73.34	74.62	75.08	76.27	77.22	69.21	72.56	76.41	77.66	78.94	80.55	81.73	82.02	82.51	83.27
10	59.55	62.84	66.05	66.94	67.81	68.40	69.65	70.12	71.30	72.24	64.37	67.66	71.46	72.72	73.98	75.59	76.76	77.04	77.55	78.29
15	54.69	57.93	61.13	62.01	62.85	63.45	64.69	65.16	66.36	67.29	59.45	62.73	66.49	67.75	69.01	70.61	71.78	72.04	72.58	73.32
20	49.97	53.14	56.32	57.18	58.01	58.57	59.76	60.26	61.47	62.34	54.60	57.83	61.54	62.81	64.09	65.65	66.85	67.09	67.62	68.35
25	45.41	48.41	51.52	52.41	53.19	53.76	54.90	55.40	56.63	57.45	49.82	52.96	56.61	57.87	59.18	60.75	61.93	62.20	62.66	63.43
30	40.78	43.64	46.69	47.61	48.38	48.93	50.06	50.62	51.78	52.57	45.07	48.11	51.73	52.97	54.26	55.84	57.02	57.30	57.74	58.49
35	36.18	38.93	41.89	42.80	43.55	44.12	45.24	45.84	46.94	47.72	40.34	43.30	46.88	48.07	49.38	50.97	52.13	52.44	52.83	53.56
40	31.62	34.26	37.12	38.01	38.77	39.35	40.46	41.06	42.10	42.87	35.60	38.53	42.04	43.20	44.50	46.11	47.25	47.55	47.94	48.66
45	27.13	29.70	32.48	33.29	34.04	34.68	35.77	36.32	37.31	38.05	31.02	33.82	37.27	38.40	39.69	41.28	42.44	42.75	43.09	43.80
50	22.78	25.32	27.94	28.76	29.42	30.12	31.19	31.67	32.61	33.35	26.53	29.21	32.59	33.68	34.94	36.55	37.68	37.94	38.31	38.99
55	18.70	21.11	23.63	24.43	25.02	25.73	26.78	27.19	28.06	28.75	22.20	24.76	27.97	28.98	30.30	31.91	33.05	33.34	33.60	34.25
60	14.90	17.11	19.54	20.31	20.76	21.49	22.55	22.89	23.70	24.32	18.10	20.42	23.42	24.46	25.69	27.35	28.47	28.74	28.96	29.54
65	11.62	13.46	15.54	16.43	16.84	17.55	18.51	18.91	19.53	20.07	14.23	16.30	19.10	20.07	21.32	22.90	24.00	24.23	24.43	24.96
70	8.83	10.26	11.99	12.79	13.29	13.96	14.74	15.02	15.64	16.10	10.80	12.55	15.07	15.89	17.10	18.68	19.69	19.88	20.01	20.48
75	6.54	7.71	8.84	9.57	10.10	10.67	11.36	11.45	12.05	12.44	7.95	9.29	11.22	12.02	13.17	14.66	15.61	15.76	15.83	16.22
80	4.76	5.53	6.31	6.88	7.31	7.82	8.53	8.38	8.82	9.14	5.84	6.55	8.02	8.60	9.67	11.02	11.81	11.85	11.89	12.21
85	3.62	4.00	4.62	4.90	5.22	5.58	6.20	6.06	6.33	6.44	4.29	4.75	5.59	6.04	6.89	8.00	8.61	8.47	8.43	8.70
90			3.38	3.74	3.75	3.87	4.50	4.25	4.48	4.41			3.92	4.17	4.86	5.81	6.19	5.87	5.64	5.86
95				3.30	3.19	2.92	3.42	3.05	3.05	2.92				2.86	3.54	4.65	4.63	3.72	3.65	3.78
100								2.26	2.02	1.88								2.25	2.31	2.63

福井県

(単位：年)

年齢	男										女									
	昭和40年(1965)	50('75)	60('85)	平成2('90)	7('95)	12(2000)	17('05)	22('10)	27('15)	令和2('20)	昭和40年(1965)	50('75)	60('85)	平成2('90)	7('95)	12(2000)	17('05)	22('10)	27('15)	令和2('20)
0(W)	67.96	72.21	75.64	76.84	77.51	78.55	79.47	80.47	81.27	81.98	72.87	76.81	81.01	82.36	83.63	85.39	86.25	86.94	87.54	87.84
4	69.25	72.70	75.88	76.96	77.70	78.69	79.53	80.47	81.24	82.02	73.78	77.21	81.20	82.50	83.71	85.47	86.28	86.99	87.55	87.92
2(M)	69.27	72.67	75.84	76.91	77.64	78.63	79.46	80.40	81.15	81.94	73.80	77.17	81.16	82.44	83.66	85.41	86.22	86.90	87.49	87.85
3	69.24	72.60	75.78	76.83	77.58	78.57	79.39	80.34	81.08	81.87	73.75	77.12	81.13	82.36	83.60	85.35	86.16	86.82	87.42	87.78
6	69.18	72.41	75.59	76.61	77.40	78.37	79.18	80.11	80.87	81.64	73.67	76.94	80.92	82.15	83.40	85.15	85.96	86.62	87.21	87.54
0(Y)	67.96	72.21	75.64	76.84	77.51	78.55	79.47	80.47	81.27	81.98	72.87	76.81	81.01	82.36	83.63	85.39	86.25	86.94	87.54	87.84
1	68.88	72.00	75.16	76.20	76.97	77.90	78.70	79.66	80.43	81.17	73.37	76.51	80.47	81.68	82.94	84.68	85.48	86.12	86.73	87.10
2	68.09	71.12	74.25	75.24	76.04	76.95	77.72	78.68	79.46	80.20	72.57	75.63	79.53	80.74	82.01	83.71	84.50	85.14	85.74	86.12
3	67.19	70.20	73.28	74.27	75.06	75.99	76.74	77.69	78.48	79.22	71.70	74.68	78.57	79.78	81.03	82.74	83.51	84.15	84.74	85.13
4	66.28	69.25	72.32	73.29	74.08	75.01	75.76	76.70	77.50	78.23	70.80	73.74	77.59	78.80	80.04	81.76	82.53	83.16	83.75	84.14
5	65.35	68.30	71.34	72.31	73.09	74.02	74.77	75.71	76.51	77.24	69.86	72.80	76.62	77.81	79.04	80.77	81.54	82.17	82.75	83.15
10	60.53	63.41	66.44	67.39	68.16	69.07	69.81	70.74	71.55	72.28	65.06	67.88	71.66	72.87	74.07	75.81	76.59	77.19	77.76	78.17
15	55.68	58.52	61.50	62.46	63.20	64.14	64.84	65.79	66.58	67.34	60.16	62.95	66.70	67.91	69.12	70.84	71.60	72.22	72.79	73.21
20	50.95	53.74	56.77	57.61	58.37	59.27	59.98	60.98	61.64	62.43	55.30	58.03	61.81	63.01	64.23	65.92	66.68	67.35	67.83	68.26
25	46.35	49.05	52.05	52.87	53.59	54.42	55.19	56.21	56.81	57.55	50.56	53.19	56.89	58.15	59.32	61.02	61.79	62.43	62.91	63.36
30	41.75	44.28	47.22	48.06	48.76	49.57	50.34	51.39	52.01	52.72	45.81	48.31	51.97	53.24	54.39	56.11	56.89	57.46	58.00	58.43
35	37.16	39.51	42.39	43.21	43.94	44.74	45.49	46.54	47.19	47.86	41.09	43.48	47.09	48.34	49.52	51.21	51.98	52.59	53.09	53.50
40	32.58	34.84	37.60	38.44	39.15	39.94	40.70	41.66	42.34	42.99	36.41	38.70	42.26	43.45	44.64	46.33	47.10	47.76	48.19	48.58
45	28.11	30.22	32.97	33.72	34.44	35.26	35.98	36.93	37.52	38.17	31.85	34.01	37.50	38.66	39.86	41.51	42.26	42.93	43.32	43.73
50	23.74	25.73	28.40	29.10	29.88	30.68	31.37	32.26	32.83	33.44	27.36	29.40	32.78	33.91	35.16	36.71	37.55	38.14	38.51	38.94
55	19.62	21.45	24.11	24.73	25.45	26.24	26.96	27.69	28.31	28.83	22.99	24.91	28.16	29.28	30.49	32.04	32.88	33.44	33.75	34.23
60	15.83	17.40	19.94	20.51	21.19	21.97	22.64	23.33	23.98	24.34	18.77	20.57	23.65	24.73	25.94	27.49	28.30	28.79	29.11	29.56
65	12.43	13.61	15.96	16.54	17.28	17.93	18.53	19.19	19.79	20.11	14.84	16.50	19.31	20.29	21.47	23.05	23.78	24.29	24.56	24.91
70	9.44	10.31	12.35	12.83	13.51	14.17	14.68	15.25	15.86	16.12	11.28	12.75	15.21	16.09	17.17	18.76	19.45	19.90	20.11	20.42
75	7.01	7.50	9.28	9.60	10.25	10.88	11.25	11.60	12.19	12.39	8.25	9.38	11.42	12.17	13.23	14.70	15.39	15.67	15.86	16.11
80	5.01	5.33	6.82	6.93	7.45	7.98	8.27	8.47	9.00	9.10	5.96	6.69	8.26	8.72	9.68	11.05	11.58	11.72	11.86	12.07
85	3.89	3.85	4.79	4.94	5.27	5.78	5.88	6.01	6.34	6.35	4.62	4.78	5.78	6.06	6.82	7.93	8.32	8.28	8.42	8.58
90			3.56	3.37	3.72	4.51	4.01	4.15	4.38	4.29			4.03	4.08	4.75	5.49	5.83	5.72	5.60	5.74
95				1.89	2.66	3.86	2.72	2.85	3.17	2.97				2.98	3.37	3.96	4.10	3.67	3.59	3.63
100							1.96	2.38	2.12								2.71	2.39	2.38	

山梨県

(単位：年)

年齢	男										女									
	昭和40年(1965)	50('75)	60('85)	平成2('90)	7('95)	12(2000)	17('05)	22('10)	27('15)	令和2('20)	昭和40年(1965)	50('75)	60('85)	平成2('90)	7('95)	12(2000)	17('05)	22('10)	27('15)	令和2('20)
0(W)	67.56	71.66	75.02	76.26	76.82	77.90	78.89	79.54	80.85	81.71	73.29	77.43	80.94	82.39	83.67	85.21	86.17	86.65	87.22	87.94
4	68.24	72.01	75.18	76.34	77.01	77.98	78.87	79.48	80.80	81.74	73.82	77.65	81.04	82.50	83.80	85.31	86.22	86.60	87.22	87.92
2(M)	68.29	71.98	75.11	76.29	76.93	77.94	78.80	79.39	80.72	81.66	73.85	77.60	81.00	82.46	83.74	85.25	86.15	86.51	87.14	87.85
3	68.25	71.93	75.06	76.25	76.88	77.87	78.75	79.33	80.63	81.60	73.86	77.58	80.96	82.40	83.72	85.18	86.08	86.43	87.06	87.78
6	68.16	71.76	74.88	76.03	76.71	77.66	78.56	79.13	80.47	81.36	73.78	77.37	80.76	82.21	83.53	84.98	85.86	86.21	86.84	87.53
0(Y)	67.56	71.66	75.02	76.26	76.82	77.90	78.89	79.54	80.85	81.71	73.29	77.43	80.94	82.39	83.67	85.21	86.17	86.65	87.22	87.94
1	67.90	71.34	74.47	75.54	76.24	77.21	78.12	78.63	79.99	80.89	73.46	76.96	80.31	81.75	83.06	84.52	85.40	85.73	86.38	87.07
2	67.12	70.49	73.56	74.60	75.31	76.23	77.17	77.65	79.02	79.91	72.69	76.08	79.38	80.82	82.10	83.57	84.42	84.75	85.41	86.08
3	66.27	69.60	72.62	73.64	74.34	75.25	76.21	76.66	78.04	78.93	71.77	75.15	78.39	79.86	81.13	82.60	83.44	83.77	84.43	85.09
4	65.35	68.67	71.67	72.67	73.36	74.27	75.23	75.67	77.05	77.94	70.86	74.23	77.40	78.89	80.15	81.62	82.45	82.78	83.44	84.10
5	64.42	67.72	70.69	71.68	72.38	73.29	74.24	74.69	76.06	76.95	69.95	73.27	76.42	77.91	79.15	80.62	81.45	81.79	82.45	83.10
10	59.64	62.86	65.78	66.75	67.43	68.35	69.28	69.72	71.10	71.97	65.10	68.38	71.48	72.97	74.21	75.65	76.48	76.83	77.50	78.12
15	54.79	57.94	60.85	61.80	62.49	63.39	64.33	64.73	66.11	67.00	60.21	63.45	66.52	68.02	69.25	70.69	71.51	71.85	72.52	73.13
20	50.12	53.23	56.12	57.02	57.64	58.53	59.45	59.85	61.19	62.09	55.34	58.57	61.59	63.09	64.34	65.74	66.57	66.93	67.55	68.19
25	45.66	48.59	51.42	52.27	52.89	53.73	54.66	55.01	56.38	57.27	50.60	53.78	56.73	58.20	59.41	60.87	61.64	62.02	62.62	63.28
30	41.20	43.88	46.64	47.43	48.08	48.88	49.86	50.30	51.59	52.41	45.92	48.94	51.88	53.28	54.56	55.95	56.73	57.07	57.71	58.36
35	36.65	39.17	41.86	42.66	43.29	44.09	45.07	45.45	46.76	47.54	41.21	44.12	47.07	48.41	49.68	51.07	51.86	52.19	52.79	53.47
40	32.16	34.62	37.19	37.92	38.50	39.33	40.32	40.67	41.98	42.72	36.49	39.35	42.29	43.57	44.81	46.22	47.02	47.32	47.90	48.57
45	27.76	30.20	32.59	33.29	33.81	34.61	35.64	35.94	37.24	37.94	31.90	34.64	37.53	38.78	40.02	41.40	42.19	42.55	43.06	43.75
50	23.53	25.82	28.22	28.81	29.30	30.12	31.07	31.40	32.61	33.24	27.49	30.03	32.86	34.11	35.29	36.68	37.44	37.81	38.29	38.94
55	19.53	21.58	24.03	24.51	24.97	25.83	26.80	27.04	28.13	28.74	23.19	25.51	28.23	29.54	30.65	32.02	32.75	33.14	33.63	34.23
60	15.75	17.57	19.96	20.47	20.91	21.72	22.65	22.80	23.83	24.38	19.07	21.12	23.75	25.00	26.17	27.42	28.18	28.54	28.95	29.61
65	12.47	13.82	16.03	16.59	17.15	17.85	18.68	18.90	19.65	20.21	15.20	16.98	19.42	20.59	21.76	23.01	23.77	24.09	24.44	25.04
70	9.63	10.55	12.47	12.98	13.56	14.29	14.96	15.10	15.81	16.30	11.80	13.10	15.30	16.35	17.50	18.75	19.46	19.73	20.04	20.61
75	7.27	7.92	9.35	9.79	10.28	11.00	11.61	11.62	12.25	12.68	8.90	9.77	11.53	12.49	13.59	14.68	15.35	15.52	15.85	16.31
80	5.24	5.89	6.77	7.00	7.44	8.04	8.69	8.61	9.00	9.40	6.69	7.07	8.32	9.08	10.01	11.05	11.59	11.64	11.94	12.31
85	3.79	4.23	4.80	4.94	5.23	5.71	6.36	6.20	6.42	6.65	5.13	5.13	5.85	6.34	7.02	7.94	8.37	8.24	8.52	8.74
90			3.40	3.55	3.72	4.01	4.57	4.30	4.32	4.55		4.01	4.36	4.90	5.66	5.76	5.52	5.76	5.83	
95				2.33	2.61	2.76	3.44	2.75	2.90	3.17			3.09	3.27	4.47	3.98	3.68	3.67	3.78	
100								1.64	1.96	2.25								2.34	2.47	2.62

長野県

(単位：年)

年齢	男 昭和40年(1965)	50('75)	60('85)	平成2('90)	7('95)	12(2000)	17('05)	22('10)	27('15)	令和2('20)	女 昭和40年(1965)	50('75)	60('85)	平成2('90)	7('95)	12(2000)	17('05)	22('10)	27('15)	令和2('20)
0(W)	68.45	72.40	75.91	77.44	78.08	78.90	79.84	80.88	81.75	82.68	72.81	77.00	81.13	82.71	83.89	85.31	86.48	87.18	87.67	88.23
4	69.27	72.82	76.17	77.56	78.13	78.93	79.87	80.88	81.75	82.70	73.47	77.34	81.36	82.82	83.96	85.34	86.46	87.17	87.66	88.22
2(M)	69.31	72.78	76.12	77.52	78.06	78.85	79.80	80.79	81.67	82.61	73.46	77.29	81.31	82.76	83.90	85.27	86.39	87.08	87.59	88.15
3	69.29	72.73	76.06	77.47	78.00	78.77	79.72	80.72	81.59	82.53	73.43	77.25	81.25	82.70	83.83	85.20	86.32	87.00	87.51	88.08
6	69.15	72.53	75.86	77.29	77.79	78.55	79.51	80.50	81.36	82.30	73.29	77.07	81.04	82.50	83.62	84.99	86.11	86.75	87.28	87.83
0(Y)	68.45	72.40	75.91	77.44	78.08	78.90	79.84	80.88	81.75	82.68	72.81	77.00	81.13	82.71	83.89	85.31	86.48	87.18	87.67	88.23
1	68.79	72.12	75.43	76.81	77.32	78.09	79.04	80.03	80.89	81.83	72.95	76.65	80.58	82.06	83.17	84.51	85.63	86.28	86.80	87.34
2	67.98	71.24	74.51	75.88	76.38	77.13	78.08	79.06	79.91	80.85	72.11	75.75	79.64	81.11	82.21	83.54	84.66	85.30	85.82	86.36
3	67.07	70.31	73.54	74.91	75.41	76.16	77.11	78.08	78.93	79.87	71.21	74.81	78.68	80.14	81.23	82.56	83.67	84.32	84.84	85.38
4	66.15	69.36	72.56	73.93	74.42	75.18	76.12	77.10	77.95	78.88	70.26	73.85	77.70	79.17	80.25	81.58	82.69	83.33	83.85	84.39
5	65.21	68.38	71.59	72.94	73.45	74.19	75.13	76.12	76.96	77.89	69.30	72.89	76.73	78.19	79.27	80.60	81.69	82.34	82.86	83.40
10	60.37	63.53	66.68	68.01	68.51	69.24	70.16	71.17	72.00	72.92	64.42	68.00	71.78	73.22	74.30	75.66	76.72	77.37	77.89	78.44
15	55.49	58.60	61.74	63.06	63.57	64.28	65.21	66.19	67.05	67.95	59.50	63.06	66.82	68.26	69.33	70.71	71.76	72.38	72.93	73.46
20	50.76	53.83	56.93	58.20	58.72	59.44	60.33	61.31	62.14	63.07	54.63	58.16	61.90	63.35	64.40	65.77	66.84	67.42	68.00	68.51
25	46.13	49.13	52.16	53.44	53.90	54.69	55.54	56.48	57.32	58.26	49.87	53.34	57.03	58.45	59.50	60.89	61.95	62.50	63.06	63.66
30	41.51	44.35	47.38	48.60	49.09	49.89	50.73	51.70	52.52	53.39	45.12	48.50	52.15	53.55	54.60	55.98	57.05	57.60	58.14	58.74
35	36.86	39.63	42.57	43.76	44.28	45.09	45.91	46.90	47.67	48.53	40.35	43.66	47.29	48.66	49.71	51.10	52.15	52.69	53.24	53.82
40	32.23	34.99	37.85	38.96	39.49	40.33	41.18	42.13	42.85	43.73	35.66	38.88	42.47	43.83	44.86	46.23	47.27	47.82	48.36	48.91
45	27.70	30.43	33.18	34.26	34.77	35.65	36.48	37.42	38.08	38.94	31.03	34.16	37.69	39.04	40.06	41.40	42.45	42.99	43.51	44.07
50	23.28	25.95	28.65	29.69	30.18	31.06	31.87	32.76	33.41	34.20	26.52	29.52	32.99	34.31	35.33	36.67	37.70	38.20	38.75	39.29
55	19.14	21.66	24.34	25.28	25.75	26.65	27.46	28.22	28.86	29.62	22.19	25.02	28.41	29.68	30.68	32.01	33.03	33.53	34.05	34.61
60	15.25	17.60	20.14	21.03	21.49	22.41	23.18	23.86	24.47	25.13	18.10	20.68	23.89	25.12	26.13	27.40	28.44	28.92	29.41	29.96
65	11.82	13.84	16.11	17.02	17.50	18.38	19.13	19.71	20.27	20.86	14.23	16.53	19.50	20.69	21.68	22.91	23.93	24.36	24.83	25.37
70	8.87	10.54	12.44	13.26	13.80	14.59	15.22	15.73	16.30	16.86	10.76	12.75	15.35	16.43	17.35	18.61	19.51	19.88	20.35	20.89
75	6.60	7.78	9.19	9.91	10.40	11.19	11.70	12.05	12.63	13.12	7.93	9.41	11.57	12.51	13.30	14.49	15.35	15.63	16.06	16.53
80	4.71	5.68	6.62	7.13	7.55	8.22	8.63	8.85	9.28	9.69	5.71	6.76	8.33	9.06	9.72	10.77	11.55	11.71	12.08	12.43
85	3.73	4.25	4.62	5.02	5.30	5.87	6.11	6.26	6.54	6.80	4.44	4.91	5.81	6.27	6.77	7.68	8.29	8.27	8.59	8.86
90				3.25	3.50	3.61	4.10	4.23	4.34	4.45	4.54			4.09	4.21	4.55	5.39	5.72	5.55	5.74	5.93
95					2.56	2.53	2.98	3.05	3.07	2.92	2.99				2.78	3.21	4.05	4.06	3.60	3.77	3.79
100								2.22	1.87	1.97								2.42	2.50	2.53

岐阜県

(単位：年)

年齢	男										女									
	昭和40年(1965)	50('75)	60('85)	平成2('90)	7('95)	12(2000)	17('05)	22('10)	27('15)	令和2('20)	昭和40年(1965)	50('75)	60('85)	平成2('90)	7('95)	12(2000)	17('05)	22('10)	27('15)	令和2('20)
0(W)	68.90	72.18	75.53	76.72	77.17	78.10	79.00	79.92	81.00	81.90	73.03	76.41	80.31	81.69	83.00	84.33	85.56	86.26	86.82	87.51
4	69.92	72.76	75.71	76.82	77.28	78.18	79.05	79.98	80.99	81.88	73.83	76.85	80.51	81.80	83.04	84.39	85.66	86.25	86.87	87.53
2(M)	69.94	72.71	75.65	76.76	77.23	78.11	78.99	79.92	80.92	81.81	73.84	76.80	80.44	81.74	83.00	84.33	85.57	86.18	86.79	87.46
3	69.94	72.66	75.61	76.70	77.17	78.03	78.91	79.86	80.85	81.74	73.82	76.75	80.38	81.67	82.93	84.26	85.50	86.09	86.73	87.40
6	69.86	72.49	75.41	76.48	76.98	77.83	78.67	79.62	80.63	81.52	73.72	76.57	80.18	81.45	82.72	84.03	85.29	85.85	86.53	87.16
0(Y)	68.90	72.18	75.53	76.72	77.17	78.10	79.00	79.92	81.00	81.90	73.03	76.41	80.31	81.69	83.00	84.33	85.56	86.26	86.82	87.51
1	69.57	72.07	74.96	76.04	76.52	77.35	78.23	79.18	80.14	81.05	73.43	76.15	79.73	81.02	82.26	83.57	84.82	85.40	86.06	86.66
2	68.76	71.17	74.04	75.11	75.56	76.38	77.26	78.21	79.16	80.07	72.61	75.27	78.81	80.07	81.32	82.60	83.86	84.43	85.08	85.68
3	67.89	70.25	73.08	74.16	74.61	75.41	76.29	77.23	78.18	79.08	71.71	74.32	77.86	79.11	80.36	81.63	82.89	83.46	84.10	84.70
4	66.96	69.30	72.10	73.19	73.64	74.43	75.31	76.25	77.19	78.08	70.80	73.36	76.89	78.14	79.37	80.65	81.90	82.48	83.11	83.70
5	66.02	68.35	71.13	72.21	72.66	73.45	74.32	75.26	76.20	77.09	69.88	72.38	75.90	77.17	78.39	79.66	80.92	81.49	82.12	82.71
10	61.25	63.50	66.23	67.29	67.72	68.52	69.38	70.30	71.23	72.11	65.03	67.47	70.98	72.22	73.44	74.71	75.95	76.55	77.15	77.73
15	56.38	58.59	61.29	62.35	62.76	63.58	64.44	65.36	66.26	67.13	60.11	62.51	66.03	67.27	68.48	69.75	70.98	71.60	72.17	72.76
20	51.64	53.85	56.48	57.54	57.91	58.70	59.59	60.53	61.35	62.22	55.23	57.60	61.10	62.33	63.53	64.83	66.05	66.67	67.21	67.80
25	47.02	49.15	51.74	52.76	53.10	53.92	54.78	55.76	56.51	57.37	50.45	52.79	56.18	57.44	58.64	59.93	61.13	61.76	62.29	62.88
30	42.40	44.38	46.94	47.95	48.30	49.09	49.96	50.94	51.69	52.52	45.72	47.95	51.31	52.54	53.73	55.01	56.23	56.88	57.39	57.96
35	37.77	39.63	42.13	43.13	43.45	44.30	45.14	46.12	46.86	47.67	41.00	43.14	46.45	47.66	48.85	50.12	51.34	51.96	52.48	53.03
40	33.17	34.96	37.36	38.33	38.65	39.53	40.36	41.33	42.06	42.84	36.31	38.35	41.64	42.82	43.99	45.28	46.47	47.09	47.60	48.16
45	28.69	30.40	32.68	33.62	33.94	34.84	35.62	36.58	37.32	38.03	31.71	33.65	36.87	38.03	39.21	40.48	41.63	42.32	42.76	43.29
50	24.34	25.99	28.18	29.06	29.36	30.25	31.04	31.96	32.62	33.34	27.26	29.08	32.23	33.30	34.51	35.79	36.87	37.55	37.98	38.51
55	20.18	21.71	23.94	24.65	24.95	25.83	26.61	27.47	28.04	28.78	22.91	24.59	27.66	28.68	29.87	31.17	32.25	32.83	33.28	33.81
60	16.34	17.66	19.85	20.54	20.73	21.62	22.38	23.13	23.67	24.35	18.75	20.24	23.18	24.22	25.38	26.64	27.71	28.22	28.66	29.18
65	12.80	13.94	15.96	16.64	16.88	17.67	18.34	19.03	19.49	20.08	14.84	16.12	18.86	19.89	21.01	22.22	23.22	23.67	24.11	24.62
70	9.82	10.61	12.30	12.96	13.28	14.02	14.55	15.12	15.56	16.11	11.42	12.36	14.76	15.74	16.80	18.02	18.91	19.33	19.68	20.18
75	7.30	7.82	9.13	9.66	9.98	10.78	11.20	11.58	11.95	12.44	8.52	9.11	11.11	11.95	12.87	14.04	14.88	15.20	15.46	15.89
80	5.28	5.71	6.63	6.96	7.21	7.96	8.29	8.49	8.71	9.09	6.27	6.49	7.97	8.64	9.41	10.51	11.16	11.36	11.58	11.90
85	4.07	4.27	4.77	4.91	5.10	5.67	5.91	6.00	6.07	6.33	4.88	4.61	5.52	6.04	6.52	7.60	7.96	8.08	8.23	8.43
90			3.31	3.47	3.52	4.12	4.20	4.13	4.15	4.33			3.91	4.14	4.47	5.37	5.52	5.49	5.52	5.65
95				2.46	2.47	3.50	2.95	3.00	2.89	3.00				3.06	3.26	3.88	3.87	3.58	3.62	3.68
100								2.29	2.07	2.09								2.50	2.53	2.56

静岡県

(単位：年)

年齢	男										女									
	昭和40年 (1965)	50 ('75)	60 ('85)	平成2 ('90)	7 ('95)	12 (2000)	17 ('05)	22 ('10)	27 ('15)	令和2 ('20)	昭和40年 (1965)	50 ('75)	60 ('85)	平成2 ('90)	7 ('95)	12 (2000)	17 ('05)	22 ('10)	27 ('15)	令和2 ('20)
0(W)	68.21	72.32	75.48	76.58	77.22	78.15	79.35	79.95	80.95	81.59	74.07	77.64	81.37	82.47	83.70	84.95	86.06	86.22	87.10	87.48
4	68.90	72.74	75.68	76.69	77.31	78.19	79.40	79.92	80.96	81.62	74.63	77.96	81.51	82.58	83.78	84.98	86.10	86.28	87.09	87.50
2(M)	68.94	72.71	75.62	76.63	77.27	78.12	79.33	79.85	80.89	81.54	74.64	77.93	81.46	82.52	83.72	84.91	86.03	86.21	87.01	87.43
3	68.91	72.65	75.56	76.57	77.20	78.06	79.27	79.78	80.81	81.47	74.61	77.87	81.40	82.47	83.66	84.84	85.95	86.14	86.94	87.36
6	68.80	72.46	75.38	76.37	77.00	77.84	79.05	79.55	80.59	81.25	74.50	77.69	81.18	82.26	83.45	84.63	85.74	85.91	86.73	87.14
0(Y)	68.21	72.32	75.48	76.58	77.22	78.15	79.35	79.95	80.95	81.59	74.07	77.64	81.37	82.47	83.70	84.95	86.06	86.22	87.10	87.48
1	68.49	72.05	74.94	75.91	76.55	77.39	78.59	79.09	80.11	80.78	74.16	77.28	80.73	81.81	83.00	84.15	85.27	85.44	86.26	86.67
2	67.64	71.15	74.01	74.97	75.61	76.43	77.62	78.11	79.14	79.80	73.29	76.37	79.80	80.87	82.04	83.20	84.29	84.46	85.28	85.69
3	66.74	70.23	73.06	74.01	74.63	75.47	76.64	77.13	78.16	78.81	72.38	75.43	78.84	79.90	81.06	82.23	83.31	83.47	84.30	84.71
4	65.82	69.28	72.09	73.04	73.66	74.49	75.65	76.14	77.18	77.82	71.43	74.47	77.86	78.93	80.08	81.24	82.33	82.48	83.31	83.72
5	64.90	68.33	71.11	72.08	72.68	73.50	74.67	75.15	76.19	76.83	70.47	73.51	76.88	77.95	79.09	80.26	81.34	81.48	82.32	82.73
10	60.13	63.48	66.19	67.15	67.75	68.55	69.72	70.19	71.23	71.86	65.61	68.60	71.93	73.00	74.13	75.29	76.38	76.50	77.35	77.75
15	55.26	58.56	61.24	62.21	62.81	63.60	64.74	65.23	66.26	66.89	60.70	63.66	66.97	68.05	69.16	70.32	71.42	71.53	72.37	72.78
20	50.59	53.83	56.45	57.38	57.97	58.74	59.84	60.33	61.35	61.98	55.83	58.78	62.05	63.12	64.24	65.39	66.49	66.60	67.40	67.84
25	46.05	49.16	51.69	52.61	53.20	53.93	55.04	55.55	56.53	57.15	51.06	53.93	57.15	58.21	59.34	60.47	61.59	61.67	62.46	62.91
30	41.47	44.40	46.88	47.79	48.35	49.10	50.20	50.72	51.69	52.30	46.30	49.09	52.25	53.30	54.42	55.56	56.69	56.74	57.54	57.99
35	36.89	39.68	42.07	42.95	43.51	44.28	45.39	45.91	46.86	47.45	41.56	44.28	47.38	48.43	49.52	50.67	51.78	51.86	52.62	53.09
40	32.34	35.03	37.32	38.17	38.70	39.48	40.61	41.12	42.04	42.62	36.88	39.50	42.56	43.59	44.66	45.80	46.92	47.00	47.75	48.22
45	27.94	30.56	32.68	33.49	33.98	34.77	35.89	36.39	37.30	37.86	32.24	34.80	37.79	38.80	39.86	40.99	42.10	42.15	42.92	43.37
50	23.63	26.19	28.24	28.93	29.40	30.18	31.30	31.74	32.64	33.17	27.76	30.20	33.07	34.07	35.15	36.26	37.35	37.41	38.15	38.58
55	19.50	21.94	24.06	24.56	25.01	25.79	26.88	27.29	28.10	28.60	23.42	25.70	28.48	29.45	30.53	31.62	32.70	32.76	33.46	33.87
60	15.68	17.91	19.99	20.53	20.86	21.58	22.63	23.03	23.73	24.18	19.25	21.32	23.98	24.94	26.01	27.05	28.13	28.17	28.86	29.24
65	12.36	14.17	16.09	16.68	17.10	17.67	18.58	18.91	19.61	19.98	15.35	17.12	19.67	20.56	21.60	22.60	23.65	23.71	24.33	24.69
70	9.39	10.93	12.50	13.05	13.54	14.09	14.80	15.11	15.69	16.08	11.77	13.27	15.52	16.35	17.37	18.35	19.31	19.37	19.91	20.25
75	6.91	8.23	9.32	9.77	10.26	10.85	11.47	11.57	12.06	12.48	8.71	9.86	11.71	12.49	13.39	14.35	15.22	15.21	15.71	16.01
80	5.03	6.10	6.90	7.06	7.48	7.96	8.55	8.54	8.86	9.22	6.31	7.10	8.58	9.09	9.87	10.71	11.45	11.37	11.80	12.06
85	3.93	4.69	4.97	5.07	5.37	5.68	6.15	6.16	6.25	6.47	4.76	5.17	6.03	6.40	7.05	7.66	8.23	8.05	8.38	8.58
90			3.74	3.63	3.79	4.08	4.28	4.39	4.29	4.38			4.37	4.41	4.89	5.37	5.77	5.38	5.64	5.76
95				2.67	2.71	3.24	3.01	3.25	2.97	3.00				3.06	3.52	4.01	4.00	3.55	3.68	3.77
100							2.49	2.07	2.09								2.35	2.52	2.65	

愛知県

(単位：年)

年齢	男										女									
	昭和40年(1965)	50('75)	60('85)	平成2('90)	7('95)	12(2000)	17('05)	22('10)	27('15)	令和2('20)	昭和40年(1965)	50('75)	60('85)	平成2('90)	7('95)	12(2000)	17('05)	22('10)	27('15)	令和2('20)
0(W)	69.00	72.39	75.44	76.32	76.90	78.01	79.05	79.71	81.10	81.77	73.67	76.63	80.51	81.63	82.80	84.22	85.40	86.22	86.86	87.52
4	69.75	72.82	75.65	76.44	77.01	78.07	79.07	79.75	81.09	81.77	74.26	76.96	80.67	81.75	82.87	84.28	85.43	86.22	86.87	87.51
2(M)	69.78	72.78	75.60	76.39	76.95	78.01	79.02	79.68	81.02	81.70	74.26	76.92	80.62	81.69	82.80	84.21	85.36	86.13	86.79	87.44
3	69.77	72.73	75.54	76.33	76.90	77.94	78.95	79.61	80.95	81.62	74.24	76.87	80.56	81.63	82.74	84.14	85.30	86.06	86.72	87.37
6	69.67	72.56	75.34	76.14	76.70	77.73	78.74	79.39	80.74	81.40	74.12	76.68	80.35	81.43	82.54	83.92	85.08	85.84	86.50	87.13
0(Y)	69.00	72.39	75.44	76.32	76.90	78.01	79.05	79.71	81.10	81.77	73.67	76.63	80.51	81.63	82.80	84.22	85.40	86.22	86.86	87.52
1	69.35	72.14	74.90	75.69	76.25	77.27	78.28	78.92	80.27	80.94	73.79	76.26	79.90	80.97	82.07	83.46	84.62	85.38	86.02	86.66
2	68.50	71.23	73.96	74.74	75.30	76.30	77.32	77.94	79.29	79.96	72.91	75.35	78.95	80.01	81.11	82.49	83.65	84.40	85.05	85.68
3	67.60	70.29	73.00	73.78	74.33	75.33	76.34	76.96	78.31	78.97	71.99	74.40	77.97	79.03	80.14	81.52	82.67	83.42	84.06	84.70
4	66.67	69.34	72.03	72.81	73.36	74.35	75.36	75.98	77.32	77.98	71.04	73.44	77.00	78.05	79.16	80.54	81.69	82.44	83.07	83.71
5	65.75	68.39	71.05	71.83	72.38	73.36	74.37	74.99	76.33	76.99	70.10	72.46	76.02	77.07	78.17	79.55	80.69	81.45	82.08	82.72
10	60.94	63.54	66.13	66.90	67.44	68.41	69.41	70.02	71.35	72.01	65.24	67.55	71.08	72.12	73.23	74.59	75.72	76.48	77.11	77.75
15	56.08	58.62	61.19	61.95	62.49	63.46	64.45	65.07	66.38	67.04	60.33	62.60	66.12	67.16	68.26	69.63	70.76	71.52	72.14	72.78
20	51.33	53.83	56.38	57.13	57.65	58.63	59.57	60.19	61.47	62.12	55.43	57.69	61.19	62.23	63.33	64.70	65.82	66.55	67.18	67.83
25	46.63	49.06	51.60	52.34	52.84	53.81	54.73	55.36	56.61	57.26	50.63	52.82	56.28	57.32	58.41	59.78	60.90	61.62	62.24	62.90
30	41.95	44.26	46.77	47.52	48.00	48.98	49.89	50.51	51.76	52.39	45.84	47.97	51.38	52.41	53.50	54.86	55.99	56.70	57.31	57.97
35	37.28	39.48	41.96	42.66	43.16	44.16	45.06	45.67	46.88	47.51	41.11	43.13	46.50	47.51	48.60	49.98	51.10	51.80	52.40	53.05
40	32.68	34.79	37.19	37.85	38.35	39.37	40.26	40.85	42.05	42.66	36.43	38.34	41.67	42.65	43.75	45.12	46.25	46.92	47.51	48.16
45	28.17	30.22	32.51	33.13	33.62	34.66	35.53	36.11	37.28	37.86	31.82	33.63	36.89	37.87	38.94	40.32	41.42	42.08	42.67	43.31
50	23.77	25.78	27.96	28.54	29.02	30.07	30.91	31.51	32.60	33.14	27.34	29.02	32.22	33.15	34.23	35.60	36.67	37.32	37.90	38.51
55	19.62	21.47	23.67	24.13	24.59	25.64	26.47	26.99	28.02	28.54	22.99	24.58	27.65	28.54	29.60	30.97	32.02	32.64	33.20	33.79
60	15.78	17.41	19.57	20.02	20.39	21.43	22.23	22.66	23.62	24.09	18.86	20.28	23.19	24.05	25.08	26.43	27.46	28.03	28.58	29.14
65	12.38	13.69	15.69	16.16	16.57	17.48	18.21	18.60	19.47	19.87	14.96	16.20	18.91	19.71	20.73	22.02	22.99	23.54	24.05	24.58
70	9.36	10.41	12.13	12.56	13.03	13.91	14.43	14.79	15.59	15.96	11.48	12.42	14.90	15.62	16.56	17.81	18.70	19.17	19.65	20.16
75	6.90	7.68	9.04	9.41	9.84	10.70	11.11	11.29	11.98	12.36	8.50	9.22	11.25	11.85	12.72	13.86	14.66	15.00	15.42	15.92
80	5.15	5.57	6.62	6.79	7.17	7.93	8.25	8.27	8.78	9.13	6.19	6.62	8.15	8.59	9.36	10.37	11.04	11.25	11.53	11.95
85	3.91	4.06	4.79	4.81	5.09	5.75	5.89	5.87	6.19	6.40	4.74	4.86	5.73	6.03	6.61	7.49	7.96	8.00	8.16	8.46
90			3.73	3.48	3.59	4.28	4.15	4.04	4.28	4.33		4.18	4.18	4.61	5.29	5.58	5.46	5.48	5.68
95				2.76	2.56	3.79	3.04	3.00	2.84	2.95			3.09	3.21	3.92	3.97	3.60	3.65	3.67
100							2.36	1.81	2.03								2.49	2.52	2.55

三重県

(単位：年)

年齢	男										女									
	昭和40年 (1965)	50 ('75)	60 ('85)	平成2 ('90)	7 ('95)	12 (2000)	17 ('05)	22 ('10)	27 ('15)	令和2 ('20)	昭和40年 (1965)	50 ('75)	60 ('85)	平成2 ('90)	7 ('95)	12 (2000)	17 ('05)	22 ('10)	27 ('15)	令和2 ('20)
0(W)	68.61	71.75	74.87	76.03	76.76	77.90	78.90	79.68	80.86	81.68	73.32	76.84	80.61	82.01	83.02	84.49	85.58	86.25	86.99	87.59
4	69.41	72.30	75.13	76.21	76.91	77.94	78.91	79.67	80.88	81.68	74.15	77.27	80.81	82.20	83.15	84.59	85.62	86.25	87.00	87.57
2(M)	69.47	72.26	75.07	76.14	76.86	77.89	78.84	79.61	80.80	81.61	74.19	77.23	80.77	82.14	83.09	84.55	85.56	86.16	86.92	87.48
3	69.48	72.21	75.02	76.08	76.79	77.82	78.77	79.56	80.72	81.53	74.20	77.17	80.71	82.08	83.02	84.49	85.49	86.08	86.85	87.42
6	69.41	72.02	74.84	75.87	76.59	77.62	78.54	79.38	80.50	81.30	74.09	76.97	80.50	81.87	82.80	84.27	85.27	85.84	86.61	87.20
0(Y)	68.61	71.75	74.87	76.03	76.76	77.90	78.90	79.68	80.86	81.68	73.32	76.84	80.61	82.01	83.02	84.49	85.58	86.25	86.99	87.59
1	69.09	71.60	74.38	75.45	76.14	77.17	78.09	78.93	80.02	80.83	73.75	76.55	80.06	81.41	82.36	83.81	84.79	85.39	86.14	86.73
2	68.22	70.68	73.45	74.50	75.18	76.21	77.12	77.96	79.05	79.85	72.86	75.63	79.11	80.45	81.39	82.85	83.82	84.40	85.15	85.75
3	67.32	69.74	72.48	73.54	74.21	75.23	76.14	76.99	78.07	78.86	71.94	74.67	78.13	79.47	80.41	81.88	82.84	83.42	84.16	84.76
4	66.39	68.80	71.51	72.57	73.23	74.26	75.16	76.00	77.09	77.87	70.99	73.69	77.15	78.48	79.42	80.90	81.86	82.43	83.16	83.77
5	65.47	67.85	70.53	71.60	72.24	73.28	74.17	75.02	76.10	76.87	70.03	72.73	76.17	77.49	78.43	79.92	80.87	81.44	82.17	82.77
10	60.66	63.03	65.63	66.68	67.31	68.32	69.20	70.06	71.14	71.89	65.15	67.83	71.23	72.54	73.47	74.96	75.90	76.46	77.18	77.79
15	55.82	58.12	60.71	61.74	62.35	63.36	64.25	65.08	66.18	66.91	60.24	62.90	66.28	67.57	68.49	69.98	70.92	71.47	72.21	72.82
20	51.16	53.48	55.99	56.98	57.52	58.55	59.37	60.19	61.27	62.00	55.37	58.00	61.34	62.67	63.55	65.06	65.99	66.54	67.26	67.86
25	46.62	48.79	51.29	52.28	52.81	53.76	54.56	55.34	56.46	57.17	50.58	53.16	56.45	57.75	58.63	60.17	61.12	61.61	62.32	62.94
30	42.04	44.05	46.52	47.47	48.01	48.96	49.75	50.54	51.60	52.31	45.85	48.32	51.56	52.84	53.71	55.28	56.22	56.71	57.40	58.01
35	37.46	39.31	41.74	42.64	43.19	44.18	44.95	45.74	46.75	47.43	41.13	43.51	46.69	47.95	48.81	50.39	51.31	51.81	52.50	53.10
40	32.87	34.67	37.01	37.89	38.38	39.41	40.19	40.96	41.96	42.62	36.48	38.73	41.86	43.11	43.95	45.53	46.45	46.96	47.61	48.21
45	28.42	30.18	32.39	33.24	33.67	34.72	35.52	36.26	37.19	37.83	31.90	34.06	37.09	38.30	39.13	40.74	41.63	42.17	42.76	43.37
50	24.01	25.75	27.90	28.70	29.09	30.13	30.92	31.61	32.52	33.10	27.43	29.46	32.40	33.56	34.43	36.01	36.88	37.45	37.97	38.56
55	19.90	21.51	23.65	24.30	24.69	25.71	26.46	27.10	27.99	28.55	23.12	25.01	27.82	28.93	29.75	31.38	32.21	32.74	33.27	33.83
60	16.06	17.47	19.57	20.19	20.47	21.49	22.25	22.78	23.63	24.15	18.98	20.67	23.31	24.43	25.22	26.83	27.62	28.11	28.62	29.16
65	12.62	13.71	15.65	16.31	16.61	17.51	18.22	18.74	19.49	19.96	15.06	16.51	19.01	20.02	20.83	22.39	23.10	23.61	24.08	24.57
70	9.56	10.42	12.06	12.61	12.97	13.91	14.41	14.91	15.58	16.03	11.52	12.72	14.93	15.82	16.65	18.12	18.79	19.18	19.67	20.12
75	7.16	7.68	9.03	9.37	9.73	10.66	11.02	11.36	11.94	12.40	8.51	9.37	11.18	11.97	12.69	14.13	14.73	14.97	15.42	15.86
80	5.26	5.52	6.52	6.80	7.00	7.83	8.11	8.37	8.71	9.09	6.23	6.72	8.01	8.65	9.22	10.53	11.04	11.14	11.51	11.87
85	4.21	4.10	4.56	4.72	4.96	5.61	5.75	5.90	6.17	6.33	4.89	4.84	5.57	6.05	6.39	7.52	7.92	7.87	8.11	8.40
90			3.19	3.38	3.36	4.10	3.96	4.00	4.23	4.28			4.07	4.14	4.34	5.34	5.50	5.22	5.45	5.59
95				2.41	2.41	3.40	2.72	3.03	2.89	2.92				2.92	3.06	3.98	3.91	3.53	3.59	3.65
100							2.49	1.99	2.01									2.39	2.49	2.54

滋賀県

(単位：年)

年齢	男										女									
	昭和40年(1965)	50('75)	60('85)	平成2('90)	7('95)	12(2000)	17('05)	22('10)	27('15)	令和2('20)	昭和40年(1965)	50('75)	60('85)	平成2('90)	7('95)	12(2000)	17('05)	22('10)	27('15)	令和2('20)
0(W)	67.26	71.51	75.34	76.36	77.13	78.19	79.60	80.58	81.78	82.73	72.48	76.47	80.63	81.88	83.20	84.92	86.17	86.69	87.57	88.26
4	68.38	72.07	75.63	76.50	77.27	78.28	79.69	80.63	81.77	82.72	73.48	76.91	80.79	81.98	83.32	85.02	86.27	86.76	87.56	88.28
2(M)	68.46	72.05	75.57	76.46	77.21	78.22	79.61	80.56	81.70	82.66	73.53	76.87	80.74	81.92	83.25	84.96	86.22	86.68	87.49	88.19
3	68.46	72.00	75.51	76.39	77.14	78.15	79.55	80.50	81.62	82.58	73.56	76.82	80.69	81.87	83.20	84.90	86.14	86.60	87.43	88.12
6	68.38	71.84	75.31	76.20	76.94	77.94	79.33	80.29	81.38	82.35	73.49	76.62	80.48	81.67	83.01	84.66	85.91	86.40	87.20	87.90
0(Y)	67.26	71.51	75.34	76.36	77.13	78.19	79.60	80.58	81.78	82.73	72.48	76.47	80.63	81.88	83.20	84.92	86.17	86.69	87.57	88.26
1	68.15	71.41	74.87	75.74	76.51	77.50	78.86	79.82	80.91	81.88	73.18	76.23	80.04	81.22	82.55	84.20	85.45	85.93	86.73	87.41
2	67.33	70.52	73.94	74.80	75.58	76.54	77.89	78.85	79.93	80.90	72.32	75.30	79.10	80.26	81.60	83.23	84.48	84.94	85.75	86.43
3	66.41	69.59	72.97	73.84	74.61	75.57	76.91	77.87	78.95	79.91	71.39	74.36	78.13	79.30	80.62	82.25	83.50	83.95	84.76	85.45
4	65.48	68.64	72.01	72.87	73.65	74.59	75.92	76.88	77.96	78.92	70.48	73.40	77.14	78.32	79.63	81.27	82.52	82.96	83.77	84.46
5	64.57	67.70	71.05	71.89	72.67	73.61	74.93	75.89	76.97	77.93	69.55	72.43	76.17	77.33	78.66	80.28	81.52	81.97	82.78	83.47
10	59.78	62.81	66.13	66.94	67.74	68.67	69.95	70.92	72.01	72.95	64.70	67.55	71.23	72.39	73.71	75.30	76.53	76.98	77.80	78.49
15	54.93	57.90	61.17	61.98	62.80	63.70	64.99	65.95	67.03	67.99	59.82	62.59	66.29	67.44	68.75	70.33	71.56	72.00	72.82	73.52
20	50.22	53.17	56.35	57.19	58.00	58.85	60.10	60.98	62.11	63.07	54.94	57.68	61.34	62.53	63.81	65.39	66.61	67.02	67.86	68.57
25	45.68	48.45	51.57	52.45	53.22	54.03	55.28	56.13	57.28	58.22	50.18	52.82	56.44	57.63	58.91	60.47	61.69	62.12	62.92	63.62
30	41.14	43.71	46.74	47.61	48.39	49.21	50.43	51.29	52.44	53.37	45.46	47.99	51.54	52.70	54.00	55.55	56.78	57.22	58.01	58.70
35	36.54	38.95	41.91	42.81	43.57	44.38	45.59	46.46	47.56	48.51	40.75	43.19	46.65	47.82	49.11	50.66	51.88	52.31	53.09	53.78
40	31.99	34.26	37.15	37.99	38.75	39.61	40.77	41.65	42.72	43.67	36.12	38.43	41.80	42.97	44.24	45.78	47.03	47.43	48.20	48.89
45	27.46	29.71	32.44	33.26	34.02	34.87	36.00	36.94	37.93	38.86	31.51	33.74	37.01	38.18	39.44	40.95	42.20	42.62	43.33	44.05
50	23.16	25.23	27.93	28.67	29.37	30.24	31.37	32.33	33.24	34.13	27.07	29.16	32.33	33.45	34.70	36.18	37.46	37.83	38.53	39.22
55	19.05	20.92	23.57	24.26	24.90	25.76	26.90	27.79	28.61	29.49	22.76	24.71	27.74	28.82	30.02	31.52	32.76	33.13	33.81	34.47
60	15.26	16.91	19.36	20.10	20.62	21.49	22.58	23.36	24.16	24.98	18.67	20.40	23.22	24.31	25.45	26.94	28.17	28.48	29.17	29.74
65	11.91	13.13	15.41	16.14	16.70	17.41	18.45	19.18	19.92	20.68	14.84	16.27	18.81	19.95	21.06	22.48	23.60	23.95	24.60	25.14
70	9.07	9.90	11.78	12.46	13.06	13.79	14.63	15.22	15.90	16.64	11.39	12.49	14.74	15.73	16.84	18.14	19.23	19.55	20.12	20.63
75	6.62	7.24	8.72	9.26	9.76	10.53	11.14	11.50	12.22	12.91	8.38	9.15	10.99	11.81	12.83	14.12	15.10	15.34	15.89	16.32
80	4.78	5.23	6.23	6.69	7.16	7.68	8.25	8.49	8.88	9.48	6.07	6.64	7.86	8.41	9.28	10.44	11.34	11.58	11.92	12.25
85	3.72	3.89	4.53	4.72	5.05	5.52	5.90	6.12	6.18	6.64	4.65	4.79	5.41	5.75	6.38	7.44	8.15	8.24	8.42	8.66
90			3.13	3.37	3.53	3.85	4.25	4.30	4.20	4.48			3.74	3.94	4.33	5.28	5.65	5.55	5.62	5.78
95				2.56	2.52	2.74	3.31	2.67	2.84	3.10				2.84	3.24	3.87	3.96	3.61	3.62	3.67
100								1.47	1.92	2.19								2.45	2.46	2.55

京都府

(単位：年)

年齢	男										女									
	昭和40年(1965)	50('75)	60('85)	平成2('90)	7('95)	12(2000)	17('05)	22('10)	27('15)	令和2('20)	昭和40年(1965)	50('75)	60('85)	平成2('90)	7('95)	12(2000)	17('05)	22('10)	27('15)	令和2('20)
0(W)	69.18	72.63	75.39	76.39	77.14	78.15	79.34	80.21	81.40	82.24	73.75	77.30	80.68	82.07	83.44	84.81	85.92	86.65	87.35	88.25
4	70.01	73.07	75.61	76.56	77.31	78.23	79.39	80.27	81.41	82.21	74.37	77.63	80.82	82.18	83.52	84.88	85.97	86.66	87.39	88.21
2(M)	70.05	73.03	75.55	76.50	77.28	78.18	79.32	80.20	81.34	82.13	74.39	77.58	80.77	82.12	83.46	84.82	85.90	86.58	87.32	88.14
3	70.02	72.98	75.49	76.44	77.22	78.10	79.25	80.13	81.27	82.07	74.36	77.53	80.71	82.05	83.40	84.74	85.83	86.52	87.24	88.06
6	69.88	72.79	75.29	76.24	77.02	77.88	79.03	79.91	81.05	81.84	74.22	77.34	80.50	81.84	83.20	84.53	85.60	86.31	87.02	87.83
0(Y)	69.18	72.63	75.39	76.39	77.14	78.15	79.34	80.21	81.40	82.24	73.75	77.30	80.68	82.07	83.44	84.81	85.92	86.65	87.35	88.25
1	69.50	72.38	74.84	75.79	76.55	77.42	78.56	79.43	80.57	81.36	73.87	76.92	80.06	81.38	82.74	84.07	85.12	85.84	86.55	87.38
2	68.61	71.45	73.90	74.84	75.60	76.46	77.59	78.46	79.60	80.38	72.97	76.00	79.14	80.44	81.77	83.11	84.15	84.87	85.57	86.39
3	67.71	70.50	72.94	73.87	74.62	75.49	76.62	77.48	78.62	79.40	72.04	75.05	78.17	79.47	80.80	82.14	83.17	83.89	84.59	85.41
4	66.77	69.54	71.96	72.90	73.66	74.51	75.63	76.49	77.63	78.41	71.09	74.09	77.20	78.49	79.81	81.16	82.18	82.90	83.60	84.42
5	65.82	68.58	70.99	71.92	72.67	73.52	74.65	75.51	76.64	77.42	70.15	73.11	76.21	77.50	78.82	80.17	81.19	81.91	82.61	83.42
10	61.00	63.71	66.07	66.99	67.74	68.56	69.70	70.55	71.68	72.45	65.29	68.20	71.25	72.56	73.88	75.23	76.22	76.94	77.63	78.45
15	56.15	58.80	61.13	62.04	62.78	63.61	64.74	65.56	66.70	67.46	60.38	63.24	66.29	67.60	68.91	70.24	71.25	71.96	72.66	73.47
20	51.38	53.99	56.36	57.21	57.92	58.73	59.83	60.65	61.77	62.54	55.50	58.33	61.36	62.67	63.96	65.30	66.30	66.99	67.69	68.51
25	46.67	49.17	51.51	52.41	53.09	53.90	54.96	55.82	56.89	57.66	50.69	53.47	56.46	57.75	59.03	60.38	61.39	62.06	62.74	63.58
30	42.01	44.40	46.71	47.59	48.25	49.07	50.11	50.99	52.02	52.79	45.95	48.62	51.58	52.85	54.12	55.47	56.48	57.14	57.82	58.64
35	37.37	39.64	41.91	42.76	43.42	44.25	45.29	46.16	47.16	47.93	41.22	43.80	46.72	47.95	49.21	50.60	51.59	52.24	52.91	53.72
40	32.79	34.96	37.15	37.95	38.62	39.48	40.50	41.33	42.31	43.12	36.56	39.02	41.88	43.09	44.36	45.75	46.73	47.39	48.02	48.82
45	28.27	30.40	32.50	33.26	33.92	34.76	35.78	36.63	37.54	38.33	32.00	34.31	37.10	38.30	39.55	40.94	41.91	42.58	43.17	43.98
50	23.91	25.97	28.01	28.69	29.34	30.21	31.19	32.01	32.87	33.63	27.52	29.71	32.44	33.58	34.83	36.22	37.16	37.79	38.40	39.18
55	19.78	21.70	23.71	24.31	24.92	25.83	26.78	27.55	28.30	29.05	23.18	25.22	27.89	28.98	30.18	31.58	32.51	33.08	33.70	34.46
60	15.94	17.69	19.62	20.21	20.74	21.67	22.54	23.29	23.89	24.63	19.04	20.88	23.43	24.50	25.64	27.04	27.94	28.51	29.05	29.77
65	12.49	13.99	15.75	16.32	16.88	17.74	18.47	19.20	19.77	20.39	15.13	16.74	19.12	20.14	21.25	22.63	23.46	23.98	24.49	25.18
70	9.44	10.75	12.21	12.73	13.30	14.16	14.70	15.33	15.90	16.43	11.56	12.92	15.06	15.99	17.08	18.39	19.17	19.59	20.07	20.72
75	6.95	8.01	9.19	9.61	10.13	10.89	11.34	11.75	12.27	12.79	8.62	9.58	11.39	12.16	13.20	14.42	15.12	15.41	15.80	16.44
80	5.20	5.83	6.65	7.04	7.47	8.01	8.45	8.64	9.02	9.47	6.23	6.87	8.26	8.84	9.75	10.86	11.39	11.58	11.90	12.42
85	4.17	4.45	4.82	4.91	5.43	5.86	6.07	6.19	6.38	6.70	4.81	4.95	5.78	6.19	6.99	7.92	8.27	8.25	8.49	8.88
90			3.46	3.48	3.92	4.26	4.28	4.36	4.40	4.55		4.17	4.31	4.89	5.72	5.88	5.66	5.73	5.97	
95				2.41	2.85	3.33	3.13	2.96	3.05	3.03			3.04	3.59	4.38	4.20	3.85	3.79	3.85	
100								1.94	2.13	2.00								2.76	2.57	2.70

大阪府

(単位：年)

年齢	男										女									
	昭和40年 (1965)	50 ('75)	60 ('85)	平成2 ('90)	7 ('95)	12 (2000)	17 ('05)	22 ('10)	27 ('15)	令和2 ('20)	昭和40年 (1965)	50 ('75)	60 ('85)	平成2 ('90)	7 ('95)	12 (2000)	17 ('05)	22 ('10)	27 ('15)	令和2 ('20)
0(W)	68.02	71.60	74.01	75.02	75.90	76.97	78.21	78.99	80.23	80.81	73.30	76.57	79.84	81.16	82.52	84.01	85.20	85.93	86.73	87.37
4	68.70	72.03	74.20	75.15	75.98	77.02	78.24	79.01	80.22	80.80	73.86	76.87	80.01	81.27	82.60	84.06	85.25	85.92	86.71	87.35
2(M)	68.72	72.00	74.14	75.10	75.93	76.96	78.17	78.93	80.15	80.73	73.87	76.84	79.95	81.21	82.54	84.00	85.18	85.86	86.64	87.27
3	68.71	71.95	74.08	75.04	75.86	76.89	78.11	78.86	80.07	80.65	73.84	76.78	79.89	81.14	82.48	83.93	85.11	85.78	86.57	87.20
6	68.61	71.78	73.87	74.84	75.65	76.67	77.89	78.64	79.85	80.43	73.72	76.60	79.69	80.94	82.27	83.71	84.89	85.56	86.34	86.98
0(Y)	68.02	71.60	74.01	75.02	75.90	76.97	78.21	78.99	80.23	80.81	73.30	76.57	79.84	81.16	82.52	84.01	85.20	85.93	86.73	87.37
1	68.28	71.36	73.43	74.39	75.21	76.21	77.43	78.18	79.39	79.96	73.36	76.18	79.25	80.50	81.82	83.25	84.43	85.09	85.87	86.49
2	67.39	70.43	72.49	73.45	74.25	75.25	76.46	77.20	78.41	78.98	72.47	75.26	78.30	79.56	80.86	82.29	83.46	84.10	84.89	85.51
3	66.49	69.48	71.52	72.49	73.29	74.28	75.48	76.21	77.42	77.99	71.56	74.31	77.34	78.59	79.89	81.31	82.48	83.12	83.90	84.52
4	65.55	68.53	70.55	71.52	72.31	73.30	74.49	75.23	76.44	77.00	70.62	73.34	76.36	77.62	78.90	80.33	81.49	82.13	82.91	83.53
5	64.61	67.57	69.57	70.54	71.32	72.31	73.51	74.24	75.45	76.01	69.66	72.37	75.38	76.63	77.92	79.34	80.50	81.13	81.92	82.53
10	59.83	62.69	64.65	65.61	66.39	67.35	68.55	69.26	70.48	71.03	64.81	67.47	70.43	71.68	72.97	74.38	75.52	76.16	76.95	77.55
15	54.96	57.77	59.72	60.67	61.44	62.39	63.59	64.30	65.51	66.06	59.91	62.53	65.47	66.71	68.00	69.40	70.55	71.18	71.97	72.58
20	50.18	52.96	54.91	55.85	56.59	57.51	58.68	59.39	60.58	61.15	55.04	57.63	60.55	61.78	63.07	64.47	65.61	66.23	67.01	67.63
25	45.49	48.18	50.08	51.04	51.74	52.68	53.84	54.53	55.70	56.27	50.24	52.76	55.63	56.87	58.15	59.56	60.70	61.33	62.08	62.71
30	40.81	43.40	45.26	46.18	46.91	47.84	49.01	49.69	50.83	51.39	45.52	47.92	50.74	51.97	53.23	54.65	55.79	56.43	57.17	57.79
35	36.17	38.64	40.45	41.36	42.08	43.03	44.19	44.86	45.99	46.54	40.81	43.11	45.87	47.09	48.35	49.76	50.90	51.55	52.27	52.87
40	31.63	33.99	35.70	36.59	37.30	38.27	39.43	40.07	41.17	41.71	36.18	38.36	41.05	42.24	43.49	44.92	46.05	46.70	47.39	47.98
45	27.16	29.49	31.08	31.93	32.64	33.62	34.74	35.37	36.43	36.93	31.61	33.68	36.29	37.47	38.70	40.13	41.26	41.90	42.56	43.14
50	22.91	25.15	26.66	27.42	28.12	29.13	30.21	30.79	31.80	32.26	27.16	29.11	31.63	32.76	33.99	35.43	36.54	37.15	37.79	38.36
55	18.91	20.95	22.54	23.14	23.81	24.84	25.88	26.39	27.31	27.75	22.86	24.67	27.09	28.17	29.39	30.84	31.95	32.50	33.11	33.69
60	15.23	17.02	18.64	19.21	19.73	20.78	21.77	22.22	23.01	23.42	18.75	20.41	22.69	23.71	24.87	26.32	27.43	27.94	28.51	29.07
65	11.91	13.46	14.96	15.57	16.06	16.98	17.87	18.31	19.02	19.35	14.88	16.31	18.47	19.42	20.57	21.93	22.99	23.47	24.02	24.55
70	9.05	10.35	11.59	12.17	12.67	13.55	14.22	14.62	15.28	15.60	11.43	12.58	14.49	15.38	16.48	17.77	18.72	19.14	19.67	20.19
75	6.76	7.79	8.68	9.18	9.63	10.46	11.00	11.22	11.79	12.17	8.49	9.34	10.91	11.67	12.70	13.88	14.74	15.02	15.47	15.98
80	5.02	5.81	6.31	6.70	7.04	7.77	8.24	8.29	8.71	9.08	6.27	6.75	7.92	8.49	9.41	10.45	11.17	11.31	11.62	12.05
85	4.10	4.46	4.58	4.85	5.02	5.72	5.96	5.92	6.20	6.44	4.96	4.94	5.61	5.99	6.77	7.61	8.17	8.10	8.28	8.61
90			3.34	3.62	3.60	4.31	4.27	4.15	4.25	4.42			4.09	4.17	4.83	5.48	5.85	5.58	5.57	5.79
95				2.77	2.66	3.56	3.09	2.88	2.92	3.00				2.88	3.58	4.09	4.23	3.72	3.67	3.73
100							1.99	2.02	2.04								2.73	2.50	2.58	

兵庫県

(単位：年)

年齢	男 昭和40年(1965)	50('75)	60('85)	平成2('90)	7('95)	12(2000)	17('05)	22('10)	27('15)	令和2('20)	女 昭和40年(1965)	50('75)	60('85)	平成2('90)	7('95)	12(2000)	17('05)	22('10)	27('15)	令和2('20)
0(W)	68.29	71.82	74.47	75.59	75.54	77.57	78.72	79.59	80.92	81.72	73.48	77.13	80.40	81.64	81.83	84.34	85.62	86.14	87.07	87.90
4	68.95	72.24	74.68	75.74	75.65	77.64	78.77	79.57	80.89	81.71	74.04	77.41	80.56	81.74	81.93	84.42	85.63	86.14	87.05	87.88
2(M)	68.98	72.19	74.62	75.67	75.58	77.57	78.70	79.50	80.83	81.63	74.05	77.37	80.52	81.68	81.87	84.36	85.56	86.07	86.97	87.80
3	68.96	72.14	74.56	75.61	75.51	77.50	78.62	79.44	80.76	81.56	74.03	77.32	80.46	81.62	81.82	84.29	85.49	86.00	86.90	87.74
6	68.86	71.96	74.36	75.41	75.31	77.29	78.41	79.22	80.54	81.34	73.91	77.13	80.24	81.42	81.62	84.08	85.27	85.79	86.67	87.51
0(Y)	68.29	71.82	74.47	75.59	75.54	77.57	78.72	79.59	80.92	81.72	73.48	77.13	80.40	81.64	81.83	84.34	85.62	86.14	87.07	87.90
1	68.53	71.55	73.92	74.96	74.86	76.83	77.94	78.75	80.06	80.86	73.58	76.71	79.79	80.97	81.16	83.62	84.81	85.34	86.21	87.03
2	67.66	70.64	72.99	74.01	73.93	75.87	76.97	77.78	79.09	79.88	72.71	75.79	78.84	80.02	80.21	82.64	83.84	84.37	85.24	86.04
3	66.77	69.71	72.03	73.05	72.97	74.90	75.99	76.80	78.11	78.89	71.80	74.84	77.88	79.05	79.24	81.66	82.86	83.39	84.25	85.06
4	65.87	68.76	71.06	72.08	72.00	73.92	75.01	75.82	77.12	77.90	70.85	73.88	76.90	78.08	78.27	80.68	81.87	82.41	83.26	84.07
5	64.94	67.80	70.08	71.10	71.03	72.94	74.02	74.83	76.13	76.90	69.91	72.91	75.93	77.09	77.29	79.69	80.88	81.42	82.27	83.08
10	60.20	62.94	65.16	66.17	66.14	68.00	69.06	69.87	71.17	71.93	65.09	68.00	70.99	72.15	72.39	74.74	75.92	76.46	77.30	78.10
15	55.35	58.03	60.23	61.23	61.24	63.04	64.10	64.92	66.20	66.96	60.20	63.06	66.02	67.19	67.49	69.78	70.95	71.48	72.33	73.13
20	50.61	53.29	55.43	56.40	56.43	58.17	59.22	60.00	61.28	62.04	55.34	58.17	61.09	62.26	62.61	64.84	66.02	66.53	67.37	68.18
25	45.94	48.59	50.65	51.65	51.69	53.35	54.40	55.20	56.45	57.21	50.57	53.33	56.19	57.36	57.75	59.93	61.12	61.64	62.45	63.26
30	41.29	43.82	45.86	46.83	46.89	48.53	49.58	50.38	51.61	52.36	45.83	48.49	51.30	52.46	52.89	55.03	56.22	56.74	57.53	58.34
35	36.69	39.08	41.06	42.01	42.09	43.71	44.77	45.54	46.77	47.50	41.13	43.69	46.46	47.57	48.03	50.14	51.35	51.85	52.64	53.43
40	32.17	34.43	36.33	37.24	37.34	38.95	40.00	40.74	41.95	42.68	36.49	38.93	41.62	42.72	43.19	45.28	46.50	46.98	47.76	48.54
45	27.73	29.95	31.72	32.58	32.69	34.27	35.31	36.02	37.19	37.90	31.93	34.23	36.87	37.95	38.42	40.47	41.70	42.15	42.91	43.69
50	23.44	25.59	27.26	28.07	28.18	29.77	30.75	31.41	32.51	33.21	27.48	29.65	32.20	33.24	33.74	35.74	36.96	37.40	38.14	38.89
55	19.36	21.39	23.11	23.76	23.84	25.44	26.39	26.96	27.97	28.66	23.17	25.20	27.63	28.66	29.16	31.13	32.31	32.72	33.41	34.18
60	15.63	17.47	19.13	19.76	19.76	21.31	22.22	22.71	23.63	24.25	19.02	20.91	23.20	24.18	24.71	26.59	27.75	28.15	28.79	29.52
65	12.27	13.85	15.38	16.02	16.04	17.42	18.24	18.71	19.52	20.06	15.12	16.81	18.93	19.84	20.42	22.19	23.27	23.62	24.26	24.95
70	9.37	10.65	11.97	12.51	12.60	13.88	14.54	14.90	15.65	16.15	11.63	13.05	14.91	15.74	16.33	17.98	18.97	19.23	19.84	20.52
75	6.92	7.92	8.93	9.44	9.51	10.69	11.22	11.41	12.06	12.57	8.64	9.74	11.25	11.93	12.53	14.05	14.95	15.10	15.61	16.24
80	5.10	5.76	6.49	6.89	6.90	7.88	8.39	8.40	8.85	9.31	6.35	7.09	8.14	8.67	9.20	10.54	11.29	11.32	11.70	12.23
85	3.99	4.31	4.69	4.97	4.90	5.71	6.02	6.00	6.26	6.59	4.90	5.28	5.74	6.08	6.51	7.63	8.21	8.05	8.31	8.72
90				3.47	3.70	3.49	4.19	4.37	4.12	4.29	4.52		4.15	4.19	4.60	5.40	5.84	5.48	5.57	5.84
95					3.13	2.62	3.46	3.19	2.87	2.91	3.08			3.02	3.39	3.94	4.23	3.67	3.63	3.79
100								2.03	1.97	2.09								2.54	2.45	2.60

奈良県

(単位：年)

年 齢	男										女									
	昭和40年 (1965)	50 ('75)	60 ('85)	平成2 ('90)	7 ('95)	12 (2000)	17 ('05)	22 ('10)	27 ('15)	令和2 ('20)	昭和40年 (1965)	50 ('75)	60 ('85)	平成2 ('90)	7 ('95)	12 (2000)	17 ('05)	22 ('10)	27 ('15)	令和2 ('20)
0(W)	67.97	72.00	74.87	76.15	77.14	78.36	79.25	80.14	81.36	82.40	72.89	76.76	80.27	81.89	82.96	84.80	85.84	86.60	87.25	87.95
4	68.91	72.45	75.13	76.28	77.27	78.42	79.30	80.18	81.38	82.39	73.58	77.17	80.42	81.97	83.07	84.82	85.86	86.53	87.27	87.96
2(M)	68.91	72.42	75.09	76.23	77.21	78.35	79.24	80.12	81.33	82.31	73.61	77.13	80.35	81.91	83.01	84.76	85.81	86.45	87.20	87.89
3	68.90	72.36	75.03	76.17	77.15	78.28	79.18	80.04	81.26	82.25	73.60	77.06	80.28	81.85	82.94	84.68	85.73	86.37	87.14	87.81
6	68.79	72.19	74.82	75.99	76.97	78.07	78.97	79.83	81.03	82.02	73.52	76.84	80.09	81.66	82.74	84.47	85.54	86.17	86.93	87.60
0(Y)	67.97	72.00	74.87	76.15	77.14	78.36	79.25	80.14	81.36	82.40	72.89	76.76	80.27	81.89	82.96	84.80	85.84	86.60	87.25	87.95
1	68.45	71.76	74.37	75.55	76.51	77.59	78.51	79.39	80.55	81.54	73.19	76.44	79.63	81.20	82.29	83.99	85.09	85.72	86.47	87.12
2	67.59	70.88	73.42	74.61	75.56	76.61	77.54	78.42	79.58	80.56	72.36	75.54	78.70	80.23	81.36	83.02	84.13	84.75	85.49	86.15
3	66.68	69.93	72.46	73.64	74.60	75.62	76.56	77.44	78.60	79.58	71.45	74.58	77.74	79.26	80.38	82.04	83.16	83.77	84.50	85.17
4	65.73	68.96	71.47	72.67	73.62	74.64	75.58	76.46	77.61	78.59	70.51	73.61	76.76	78.27	79.39	81.05	82.18	82.78	83.51	84.19
5	64.81	67.99	70.48	71.69	72.64	73.65	74.59	75.47	76.62	77.60	69.53	72.62	75.80	77.29	78.42	80.07	81.19	81.79	82.51	83.20
10	60.04	63.11	65.58	66.75	67.70	68.69	69.64	70.52	71.66	72.63	64.67	67.70	70.85	72.32	73.48	75.11	76.24	76.83	77.53	78.24
15	55.20	58.20	60.65	61.80	62.75	63.74	64.66	65.55	66.68	67.67	59.77	62.76	65.89	67.34	68.53	70.14	71.26	71.86	72.57	73.26
20	50.46	53.43	55.84	56.99	57.91	58.90	59.76	60.64	61.75	62.76	54.90	57.86	60.96	62.42	63.61	65.19	66.31	66.91	67.61	68.32
25	45.83	48.67	51.05	52.21	53.08	54.07	54.97	55.85	56.88	57.88	50.12	53.00	56.07	57.51	58.69	60.28	61.40	61.99	62.68	63.39
30	41.18	43.88	46.23	47.43	48.27	49.24	50.18	51.00	52.07	53.04	45.36	48.15	51.18	52.65	53.76	55.36	56.48	57.08	57.78	58.47
35	36.60	39.12	41.43	42.62	43.43	44.43	45.37	46.18	47.25	48.21	40.66	43.33	46.30	47.77	48.89	50.50	51.58	52.16	52.86	53.57
40	32.07	34.43	36.65	37.81	38.63	39.66	40.62	41.34	42.43	43.36	36.06	38.58	41.47	42.90	44.03	45.64	46.72	47.24	47.96	48.69
45	27.62	29.88	31.97	33.10	33.85	34.97	35.89	36.55	37.64	38.57	31.54	33.93	36.68	38.13	39.22	40.81	41.90	42.46	43.16	43.84
50	23.35	25.42	27.44	28.51	29.22	30.35	31.28	31.88	32.95	33.86	27.08	29.36	32.00	33.38	34.48	36.06	37.17	37.70	38.39	39.04
55	19.30	21.16	23.25	24.12	24.78	25.96	26.83	27.39	28.42	29.26	22.82	24.88	27.41	28.77	29.83	31.38	32.52	33.00	33.69	34.34
60	15.52	17.18	19.23	20.04	20.58	21.71	22.53	23.07	24.06	24.81	18.72	20.61	22.97	24.26	25.32	26.77	27.93	28.38	29.03	29.69
65	12.20	13.47	15.44	16.22	16.79	17.70	18.44	18.88	19.88	20.53	14.82	16.56	18.71	19.82	20.92	22.34	23.40	23.86	24.44	25.11
70	9.28	10.24	11.92	12.65	13.25	14.07	14.59	14.98	15.95	16.54	11.37	12.77	14.70	15.68	16.72	18.10	19.02	19.50	20.01	20.65
75	6.88	7.55	8.90	9.52	10.04	10.87	11.23	11.43	12.20	12.80	8.48	9.46	11.04	11.88	12.81	14.10	14.99	15.34	15.72	16.32
80	5.13	5.57	6.43	6.92	7.24	8.02	8.34	8.41	8.91	9.44	6.12	6.89	7.98	8.63	9.39	10.48	11.26	11.52	11.77	12.28
85	4.32	3.95	4.68	4.91	5.12	5.85	5.95	5.94	6.24	6.57	4.82	5.16	5.56	5.99	6.67	7.54	8.12	8.26	8.37	8.68
90			3.54	3.67	3.55	4.21	4.31	4.08	4.22	4.48			3.94	4.23	4.52	5.33	5.74	5.68	5.64	5.81
95				2.33	2.34	3.25	3.35	2.80	2.76	3.02				3.16	3.27	3.95	4.21	3.80	3.70	3.79
100								1.93	1.76	2.02								2.82	2.52	2.51

和歌山県

(単位：年)

年齢	男										女									
	昭和40年(1965)	50('75)	60('85)	平成2('90)	7('95)	12(2000)	17('05)	22('10)	27('15)	令和2('20)	昭和40年(1965)	50('75)	60('85)	平成2('90)	7('95)	12(2000)	17('05)	22('10)	27('15)	令和2('20)
0(W)	67.75	71.25	74.19	75.23	76.07	77.01	77.97	79.07	79.94	81.03	73.57	76.81	80.13	81.70	82.71	84.23	85.34	85.69	86.47	87.36
4	68.86	71.94	74.41	75.37	76.17	77.08	78.02	79.06	79.93	80.97	74.37	77.28	80.37	81.85	82.83	84.27	85.35	85.78	86.48	87.34
2(M)	68.95	71.88	74.36	75.32	76.10	77.01	77.95	78.97	79.87	80.92	74.42	77.23	80.31	81.79	82.75	84.21	85.27	85.69	86.42	87.30
3	68.93	71.83	74.30	75.25	76.05	76.93	77.89	78.90	79.78	80.85	74.41	77.16	80.24	81.74	82.70	84.14	85.20	85.60	86.36	87.21
6	68.86	71.65	74.07	75.04	75.83	76.71	77.69	78.65	79.59	80.61	74.26	77.01	80.04	81.52	82.53	83.92	85.02	85.38	86.13	87.01
0(Y)	67.75	71.25	74.19	75.23	76.07	77.01	77.97	79.07	79.94	81.03	73.57	76.81	80.13	81.70	82.71	84.23	85.34	85.69	86.47	87.36
1	68.52	71.23	73.61	74.60	75.37	76.25	77.23	78.17	79.12	80.14	73.96	76.60	79.58	81.07	82.07	83.47	84.55	84.94	85.64	86.54
2	67.67	70.34	72.68	73.63	74.44	75.29	76.26	77.20	78.15	79.17	73.09	75.67	78.66	80.10	81.15	82.52	83.58	83.99	84.66	85.57
3	66.75	69.41	71.72	72.65	73.49	74.31	75.29	76.22	77.17	78.19	72.17	74.73	77.69	79.13	80.17	81.56	82.59	83.02	83.68	84.59
4	65.83	68.47	70.76	71.68	72.51	73.32	74.30	75.24	76.19	77.21	71.25	73.79	76.71	78.16	79.20	80.58	81.60	82.04	82.70	83.60
5	64.90	67.53	69.76	70.70	71.52	72.34	73.32	74.25	75.20	76.22	70.29	72.83	75.75	77.18	78.21	79.60	80.61	81.06	81.71	82.61
10	60.11	62.70	64.80	65.78	66.58	67.37	68.35	69.30	70.25	71.27	65.46	67.95	70.81	72.24	73.27	74.64	75.63	76.11	76.75	77.64
15	55.27	57.82	59.89	60.82	61.62	62.41	63.40	64.33	65.27	66.30	60.58	63.00	65.84	67.29	68.29	69.67	70.66	71.17	71.76	72.67
20	50.59	53.16	55.15	56.02	56.80	57.54	58.55	59.39	60.33	61.35	55.75	58.13	60.95	62.39	63.38	64.73	65.72	66.24	66.83	67.73
25	46.07	48.49	50.43	51.36	52.02	52.73	53.76	54.52	55.52	56.51	51.02	53.31	56.08	57.47	58.49	59.81	60.82	61.28	61.93	62.79
30	41.49	43.78	45.62	46.55	47.26	47.92	48.91	49.77	50.74	51.67	46.31	48.47	51.18	52.57	53.58	54.91	55.94	56.36	57.05	57.85
35	36.92	39.09	40.85	41.76	42.50	43.17	44.07	44.96	45.95	46.85	41.63	43.70	46.35	47.68	48.70	50.00	51.04	51.47	52.15	52.97
40	32.44	34.50	36.14	37.01	37.71	38.48	39.38	40.18	41.16	42.02	36.95	38.92	41.52	42.85	43.85	45.14	46.22	46.62	47.29	48.07
45	28.02	30.03	31.55	32.35	33.07	33.82	34.73	35.51	36.39	37.26	32.38	34.24	36.79	38.04	39.05	40.35	41.47	41.85	42.46	43.24
50	23.68	25.70	27.23	27.89	28.53	29.31	30.23	30.92	31.78	32.60	27.88	29.62	32.15	33.37	34.35	35.64	36.78	37.20	37.68	38.47
55	19.58	21.49	23.14	23.68	24.18	25.02	25.86	26.47	27.29	28.09	23.56	25.17	27.56	28.77	29.76	31.07	32.16	32.54	33.01	33.77
60	15.77	17.46	19.12	19.81	20.09	20.98	21.77	22.19	22.95	23.75	19.39	20.84	23.10	24.29	25.24	26.59	27.61	28.01	28.35	29.11
65	12.37	13.85	15.35	16.05	16.45	17.23	17.82	18.35	18.93	19.62	15.41	16.75	18.82	19.93	20.87	22.17	23.17	23.52	23.80	24.54
70	9.46	10.62	11.85	12.54	12.95	13.77	14.20	14.54	15.11	15.77	11.85	12.91	14.83	15.81	16.67	18.00	18.86	19.22	19.42	20.15
75	7.04	8.01	8.86	9.37	9.76	10.57	10.96	11.11	11.60	12.18	8.82	9.57	11.12	11.99	12.83	14.03	14.83	15.02	15.22	15.89
80	5.17	5.91	6.36	6.80	7.04	7.83	8.16	8.18	8.50	8.95	6.31	6.87	8.00	8.64	9.40	10.41	11.10	11.26	11.35	11.95
85	3.99	4.63	4.66	4.81	5.06	5.68	5.85	5.79	6.02	6.32	4.87	4.94	5.68	6.07	6.54	7.42	7.99	8.06	8.01	8.49
90			3.55	3.31	3.64	4.12	4.20	4.00	4.09	4.34			4.15	4.16	4.54	5.19	5.66	5.49	5.40	5.64
95				2.46	2.97	3.21	2.98	2.58	2.79	3.12				3.04	3.21	3.60	4.13	3.55	3.55	3.58
100							1.56	1.92	2.33								2.39	2.47	2.37	

鳥取県

(単位：年)

年齢	男										女									
	昭和40年(1965)	50('75)	60('85)	平成2('90)	7('95)	12(2000)	17('05)	22('10)	27('15)	令和2('20)	昭和40年(1965)	50('75)	60('85)	平成2('90)	7('95)	12(2000)	17('05)	22('10)	27('15)	令和2('20)
0(W)	67.18	71.42	74.40	75.66	76.09	77.39	78.26	79.01	80.17	81.34	73.39	77.45	81.11	82.33	83.59	84.91	86.27	86.08	87.27	87.91
4	68.02	71.87	74.59	75.78	76.23	77.41	78.31	79.06	80.17	81.34	74.19	77.84	81.27	82.47	83.72	84.96	86.32	86.30	87.39	87.93
2(M)	68.09	71.85	74.55	75.72	76.18	77.32	78.24	78.97	80.10	81.28	74.25	77.78	81.21	82.41	83.65	84.90	86.24	86.29	87.33	87.85
3	68.10	71.80	74.50	75.65	76.11	77.23	78.17	78.89	80.03	81.21	74.25	77.72	81.17	82.39	83.58	84.84	86.16	86.24	87.26	87.79
6	68.06	71.64	74.32	75.45	75.89	77.02	77.95	78.67	79.80	80.99	74.13	77.58	81.03	82.21	83.35	84.65	85.93	86.06	87.02	87.54
0(Y)	67.18	71.42	74.40	75.66	76.09	77.39	78.26	79.01	80.17	81.34	73.39	77.45	81.11	82.33	83.59	84.91	86.27	86.08	87.27	87.91
1	67.73	71.22	73.85	75.00	75.43	76.56	77.50	78.27	79.38	80.51	73.77	77.15	80.60	81.78	82.91	84.16	85.44	85.67	86.60	87.07
2	66.86	70.31	73.00	74.04	74.50	75.60	76.52	77.28	78.41	79.54	72.91	76.23	79.67	80.80	81.96	83.20	84.45	84.70	85.62	86.09
3	65.97	69.45	72.10	73.07	73.53	74.62	75.54	76.30	77.44	78.55	72.03	75.31	78.68	79.83	80.97	82.22	83.47	83.72	84.63	85.11
4	65.03	68.53	71.12	72.10	72.53	73.64	74.56	75.30	76.45	77.57	71.10	74.38	77.72	78.85	79.97	81.24	82.48	82.73	83.64	84.12
5	64.10	67.57	70.14	71.13	71.56	72.65	73.57	74.31	75.47	76.58	70.15	73.45	76.72	77.87	79.02	80.25	81.49	81.74	82.65	83.13
10	59.39	62.73	65.17	66.22	66.63	67.67	68.61	69.33	70.51	71.61	65.35	68.55	71.79	72.92	74.05	75.29	76.50	76.77	77.67	78.16
15	54.57	57.80	60.23	61.26	61.66	62.70	63.63	64.35	65.55	66.62	60.47	63.59	66.85	67.98	69.08	70.30	71.53	71.80	72.71	73.17
20	49.81	53.03	55.47	56.41	56.77	57.82	58.70	59.44	60.61	61.70	55.60	58.70	61.91	63.08	64.18	65.37	66.60	66.88	67.79	68.23
25	45.41	48.31	50.69	51.61	52.00	53.01	53.93	54.72	55.77	56.79	50.89	53.85	57.05	58.17	59.29	60.45	61.71	62.07	62.88	63.35
30	40.94	43.58	45.92	46.81	47.18	48.20	49.14	49.97	50.96	51.90	46.22	49.01	52.14	53.25	54.37	55.55	56.79	57.15	57.96	58.41
35	36.37	38.99	41.15	42.04	42.40	43.47	44.34	45.21	46.09	47.13	41.50	44.18	47.24	48.34	49.53	50.67	51.89	52.26	53.05	53.52
40	31.88	34.43	36.47	37.29	37.68	38.71	39.58	40.43	41.33	42.31	36.85	39.46	42.42	43.49	44.65	45.85	47.00	47.32	48.15	48.62
45	27.52	30.02	31.86	32.69	33.04	34.05	34.87	35.63	36.59	37.53	32.25	34.77	37.64	38.75	39.86	41.03	42.18	42.54	43.29	43.79
50	23.29	25.72	27.56	28.24	28.66	29.60	30.39	31.06	31.98	32.83	27.77	30.16	32.99	34.04	35.12	36.36	37.46	37.83	38.52	39.00
55	19.32	21.53	23.42	23.99	24.42	25.33	26.08	26.63	27.54	28.26	23.45	25.61	28.37	29.44	30.53	31.72	32.81	33.31	33.80	34.34
60	15.65	17.58	19.47	20.00	20.45	21.29	21.99	22.44	23.25	23.91	19.23	21.30	23.82	24.97	26.01	27.20	28.24	28.75	29.21	29.69
65	12.41	13.91	15.61	16.22	16.75	17.46	18.15	18.47	19.18	19.80	15.33	17.15	19.47	20.58	21.60	22.75	23.74	24.27	24.69	25.11
70	9.56	10.75	12.10	12.76	13.28	13.92	14.58	14.92	15.49	16.01	11.75	13.21	15.29	16.34	17.42	18.49	19.47	19.87	20.29	20.65
75	7.23	7.96	9.11	9.69	10.01	10.73	11.23	11.61	12.05	12.53	8.69	9.76	11.50	12.44	13.35	14.39	15.40	15.64	16.07	16.41
80	5.27	5.74	6.81	7.02	7.36	7.85	8.41	8.63	8.90	9.28	6.30	6.93	8.24	8.96	9.85	10.69	11.58	11.82	12.11	12.42
85	4.15	4.22	4.95	4.95	5.24	5.78	6.05	6.19	6.38	6.58	4.69	4.96	5.75	6.17	6.81	7.71	8.34	8.32	8.64	8.84
90			3.82	3.37	3.54	4.15	4.29	4.04	4.53	4.48			4.00	4.21	4.69	5.23	5.81	5.47	5.83	5.90
95				2.52	2.60	2.95	2.90	2.81	3.01	2.93				3.10	3.35	3.61	3.93	3.54	3.86	3.86
100								2.08	1.88	1.86								2.43	2.55	2.77

島根県

(単位：年)

年齢	男 昭和40年 (1965)	50 ('75)	60 ('85)	平成2 ('90)	7 ('95)	12 (2000)	17 ('05)	22 ('10)	27 ('15)	令和2 ('20)	女 昭和40年 (1965)	50 ('75)	60 ('85)	平成2 ('90)	7 ('95)	12 (2000)	17 ('05)	22 ('10)	27 ('15)	令和2 ('20)
0(W)	67.77	71.55	75.30	76.15	76.90	77.54	78.49	79.51	80.79	81.63	73.01	77.53	81.60	83.09	84.03	85.30	86.57	87.07	87.64	88.21
4	68.71	72.11	75.53	76.31	77.01	77.63	78.53	79.60	80.79	81.60	73.93	77.82	81.73	83.19	84.12	85.37	86.60	87.02	87.62	88.26
2(M)	68.73	72.07	75.49	76.25	76.96	77.56	78.47	79.59	80.72	81.53	73.99	77.76	81.67	83.15	84.10	85.32	86.52	87.00	87.53	88.19
3	68.72	72.04	75.44	76.22	76.88	77.50	78.40	79.51	80.65	81.47	73.99	77.73	81.64	83.11	84.05	85.25	86.44	86.91	87.47	88.11
6	68.61	71.85	75.26	76.03	76.70	77.29	78.19	79.26	80.45	81.25	73.92	77.55	81.46	82.91	83.88	85.03	86.24	86.66	87.23	87.86
0(Y)	67.77	71.55	75.30	76.15	76.90	77.54	78.49	79.51	80.79	81.63	73.01	77.53	81.60	83.09	84.03	85.30	86.57	87.07	87.64	88.21
1	68.30	71.42	74.83	75.56	76.24	76.82	77.76	78.79	80.00	80.78	73.56	77.12	81.04	82.46	83.47	84.56	85.77	86.16	86.76	87.39
2	67.50	70.53	73.91	74.59	75.30	75.88	76.79	77.81	79.02	79.80	72.72	76.19	80.15	81.49	82.51	83.61	84.82	85.20	85.78	86.40
3	66.59	69.60	72.95	73.62	74.39	74.93	75.81	76.83	78.03	78.81	71.80	75.27	79.17	80.52	81.53	82.65	83.85	84.23	84.79	85.40
4	65.68	68.65	72.01	72.64	73.43	73.95	74.82	75.85	77.04	77.81	70.86	74.30	78.19	79.53	80.54	81.67	82.87	83.26	83.80	84.41
5	64.76	67.71	71.02	71.65	72.44	72.97	73.84	74.86	76.05	76.82	69.89	73.33	77.21	78.54	79.56	80.69	81.88	82.28	82.81	83.41
10	60.06	62.87	66.12	66.72	67.53	68.00	68.89	69.89	71.07	71.83	65.11	68.37	72.28	73.60	74.59	75.76	76.91	77.36	77.84	78.42
15	55.22	57.97	61.16	61.82	62.57	63.04	63.94	64.95	66.09	66.87	60.21	63.44	67.31	68.64	69.63	70.82	71.95	72.38	72.87	73.45
20	50.57	53.21	56.26	57.00	57.71	58.21	59.08	60.11	61.18	61.93	55.42	58.53	62.38	63.71	64.70	65.94	67.01	67.42	67.91	68.51
25	46.11	48.61	51.49	52.26	52.93	53.41	54.34	55.37	56.38	57.12	50.72	53.74	57.49	58.80	59.79	61.09	62.10	62.61	62.98	63.57
30	41.56	43.92	46.73	47.47	48.13	48.64	49.52	50.59	51.55	52.24	46.03	48.93	52.64	53.92	54.88	56.19	57.18	57.69	58.07	58.66
35	37.02	39.24	41.97	42.69	43.29	43.86	44.76	45.82	46.72	47.41	41.36	44.14	47.80	49.08	50.01	51.33	52.29	52.79	53.21	53.73
40	32.55	34.65	37.31	37.96	38.55	39.15	40.04	41.02	41.88	42.59	36.68	39.39	43.00	44.22	45.18	46.47	47.44	47.93	48.32	48.85
45	28.15	30.23	32.79	33.32	33.93	34.52	35.35	36.32	37.12	37.80	32.11	34.72	38.25	39.45	40.36	41.66	42.60	43.04	43.49	43.99
50	23.93	25.90	28.48	28.85	29.47	30.05	30.84	31.79	32.47	33.17	27.64	30.05	33.55	34.78	35.70	36.94	37.85	38.30	38.72	39.23
55	19.84	21.75	24.23	24.57	25.22	25.73	26.55	27.24	27.95	28.61	23.38	25.57	28.93	30.14	31.06	32.30	33.17	33.63	33.99	34.53
60	16.10	17.74	20.18	20.57	21.07	21.66	22.43	22.99	23.62	24.16	19.23	21.22	24.37	25.60	26.52	27.77	28.62	29.05	29.40	29.90
65	12.72	14.09	16.32	16.83	17.24	17.77	18.52	18.98	19.53	20.01	15.43	17.15	19.97	21.21	22.11	23.27	24.18	24.51	24.89	25.30
70	9.77	10.89	12.82	13.24	13.73	14.19	14.83	15.23	15.75	16.15	12.01	13.34	15.80	16.96	17.82	18.94	19.81	20.14	20.48	20.82
75	7.29	8.16	9.60	9.96	10.47	10.89	11.45	11.69	12.12	12.58	8.98	9.99	11.99	13.04	13.74	14.83	15.66	15.95	16.19	16.51
80	5.33	5.92	7.01	7.22	7.75	8.07	8.52	8.62	8.91	9.32	6.49	7.25	8.65	9.49	10.07	11.06	11.77	12.04	12.17	12.49
85	3.98	4.44	5.15	5.14	5.59	5.76	6.11	6.17	6.29	6.55	4.85	5.34	6.08	6.63	7.15	7.78	8.42	8.46	8.63	8.91
90			3.79	3.72	4.21	3.98	4.30	4.37	4.32	4.50		4.12	4.55	5.01	5.25	5.93	5.61	5.73	5.95	
95				2.98	3.36	2.66	3.15	2.97	2.90	3.08			2.95	3.54	3.60	4.22	3.55	3.73	3.91	
100								1.94	1.91	2.10								2.78	2.35	2.58

岡山県

(単位：年)

年齢	男										女									
	昭和40年 (1965)	50 ('75)	60 ('85)	平成2 ('90)	7 ('95)	12 (2000)	17 ('05)	22 ('10)	27 ('15)	令和2 ('20)	昭和40年 (1965)	50 ('75)	60 ('85)	平成2 ('90)	7 ('95)	12 (2000)	17 ('05)	22 ('10)	27 ('15)	令和2 ('20)
0(W)	68.68	72.25	75.28	76.32	77.03	77.80	79.22	79.77	81.03	81.90	74.03	77.76	81.31	82.70	83.81	85.25	86.49	86.93	87.67	88.29
4	69.92	72.55	75.41	76.41	77.14	77.86	79.22	79.78	81.00	81.88	74.65	78.00	81.46	82.86	83.86	85.28	86.49	86.90	87.67	88.27
2(M)	69.47	72.53	75.35	76.36	77.09	77.82	79.16	79.73	80.93	81.80	74.68	77.95	81.41	82.80	83.79	85.22	86.42	86.84	87.59	88.19
3	69.45	72.47	75.28	76.30	77.05	77.74	79.08	79.66	80.85	81.73	74.67	77.89	81.35	82.75	83.72	85.16	86.36	86.76	87.52	88.12
6	69.39	72.31	75.11	76.11	76.85	77.54	78.87	79.43	80.63	81.53	74.54	77.72	81.15	82.55	83.50	84.94	86.15	86.51	87.30	87.89
0(Y)	68.68	72.25	75.28	76.32	77.03	77.80	79.22	79.77	81.03	81.90	74.03	77.76	81.31	82.70	83.81	85.25	86.49	86.93	87.67	88.29
1	69.06	71.92	74.67	75.65	76.40	77.09	78.42	78.95	80.17	81.05	74.21	77.31	80.72	82.10	83.04	84.50	85.69	86.03	86.82	87.42
2	68.26	71.06	73.76	74.73	75.47	76.15	77.45	77.99	79.19	80.07	73.36	76.42	79.79	81.16	82.13	83.53	84.72	85.05	85.83	86.44
3	67.36	70.14	72.81	73.78	74.49	75.18	76.48	77.02	78.21	79.09	72.45	75.49	78.84	80.19	81.15	82.55	83.74	84.07	84.85	85.45
4	66.45	69.20	71.85	72.82	73.51	74.21	75.50	76.04	77.23	78.10	71.55	74.53	77.86	79.22	80.18	81.56	82.75	83.08	83.85	84.46
5	65.53	68.26	70.89	71.85	72.54	73.23	74.51	75.05	76.24	77.11	70.62	73.58	76.87	78.24	79.21	80.57	81.76	82.09	82.86	83.46
10	60.77	63.42	65.98	66.94	67.62	68.27	69.55	70.10	71.27	72.14	65.79	68.68	71.93	73.32	74.27	75.61	76.79	77.13	77.88	78.48
15	55.92	58.51	61.05	62.01	62.70	63.32	64.59	65.12	66.30	67.18	60.88	63.74	66.98	68.36	69.30	70.65	71.83	72.17	72.90	73.52
20	51.22	53.82	56.24	57.22	57.87	58.47	59.71	60.21	61.37	62.29	56.02	58.85	62.05	63.44	64.38	65.71	66.88	67.22	67.93	68.58
25	46.66	49.17	51.53	52.44	53.08	53.69	54.92	55.37	56.52	57.42	51.25	54.00	57.16	58.51	59.46	60.78	61.98	62.29	62.99	63.64
30	42.04	44.47	46.71	47.63	48.25	48.87	50.13	50.58	51.70	52.58	46.53	49.19	52.29	53.62	54.56	55.89	57.06	57.39	58.06	58.70
35	37.48	39.76	41.95	42.82	43.42	44.10	45.29	45.77	46.87	47.75	41.82	44.36	47.42	48.75	49.71	51.02	52.18	52.51	53.16	53.77
40	32.99	35.14	37.22	38.06	38.65	39.34	40.54	40.96	42.03	42.93	37.11	39.56	42.58	43.93	44.84	46.17	47.31	47.64	48.25	48.88
45	28.55	30.64	32.61	33.40	33.95	34.67	35.82	36.25	37.26	38.14	32.50	34.86	37.80	39.15	40.04	41.35	42.46	42.79	43.42	44.01
50	24.24	26.26	28.21	28.88	29.40	30.14	31.28	31.63	32.60	33.44	27.98	30.23	33.10	34.40	35.32	36.62	37.71	38.04	38.63	39.22
55	20.15	22.00	24.01	24.58	25.00	25.80	26.86	27.18	28.07	28.86	23.66	25.72	28.52	29.79	30.68	31.97	33.03	33.32	33.91	34.52
60	16.34	18.04	19.94	20.55	20.86	21.65	22.66	23.01	23.69	24.44	19.45	21.34	24.00	25.27	26.15	27.41	28.44	28.66	29.25	29.85
65	12.92	14.32	16.07	16.72	17.01	17.73	18.65	18.96	19.59	20.21	15.46	17.18	19.65	20.85	21.71	22.97	23.90	24.17	24.67	25.27
70	9.87	10.98	12.52	13.11	13.44	14.14	14.83	15.12	15.73	16.28	11.84	13.29	15.50	16.59	17.47	18.66	19.56	19.73	20.22	20.82
75	7.35	8.19	9.31	9.87	10.15	10.90	11.40	11.61	12.10	12.65	8.75	9.87	11.69	12.66	13.50	14.60	15.40	15.54	15.95	16.52
80	5.35	6.03	6.71	7.15	7.42	8.00	8.47	8.60	8.86	9.34	6.38	7.08	8.39	9.19	9.89	10.90	11.57	11.73	11.97	12.43
85	4.15	4.55	4.78	5.08	5.26	5.81	6.07	6.09	6.23	6.57	5.00	5.06	5.83	6.40	6.96	7.78	8.27	8.34	8.48	8.85
90			3.41	3.53	3.73	4.22	4.33	4.30	4.28	4.48			3.99	4.44	4.84	5.46	5.77	5.69	5.64	5.90
95				2.37	2.65	3.38	3.08	3.00	2.82	2.97				3.26	3.62	3.91	4.15	3.72	3.66	3.82
100							2.08	1.79	1.94								2.32	2.49	2.69	

広島県

(単位:年)

年齢	男 昭和40年(1965)	50('75)	60('85)	平成2('90)	7('95)	12(2000)	17('05)	22('10)	27('15)	令和2('20)	女 昭和40年(1965)	50('75)	60('85)	平成2('90)	7('95)	12(2000)	17('05)	22('10)	27('15)	令和2('20)
0(W)	68.61	72.04	75.19	76.22	76.77	77.76	79.06	79.91	81.08	81.95	73.93	77.48	80.94	82.38	83.66	85.09	86.27	86.94	87.33	88.16
4	69.47	72.52	75.35	76.31	76.84	77.78	79.11	79.93	81.09	81.91	74.61	77.88	81.12	82.48	83.75	85.14	86.28	86.96	87.34	88.16
2(M)	69.51	72.48	75.29	76.26	76.78	77.72	79.04	79.88	81.02	81.84	74.63	77.83	81.06	82.42	83.70	85.08	86.22	86.90	87.26	88.08
3	69.49	72.43	75.23	76.19	76.73	77.67	78.96	79.79	80.95	81.76	74.61	77.78	81.01	82.36	83.64	85.00	86.15	86.83	87.18	88.01
6	69.39	72.25	75.04	76.00	76.55	77.46	78.75	79.58	80.73	81.53	74.52	77.59	80.81	82.17	83.43	84.78	85.94	86.61	86.96	87.78
0(Y)	68.61	72.04	75.19	76.22	76.77	77.76	79.06	79.91	81.08	81.95	73.93	77.48	80.94	82.38	83.66	85.09	86.27	86.94	87.33	88.16
1	69.05	71.85	74.59	75.56	76.11	77.00	78.29	79.12	80.27	81.07	74.21	77.17	80.36	81.73	82.99	84.32	85.47	86.15	86.47	87.31
2	68.21	70.95	73.66	74.62	75.15	76.05	77.32	78.14	79.30	80.09	73.37	76.27	79.44	80.80	82.04	83.36	84.50	85.19	85.50	86.33
3	67.35	70.03	72.70	73.67	74.19	75.08	76.34	77.16	78.32	79.10	72.46	75.33	78.49	79.84	81.05	82.39	83.52	84.21	84.51	85.34
4	66.46	69.09	71.73	72.70	73.22	74.10	75.36	76.17	77.33	78.11	71.55	74.37	77.53	78.86	80.07	81.41	82.53	83.23	83.52	84.35
5	65.55	68.13	70.74	71.73	72.24	73.12	74.37	75.18	76.34	77.12	70.59	73.41	76.55	77.87	79.08	80.42	81.54	82.25	82.53	83.35
10	60.80	63.30	65.84	66.80	67.29	68.19	69.42	70.20	71.37	72.15	65.78	68.51	71.61	72.94	74.13	75.48	76.59	77.30	77.56	78.37
15	55.95	58.38	60.89	61.86	62.34	63.24	64.45	65.25	66.40	67.17	60.87	63.59	66.66	67.98	69.16	70.52	71.61	72.31	72.58	73.40
20	51.22	53.66	56.08	57.02	57.51	58.36	59.55	60.35	61.50	62.26	56.01	58.70	61.73	63.07	64.24	65.58	66.66	67.36	67.63	68.44
25	46.62	48.94	51.32	52.29	52.76	53.56	54.72	55.54	56.65	57.41	51.22	53.85	56.86	58.18	59.32	60.67	61.74	62.42	62.72	63.50
30	42.01	44.19	46.53	47.51	47.96	48.75	49.89	50.73	51.82	52.55	46.50	49.01	51.97	53.27	54.41	55.77	56.82	57.49	57.80	58.57
35	37.42	39.48	41.71	42.72	43.14	43.94	45.05	45.91	46.96	47.70	41.80	44.20	47.10	48.37	49.52	50.86	51.93	52.59	52.90	53.64
40	32.92	34.88	36.98	37.97	38.37	39.19	40.29	41.13	42.13	42.86	37.14	39.45	42.26	43.55	44.66	45.99	47.09	47.72	48.01	48.74
45	28.51	30.43	32.33	33.31	33.70	34.52	35.62	36.41	37.38	38.06	32.54	34.76	37.52	38.78	39.88	41.18	42.26	42.88	43.17	43.90
50	24.24	26.10	27.90	28.79	29.19	30.02	31.09	31.84	32.70	33.37	28.07	30.14	32.86	34.07	35.19	36.43	37.52	38.15	38.40	39.09
55	20.11	21.96	23.77	24.47	24.84	25.69	26.74	27.41	28.19	28.79	23.73	25.66	28.32	29.49	30.57	31.80	32.88	33.48	33.72	34.37
60	16.34	17.96	19.83	20.47	20.72	21.55	22.54	23.18	23.82	24.45	19.54	21.30	23.86	25.01	26.06	27.24	28.32	28.84	29.07	29.70
65	12.92	14.28	16.04	16.63	16.97	17.66	18.55	19.10	19.69	20.28	15.60	17.20	19.56	20.66	21.72	22.82	23.82	24.31	24.53	25.14
70	9.90	11.03	12.51	13.07	13.49	14.12	14.80	15.24	15.81	16.39	11.97	13.40	15.47	16.50	17.54	18.58	19.51	19.91	20.10	20.69
75	7.42	8.25	9.41	9.86	10.31	10.95	11.47	11.73	12.18	12.77	8.95	10.02	11.74	12.63	13.63	14.62	15.43	15.74	15.84	16.44
80	5.44	6.02	6.88	7.16	7.61	8.23	8.59	8.71	8.98	9.46	6.49	7.15	8.56	9.19	10.13	10.98	11.70	11.95	11.96	12.41
85	4.29	4.46	4.91	5.11	5.45	5.98	6.18	6.28	6.35	6.66	5.01	5.18	6.05	6.44	7.25	7.88	8.52	8.61	8.53	8.88
90			3.49	3.61	3.92	4.31	4.44	4.38	4.38	4.50		4.22	4.42	5.04	5.47	5.98	5.84	5.73	5.95	
95				2.50	2.97	3.20	3.18	3.00	2.99	3.12			3.08	3.61	3.83	4.29	3.85	3.68	3.88	
100							2.03	2.03	2.23								2.67	2.51	2.59	

山口県

(単位:年)

年齢	男 昭和40年 (1965)	50 ('75)	60 ('85)	平成2 ('90)	7 ('95)	12 (2000)	17 ('05)	22 ('10)	27 ('15)	令和2 ('20)	女 昭和40年 (1965)	50 ('75)	60 ('85)	平成2 ('90)	7 ('95)	12 (2000)	17 ('05)	22 ('10)	27 ('15)	令和2 ('20)
0(W)	67.30	71.20	74.45	75.74	76.36	77.03	78.11	79.03	80.51	81.12	72.98	77.27	81.16	82.46	83.57	84.61	85.63	86.07	86.88	87.43
4	68.17	71.75	74.78	75.91	76.49	77.11	78.15	79.06	80.54	81.11	73.81	77.66	81.34	82.62	83.67	84.68	85.66	86.13	86.89	87.43
2(M)	68.22	71.71	74.74	75.85	76.43	77.06	78.08	79.00	80.46	81.03	73.82	77.60	81.28	82.55	83.63	84.62	85.59	86.06	86.82	87.36
3	68.20	71.66	74.68	75.80	76.37	76.99	78.01	78.96	80.38	80.96	73.79	77.55	81.21	82.49	83.58	84.55	85.54	85.99	86.76	87.29
6	68.10	71.48	74.48	75.60	76.14	76.79	77.78	78.72	80.14	80.73	73.69	77.37	81.00	82.31	83.40	84.34	85.32	85.76	86.57	87.07
0(Y)	67.30	71.20	74.45	75.74	76.36	77.03	78.11	79.03	80.51	81.12	72.98	77.27	81.16	82.46	83.57	84.61	85.63	86.07	86.88	87.43
1	67.83	71.07	74.02	75.15	75.71	76.34	77.34	78.28	79.67	80.26	73.34	76.97	80.56	81.85	82.94	83.88	84.86	85.27	86.12	86.58
2	66.99	70.20	73.10	74.21	74.78	75.38	76.36	77.30	78.69	79.28	72.53	76.05	79.62	80.89	82.02	82.92	83.90	84.29	85.14	85.60
3	66.12	69.28	72.14	73.25	73.81	74.41	75.39	76.32	77.71	78.30	71.62	75.10	78.63	79.91	81.04	81.94	82.93	83.30	84.15	84.62
4	65.21	68.33	71.17	72.28	72.83	73.43	74.41	75.33	76.72	77.31	70.71	74.15	77.68	78.92	80.06	80.96	81.95	82.32	83.17	83.64
5	64.28	67.37	70.18	71.30	71.85	72.45	73.42	74.35	75.73	76.33	69.77	73.17	76.70	77.93	79.08	79.97	80.96	81.32	82.18	82.64
10	59.53	62.53	65.27	66.39	66.92	67.48	68.45	69.38	70.76	71.36	64.92	68.29	71.77	72.96	74.10	75.01	75.99	76.35	77.20	77.68
15	54.70	57.62	60.33	61.45	61.97	62.53	63.49	64.40	65.79	66.39	60.03	63.34	66.83	68.01	69.14	70.03	71.02	71.36	72.22	72.74
20	49.97	52.85	55.50	56.61	57.13	57.70	58.59	59.50	60.88	61.50	55.17	58.44	61.93	63.08	64.23	65.06	66.08	66.47	67.29	67.79
25	45.52	48.18	50.82	51.87	52.32	52.92	53.79	54.65	56.00	56.65	50.38	53.59	57.04	58.19	59.35	60.15	61.16	61.54	62.35	62.86
30	41.04	43.47	46.07	47.08	47.58	48.17	49.01	49.86	51.18	51.79	45.68	48.78	52.19	53.29	54.44	55.24	56.25	56.66	57.44	57.96
35	36.47	38.78	41.37	42.29	42.79	43.40	44.25	45.04	46.33	46.94	40.96	43.97	47.29	48.43	49.54	50.36	51.38	51.79	52.54	53.05
40	32.01	34.18	36.67	37.53	37.99	38.66	39.52	40.31	41.54	42.13	36.31	39.23	42.49	43.61	44.68	45.52	46.52	46.92	47.67	48.15
45	27.63	29.75	32.10	32.85	33.38	33.98	34.88	35.60	36.77	37.35	31.77	34.55	37.72	38.82	39.85	40.74	41.75	42.10	42.86	43.32
50	23.42	25.50	27.75	28.33	28.87	29.49	30.29	31.00	32.13	32.66	27.32	29.95	33.06	34.10	35.19	36.01	37.01	37.41	38.14	38.57
55	19.43	21.32	23.63	24.05	24.56	25.17	25.95	26.57	27.61	28.11	23.01	25.50	28.50	29.52	30.57	31.42	32.38	32.78	33.43	33.88
60	15.73	17.45	19.64	20.11	20.43	21.08	21.84	22.36	23.26	23.74	18.89	21.16	24.06	25.03	26.04	26.92	27.83	28.29	28.79	29.26
65	12.44	13.78	15.89	16.33	16.79	17.21	17.91	18.37	19.20	19.64	15.03	17.07	19.73	20.66	21.66	22.49	23.38	23.83	24.30	24.70
70	9.53	10.67	12.42	12.79	13.28	13.72	14.25	14.68	15.38	15.82	11.50	13.23	15.65	16.49	17.50	18.28	19.11	19.50	19.91	20.28
75	7.18	7.99	9.29	9.62	10.16	10.51	10.95	11.25	11.83	12.28	8.48	9.78	11.90	12.66	13.58	14.29	15.06	15.35	15.69	16.03
80	5.14	5.81	6.80	7.03	7.56	7.75	8.09	8.29	8.68	9.10	6.12	7.02	8.67	9.27	10.19	10.73	11.34	11.59	11.78	12.08
85	3.88	4.30	5.01	5.10	5.38	5.62	5.79	5.91	6.16	6.43	4.59	5.19	6.14	6.52	7.23	7.70	8.13	8.32	8.39	8.59
90			3.98	3.71	3.75	3.92	4.10	4.11	4.28	4.33			4.32	4.56	5.11	5.45	5.63	5.68	5.62	5.72
95				2.84	2.92	2.75	2.77	2.73	2.93	2.97				3.36	3.58	4.08	3.94	3.82	3.71	3.76
100								1.74	1.99	2.09								2.82	2.55	2.63

徳島県

(単位：年)

年齢	男										女									
	昭和40年(1965)	50('75)	60('85)	平成2('90)	7('95)	12(2000)	17('05)	22('10)	27('15)	令和2('20)	昭和40年(1965)	50('75)	60('85)	平成2('90)	7('95)	12(2000)	17('05)	22('10)	27('15)	令和2('20)
0(W)	66.69	70.71	74.35	75.47	76.21	77.19	78.09	79.44	80.32	81.27	72.14	76.00	80.56	81.93	83.17	84.49	85.67	86.21	86.66	87.42
4	67.83	71.24	74.57	75.57	76.32	77.31	78.19	79.44	80.35	81.31	73.03	76.33	80.73	82.08	83.33	84.59	85.72	86.25	86.70	87.42
2(M)	67.90	71.21	74.52	75.51	76.27	77.25	78.12	79.43	80.28	81.27	73.13	76.29	80.68	82.04	83.25	84.52	85.65	86.25	86.67	87.33
3	67.89	71.16	74.45	75.45	76.22	77.20	78.05	79.34	80.24	81.20	73.13	76.27	80.60	82.00	83.19	84.45	85.58	86.17	86.59	87.28
6	67.81	71.00	74.27	75.25	75.99	77.03	77.85	79.09	80.01	80.98	73.01	76.11	80.40	81.80	83.00	84.22	85.33	85.92	86.37	87.05
0(Y)	66.69	70.71	74.35	75.47	76.21	77.19	78.09	79.44	80.32	81.27	72.14	76.00	80.56	81.93	83.17	84.49	85.67	86.21	86.66	87.42
1	67.50	70.59	73.79	74.80	75.59	76.59	77.40	78.62	79.56	80.50	72.68	75.69	79.95	81.36	82.53	83.77	84.85	85.48	85.91	86.61
2	66.70	69.71	72.88	73.86	74.63	75.62	76.44	77.65	78.59	79.51	71.87	74.76	79.00	80.40	81.55	82.79	83.89	84.52	84.92	85.62
3	65.83	68.79	71.92	72.90	73.68	74.65	75.47	76.66	77.61	78.51	70.95	73.84	78.05	79.43	80.60	81.81	82.91	83.55	83.93	84.62
4	64.94	67.85	70.95	71.92	72.71	73.66	74.49	75.68	76.63	77.52	70.04	72.89	77.08	78.46	79.63	80.83	81.93	82.58	82.94	83.63
5	64.00	66.91	70.00	70.94	71.72	72.68	73.50	74.69	75.64	76.52	69.14	71.93	76.10	77.47	78.65	79.84	80.94	81.60	81.95	82.63
10	59.26	62.08	65.08	66.03	66.79	67.72	68.56	69.72	70.67	71.52	64.29	67.06	71.14	72.55	73.70	74.87	76.00	76.65	76.96	77.64
15	54.40	57.17	60.16	61.10	61.86	62.76	63.61	64.78	65.71	66.55	59.41	62.12	66.18	67.58	68.77	69.92	71.03	71.68	71.99	72.67
20	49.71	52.47	55.38	56.30	57.06	57.93	58.76	59.92	60.80	61.65	54.54	57.23	61.27	62.63	63.82	64.95	66.09	66.72	67.03	67.71
25	45.27	47.89	50.67	51.57	52.27	53.11	53.93	55.07	55.99	56.80	49.88	52.43	56.43	57.72	58.93	60.02	61.16	61.81	62.15	62.78
30	40.85	43.23	45.88	46.78	47.44	48.30	49.14	50.24	51.14	51.98	45.26	47.64	51.56	52.82	54.03	55.10	56.24	56.95	57.27	57.88
35	36.35	38.62	41.13	42.00	42.67	43.48	44.32	45.42	46.27	47.15	40.61	42.88	46.74	47.92	49.12	50.22	51.33	52.10	52.38	52.99
40	31.91	34.03	36.39	37.31	37.95	38.79	39.62	40.65	41.46	42.33	36.02	38.13	41.92	43.09	44.25	45.36	46.44	47.17	47.49	48.08
45	27.52	29.66	31.82	32.65	33.28	34.19	34.95	35.84	36.69	37.55	31.49	33.47	37.20	38.31	39.51	40.56	41.66	42.31	42.65	43.23
50	23.38	25.33	27.46	28.16	28.79	29.65	30.41	31.25	32.06	32.85	27.02	28.92	32.52	33.62	34.83	35.90	36.93	37.62	37.90	38.45
55	19.36	21.16	23.35	23.95	24.52	25.33	26.12	26.87	27.60	28.31	22.72	24.54	27.92	29.06	30.22	31.31	32.30	32.93	33.22	33.74
60	15.70	17.28	19.36	19.93	20.44	21.21	21.98	22.66	23.24	23.96	18.69	20.25	23.45	24.59	25.73	26.82	27.76	28.31	28.62	29.12
65	12.44	13.67	15.61	16.11	16.66	17.37	18.00	18.75	19.18	19.83	14.88	16.23	19.11	20.23	21.37	22.38	23.29	23.77	24.10	24.55
70	9.60	10.42	12.08	12.60	13.20	13.88	14.30	14.92	15.35	16.00	11.51	12.51	15.06	16.06	17.17	18.11	19.04	19.44	19.72	20.12
75	7.21	7.73	8.99	9.53	10.00	10.70	11.06	11.33	11.78	12.38	8.57	9.26	11.32	12.28	13.25	14.12	14.99	15.28	15.54	15.91
80	5.26	5.58	6.56	6.97	7.30	7.91	8.25	8.29	8.62	9.09	6.31	6.70	8.18	8.92	9.84	10.62	11.29	11.57	11.66	11.92
85	3.98	4.01	4.74	5.00	5.22	5.74	5.93	5.93	6.08	6.44	4.71	4.84	5.81	6.38	7.08	7.69	8.18	8.30	8.24	8.48
90			3.83	3.59	3.86	4.34	4.38	4.00	4.24	4.33			3.93	4.46	4.92	5.54	5.72	5.64	5.53	5.70
95				2.62	2.75	3.67	3.18	2.81	2.95	3.01				3.37	3.69	4.14	4.08	3.70	3.63	3.67
100								2.06	2.05	2.16								2.55	2.54	2.46

香川県

(単位：年)

年齢	男										女									
	昭和40年 (1965)	50 ('75)	60 ('85)	平成2 ('90)	7 ('95)	12 (2000)	17 ('05)	22 ('10)	27 ('15)	令和2 ('20)	昭和40年 (1965)	50 ('75)	60 ('85)	平成2 ('90)	7 ('95)	12 (2000)	17 ('05)	22 ('10)	27 ('15)	令和2 ('20)
0(W)	67.67	71.91	75.61	76.09	77.12	77.99	78.91	79.73	80.85	81.56	73.16	77.12	81.28	82.13	83.47	84.85	85.89	86.34	87.21	87.64
4	69.02	72.60	75.77	76.27	77.18	78.04	78.93	79.71	80.86	81.53	74.27	77.61	81.42	82.29	83.57	84.89	85.94	86.42	87.17	87.62
2(M)	69.07	72.57	75.71	76.22	77.11	77.97	78.90	79.64	80.77	81.46	74.31	77.56	81.35	82.23	83.52	84.82	85.86	86.35	87.09	87.55
3	69.06	72.53	75.64	76.16	77.03	77.91	78.83	79.56	80.70	81.39	74.30	77.52	81.30	82.17	83.45	84.74	85.78	86.30	87.02	87.49
6	68.97	72.36	75.43	75.94	76.81	77.68	78.63	79.34	80.47	81.16	74.19	77.35	81.13	81.97	83.24	84.53	85.54	86.12	86.77	87.24
0(Y)	67.67	71.91	75.61	76.09	77.12	77.99	78.91	79.73	80.85	81.56	73.16	77.12	81.28	82.13	83.47	84.85	85.89	86.34	87.21	87.64
1	68.64	71.95	74.98	75.49	76.35	77.22	78.17	78.90	80.00	80.70	73.83	76.94	80.67	81.53	82.80	84.06	85.07	85.62	86.28	86.75
2	67.83	71.07	74.05	74.57	75.38	76.25	77.21	77.94	79.02	79.72	72.98	76.07	79.75	80.57	81.83	83.09	84.09	84.64	85.29	85.76
3	66.97	70.13	73.09	73.62	74.41	75.27	76.24	76.96	78.04	78.74	72.08	75.13	78.82	79.59	80.86	82.11	83.10	83.66	84.30	84.78
4	66.07	69.20	72.12	72.65	73.41	74.29	75.26	75.99	77.05	77.75	71.16	74.19	77.84	78.61	79.88	81.12	82.12	82.68	83.31	83.79
5	65.19	68.27	71.16	71.66	72.42	73.30	74.27	75.00	76.06	76.76	70.22	73.22	76.85	77.62	78.91	80.13	81.13	81.69	82.32	82.80
10	60.52	63.49	66.25	66.77	67.51	68.33	69.33	70.06	71.10	71.79	65.42	68.33	71.91	72.69	73.96	75.14	76.16	76.72	77.34	77.82
15	55.64	58.57	61.32	61.83	62.56	63.38	64.38	65.10	66.13	66.81	60.55	63.39	66.97	67.76	69.00	70.20	71.18	71.77	72.36	72.84
20	50.96	53.86	56.49	57.03	57.74	58.57	59.50	60.20	61.23	61.90	55.69	58.52	62.07	62.85	64.07	65.27	66.25	66.84	67.41	67.90
25	46.50	49.21	51.80	52.34	52.98	53.79	54.75	55.48	56.42	57.10	50.99	53.71	57.15	58.00	59.19	60.39	61.34	61.96	62.53	62.99
30	41.97	44.49	47.04	47.57	48.23	49.00	49.96	50.74	51.65	52.25	46.26	48.91	52.28	53.07	54.28	55.49	56.43	57.04	57.60	58.07
35	37.39	39.82	42.28	42.81	43.45	44.24	45.17	45.86	46.86	47.44	41.57	44.10	47.42	48.18	49.39	50.62	51.55	52.11	52.73	53.17
40	32.88	35.22	37.56	38.05	38.72	39.53	40.40	41.15	42.06	42.59	36.91	39.36	42.62	43.34	44.56	45.79	46.70	47.26	47.85	48.31
45	28.45	30.69	32.98	33.39	34.04	34.82	35.74	36.50	37.33	37.83	32.33	34.70	37.82	38.57	39.75	40.98	41.88	42.43	43.02	43.47
50	24.18	26.31	28.51	28.86	29.52	30.31	31.17	31.95	32.66	33.19	27.81	30.13	33.16	33.87	35.00	36.26	37.12	37.65	38.25	38.73
55	20.07	22.08	24.29	24.52	25.14	25.96	26.79	27.40	28.16	28.61	23.48	25.69	28.61	29.26	30.43	31.63	32.52	32.95	33.49	34.06
60	16.27	18.07	20.18	20.47	20.92	21.79	22.60	23.06	23.83	24.20	19.38	21.38	24.12	24.73	25.85	27.09	27.94	28.40	28.86	29.38
65	12.81	14.40	16.31	16.63	17.12	17.82	18.56	19.06	19.70	20.04	15.44	17.27	19.77	20.35	21.48	22.70	23.45	23.89	24.33	24.84
70	9.80	11.10	12.64	13.03	13.51	14.26	14.79	15.27	15.89	16.19	11.83	13.35	15.65	16.15	17.24	18.36	19.12	19.57	19.91	20.42
75	7.34	8.31	9.54	9.83	10.19	10.91	11.43	11.66	12.32	12.59	8.83	9.93	11.84	12.24	13.31	14.32	15.08	15.44	15.68	16.17
80	5.33	5.94	6.87	7.10	7.38	7.98	8.52	8.61	9.03	9.34	6.41	7.10	8.52	8.85	9.82	10.72	11.35	11.67	11.77	12.15
85	4.24	4.36	4.84	5.09	5.22	5.76	6.13	6.19	6.38	6.59	4.93	5.14	5.94	6.20	6.91	7.73	8.21	8.21	8.38	8.60
90			3.63	3.63	3.45	4.22	4.20	4.23	4.37	4.52			4.15	4.35	4.80	5.53	5.76	5.64	5.64	5.72
95				2.78	2.18	3.37	2.97	3.14	2.96	3.03				2.95	3.43	4.20	4.11	3.86	3.85	3.65
100								2.49	2.00	2.00								2.74	2.64	2.69

愛媛県

(単位:年)

年齢	男										女									
	昭和40年(1965)	50('75)	60('85)	平成2('90)	7('95)	12(2000)	17('05)	22('10)	27('15)	令和2('20)	昭和40年(1965)	50('75)	60('85)	平成2('90)	7('95)	12(2000)	17('05)	22('10)	27('15)	令和2('20)
0(W)	67.81	71.25	74.75	75.82	76.43	77.30	78.25	79.13	80.16	81.13	73.30	76.91	81.01	82.24	83.28	84.57	85.64	86.54	86.82	87.34
4	68.84	71.76	74.99	75.97	76.53	77.35	78.26	79.14	80.14	81.09	74.11	77.24	81.23	82.36	83.39	84.60	85.66	86.51	86.80	87.31
2(M)	68.88	71.71	74.94	75.92	76.49	77.28	78.18	79.06	80.06	81.01	74.13	77.18	81.17	82.32	83.35	84.55	85.59	86.43	86.72	87.23
3	68.89	71.66	74.89	75.86	76.41	77.20	78.12	78.99	79.99	80.93	74.14	77.13	81.11	82.26	83.27	84.47	85.52	86.35	86.66	87.16
6	68.77	71.47	74.70	75.67	76.21	76.99	77.89	78.76	79.76	80.70	74.00	76.95	80.92	82.04	83.06	84.26	85.30	86.13	86.43	86.93
0(Y)	67.81	71.25	74.75	75.82	76.43	77.30	78.25	79.13	80.16	81.13	73.30	76.91	81.01	82.24	83.28	84.57	85.64	86.54	86.82	87.34
1	68.43	71.07	74.25	75.21	75.79	76.54	77.43	78.30	79.28	80.21	73.69	76.55	80.49	81.60	82.63	83.81	84.84	85.65	85.95	86.46
2	67.61	70.20	73.31	74.24	74.84	75.58	76.49	77.32	78.31	79.23	72.84	75.69	79.57	80.67	81.71	82.85	83.87	84.66	84.97	85.48
3	66.73	69.31	72.35	73.28	73.86	74.62	75.52	76.34	77.33	78.25	71.94	74.80	78.60	79.71	80.76	81.87	82.88	83.68	83.99	84.50
4	65.83	68.38	71.38	72.31	72.88	73.64	74.54	75.36	76.35	77.27	71.02	73.85	77.64	78.73	79.79	80.89	81.90	82.69	83.00	83.52
5	64.89	67.45	70.43	71.35	71.92	72.66	73.55	74.37	75.37	76.29	70.09	72.88	76.65	77.74	78.80	79.89	80.91	81.70	82.01	82.53
10	60.13	62.59	65.53	66.43	66.98	67.72	68.58	69.41	70.42	71.34	65.25	67.97	71.70	72.79	73.88	74.92	75.94	76.72	77.04	77.57
15	55.24	57.71	60.60	61.47	62.02	62.76	63.64	64.44	65.48	66.37	60.35	63.05	66.74	67.84	68.91	69.94	70.99	71.74	72.08	72.59
20	50.53	53.00	55.80	56.68	57.20	57.90	58.75	59.52	60.60	61.43	55.51	58.16	61.82	62.91	63.97	65.01	66.07	66.80	67.15	67.66
25	45.99	48.34	51.07	51.95	52.43	53.18	53.96	54.70	55.75	56.58	50.74	53.35	56.95	58.03	59.08	60.12	61.20	61.91	62.22	62.73
30	41.45	43.67	46.31	47.19	47.67	48.38	49.17	49.88	50.91	51.74	46.02	48.58	52.08	53.16	54.16	55.20	56.32	57.00	57.32	57.83
35	36.91	39.01	41.59	42.39	42.88	43.63	44.41	45.08	46.11	46.90	41.35	43.81	47.22	48.30	49.28	50.34	51.44	52.12	52.41	52.91
40	32.36	34.44	36.94	37.70	38.16	38.93	39.70	40.37	41.30	42.08	36.67	39.10	42.41	43.47	44.42	45.51	46.58	47.30	47.52	48.02
45	27.98	30.09	32.42	33.12	33.57	34.30	35.06	35.68	36.58	37.35	32.08	34.42	37.65	38.69	39.69	40.73	41.76	42.51	42.74	43.20
50	23.80	25.77	28.06	28.65	29.11	29.85	30.56	31.14	31.98	32.70	27.68	29.85	32.99	34.01	34.98	36.03	37.05	37.73	37.98	38.44
55	19.87	21.61	23.95	24.37	24.84	25.62	26.28	26.72	27.51	28.18	23.35	25.39	28.41	29.44	30.35	31.45	32.42	33.09	33.28	33.77
60	16.12	17.72	19.94	20.38	20.79	21.58	22.23	22.62	23.25	23.84	19.24	21.10	23.94	24.95	25.81	26.90	27.88	28.50	28.69	29.17
65	12.77	14.14	16.10	16.56	16.99	17.73	18.29	18.73	19.28	19.77	15.33	16.97	19.61	20.58	21.45	22.53	23.49	24.06	24.22	24.62
70	9.79	10.92	12.59	12.98	13.48	14.13	14.59	15.06	15.49	15.97	11.78	13.13	15.53	16.38	17.22	18.30	19.19	19.66	19.83	20.24
75	7.30	8.24	9.53	9.77	10.26	10.91	11.22	11.64	11.96	12.43	8.78	9.86	11.79	12.53	13.28	14.33	15.11	15.53	15.60	16.02
80	5.26	6.11	6.97	7.05	7.50	8.06	8.38	8.73	8.82	9.24	6.38	7.16	8.58	9.09	9.85	10.77	11.36	11.72	11.77	12.10
85	3.99	4.58	4.95	5.04	5.32	5.88	6.03	6.30	6.23	6.53	4.76	5.28	6.05	6.41	6.96	7.76	8.20	8.42	8.32	8.60
90			3.55	3.53	3.76	4.27	4.21	4.37	4.21	4.45			4.26	4.41	4.83	5.44	5.70	5.76	5.51	5.79
95				2.31	2.74	3.49	2.87	3.14	2.92	3.09				2.87	3.55	3.90	4.10	3.77	3.60	3.75
100							2.32	2.07	2.19								2.41	2.45	2.59	

高知県

(単位：年)

年齢	男										女									
	昭和40年(1965)	50('75)	60('85)	平成2('90)	7('95)	12(2000)	17('05)	22('10)	27('15)	令和2('20)	昭和40年(1965)	50('75)	60('85)	平成2('90)	7('95)	12(2000)	17('05)	22('10)	27('15)	令和2('20)
0(W)	66.94	70.20	74.04	75.44	76.18	76.85	77.93	78.91	80.26	80.79	73.32	76.50	80.97	82.44	83.57	84.76	85.87	86.47	87.01	87.84
4	67.95	70.67	74.37	75.68	76.25	76.97	78.03	78.92	80.26	80.82	74.18	76.96	81.17	82.65	83.69	84.81	85.95	86.50	86.96	87.85
2(M)	68.05	70.65	74.34	75.62	76.22	76.94	77.96	78.86	80.19	80.76	74.23	76.93	81.11	82.62	83.61	84.75	85.88	86.44	86.87	87.78
3	68.05	70.62	74.29	75.58	76.16	76.89	77.92	78.77	80.15	80.69	74.24	76.88	81.08	82.56	83.56	84.68	85.80	86.39	86.79	87.71
6	67.97	70.46	74.10	75.38	76.00	76.70	77.69	78.52	79.95	80.46	74.18	76.70	80.90	82.38	83.35	84.48	85.58	86.20	86.56	87.47
0(Y)	66.94	70.20	74.04	75.44	76.18	76.85	77.93	78.91	80.26	80.79	73.32	76.50	80.97	82.44	83.57	84.76	85.87	86.47	87.01	87.84
1	67.72	70.04	73.64	74.97	75.55	76.25	77.24	78.08	79.48	80.03	73.83	76.35	80.46	81.92	82.93	84.07	85.13	85.77	86.11	87.00
2	66.86	69.17	72.72	74.00	74.60	75.29	76.27	77.11	78.52	79.06	72.95	75.45	79.55	80.98	81.94	83.10	84.15	84.80	85.14	86.02
3	65.98	68.26	71.77	73.02	73.62	74.33	75.29	76.14	77.55	78.09	72.03	74.54	78.59	80.03	80.96	82.13	83.17	83.82	84.16	85.04
4	65.09	67.30	70.82	72.04	72.62	73.35	74.30	75.16	76.57	77.11	71.11	73.57	77.61	79.07	79.99	81.14	82.18	82.84	83.18	84.05
5	64.18	66.38	69.86	71.07	71.62	72.37	73.32	74.18	75.59	76.13	70.19	72.62	76.64	78.09	79.00	80.16	81.20	81.85	82.19	83.06
10	59.41	61.58	64.96	66.16	66.68	67.43	68.37	69.23	70.65	71.19	65.35	67.74	71.71	73.17	74.06	75.24	76.23	76.89	77.25	78.10
15	54.52	56.72	60.03	61.22	61.75	62.51	63.41	64.31	65.66	66.25	60.48	62.83	66.75	68.20	69.09	70.29	71.24	71.89	72.28	73.13
20	49.88	52.07	55.29	56.40	56.95	57.68	58.54	59.38	60.76	61.35	55.67	57.99	61.85	63.28	64.19	65.39	66.35	66.93	67.32	68.16
25	45.53	47.53	50.60	51.71	52.19	52.95	53.74	54.48	55.91	56.51	50.92	53.21	56.96	58.40	59.29	60.47	61.47	61.98	62.42	63.26
30	41.08	42.92	45.87	46.94	47.42	48.13	48.93	49.67	51.04	51.70	46.25	48.44	52.10	53.49	54.40	55.58	56.59	57.04	57.51	58.35
35	36.68	38.33	41.18	42.17	42.70	43.37	44.12	44.90	46.22	46.86	41.52	43.69	47.24	48.59	49.56	50.69	51.72	52.11	52.63	53.43
40	32.28	33.92	36.56	37.51	38.01	38.66	39.39	40.22	41.39	42.06	36.84	38.99	42.41	43.73	44.71	45.86	46.88	47.29	47.79	48.57
45	28.00	29.61	32.09	32.93	33.42	34.05	34.77	35.51	36.66	37.32	32.22	34.32	37.71	38.98	39.97	41.04	42.06	42.48	42.97	43.74
50	23.80	25.37	27.85	28.54	28.97	29.64	30.32	31.01	32.01	32.66	27.68	29.72	33.05	34.23	35.28	36.38	37.37	37.71	38.20	39.01
55	19.86	21.30	23.73	24.32	24.77	25.44	26.09	26.69	27.51	28.14	23.35	25.26	28.55	29.68	30.63	31.82	32.78	33.09	33.49	34.38
60	16.26	17.44	19.78	20.32	20.76	21.42	22.05	22.58	23.30	23.79	19.22	21.05	24.10	25.17	26.21	27.26	28.26	28.51	28.91	29.74
65	12.89	13.97	16.06	16.55	17.02	17.62	18.24	18.69	19.30	19.73	15.30	16.93	19.79	20.83	21.82	22.84	23.83	24.04	24.43	25.14
70	9.94	10.89	12.51	13.06	13.50	14.04	14.67	14.97	15.57	15.98	11.85	13.08	15.72	16.71	17.58	18.62	19.51	19.73	20.00	20.72
75	7.40	8.15	9.54	9.92	10.23	10.90	11.33	11.52	12.11	12.44	8.75	9.80	11.99	12.89	13.74	14.60	15.43	15.63	15.81	16.51
80	5.36	6.01	7.14	7.33	7.55	8.11	8.46	8.50	8.98	9.26	6.34	7.18	8.91	9.49	10.26	10.97	11.67	11.85	11.95	12.52
85	3.98	4.57	5.25	5.39	5.57	5.84	6.11	6.05	6.33	6.53	4.69	5.36	6.28	6.75	7.36	7.93	8.42	8.51	8.45	8.93
90			3.88	4.08	4.19	4.22	4.38	4.31	4.32	4.44		4.61	4.70	5.18	5.58	5.86	5.72	5.63	6.04	
95				3.05	3.50	3.50	3.23	3.00	2.98	2.94			3.34	3.73	4.19	4.04	3.75	3.66	3.93	
100							2.05	2.09	1.91							2.50	2.42	2.73		

福岡県

(単位：年)

年齢	男										女									
	昭和40年 (1965)	50 ('75)	60 ('85)	平成2 ('90)	7 ('95)	12 (2000)	17 ('05)	22 ('10)	27 ('15)	令和2 ('20)	昭和40年 (1965)	50 ('75)	60 ('85)	平成2 ('90)	7 ('95)	12 (2000)	17 ('05)	22 ('10)	27 ('15)	令和2 ('20)
0(W)	67.32	71.41	74.19	75.24	76.12	77.21	78.35	79.30	80.66	81.38	73.11	77.44	80.91	82.19	83.44	84.62	85.84	86.48	87.14	87.70
4	68.02	71.80	74.37	75.37	76.23	77.29	78.38	79.32	80.66	81.38	73.70	77.74	81.09	82.32	83.56	84.68	85.86	86.50	87.13	87.70
2(M)	68.05	71.76	74.32	75.33	76.18	77.22	78.32	79.26	80.59	81.31	73.72	77.70	81.02	82.26	83.50	84.62	85.78	86.42	87.07	87.61
3	68.04	71.71	74.26	75.27	76.12	77.15	78.25	79.20	80.52	81.23	73.70	77.66	80.96	82.20	83.43	84.57	85.71	86.34	87.00	87.54
6	67.93	71.51	74.06	75.08	75.93	76.93	78.04	78.98	80.30	81.01	73.57	77.47	80.76	81.98	83.22	84.36	85.50	86.11	86.79	87.33
0(Y)	67.32	71.41	74.19	75.24	76.12	77.21	78.35	79.30	80.66	81.38	73.11	77.44	80.91	82.19	83.44	84.62	85.84	86.48	87.14	87.70
1	67.61	71.10	73.63	74.64	75.48	76.46	77.57	78.50	79.83	80.55	73.22	77.04	80.33	81.54	82.78	83.90	85.03	85.65	86.33	86.86
2	66.76	70.21	72.70	73.69	74.54	75.50	76.60	77.53	78.86	79.57	72.37	76.13	79.39	80.60	81.82	82.95	84.06	84.68	85.35	85.89
3	65.87	69.28	71.73	72.73	73.57	74.53	75.63	76.56	77.87	78.58	71.46	75.18	78.42	79.63	80.85	81.99	83.09	83.70	84.36	84.90
4	64.95	68.33	70.76	71.76	72.60	73.55	74.65	75.58	76.89	77.59	70.53	74.23	77.45	78.65	79.88	81.01	82.11	82.72	83.37	83.91
5	64.03	67.37	69.79	70.79	71.61	72.57	73.66	74.59	75.90	76.60	69.59	73.26	76.47	77.67	78.90	80.02	81.12	81.73	82.38	82.92
10	59.27	62.52	64.87	65.86	66.69	67.63	68.71	69.63	70.93	71.62	64.76	68.34	71.52	72.72	73.94	75.07	76.16	76.78	77.41	77.95
15	54.40	57.63	59.95	60.91	61.76	62.68	63.75	64.68	65.96	66.66	59.85	63.41	66.57	67.76	68.98	70.10	71.19	71.82	72.44	72.98
20	49.66	52.86	55.14	56.09	56.90	57.83	58.86	59.76	61.04	61.73	54.99	58.51	61.66	62.84	64.05	65.16	66.26	66.87	67.48	68.02
25	45.10	48.11	50.39	51.30	52.10	53.01	54.03	54.93	56.17	56.88	50.21	53.68	56.75	57.92	59.12	60.24	61.34	61.94	62.54	63.10
30	40.57	43.35	45.62	46.50	47.29	48.20	49.22	50.12	51.34	52.02	45.48	48.84	51.86	53.00	54.20	55.34	56.43	57.01	57.60	58.17
35	36.04	38.64	40.85	41.70	42.50	43.40	44.42	45.31	46.50	47.16	40.79	44.03	47.00	48.13	49.32	50.46	51.54	52.12	52.70	53.26
40	31.60	34.09	36.16	36.97	37.77	38.64	39.68	40.52	41.69	42.33	36.16	39.27	42.17	43.31	44.47	45.60	46.69	47.26	47.83	48.37
45	27.25	29.73	31.62	32.34	33.13	33.99	35.01	35.83	36.95	37.54	31.60	34.58	37.45	38.53	39.67	40.80	41.87	42.43	42.99	43.52
50	23.04	25.48	27.27	27.89	28.64	29.49	30.49	31.22	32.31	32.85	27.21	30.00	32.80	33.84	34.98	36.10	37.14	37.67	38.22	38.74
55	19.05	21.38	23.23	23.66	24.34	25.22	26.18	26.83	27.82	28.30	22.96	25.56	28.27	29.29	30.37	31.51	32.51	33.01	33.53	34.05
60	15.46	17.52	19.39	19.82	20.29	21.13	22.06	22.60	23.48	23.93	18.88	21.26	23.85	24.81	25.86	26.98	27.99	28.43	28.94	29.44
65	12.28	13.90	15.70	16.16	16.63	17.31	18.12	18.58	19.41	19.78	15.07	17.11	19.62	20.49	21.53	22.60	23.55	23.95	24.45	24.91
70	9.48	10.74	12.28	12.67	13.20	13.87	14.49	14.85	15.59	15.94	11.60	13.36	15.60	16.39	17.38	18.43	19.28	19.59	20.08	20.50
75	7.18	8.11	9.31	9.61	10.08	10.76	11.26	11.36	12.02	12.42	8.65	10.02	11.93	12.58	13.52	14.46	15.28	15.46	15.88	16.28
80	5.34	6.03	6.91	7.06	7.46	8.03	8.47	8.41	8.84	9.21	6.29	7.31	8.78	9.19	10.10	10.93	11.62	11.64	11.98	12.30
85	4.22	4.53	5.01	5.12	5.40	5.88	6.15	6.03	6.22	6.49	4.78	5.34	6.27	6.52	7.25	7.98	8.48	8.30	8.54	8.80
90			3.88	3.72	3.85	4.30	4.43	4.22	4.26	4.39			4.55	4.51	5.10	5.69	6.06	5.68	5.75	5.91
95				2.74	2.74	3.24	3.36	2.83	2.82	2.95				3.33	3.65	4.11	4.33	3.76	3.79	3.81
100							1.83	1.81	1.99								2.54	2.55	2.64	

佐賀県

(単位：年)

年齢	男										女									
	昭和40年 (1965)	50 ('75)	60 ('85)	平成2 ('90)	7 ('95)	12 (2000)	17 ('05)	22 ('10)	27 ('15)	令和2 ('20)	昭和40年 (1965)	50 ('75)	60 ('85)	平成2 ('90)	7 ('95)	12 (2000)	17 ('05)	22 ('10)	27 ('15)	令和2 ('20)
0(W)	66.69	71.10	74.32	75.45	76.26	76.95	78.31	79.28	80.65	81.41	72.65	76.83	80.94	82.17	83.43	85.07	86.04	86.58	87.12	87.78
4	67.66	71.62	74.58	75.63	76.38	77.04	78.32	79.28	80.63	81.41	73.43	77.26	81.18	82.28	83.52	85.09	86.06	86.60	87.08	87.81
2(M)	67.72	71.58	74.54	75.58	76.33	77.01	78.23	79.21	80.54	81.32	73.45	77.21	81.12	82.22	83.44	85.01	85.98	86.54	86.99	87.73
3	67.74	71.52	74.47	75.51	76.29	76.97	78.16	79.13	80.47	81.24	73.42	77.18	81.05	82.17	83.37	84.94	85.91	86.45	86.91	87.64
6	67.67	71.34	74.27	75.33	76.08	76.75	77.95	78.92	80.26	81.03	73.36	77.02	80.85	81.96	83.17	84.72	85.67	86.23	86.69	87.40
0(Y)	66.69	71.10	74.32	75.45	76.26	76.95	78.31	79.28	80.65	81.41	72.65	76.83	80.94	82.17	83.43	85.07	86.04	86.58	87.12	87.78
1	67.41	70.93	73.80	74.89	75.68	76.33	77.49	78.46	79.79	80.57	73.05	76.60	80.42	81.49	82.69	84.23	85.24	85.80	86.20	86.96
2	66.65	70.09	72.91	73.94	74.80	75.39	76.52	77.49	78.81	79.59	72.24	75.72	79.47	80.57	81.78	83.27	84.27	84.83	85.23	85.97
3	65.77	69.18	71.96	72.98	73.82	74.43	75.55	76.51	77.82	78.60	71.40	74.77	78.54	79.61	80.82	82.29	83.30	83.85	84.24	84.98
4	64.88	68.22	71.01	72.02	72.84	73.46	74.56	75.52	76.83	77.61	70.50	73.83	77.57	78.65	79.85	81.31	82.31	82.87	83.26	83.99
5	63.95	67.27	70.05	71.06	71.86	72.49	73.57	74.53	75.84	76.62	69.57	72.87	76.59	77.67	78.87	80.32	81.32	81.88	82.27	82.99
10	59.20	62.44	65.13	66.14	66.96	67.53	68.62	69.57	70.87	71.64	64.75	68.00	71.64	72.72	73.93	75.33	76.35	76.93	77.31	78.00
15	54.33	57.49	60.19	61.21	62.02	62.57	63.65	64.61	65.89	66.66	59.83	63.06	66.70	67.76	68.98	70.37	71.36	71.95	72.33	73.05
20	49.73	52.69	55.41	56.41	57.16	57.74	58.77	59.67	60.97	61.74	54.97	58.17	61.75	62.84	64.04	65.44	66.42	67.01	67.36	68.12
25	45.32	48.05	50.62	51.61	52.37	52.98	53.96	54.87	56.12	56.91	50.26	53.33	56.85	57.96	59.14	60.51	61.50	62.09	62.40	63.21
30	40.88	43.34	45.87	46.81	47.60	48.17	49.19	50.10	51.28	52.10	45.58	48.52	51.96	53.06	54.19	55.60	56.56	57.17	57.46	58.29
35	36.27	38.69	41.09	42.01	42.80	43.36	44.44	45.24	46.44	47.28	40.90	43.73	47.10	48.17	49.33	50.70	51.65	52.28	52.55	53.36
40	31.82	34.15	36.41	37.30	37.98	38.66	39.73	40.42	41.61	42.42	36.27	38.99	42.30	43.37	44.47	45.88	46.81	47.49	47.68	48.46
45	27.49	29.77	31.88	32.67	33.31	33.99	35.10	35.77	36.85	37.64	31.66	34.31	37.53	38.63	39.67	41.06	41.99	42.65	42.85	43.60
50	23.40	25.50	27.55	28.17	28.77	29.56	30.61	31.26	32.26	32.97	27.27	29.74	32.84	33.96	34.97	36.32	37.25	37.86	38.16	38.82
55	19.47	21.35	23.42	23.94	24.45	25.31	26.26	26.89	27.75	28.43	23.02	25.31	28.24	29.34	30.36	31.75	32.63	33.19	33.50	34.12
60	15.88	17.40	19.42	19.96	20.41	21.24	22.14	22.63	23.42	24.08	18.94	21.02	23.78	24.89	25.87	27.23	28.11	28.57	28.85	29.48
65	12.55	13.90	15.68	16.29	16.66	17.34	18.19	18.56	19.31	19.94	15.06	16.90	19.51	20.53	21.48	22.82	23.66	24.15	24.36	24.88
70	9.77	10.72	12.15	12.78	13.18	13.82	14.52	14.74	15.47	16.07	11.67	13.11	15.46	16.31	17.30	18.61	19.34	19.78	19.97	20.42
75	7.31	8.02	9.17	9.64	9.95	10.61	11.28	11.32	11.90	12.46	8.65	9.66	11.74	12.48	13.35	14.62	15.26	15.63	15.77	16.17
80	5.59	5.98	6.66	7.03	7.29	7.86	8.45	8.29	8.73	9.25	6.31	6.99	8.45	9.19	9.93	10.97	11.59	11.79	11.87	12.19
85	4.65	4.54	4.88	5.02	5.17	5.65	5.99	5.91	6.15	6.54	4.81	5.07	5.97	6.46	7.12	7.93	8.36	8.36	8.44	8.65
90			3.56	3.39	3.69	4.06	4.28	4.11	4.13	4.37		4.07	4.48	4.95	5.64	5.94	5.74	5.61	5.81
95				2.53	2.66	3.26	3.05	2.84	2.75	2.93			3.21	3.49	4.02	4.31	3.74	3.77	3.72
100							1.96	1.84	1.99							2.32	2.64	2.60

長崎県

(単位：年)

年齢	男										女									
	昭和40年(1965)	50('75)	60('85)	平成2('90)	7('95)	12(2000)	17('05)	22('10)	27('15)	令和2('20)	昭和40年(1965)	50('75)	60('85)	平成2('90)	7('95)	12(2000)	17('05)	22('10)	27('15)	令和2('20)
0(W)	66.29	70.74	74.09	75.14	76.15	77.21	78.13	78.88	80.38	81.01	72.06	76.46	80.81	82.10	83.23	84.81	85.85	86.30	86.97	87.41
4	67.31	71.13	74.26	75.22	76.26	77.32	78.19	78.92	80.35	81.02	72.86	76.83	80.93	82.20	83.29	84.88	85.90	86.34	86.97	87.49
2(M)	67.37	71.09	74.22	75.16	76.18	77.27	78.13	78.88	80.29	80.94	72.92	76.81	80.88	82.13	83.23	84.81	85.82	86.26	86.91	87.41
3	67.39	71.05	74.17	75.10	76.11	77.21	78.06	78.85	80.22	80.87	72.92	76.77	80.81	82.07	83.17	84.75	85.76	86.20	86.83	87.35
6	67.33	70.88	73.99	74.89	75.89	76.98	77.86	78.61	80.00	80.66	72.84	76.63	80.59	81.88	82.98	84.51	85.55	86.01	86.61	87.13
0(Y)	66.29	70.74	74.09	75.14	76.15	77.21	78.13	78.88	80.38	81.01	72.06	76.46	80.81	82.10	83.23	84.81	85.85	86.30	86.97	87.41
1	67.09	70.48	73.55	74.43	75.45	76.51	77.39	78.16	79.51	80.19	72.55	76.22	80.16	81.43	82.53	84.07	85.08	85.54	86.14	86.65
2	66.28	69.58	72.65	73.51	74.50	75.57	76.43	77.19	78.54	79.21	71.69	75.35	79.21	80.47	81.57	83.09	84.12	84.55	85.16	85.67
3	65.41	68.65	71.70	72.56	73.54	74.60	75.45	76.22	77.56	78.22	70.81	74.42	78.26	79.50	80.61	82.11	83.15	83.57	84.18	84.69
4	64.50	67.70	70.74	71.60	72.58	73.63	74.47	75.23	76.58	77.24	69.90	73.45	77.28	78.52	79.65	81.13	82.18	82.58	83.19	83.71
5	63.62	66.76	69.77	70.63	71.62	72.65	73.48	74.25	75.59	76.24	68.96	72.49	76.29	77.54	78.66	80.14	81.19	81.58	82.20	82.72
10	58.90	61.90	64.86	65.71	66.69	67.70	68.53	69.29	70.63	71.27	64.11	67.61	71.36	72.59	73.72	75.18	76.23	76.61	77.22	77.76
15	54.05	56.99	59.90	60.77	61.74	62.75	63.56	64.31	65.66	66.28	59.23	62.68	66.38	67.62	68.77	70.21	71.25	71.66	72.24	72.77
20	49.34	52.21	55.09	55.94	56.89	57.90	58.66	59.41	60.75	61.36	54.40	57.79	61.47	62.71	63.82	65.27	66.33	66.74	67.33	67.80
25	44.85	47.56	50.29	51.18	52.14	53.12	53.88	54.57	55.89	56.54	49.69	52.96	56.57	57.81	58.91	60.36	61.39	61.84	62.41	62.86
30	40.33	42.89	45.56	46.39	47.32	48.33	49.09	49.86	51.06	51.73	45.00	48.14	51.68	52.93	54.00	55.45	56.52	56.94	57.49	57.94
35	35.77	38.20	40.80	41.61	42.53	43.54	44.30	45.08	46.28	46.87	40.35	43.34	46.82	48.07	49.12	50.59	51.61	52.12	52.57	53.03
40	31.34	33.64	36.11	36.89	37.83	38.81	39.60	40.33	41.50	42.04	35.76	38.60	42.02	43.22	44.27	45.72	46.75	47.27	47.69	48.16
45	26.99	29.23	31.56	32.30	33.22	34.22	35.00	35.64	36.76	37.28	31.21	33.96	37.32	38.45	39.51	40.93	41.97	42.46	42.88	43.35
50	22.82	25.01	27.17	27.90	28.75	29.72	30.54	31.11	32.14	32.59	26.81	29.40	32.64	33.77	34.83	36.22	37.25	37.73	38.12	38.56
55	18.93	20.93	23.07	23.65	24.47	25.42	26.23	26.79	27.64	28.11	22.58	24.94	28.10	29.20	30.24	31.63	32.64	33.11	33.45	33.87
60	15.37	17.02	19.14	19.65	20.42	21.23	22.12	22.72	23.34	23.80	18.52	20.67	23.69	24.73	25.73	27.11	28.10	28.51	28.89	29.25
65	12.14	13.51	15.41	15.97	16.71	17.36	18.22	18.74	19.32	19.70	14.77	16.62	19.38	20.37	21.35	22.69	23.62	24.06	24.39	24.72
70	9.31	10.44	11.94	12.56	13.23	13.79	14.44	14.88	15.48	15.90	11.35	12.87	15.32	16.20	17.20	18.43	19.32	19.66	19.99	20.30
75	6.99	7.86	9.05	9.43	10.11	10.62	11.10	11.26	11.95	12.38	8.42	9.60	11.61	12.36	13.30	14.38	15.26	15.47	15.75	16.07
80	5.18	5.73	6.57	6.85	7.41	7.89	8.28	8.21	8.76	9.18	6.19	6.95	8.43	9.01	9.89	10.78	11.51	11.58	11.81	12.11
85	4.16	4.29	4.89	4.86	5.33	5.75	5.96	5.81	6.16	6.45	4.55	5.05	5.91	6.28	6.99	7.74	8.37	8.25	8.37	8.59
90			3.78	3.63	3.84	4.14	4.23	4.14	4.26	4.31		4.09	4.35	4.98	5.37	5.85	5.61	5.63	5.71	
95				2.67	2.81	3.21	2.90	2.74	2.93	2.91			2.77	3.81	3.91	4.11	3.73	3.67	3.73	
100								1.68	2.01	2.00								2.58	2.47	2.56

熊本県

(単位：年)

年齢	男										女									
	昭和40年 (1965)	50 ('75)	60 ('85)	平成2 ('90)	7 ('95)	12 (2000)	17 ('05)	22 ('10)	27 ('15)	令和2 ('20)	昭和40年 (1965)	50 ('75)	60 ('85)	平成2 ('90)	7 ('95)	12 (2000)	17 ('05)	22 ('10)	27 ('15)	令和2 ('20)
0(W)	67.18	71.36	75.24	76.27	77.31	78.29	79.22	80.29	81.22	81.91	72.60	76.89	81.47	82.85	84.39	85.30	86.54	86.98	87.49	88.22
4	68.34	71.99	75.47	76.41	77.45	78.36	79.27	80.31	81.21	81.91	73.55	77.46	81.67	82.94	84.46	85.40	86.56	87.00	87.46	88.20
2(M)	68.42	71.95	75.41	76.35	77.40	78.29	79.20	80.25	81.14	81.85	73.60	77.43	81.61	82.90	84.41	85.35	86.49	86.94	87.39	88.12
3	68.43	71.91	75.35	76.28	77.34	78.23	79.13	80.18	81.07	81.78	73.57	77.37	81.54	82.83	84.35	85.29	86.41	86.86	87.31	88.05
6	68.34	71.75	75.15	76.10	77.13	78.01	78.90	79.96	80.84	81.57	73.47	77.21	81.33	82.63	84.16	85.05	86.20	86.64	87.10	87.84
0(Y)	67.18	71.36	75.24	76.27	77.31	78.29	79.22	80.29	81.22	81.91	72.60	76.89	81.47	82.85	84.39	85.30	86.54	86.98	87.49	88.22
1	68.04	71.37	74.72	75.65	76.67	77.56	78.45	79.52	80.36	81.09	73.14	76.79	80.90	82.20	83.71	84.57	85.73	86.17	86.61	87.37
2	67.22	70.50	73.81	74.71	75.75	76.60	77.47	78.54	79.38	80.11	72.31	75.89	79.98	81.28	82.77	83.60	84.74	85.20	85.64	86.38
3	66.35	69.58	72.84	73.76	74.79	75.63	76.49	77.55	78.40	79.13	71.38	74.96	79.02	80.32	81.80	82.61	83.76	84.23	84.66	85.39
4	65.44	68.65	71.88	72.81	73.82	74.66	75.51	76.57	77.41	78.14	70.44	74.01	78.05	79.35	80.82	81.63	82.77	83.24	83.68	84.40
5	64.52	67.71	70.89	71.84	72.83	73.67	74.52	75.58	76.42	77.15	69.49	73.04	77.07	78.36	79.84	80.64	81.78	82.26	82.69	83.40
10	59.76	62.88	66.00	66.94	67.90	68.72	69.57	70.60	71.45	72.17	64.66	68.15	72.15	73.41	74.91	75.68	76.82	77.30	77.74	78.43
15	54.90	57.96	61.04	62.00	62.95	63.77	64.60	65.62	66.48	67.20	59.76	63.23	67.18	68.46	69.97	70.71	71.84	72.31	72.77	73.46
20	50.20	53.22	56.26	57.18	58.11	58.90	59.71	60.69	61.55	62.29	54.94	58.34	62.26	63.53	65.04	65.77	66.88	67.40	67.83	68.50
25	45.74	48.55	51.49	52.41	53.30	54.10	54.90	55.85	56.69	57.47	50.22	53.55	57.39	58.61	60.12	60.86	61.94	62.49	62.90	63.57
30	41.23	43.84	46.69	47.61	48.49	49.31	50.09	51.00	51.85	52.61	45.52	48.71	52.52	53.70	55.21	55.96	57.04	57.58	57.97	58.63
35	36.67	39.17	41.96	42.81	43.69	44.51	45.28	46.18	47.03	47.73	40.80	43.91	47.65	48.83	50.33	51.11	52.14	52.70	53.06	53.71
40	32.18	34.61	37.26	38.10	38.94	39.76	40.54	41.36	42.22	42.91	36.20	39.17	42.84	44.00	45.50	46.25	47.28	47.84	48.20	48.81
45	27.79	30.14	32.67	33.45	34.30	35.11	35.88	36.70	37.47	38.16	31.65	34.48	38.06	39.21	40.72	41.44	42.46	43.00	43.36	43.97
50	23.58	25.82	28.25	28.98	29.76	30.58	31.38	32.09	32.84	33.49	27.21	29.87	33.39	34.51	35.99	36.71	37.74	38.30	38.63	39.20
55	19.57	21.68	24.05	24.70	25.43	26.25	27.01	27.71	28.36	28.99	22.91	25.42	28.80	29.87	31.34	32.10	33.10	33.63	33.92	34.48
60	15.93	17.76	20.04	20.64	21.28	22.10	22.84	23.50	24.00	24.62	18.82	21.15	24.33	25.33	26.79	27.53	28.55	29.11	29.29	29.83
65	12.60	14.13	16.21	16.83	17.40	18.15	18.82	19.46	19.90	20.45	14.98	17.04	20.04	20.94	22.38	23.08	24.05	24.57	24.75	25.26
70	9.69	10.90	12.72	13.25	13.80	14.47	14.99	15.58	16.03	16.51	11.50	13.21	16.01	16.74	18.15	18.80	19.72	20.18	20.34	20.83
75	7.26	8.21	9.57	10.00	10.51	11.14	11.56	11.91	12.37	12.88	8.58	9.90	12.28	12.89	14.19	14.74	15.62	15.98	16.08	16.54
80	5.37	6.04	7.05	7.32	7.74	8.25	8.56	8.67	9.09	9.52	6.33	7.11	8.99	9.46	10.67	11.08	11.83	12.02	12.10	12.49
85	4.07	4.40	5.26	5.28	5.59	6.00	6.15	6.08	6.41	6.63	4.74	5.14	6.45	6.66	7.70	7.92	8.55	8.59	8.58	8.89
90			3.90	3.94	3.96	4.31	4.38	4.19	4.36	4.48			4.70	4.67	5.48	5.56	5.96	5.79	5.78	5.93
95				2.98	2.89	3.31	3.19	2.95	3.01	2.99				3.34	4.02	3.80	4.20	3.71	3.79	3.86
100								2.12	2.12	1.99								2.61	2.54	2.58

大分県

(単位：年)

年齢	男										女									
	昭和40年 (1965)	50 ('75)	60 ('85)	平成2 ('90)	7 ('95)	12 (2000)	17 ('05)	22 ('10)	27 ('15)	令和2 ('20)	昭和40年 (1965)	50 ('75)	60 ('85)	平成2 ('90)	7 ('95)	12 (2000)	17 ('05)	22 ('10)	27 ('15)	令和2 ('20)
0(W)	66.83	71.03	74.82	75.98	76.83	77.91	78.99	80.06	81.08	81.88	72.07	76.73	80.58	82.08	83.61	84.69	86.06	86.91	87.31	87.99
4	68.06	71.66	74.95	76.08	76.92	77.97	79.07	80.11	81.10	81.88	73.05	77.17	80.76	82.20	83.65	84.74	86.06	86.92	87.31	88.00
2(M)	68.13	71.62	74.89	76.02	76.85	77.91	78.99	80.07	81.03	81.79	73.09	77.12	80.71	82.15	83.57	84.69	85.97	86.89	87.24	87.94
3	68.12	71.57	74.82	75.94	76.78	77.84	78.91	80.00	80.95	81.73	73.09	77.06	80.63	82.08	83.50	84.62	85.89	86.82	87.17	87.86
6	68.03	71.40	74.62	75.75	76.56	77.64	78.70	79.75	80.74	81.49	73.01	76.89	80.45	81.85	83.26	84.40	85.66	86.61	86.94	87.61
0(Y)	66.83	71.03	74.82	75.98	76.83	77.91	78.99	80.06	81.08	81.88	72.07	76.73	80.58	82.08	83.61	84.69	86.06	86.91	87.31	87.99
1	67.70	71.00	74.17	75.31	76.15	77.17	78.26	79.28	80.27	81.01	72.68	76.49	80.01	81.40	82.79	83.93	85.19	86.14	86.47	87.13
2	66.90	70.09	73.24	74.36	75.22	76.21	77.27	78.31	79.30	80.03	71.87	75.57	79.11	80.46	81.82	82.96	84.22	85.17	85.50	86.15
3	66.06	69.18	72.28	73.41	74.25	75.24	76.28	77.32	78.32	79.04	70.97	74.64	78.17	79.50	80.85	81.98	83.24	84.19	84.52	85.17
4	65.17	68.24	71.32	72.45	73.27	74.26	75.30	76.34	77.34	78.05	70.05	73.66	77.18	78.53	79.86	81.00	82.25	83.20	83.54	84.18
5	64.26	67.28	70.36	71.49	72.28	73.28	74.31	75.35	76.35	77.06	69.14	72.71	76.21	77.55	78.87	80.01	81.26	82.21	82.55	83.19
10	59.55	62.43	65.45	66.61	67.38	68.32	69.34	70.37	71.39	72.08	64.33	67.79	71.28	72.61	73.92	75.03	76.27	77.24	77.59	78.21
15	54.72	57.51	60.51	61.66	62.42	63.36	64.39	65.40	66.43	67.11	59.43	62.89	66.31	67.66	68.95	70.06	71.29	72.28	72.63	73.26
20	50.03	52.75	55.70	56.86	57.55	58.52	59.50	60.53	61.51	62.20	54.59	58.02	61.38	62.72	64.01	65.12	66.34	67.33	67.70	68.31
25	45.63	48.20	50.99	52.13	52.76	53.74	54.69	55.67	56.66	57.35	49.91	53.17	56.46	57.79	59.11	60.22	61.40	62.40	62.76	63.40
30	41.10	43.52	46.23	47.32	47.99	48.92	49.87	50.88	51.80	52.54	45.21	48.32	51.60	52.89	54.22	55.33	56.53	57.48	57.84	58.47
35	36.61	38.86	41.49	42.50	43.15	44.15	45.04	46.05	46.96	47.71	40.57	43.51	46.78	48.03	49.34	50.46	51.63	52.59	52.92	53.58
40	32.12	34.29	36.80	37.78	38.39	39.39	40.32	41.26	42.14	42.91	35.95	38.76	41.95	43.22	44.48	45.60	46.81	47.70	48.04	48.69
45	27.76	29.88	32.21	33.14	33.73	34.70	35.69	36.53	37.41	38.14	31.36	34.12	37.17	38.44	39.69	40.78	41.97	42.87	43.19	43.85
50	23.54	25.57	27.85	28.66	29.20	30.20	31.16	31.92	32.74	33.46	26.95	29.55	32.51	33.75	34.98	36.07	37.20	38.06	38.41	39.05
55	19.58	21.41	23.67	24.39	24.90	25.88	26.79	27.46	28.24	28.91	22.66	25.07	27.92	29.13	30.39	31.43	32.58	33.37	33.70	34.33
60	15.96	17.54	19.68	20.35	20.78	21.69	22.61	23.22	23.84	24.47	18.62	20.74	23.44	24.61	25.85	26.84	28.02	28.75	29.07	29.68
65	12.58	13.98	15.86	16.49	16.92	17.70	18.64	19.17	19.72	20.22	14.86	16.64	19.14	20.20	21.48	22.41	23.52	24.23	24.51	25.08
70	9.67	10.74	12.36	12.91	13.33	14.10	14.83	15.38	15.81	16.34	11.45	12.85	15.10	16.03	17.23	18.17	19.16	19.82	20.10	20.61
75	7.17	8.11	9.32	9.72	10.14	10.81	11.41	11.86	12.19	12.68	8.55	9.51	11.38	12.22	13.26	14.11	15.05	15.63	15.85	16.33
80	5.26	5.96	6.81	7.00	7.45	7.92	8.48	8.75	8.89	9.35	6.21	6.89	8.25	8.84	9.79	10.44	11.28	11.72	11.88	12.29
85	3.94	4.34	4.96	4.97	5.24	5.68	6.05	6.27	6.28	6.59	4.74	4.86	5.84	6.27	6.85	7.42	8.03	8.38	8.45	8.72
90			3.69	3.69	3.80	3.97	4.33	4.36	4.30	4.50			4.19	4.32	4.82	5.06	5.49	5.78	5.64	5.79
95				2.73	2.90	2.79	3.08	3.23	2.94	2.98				3.25	3.51	3.53	3.71	3.85	3.65	3.74
100								2.52	2.02	1.93								2.80	2.53	2.56

宮崎県

(単位：年)

年齢	男										女									
	昭和40年 (1965)	50 ('75)	60 ('85)	平成2 ('90)	7 ('95)	12 (2000)	17 ('05)	22 ('10)	27 ('15)	令和2 ('20)	昭和40年 (1965)	50 ('75)	60 ('85)	平成2 ('90)	7 ('95)	12 (2000)	17 ('05)	22 ('10)	27 ('15)	令和2 ('20)
0(W)	66.93	70.75	74.39	75.45	76.53	77.42	78.62	79.70	80.34	81.15	72.45	76.77	80.84	82.30	83.66	85.09	86.11	86.61	87.12	87.60
4	68.08	71.30	74.63	75.62	76.67	77.51	78.64	79.65	80.36	81.15	73.37	77.17	81.04	82.43	83.81	85.14	86.13	86.57	87.11	87.56
2(M)	68.17	71.28	74.58	75.57	76.62	77.46	78.59	79.56	80.28	81.08	73.43	77.15	81.02	82.38	83.77	85.10	86.06	86.48	87.07	87.50
3	68.18	71.21	74.51	75.51	76.55	77.41	78.53	79.48	80.23	81.01	73.44	77.11	80.97	82.31	83.70	85.04	85.98	86.39	87.01	87.43
6	68.09	71.02	74.30	75.30	76.35	77.20	78.32	79.27	79.99	80.80	73.31	76.93	80.76	82.15	83.49	84.85	85.78	86.18	86.77	87.21
0(Y)	66.93	70.75	74.39	75.45	76.53	77.42	78.62	79.70	80.34	81.15	72.45	76.77	80.84	82.30	83.66	85.09	86.11	86.61	87.12	87.60
1	67.75	70.64	73.89	74.86	75.88	76.72	77.85	78.80	79.54	80.35	72.96	76.52	80.31	81.72	83.05	84.42	85.31	85.73	86.31	86.76
2	66.93	69.79	73.00	73.93	74.95	75.74	76.90	77.83	78.56	79.37	72.15	75.64	79.37	80.77	82.12	83.44	84.34	84.76	85.33	85.77
3	66.04	68.88	72.05	72.99	73.99	74.76	75.92	76.85	77.58	78.39	71.25	74.73	78.41	79.80	81.15	82.47	83.37	83.78	84.35	84.78
4	65.11	67.92	71.09	72.03	73.03	73.78	74.95	75.86	76.59	77.40	70.33	73.82	77.43	78.82	80.18	81.48	82.38	82.79	83.36	83.79
5	64.22	66.96	70.12	71.07	72.04	72.79	73.96	74.87	75.60	76.41	69.40	72.85	76.46	77.84	79.18	80.50	81.39	81.80	82.36	82.79
10	59.48	62.13	65.22	66.17	67.12	67.84	69.01	69.91	70.63	71.44	64.57	67.97	71.52	72.90	74.21	75.54	76.44	76.85	77.39	77.81
15	54.62	57.19	60.28	61.21	62.14	62.89	64.04	64.97	65.70	66.47	59.69	63.03	66.59	67.94	69.24	70.58	71.47	71.89	72.42	72.82
20	49.93	52.46	55.50	56.39	57.35	58.05	59.20	60.07	60.79	61.55	54.86	58.13	61.68	63.02	64.31	65.65	66.53	66.94	67.46	67.90
25	45.48	47.87	50.76	51.66	52.61	53.30	54.41	55.31	55.94	56.69	50.10	53.29	56.79	58.15	59.37	60.78	61.63	61.98	62.52	62.97
30	40.96	43.17	45.97	46.95	47.84	48.52	49.63	50.45	51.11	51.84	45.37	48.50	51.91	53.28	54.45	55.86	56.72	57.11	57.58	58.08
35	36.39	38.54	41.23	42.20	43.04	43.75	44.84	45.55	46.28	47.04	40.70	43.72	47.06	48.40	49.56	50.95	51.84	52.24	52.67	53.17
40	31.94	34.00	36.56	37.49	38.30	39.05	40.14	40.80	41.53	42.23	36.05	38.96	42.24	43.58	44.69	46.07	46.98	47.37	47.79	48.29
45	27.58	29.60	32.05	32.91	33.65	34.46	35.52	36.15	36.85	37.50	31.56	34.27	37.53	38.80	39.91	41.27	42.21	42.51	42.96	43.46
50	23.32	25.29	27.68	28.47	29.21	30.00	31.04	31.55	32.27	32.86	27.13	29.66	32.87	34.14	35.25	36.57	37.48	37.74	38.19	38.69
55	19.38	21.31	23.52	24.21	24.92	25.71	26.70	27.13	27.82	28.39	22.85	25.28	28.31	29.55	30.67	31.94	32.85	33.18	33.52	34.03
60	15.69	17.51	19.54	20.15	20.73	21.61	22.55	22.98	23.55	24.06	18.79	20.95	23.86	25.05	26.11	27.43	28.31	28.62	28.92	29.44
65	12.35	13.96	15.84	16.41	16.93	17.72	18.58	18.97	19.54	19.97	15.04	16.84	19.61	20.66	21.72	23.05	23.83	24.13	24.44	24.87
70	9.39	10.89	12.34	12.91	13.37	14.09	14.81	15.24	15.79	16.16	11.58	13.08	15.51	16.49	17.44	18.79	19.49	19.81	20.02	20.47
75	7.00	8.26	9.40	9.79	10.18	10.80	11.41	11.66	12.21	12.63	8.59	9.70	11.84	12.71	13.50	14.78	15.38	15.71	15.77	16.23
80	5.30	6.07	6.98	7.18	7.44	8.05	8.44	8.51	8.96	9.35	6.33	7.01	8.68	9.34	10.01	11.16	11.65	11.83	11.85	12.30
85	4.05	4.53	5.07	5.21	5.31	5.79	6.15	6.14	6.27	6.58	4.76	5.04	6.12	6.61	7.02	8.09	8.45	8.50	8.42	8.79
90			3.78	3.85	3.95	4.14	4.48	4.30	4.25	4.49			4.47	4.59	4.91	5.86	6.02	5.81	5.61	5.91
95				2.77	3.08	3.33	3.15	3.20	3.06	3.00				3.25	3.21	4.53	4.29	3.91	3.70	3.81
100								2.50	2.32	1.99								2.63	2.40	2.62

鹿児島県

(単位：年)

年齢	男										女									
	昭和40年 (1965)	50 ('75)	60 ('85)	平成2 ('90)	7 ('95)	12 (2000)	17 ('05)	22 ('10)	27 ('15)	令和2 ('20)	昭和40年 (1965)	50 ('75)	60 ('85)	平成2 ('90)	7 ('95)	12 (2000)	17 ('05)	22 ('10)	27 ('15)	令和2 ('20)
0(W)	67.36	70.54	74.09	75.39	76.13	76.98	77.97	79.21	80.02	80.95	72.71	76.53	80.34	82.10	83.36	84.68	85.70	86.28	86.78	87.53
4	68.41	71.13	74.31	75.54	76.18	77.04	78.00	79.22	80.02	80.94	73.58	77.03	80.56	82.21	83.39	84.69	85.71	86.29	86.79	87.52
2(M)	68.49	71.10	74.27	75.50	76.13	77.01	77.95	79.14	79.98	80.87	73.63	77.01	80.51	82.15	83.34	84.63	85.69	86.20	86.72	87.46
3	68.50	71.07	74.21	75.44	76.05	76.96	77.88	79.05	79.90	80.79	73.64	76.96	80.44	82.08	83.29	84.57	85.62	86.14	86.66	87.39
6	68.45	70.89	74.05	75.25	75.85	76.76	77.68	78.83	79.70	80.57	73.54	76.81	80.25	81.88	83.08	84.36	85.42	85.97	86.46	87.17
0(Y)	67.36	70.54	74.09	75.39	76.13	76.98	77.97	79.21	80.02	80.95	72.71	76.53	80.34	82.10	83.36	84.68	85.70	86.28	86.78	87.53
1	68.19	70.53	73.62	74.82	75.40	76.31	77.23	78.36	79.22	80.09	73.27	76.42	79.84	81.42	82.62	83.92	84.96	85.50	86.00	86.71
2	67.37	69.66	72.72	73.90	74.49	75.36	76.27	77.40	78.25	79.11	72.46	75.55	78.94	80.48	81.67	82.96	84.00	84.54	85.02	85.73
3	66.50	68.74	71.77	72.95	73.53	74.40	75.29	76.43	77.26	78.13	71.58	74.63	77.99	79.52	80.69	81.99	83.03	83.57	84.04	84.74
4	65.61	67.80	70.82	71.98	72.56	73.43	74.32	75.45	76.28	77.14	70.68	73.68	77.02	78.55	79.73	81.01	82.05	82.59	83.05	83.75
5	64.70	66.84	69.85	71.01	71.57	72.45	73.33	74.47	75.29	76.15	69.74	72.71	76.04	77.57	78.74	80.02	81.07	81.60	82.06	82.76
10	59.95	62.03	64.98	66.09	66.66	67.51	68.41	69.53	70.32	71.18	64.91	67.80	71.08	72.63	73.79	75.05	76.14	76.65	77.08	77.79
15	55.11	57.13	60.04	61.17	61.72	62.55	63.46	64.58	65.36	66.22	60.03	62.89	66.14	67.67	68.83	70.08	71.18	71.66	72.11	72.81
20	50.41	52.39	55.24	56.33	56.90	57.68	58.60	59.66	60.49	61.35	55.25	58.05	61.22	62.73	63.89	65.15	66.24	66.70	67.16	67.87
25	45.98	47.81	50.51	51.61	52.16	52.85	53.82	54.79	55.66	56.54	50.59	53.26	56.34	57.83	58.98	60.23	61.34	61.76	62.24	62.97
30	41.50	43.19	45.77	46.84	47.40	48.01	49.03	49.96	50.88	51.76	45.97	48.50	51.49	52.95	54.07	55.31	56.43	56.86	57.32	58.05
35	37.01	38.56	41.07	42.05	42.61	43.24	44.25	45.16	46.05	46.95	41.35	43.73	46.65	48.07	49.20	50.43	51.53	51.98	52.43	53.14
40	32.55	34.08	36.41	37.34	37.88	38.54	39.51	40.40	41.24	42.12	36.71	39.04	41.89	43.25	44.35	45.58	46.68	47.17	47.56	48.32
45	28.15	29.68	31.93	32.77	33.27	33.98	34.88	35.70	36.54	37.40	32.21	34.40	37.16	38.49	39.58	40.79	41.88	42.39	42.73	43.48
50	23.93	25.38	27.57	28.39	28.80	29.56	30.40	31.13	31.98	32.78	27.77	29.83	32.55	33.82	34.91	36.08	37.16	37.65	37.96	38.71
55	19.92	21.27	23.40	24.10	24.55	25.32	26.11	26.81	27.54	28.31	23.51	25.41	28.00	29.23	30.34	31.48	32.55	32.99	33.34	34.01
60	16.28	17.41	19.37	20.05	20.48	21.29	22.04	22.76	23.34	24.00	19.45	21.14	23.57	24.74	25.87	26.95	28.00	28.40	28.77	29.42
65	12.90	13.85	15.58	16.25	16.65	17.38	18.18	18.76	19.33	19.94	15.61	17.02	19.32	20.39	21.53	22.56	23.53	23.96	24.27	24.87
70	9.92	10.69	12.11	12.75	13.09	13.78	14.47	15.01	15.56	16.16	12.16	13.24	15.24	16.24	17.33	18.37	19.25	19.61	19.90	20.44
75	7.49	7.99	9.10	9.60	9.89	10.57	11.14	11.53	12.02	12.61	9.13	9.93	11.57	12.40	13.42	14.38	15.21	15.49	15.77	16.18
80	5.53	5.98	6.71	6.99	7.21	7.83	8.30	8.48	8.79	9.39	6.77	7.29	8.46	9.08	9.95	10.76	11.48	11.72	11.87	12.20
85	4.31	4.57	4.97	5.12	5.01	5.65	5.97	6.02	6.21	6.64	5.10	5.29	6.00	6.37	7.11	7.74	8.26	8.41	8.43	8.68
90			3.60	3.74	3.60	3.92	4.25	4.24	4.25	4.52			4.34	4.36	5.00	5.40	5.73	5.75	5.67	5.82
95				2.89	2.77	2.85	2.97	3.15	2.95	3.02				3.02	3.62	3.87	3.92	3.71	3.70	3.77
100								2.45	2.08	1.99								2.61	2.50	2.52

沖縄県

(単位：年)

年齢	男									女								
	昭和50年 (1975)	60 ('85)	平成2 ('90)	7 ('95)	12 (2000)	17 ('05)	22 ('10)	27 ('15)	令和2 ('20)	昭和50年 (1975)	60 ('85)	平成2 ('90)	7 ('95)	12 (2000)	17 ('05)	22 ('10)	27 ('15)	令和2 ('20)
0(W)	72.15	76.34	76.67	77.22	77.64	78.64	79.40	80.27	80.73	78.96	83.70	84.47	85.08	86.01	86.88	87.02	87.44	87.88
4	72.67	76.55	76.88	77.41	77.76	78.68	79.36	80.27	80.73	79.34	83.94	84.69	85.28	86.10	86.88	87.04	87.47	87.88
2(M)	72.65	76.53	76.82	77.37	77.71	78.62	79.33	80.20	80.67	79.32	83.89	84.66	85.22	86.07	86.81	86.99	87.40	87.80
3	72.61	76.48	76.77	77.30	77.65	78.55	79.29	80.14	80.60	79.28	83.85	84.60	85.17	86.01	86.74	86.93	87.33	87.73
6	72.50	76.29	76.58	77.10	77.45	78.32	79.08	79.93	80.37	79.14	83.65	84.41	84.97	85.79	86.53	86.72	87.11	87.51
0(Y)	72.15	76.34	76.67	77.22	77.64	78.64	79.40	80.27	80.73	78.96	83.70	84.47	85.08	86.01	86.88	87.02	87.44	87.88
1	72.13	75.86	76.14	76.65	77.01	77.88	78.62	79.46	79.89	78.76	83.20	83.96	84.50	85.32	86.07	86.25	86.63	87.04
2	71.27	74.91	75.20	75.68	76.06	76.91	77.65	78.48	78.91	77.87	82.28	83.00	83.55	84.35	85.09	85.29	85.66	86.06
3	70.35	73.93	74.23	74.70	75.10	75.94	76.66	77.50	77.92	76.91	81.32	82.04	82.57	83.37	84.11	84.31	84.67	85.08
4	69.39	72.96	73.26	73.72	74.12	74.95	75.68	76.51	76.94	75.96	80.35	81.06	81.59	82.39	83.12	83.33	83.68	84.09
5	68.43	71.99	72.28	72.74	73.14	73.97	74.69	75.52	75.94	74.98	79.37	80.07	80.61	81.40	82.13	82.35	82.69	83.10
10	63.58	67.06	67.37	67.82	68.19	69.03	69.72	70.55	70.97	70.06	74.44	75.13	75.65	76.43	77.17	77.40	77.72	78.13
15	58.70	62.11	62.45	62.87	63.23	64.07	64.76	65.57	66.00	65.15	69.48	70.17	70.69	71.45	72.19	72.43	72.75	73.14
20	54.03	57.41	57.73	58.12	58.42	59.18	59.93	60.67	61.08	60.30	64.58	65.24	65.76	66.51	67.23	67.49	67.80	68.19
25	49.46	52.71	53.02	53.35	53.65	54.37	55.07	55.84	56.23	55.56	59.71	60.34	60.85	61.60	62.33	62.58	62.88	63.28
30	44.81	48.00	48.33	48.58	48.90	49.58	50.25	50.97	51.34	50.80	54.84	55.46	55.95	56.70	57.42	57.68	57.97	58.34
35	40.23	43.29	43.59	43.83	44.14	44.86	45.47	46.13	46.50	46.04	50.00	50.63	51.10	51.85	52.56	52.81	53.09	53.42
40	35.65	38.62	38.93	39.15	39.50	40.22	40.77	41.36	41.71	41.33	45.19	45.79	46.27	47.04	47.72	47.98	48.25	48.56
45	31.24	34.04	34.40	34.59	35.02	35.67	36.17	36.69	37.05	36.75	40.45	41.03	41.50	42.29	42.93	43.20	43.49	43.77
50	26.86	29.59	29.96	30.14	30.67	31.32	31.69	32.16	32.53	32.24	35.72	36.35	36.89	37.64	38.30	38.53	38.77	39.07
55	22.73	25.30	25.62	25.87	26.42	27.12	27.41	27.81	28.16	27.82	31.10	31.71	32.33	33.02	33.72	33.88	34.13	34.45
60	18.78	21.25	21.55	21.78	22.37	23.05	23.43	23.65	24.01	23.53	26.65	27.19	27.81	28.52	29.23	29.33	29.62	29.89
65	15.29	17.55	17.73	17.97	18.45	19.16	19.50	19.80	20.07	19.38	22.31	22.81	23.40	24.10	24.86	24.89	25.19	25.44
70	12.06	14.07	14.17	14.51	14.90	15.51	15.81	16.11	16.39	15.47	18.13	18.58	19.18	19.90	20.60	20.64	20.76	21.08
75	9.41	10.98	10.90	11.35	11.72	12.22	12.35	12.62	12.93	11.94	14.24	14.63	15.28	15.86	16.53	16.46	16.51	16.85
80	7.13	8.29	8.26	8.57	9.04	9.26	9.27	9.38	9.74	9.09	10.84	11.06	11.75	12.23	12.82	12.61	12.59	12.91
85	5.40	6.04	6.02	6.34	6.85	6.93	6.64	6.70	6.93	6.94	8.03	8.15	8.74	8.96	9.58	9.15	9.16	9.37
90		5.04	4.30	4.50	4.96	5.00	4.65	4.64	4.74		6.17	5.71	6.24	6.39	6.92	6.27	6.19	6.40
95			3.08	3.29	3.74	3.64	3.43	3.27	3.02			3.89	4.43	4.38	5.10	4.18	4.04	4.10
100							2.65	2.36	1.80							2.72	2.59	2.86

東京都区部

(単位：年)

年齢	男									女								
	昭和50年 (1975)	60 ('85)	平成2 ('90)	7 ('95)	12 (2000)	17 ('05)	22 ('10)	27 ('15)	令和2 ('20)	昭和50年 (1975)	60 ('85)	平成2 ('90)	7 ('95)	12 (2000)	17 ('05)	22 ('10)	27 ('15)	令和2 ('20)
0(W)	73.08	75.34	76.07	76.57	77.67	79.04	79.48	80.81	81.54	77.89	80.93	81.94	82.88	84.23	85.59	86.28	87.17	87.79
4	73.52	75.50	76.18	76.67	77.75	79.09	79.47	80.81	81.51	78.21	81.09	82.04	82.97	84.30	85.62	86.27	87.16	87.77
2(M)	73.48	75.45	76.13	76.62	77.70	79.02	79.40	80.73	81.44	78.16	81.04	81.97	82.91	84.24	85.55	86.20	87.09	87.70
3	73.42	75.38	76.07	76.56	77.63	78.96	79.32	80.66	81.37	78.11	80.98	81.91	82.85	84.18	85.49	86.14	87.02	87.62
6	73.23	75.18	75.86	76.36	77.42	78.74	79.11	80.43	81.14	77.91	80.78	81.71	82.66	83.96	85.28	85.91	86.80	87.39
0(Y)	73.08	75.34	76.07	76.57	77.67	79.04	79.48	80.81	81.54	77.89	80.93	81.94	82.88	84.23	85.59	86.28	87.17	87.79
1	72.80	74.73	75.42	75.91	76.96	78.29	78.64	79.96	80.66	77.48	80.33	81.26	82.20	83.49	84.80	85.43	86.33	86.92
2	71.87	73.78	74.45	74.96	76.01	77.33	77.66	78.98	79.68	76.56	79.38	80.30	81.24	82.52	83.84	84.45	85.35	85.93
3	70.93	72.82	73.48	73.99	75.04	76.35	76.68	78.00	78.69	75.60	78.42	79.34	80.27	81.54	82.86	83.47	84.37	84.95
4	69.97	71.84	72.51	73.01	74.06	75.37	75.70	77.02	77.70	74.64	77.44	78.36	79.29	80.56	81.88	82.48	83.38	83.95
5	69.00	70.86	71.53	72.03	73.07	74.38	74.71	76.03	76.71	73.67	76.46	77.38	78.30	79.57	80.89	81.49	82.39	82.96
10	64.12	65.94	66.59	67.08	68.12	69.41	69.74	71.06	71.73	68.76	71.51	72.42	73.35	74.60	75.91	76.52	77.41	77.98
15	59.20	61.00	61.65	62.13	63.15	64.45	64.79	66.10	66.77	63.82	66.56	67.46	68.38	69.64	70.95	71.54	72.43	73.00
20	54.35	56.16	56.79	57.25	58.25	59.53	59.86	61.17	61.84	58.90	61.63	62.52	63.43	64.69	66.01	66.60	67.47	68.06
25	49.51	51.30	51.94	52.39	53.40	54.65	54.99	56.27	56.94	54.01	56.71	57.59	58.50	59.77	61.09	61.68	62.53	63.13
30	44.70	46.46	47.09	47.55	48.54	49.77	50.12	51.38	52.03	49.16	51.81	52.67	53.59	54.87	56.19	56.76	57.60	58.20
35	39.96	41.64	42.27	42.72	43.73	44.93	45.28	46.50	47.13	44.33	46.94	47.79	48.70	49.99	51.29	51.86	52.68	53.28
40	35.28	36.90	37.51	37.96	38.96	40.14	40.46	41.65	42.27	39.54	42.12	42.95	43.86	45.14	46.43	46.98	47.78	48.38
45	30.77	32.30	32.87	33.29	34.28	35.44	35.72	36.86	37.46	34.83	37.37	38.17	39.07	40.35	41.61	42.15	42.94	43.52
50	26.40	27.87	28.38	28.81	29.80	30.87	31.10	32.19	32.74	30.24	32.71	33.48	34.38	35.66	36.88	37.38	38.17	38.72
55	22.16	23.72	24.09	24.53	25.54	26.51	26.66	27.65	28.18	25.77	28.14	28.89	29.78	31.08	32.27	32.75	33.49	34.01
60	18.18	19.72	20.08	20.49	21.50	22.40	22.48	23.34	23.78	21.42	23.68	24.41	25.29	26.57	27.75	28.19	28.89	29.39
65	14.51	15.94	16.33	16.76	17.72	18.56	18.59	19.32	19.65	17.26	19.38	20.07	20.96	22.18	23.31	23.76	24.38	24.87
70	11.30	12.45	12.82	13.28	14.24	14.97	14.95	15.58	15.86	13.44	15.31	15.96	16.80	17.98	19.02	19.42	20.02	20.51
75	8.55	9.36	9.68	10.11	11.08	11.71	11.56	12.15	12.41	10.05	11.62	12.16	12.95	14.03	14.98	15.28	15.81	16.30
80	6.45	6.88	7.05	7.47	8.28	8.83	8.51	9.04	9.30	7.31	8.46	8.84	9.59	10.47	11.28	11.47	11.89	12.37
85	5.11	4.97	5.04	5.38	6.09	6.43	6.04	6.40	6.68	5.39	5.90	6.19	6.76	7.50	8.12	8.12	8.45	8.85
90		3.58	3.59	3.85	4.49	4.55	4.20	4.35	4.60		4.16	4.26	4.72	5.20	5.66	5.49	5.64	5.94
95			2.61	2.77	3.59	3.20	2.85	2.96	3.07			3.08	3.34	3.74	3.98	3.63	3.67	3.78
100							1.91	2.02	2.00							2.58	2.49	2.54

札幌市

(単位：年)

年齢	男									女								
	昭和50年(1975)	60('85)	平成2('90)	7('95)	12(2000)	17('05)	22('10)	27('15)	令和2('20)	昭和50年(1975)	60('85)	平成2('90)	7('95)	12(2000)	17('05)	22('10)	27('15)	令和2('20)
0(W)	72.76	75.33	76.27	77.41	78.55	79.05	79.79	80.68	81.31	77.42	80.87	82.57	84.41	85.61	86.26	86.56	87.20	87.40
4	73.19	75.50	76.40	77.51	78.56	79.10	79.82	80.69	81.30	77.76	81.02	82.67	84.45	85.64	86.29	86.55	87.18	87.39
2(M)	73.14	75.44	76.33	77.45	78.49	79.03	79.75	80.62	81.22	77.72	80.96	82.59	84.39	85.56	86.22	86.48	87.12	87.31
3	73.10	75.37	76.29	77.38	78.42	78.97	79.68	80.55	81.16	77.67	80.92	82.53	84.33	85.48	86.14	86.40	87.04	87.24
6	72.91	75.18	76.08	77.18	78.22	78.74	79.46	80.33	80.95	77.48	80.70	82.34	84.10	85.26	85.94	86.16	86.80	87.02
0(Y)	72.76	75.33	76.27	77.41	78.55	79.05	79.79	80.68	81.31	77.42	80.87	82.57	84.41	85.61	86.26	86.56	87.20	87.40
1	72.49	74.73	75.64	76.72	77.74	78.26	78.96	79.85	80.50	77.07	80.25	81.87	83.66	84.78	85.49	85.68	86.35	86.53
2	71.59	73.80	74.68	75.77	76.77	77.28	77.98	78.87	79.52	76.12	79.29	80.91	82.72	83.82	84.55	84.71	85.37	85.55
3	70.64	72.85	73.71	74.80	75.79	76.29	76.99	77.88	78.53	75.16	78.31	79.94	81.75	82.85	83.59	83.73	84.38	84.57
4	69.68	71.88	72.74	73.83	74.80	75.30	76.00	76.90	77.54	74.20	77.34	78.96	80.78	81.88	82.61	82.75	83.39	83.58
5	68.70	70.89	71.76	72.84	73.82	74.31	75.01	75.90	76.55	73.22	76.36	77.98	79.79	80.89	81.62	81.76	82.40	82.59
10	63.84	65.98	66.87	67.92	68.86	69.34	70.03	70.93	71.57	68.28	71.41	73.03	74.85	75.93	76.67	76.80	77.42	77.62
15	58.95	61.05	61.93	62.96	63.89	64.37	65.08	65.97	66.60	63.33	66.47	68.06	69.90	70.97	71.69	71.81	72.45	72.64
20	54.11	56.22	57.10	58.08	59.02	59.47	60.13	61.08	61.69	58.42	61.55	63.14	64.94	66.04	66.75	66.87	67.49	67.68
25	49.32	51.43	52.30	53.27	54.20	54.65	55.27	56.22	56.83	53.56	56.65	58.23	60.01	61.13	61.86	61.92	62.55	62.76
30	44.54	46.63	47.49	48.45	49.39	49.85	50.48	51.39	51.98	48.71	51.76	53.32	55.10	56.23	56.97	57.02	57.64	57.85
35	39.76	41.83	42.66	43.65	44.60	45.06	45.66	46.55	47.14	43.88	46.87	48.42	50.19	51.36	52.08	52.17	52.74	52.97
40	35.12	37.11	37.89	38.87	39.85	40.32	40.87	41.74	42.33	39.11	42.05	43.57	45.31	46.52	47.25	47.29	47.86	48.09
45	30.56	32.47	33.22	34.21	35.16	35.68	36.11	37.01	37.56	34.41	37.29	38.78	40.51	41.71	42.46	42.47	43.03	43.26
50	26.15	28.02	28.71	29.69	30.63	31.18	31.51	32.37	32.87	29.85	32.64	34.11	35.79	37.02	37.71	37.74	38.29	38.49
55	21.93	23.77	24.37	25.36	26.34	26.81	27.12	27.83	28.34	25.37	28.09	29.52	31.17	32.43	33.08	33.15	33.60	33.84
60	17.93	19.75	20.25	21.20	22.22	22.64	22.90	23.49	23.99	21.07	23.59	25.01	26.64	27.90	28.56	28.60	29.04	29.25
65	14.23	16.03	16.38	17.28	18.35	18.75	18.93	19.43	19.86	17.01	19.31	20.65	22.28	23.47	24.14	24.18	24.59	24.76
70	11.04	12.57	12.95	13.76	14.80	15.03	15.23	15.61	16.03	13.24	15.32	16.56	18.10	19.19	19.87	19.91	20.26	20.44
75	8.17	9.57	9.89	10.60	11.52	11.72	11.74	12.15	12.49	9.92	11.77	12.88	14.21	15.21	15.80	15.77	16.07	16.30
80	6.08	7.14	7.29	7.96	8.70	8.89	8.72	9.05	9.35	7.31	8.66	9.61	10.79	11.67	12.05	11.94	12.23	12.45
85	4.52	5.23	5.25	5.90	6.60	6.50	6.28	6.44	6.72	5.44	6.40	6.92	8.09	8.64	8.88	8.56	8.80	8.98
90		4.27	3.88	4.38	5.20	4.71	4.39	4.46	4.65		4.66	4.91	6.07	6.31	6.39	5.74	5.93	6.07
95			2.56	3.22	4.71	3.54	3.39	3.04	3.25			3.60	4.81	4.67	4.69	3.83	3.81	3.88
100							2.83	2.05	2.31							2.71	2.62	2.64

仙台市

(単位：年)

年齢	男							女						
	平成2年(1990)	7('95)	12(2000)	17('05)	22('10)	27('15)	令和2('20)	平成2年(1990)	7('95)	12(2000)	17('05)	22('10)	27('15)	令和2('20)
0(W)	76.98	77.79	78.50	79.73	80.49	81.66	82.39	82.50	83.79	85.32	86.21	86.79	87.56	88.14
4	77.10	77.82	78.51	79.75	80.48	81.71	82.42	82.63	83.81	85.39	86.23	86.86	87.59	88.11
2(M)	77.05	77.74	78.45	79.68	80.39	81.62	82.33	82.56	83.74	85.34	86.15	86.77	87.53	88.03
3	76.99	77.68	78.37	79.62	80.36	81.55	82.26	82.48	83.68	85.25	86.08	86.69	87.46	87.96
6	76.78	77.47	78.16	79.40	80.18	81.30	82.03	82.27	83.43	85.01	85.84	86.52	87.24	87.73
0(Y)	76.98	77.79	78.50	79.73	80.49	81.66	82.39	82.50	83.79	85.32	86.21	86.79	87.56	88.14
1	76.31	77.00	77.67	78.92	79.71	80.82	81.53	81.83	82.99	84.52	85.40	86.02	86.76	87.24
2	75.39	76.07	76.70	77.96	78.74	79.85	80.55	80.88	82.04	83.58	84.41	85.03	85.79	86.26
3	74.46	75.10	75.72	76.98	77.76	78.87	79.56	79.92	81.06	82.61	83.42	84.04	84.81	85.28
4	73.50	74.12	74.73	75.99	76.78	77.89	78.57	78.94	80.06	81.63	82.43	83.05	83.82	84.29
5	72.54	73.14	73.75	75.01	75.79	76.90	77.58	77.96	79.07	80.65	81.43	82.06	82.83	83.30
10	67.60	68.21	68.81	70.06	70.83	71.94	72.61	73.01	74.10	75.70	76.46	77.07	77.87	78.33
15	62.67	63.24	63.85	65.07	65.89	66.99	67.62	68.06	69.15	70.74	71.52	72.11	72.91	73.36
20	57.80	58.38	58.97	60.15	60.98	62.04	62.71	63.12	64.19	65.77	66.58	67.22	67.95	68.41
25	52.94	53.55	54.15	55.29	56.12	57.18	57.83	58.17	59.27	60.83	61.66	62.28	62.99	63.49
30	48.11	48.73	49.31	50.49	51.23	52.36	52.97	53.24	54.35	55.91	56.73	57.35	58.05	58.59
35	43.28	43.89	44.51	45.69	46.39	47.53	48.15	48.32	49.45	51.00	51.83	52.45	53.13	53.70
40	38.51	39.11	39.76	40.96	41.57	42.73	43.32	43.43	44.58	46.14	46.97	47.54	48.23	48.80
45	33.77	34.37	35.04	36.28	36.87	38.00	38.53	38.63	39.75	41.36	42.15	42.68	43.39	43.95
50	29.18	29.76	30.49	31.73	32.20	33.38	33.84	33.94	35.02	36.60	37.47	37.93	38.59	39.16
55	24.76	25.36	26.09	27.33	27.77	28.85	29.25	29.32	30.36	31.95	32.80	33.23	33.94	34.43
60	20.58	21.15	21.87	23.07	23.47	24.45	24.79	24.83	25.81	27.40	28.22	28.59	29.34	29.78
65	16.68	17.27	17.86	18.95	19.48	20.29	20.59	20.44	21.40	22.96	23.75	24.05	24.76	25.22
70	13.09	13.64	14.20	15.17	15.66	16.33	16.63	16.20	17.17	18.69	19.39	19.62	20.28	20.77
75	9.83	10.31	10.91	11.70	12.14	12.61	12.94	12.34	13.18	14.62	15.26	15.45	16.05	16.51
80	7.25	7.54	8.05	8.69	9.02	9.34	9.59	9.05	9.82	11.05	11.57	11.66	12.03	12.47
85	5.11	5.39	5.91	6.17	6.51	6.49	6.84	6.35	7.02	8.01	8.39	8.24	8.48	8.89
90	3.60	3.97	4.35	4.42	4.53	4.42	4.62	4.34	4.93	5.68	5.87	5.60	5.71	5.93
95	2.93	3.37	3.37	3.14	3.12	3.01	3.02	3.25	3.76	4.20	4.21	3.72	3.62	3.81
100					2.15	2.06	1.92					2.66	2.45	2.52

さいたま市

(単位：年)

年 齢	男				女			
	平成17年 (2005)	22 ('10)	27 ('15)	令和2 ('20)	平成17年 (2005)	22 ('10)	27 ('15)	令和2 ('20)
0(W)	79.75	80.09	81.34	81.95	85.83	86.59	87.23	87.93
4	79.80	80.13	81.34	81.95	85.83	86.61	87.25	87.89
2(M)	79.74	80.06	81.25	81.88	85.75	86.54	87.18	87.81
3	79.67	80.02	81.20	81.80	85.70	86.47	87.12	87.73
6	79.47	79.80	80.98	81.57	85.50	86.26	86.88	87.49
0(Y)	79.75	80.09	81.34	81.95	85.83	86.59	87.23	87.93
1	79.00	79.37	80.50	81.09	85.04	85.77	86.44	87.02
2	78.03	78.40	79.52	80.10	84.06	84.80	85.46	86.03
3	77.05	77.42	78.53	79.11	83.08	83.83	84.48	85.05
4	76.07	76.44	77.54	78.12	82.10	82.85	83.49	84.06
5	75.08	75.45	76.55	77.12	81.11	81.86	82.50	83.07
10	70.12	70.48	71.58	72.14	76.13	76.91	77.53	78.10
15	65.16	65.50	66.61	67.18	71.17	71.94	72.55	73.13
20	60.24	60.58	61.72	62.28	66.23	66.97	67.60	68.18
25	55.40	55.73	56.87	57.42	61.30	62.03	62.66	63.26
30	50.53	50.86	52.01	52.52	56.42	57.11	57.74	58.32
35	45.69	46.04	47.15	47.62	51.53	52.19	52.85	53.41
40	40.88	41.25	42.30	42.76	46.67	47.32	47.98	48.51
45	36.11	36.51	37.54	37.94	41.85	42.46	43.13	43.68
50	31.47	31.91	32.87	33.23	37.11	37.64	38.32	38.90
55	26.99	27.41	28.27	28.66	32.46	32.98	33.62	34.19
60	22.70	23.10	23.90	24.22	27.87	28.42	29.00	29.54
65	18.66	19.06	19.79	19.99	23.36	23.87	24.49	25.01
70	14.88	15.29	15.95	16.13	19.04	19.51	20.06	20.61
75	11.45	11.71	12.34	12.55	14.99	15.37	15.76	16.38
80	8.56	8.54	9.10	9.36	11.39	11.40	11.90	12.42
85	6.30	5.87	6.46	6.66	8.32	8.13	8.45	8.93
90	4.56	4.17	4.51	4.54	5.93	5.56	5.80	6.06
95	3.40	3.13	3.06	3.00	4.33	3.66	3.91	4.00
100		2.45	2.03	1.94		2.57	2.56	2.95

千葉市

(単位：年)

年 齢	男						女					
	平成7年 (1995)	12 (2000)	17 ('05)	22 ('10)	27 ('15)	令和2 ('20)	平成7年 (1995)	12 (2000)	17 ('05)	22 ('10)	27 ('15)	令和2 ('20)
0(W)	77.26	78.82	79.39	80.02	81.19	81.22	83.55	84.73	85.75	86.64	86.94	87.68
4	77.31	78.85	79.45	80.14	81.18	81.22	83.64	84.79	85.82	86.68	87.02	87.66
2(M)	77.27	78.79	79.37	80.07	81.10	81.16	83.56	84.75	85.74	86.61	86.93	87.60
3	77.20	78.72	79.29	80.02	81.02	81.07	83.50	84.68	85.67	86.53	86.88	87.53
6	76.98	78.49	79.09	79.83	80.80	80.85	83.28	84.47	85.46	86.28	86.67	87.30
0(Y)	77.26	78.82	79.39	80.02	81.19	81.22	83.55	84.73	85.75	86.64	86.94	87.68
1	76.51	78.04	78.59	79.33	80.30	80.38	82.84	83.99	84.99	85.78	86.21	86.82
2	75.58	77.06	77.63	78.35	79.33	79.40	81.89	83.03	84.01	84.80	85.22	85.84
3	74.61	76.08	76.66	77.36	78.35	78.42	80.91	82.05	83.02	83.81	84.24	84.86
4	73.63	75.10	75.68	76.37	77.36	77.43	79.93	81.07	82.04	82.82	83.24	83.87
5	72.64	74.11	74.69	75.38	76.37	76.43	78.93	80.07	81.06	81.83	82.25	82.88
10	67.70	69.14	69.73	70.40	71.42	71.46	73.97	75.08	76.10	76.86	77.27	77.91
15	62.73	64.20	64.76	65.45	66.48	66.50	69.01	70.11	71.15	71.88	72.28	72.92
20	57.85	59.34	59.87	60.53	61.53	61.56	64.04	65.20	66.17	66.94	67.33	67.99
25	53.02	54.49	55.01	55.77	56.64	56.71	59.11	60.30	61.24	62.05	62.39	63.10
30	48.19	49.65	50.18	50.96	51.81	51.82	54.17	55.41	56.33	57.12	57.49	58.19
35	43.34	44.83	45.37	46.14	46.97	46.99	49.27	50.50	51.45	52.18	52.61	53.25
40	38.52	40.03	40.55	41.41	42.15	42.19	44.38	45.68	46.63	47.34	47.73	48.37
45	33.84	35.30	35.85	36.72	37.39	37.43	39.58	40.87	41.84	42.55	42.91	43.52
50	29.21	30.76	31.29	32.10	32.75	32.76	34.87	36.11	37.07	37.82	38.18	38.75
55	24.75	26.34	26.91	27.66	28.25	28.27	30.21	31.45	32.44	33.16	33.46	34.08
60	20.61	22.14	22.73	23.34	23.93	23.97	25.68	26.87	27.87	28.63	28.81	29.45
65	16.80	18.15	18.74	19.25	19.83	19.88	21.30	22.40	23.37	24.06	24.30	24.91
70	13.24	14.49	15.00	15.43	16.02	16.06	17.12	18.21	19.04	19.63	19.88	20.50
75	10.16	11.22	11.59	11.76	12.48	12.58	13.26	14.31	14.98	15.50	15.69	16.25
80	7.60	8.33	8.61	8.55	9.17	9.44	9.72	10.82	11.29	11.74	11.76	12.27
85	5.45	6.12	6.18	5.90	6.44	6.66	7.02	7.91	8.24	8.30	8.37	8.78
90	4.20	4.44	4.40	4.03	4.36	4.48	4.87	5.81	5.82	5.57	5.61	5.93
95	3.66	3.62	2.91	2.61	2.91	3.03	3.31	4.64	4.29	3.82	3.71	3.86
100				1.61	1.94	2.06				2.60	2.49	2.62

横浜市

(単位：年)

年齢	男									女								
	昭和50年(1975)	60('85)	平成2('90)	7('95)	12(2000)	17('05)	22('10)	27('15)	令和2('20)	昭和50年(1975)	60('85)	平成2('90)	7('95)	12(2000)	17('05)	22('10)	27('15)	令和2('20)
0(W)	72.88	75.45	76.62	77.17	78.46	79.77	80.29	81.47	82.32	77.93	81.06	82.19	83.25	84.83	86.18	86.79	87.28	88.08
4	73.30	75.65	76.71	77.28	78.53	79.81	80.32	81.49	82.32	78.22	81.22	82.30	83.34	84.87	86.25	86.80	87.28	88.09
2(M)	73.26	75.59	76.66	77.21	78.46	79.74	80.25	81.42	82.24	78.18	81.16	82.24	83.28	84.81	86.19	86.74	87.21	88.01
3	73.21	75.52	76.59	77.15	78.38	79.67	80.18	81.34	82.16	78.12	81.10	82.17	83.22	84.74	86.11	86.66	87.14	87.93
6	73.01	75.32	76.39	76.94	78.18	79.46	79.94	81.11	81.93	77.93	80.89	81.96	83.02	84.51	85.90	86.43	86.90	87.69
0(Y)	72.88	75.45	76.62	77.17	78.46	79.77	80.29	81.47	82.32	77.93	81.06	82.19	83.25	84.83	86.18	86.79	87.28	88.08
1	72.58	74.87	75.95	76.47	77.71	78.99	79.47	80.63	81.46	77.48	80.43	81.50	82.56	84.05	85.45	85.98	86.42	87.22
2	71.66	73.93	75.00	75.51	76.74	78.03	78.49	79.65	80.47	76.55	79.47	80.54	81.60	83.08	84.47	85.00	85.44	86.24
3	70.70	72.97	74.03	74.53	75.75	77.06	77.50	78.67	79.48	75.60	78.50	79.56	80.63	82.11	83.49	84.01	84.45	85.26
4	69.74	72.01	73.05	73.56	74.77	76.07	76.51	77.68	78.49	74.63	77.53	78.59	79.64	81.12	82.50	83.02	83.46	84.27
5	68.77	71.02	72.06	72.58	73.78	75.09	75.52	76.69	77.50	73.65	76.54	77.60	78.65	80.13	81.51	82.03	82.46	83.28
10	63.89	66.09	67.11	67.62	68.81	70.12	70.54	71.72	72.51	68.74	71.59	72.66	73.70	75.17	76.53	77.05	77.48	78.30
15	58.97	61.17	62.16	62.67	63.85	65.15	65.56	66.74	67.53	63.80	66.63	67.69	68.74	70.20	71.56	72.08	72.52	73.33
20	54.19	56.36	57.33	57.78	58.95	60.26	60.67	61.83	62.62	58.89	61.70	62.75	63.80	65.24	66.62	67.15	67.56	68.39
25	49.37	51.54	52.48	52.94	54.11	55.40	55.85	56.94	57.73	54.02	56.78	57.83	58.88	60.32	61.71	62.26	62.64	63.46
30	44.57	46.70	47.62	48.09	49.28	50.53	50.99	52.08	52.86	49.16	51.89	52.90	53.95	55.41	56.80	57.33	57.71	58.54
35	39.80	41.86	42.77	43.24	44.43	45.68	46.12	47.20	47.99	44.30	46.99	48.00	49.06	50.51	51.89	52.43	52.79	53.63
40	35.12	37.10	37.97	38.43	39.65	40.86	41.32	42.35	43.14	39.49	42.16	43.13	44.19	45.64	47.01	47.56	47.92	48.73
45	30.60	32.45	33.26	33.74	34.93	36.12	36.59	37.55	38.33	34.77	37.36	38.34	39.39	40.87	42.19	42.72	43.08	43.86
50	26.20	27.99	28.72	29.19	30.37	31.51	31.95	32.85	33.60	30.16	32.69	33.62	34.65	36.14	37.42	37.93	38.31	39.07
55	21.95	23.79	24.37	24.84	26.00	27.05	27.43	28.29	29.01	25.71	28.13	28.99	30.03	31.51	32.78	33.25	33.62	34.35
60	17.91	19.74	20.30	20.67	21.86	22.81	23.11	23.91	24.58	21.36	23.69	24.49	25.46	26.98	28.22	28.66	29.02	29.71
65	14.16	15.95	16.49	16.86	17.92	18.84	19.06	19.79	20.34	17.18	19.40	20.16	21.09	22.53	23.74	24.19	24.52	25.15
70	10.95	12.45	12.97	13.34	14.32	15.12	15.28	15.93	16.45	13.39	15.33	16.02	16.93	18.29	19.42	19.77	20.11	20.73
75	8.24	9.32	9.81	10.19	11.06	11.72	11.79	12.37	12.84	10.07	11.67	12.22	13.07	14.35	15.34	15.58	15.88	16.47
80	6.31	6.82	7.04	7.46	8.25	8.78	8.76	9.16	9.60	7.37	8.53	8.86	9.63	10.81	11.67	11.74	11.93	12.46
85	5.06	5.03	5.10	5.33	6.05	6.38	6.31	6.47	6.87	5.51	6.09	6.27	6.86	7.92	8.61	8.44	8.49	8.94
90		3.87	3.60	3.74	4.50	4.70	4.48	4.43	4.66		4.51	4.37	4.80	5.68	6.18	5.76	5.79	6.00
95			2.68	2.60	3.57	3.56	3.13	3.06	3.05			3.10	3.43	4.31	4.59	3.97	3.86	3.87
100							2.14	2.15	1.95							2.71	2.64	2.67

川崎市

(単位：年)

年 齢	男									女								
	昭和50年(1975)	60('85)	平成2('90)	7('95)	12(2000)	17('05)	22('10)	27('15)	令和2('20)	昭和50年(1975)	60('85)	平成2('90)	7('95)	12(2000)	17('05)	22('10)	27('15)	令和2('20)
0(W)	72.75	75.53	76.38	76.65	77.62	79.01	79.92	81.11	81.67	77.80	81.24	82.07	83.07	84.46	86.22	86.70	87.56	88.23
4	73.23	75.66	76.55	76.78	77.71	79.04	79.96	81.11	81.66	78.13	81.40	82.19	83.19	84.53	86.28	86.73	87.56	88.21
2(M)	73.18	75.62	76.49	76.73	77.66	78.98	79.91	81.04	81.58	78.08	81.34	82.14	83.13	84.47	86.21	86.67	87.49	88.13
3	73.13	75.55	76.43	76.65	77.60	78.91	79.82	80.96	81.51	78.03	81.29	82.09	83.07	84.40	86.14	86.61	87.43	88.06
6	72.96	75.36	76.23	76.43	77.42	78.70	79.60	80.73	81.29	77.84	81.09	81.89	82.87	84.17	85.92	86.42	87.20	87.84
0(Y)	72.75	75.53	76.38	76.65	77.62	79.01	79.92	81.11	81.67	77.80	81.24	82.07	83.07	84.46	86.22	86.70	87.56	88.23
1	72.53	74.90	75.78	75.98	76.95	78.22	79.16	80.27	80.80	77.40	80.69	81.45	82.41	83.68	85.46	85.94	86.72	87.36
2	71.62	73.95	74.85	75.06	75.98	77.27	78.18	79.30	79.81	76.49	79.74	80.50	81.45	82.70	84.47	84.96	85.74	86.37
3	70.66	72.99	73.90	74.08	75.00	76.30	77.19	78.32	78.82	75.53	78.76	79.54	80.48	81.72	83.48	83.97	84.76	85.38
4	69.70	72.02	72.93	73.10	74.02	75.32	76.20	77.33	77.83	74.55	77.77	78.56	79.50	80.74	82.49	82.98	83.77	84.38
5	68.75	71.05	71.96	72.12	73.03	74.33	75.21	76.35	76.83	73.58	76.78	77.57	78.51	79.75	81.50	81.99	82.78	83.39
10	63.89	66.13	67.01	67.17	68.06	69.38	70.23	71.39	71.85	68.65	71.83	72.62	73.56	74.82	76.52	77.01	77.81	78.40
15	59.00	61.18	62.06	62.23	63.11	64.43	65.25	66.44	66.89	63.71	66.86	67.65	68.59	69.84	71.54	72.04	72.84	73.43
20	54.17	56.38	57.23	57.36	58.22	59.52	60.30	61.52	62.00	58.78	61.92	62.70	63.65	64.91	66.57	67.09	67.87	68.46
25	49.35	51.53	52.38	52.50	53.34	54.61	55.45	56.64	57.11	53.92	57.03	57.79	58.74	59.98	61.64	62.13	62.94	63.52
30	44.54	46.67	47.53	47.61	48.48	49.74	50.55	51.76	52.20	49.05	52.12	52.87	53.83	55.05	56.73	57.18	57.99	58.58
35	39.77	41.83	42.70	42.75	43.68	44.88	45.68	46.88	47.32	44.21	47.24	47.96	48.90	50.14	51.83	52.25	53.06	53.63
40	35.12	37.08	37.92	37.95	38.87	40.04	40.83	42.02	42.45	39.42	42.38	43.09	44.03	45.25	46.95	47.38	48.18	48.73
45	30.66	32.44	33.25	33.26	34.18	35.33	36.07	37.22	37.65	34.72	37.60	38.28	39.26	40.46	42.11	42.54	43.31	43.87
50	26.28	28.02	28.72	28.73	29.63	30.71	31.37	32.51	32.95	30.12	32.91	33.53	34.57	35.75	37.37	37.78	38.55	39.05
55	22.02	23.88	24.43	24.42	25.34	26.34	26.81	27.96	28.38	25.69	28.32	28.92	29.94	31.16	32.73	33.09	33.85	34.34
60	17.99	19.86	20.40	20.33	21.28	22.22	22.64	23.58	23.96	21.36	23.82	24.44	25.41	26.65	28.21	28.52	29.24	29.68
65	14.15	15.99	16.63	16.64	17.51	18.31	18.71	19.49	19.80	17.27	19.55	20.07	21.05	22.23	23.78	24.08	24.70	25.12
70	10.87	12.54	13.04	13.26	14.00	14.69	15.10	15.74	16.01	13.39	15.42	15.92	16.89	17.98	19.49	19.77	20.31	20.73
75	8.20	9.37	9.83	10.11	10.79	11.44	11.81	12.27	12.54	10.03	11.75	12.13	13.04	14.01	15.45	15.61	16.11	16.51
80	6.20	6.83	7.23	7.41	7.98	8.59	8.76	9.18	9.42	7.37	8.66	8.87	9.60	10.52	11.82	11.80	12.25	12.57
85	4.94	5.01	5.24	5.26	5.75	6.26	6.22	6.57	6.86	5.42	6.23	6.22	6.77	7.50	8.76	8.44	8.84	9.10
90		3.73	3.76	3.67	4.19	4.55	4.33	4.68	4.82		4.87	4.29	4.62	5.19	6.33	5.94	6.09	6.21
95			2.48	2.68	3.28	3.07	2.99	3.21	3.15			3.19	3.07	3.72	4.82	4.06	4.04	4.04
100						2.05	2.14	1.92								2.72	2.98	2.85

相模原市

(単位：年)

年齢	男			女		
	平成22年(2010)	27('15)	令和2('20)	平成22年(2010)	27('15)	令和2('20)
0(W)	80.56	81.24	81.55	86.81	87.35	87.44
4	80.59	81.28	81.56	86.85	87.39	87.44
2(M)	80.50	81.23	81.47	86.85	87.33	87.36
3	80.41	81.17	81.40	86.85	87.25	87.28
6	80.19	80.96	81.18	86.63	87.00	87.05
0(Y)	80.56	81.24	81.55	86.81	87.35	87.44
1	79.72	80.47	80.71	86.16	86.56	86.58
2	78.72	79.51	79.73	85.17	85.57	85.60
3	77.73	78.53	78.74	84.17	84.58	84.62
4	76.73	77.55	77.75	83.18	83.58	83.63
5	75.73	76.56	76.76	82.18	82.59	82.64
10	70.74	71.61	71.78	77.19	77.60	77.67
15	65.78	66.66	66.81	72.21	72.62	72.69
20	60.85	61.76	61.92	67.23	67.68	67.74
25	55.99	56.86	57.07	62.25	62.73	62.79
30	51.14	51.96	52.16	57.29	57.78	57.88
35	46.31	47.10	47.30	52.39	52.87	53.02
40	41.53	42.27	42.49	47.51	48.00	48.15
45	36.80	37.52	37.76	42.74	43.18	43.34
50	32.16	32.86	33.10	37.95	38.44	38.57
55	27.60	28.31	28.58	33.28	33.83	33.86
60	23.27	23.95	24.17	28.75	29.18	29.23
65	19.18	19.84	20.13	24.34	24.68	24.74
70	15.27	16.04	16.24	20.02	20.28	20.39
75	11.68	12.37	12.74	15.87	16.01	16.15
80	8.50	9.15	9.53	12.14	12.10	12.20
85	6.04	6.54	6.73	8.99	8.80	8.73
90	4.31	4.50	4.66	6.43	6.11	5.95
95	2.94	3.43	3.25	4.70	4.33	3.88
100	1.93	2.83	2.29	3.87	3.17	2.59

新潟市

(単位：年)

年齢	男			女		
	平成22年 (2010)	27 ('15)	令和2 ('20)	平成22年 (2010)	27 ('15)	令和2 ('20)
0(W)	79.59	81.24	81.55	87.29	87.58	87.72
4	79.59	81.24	81.53	87.21	87.56	87.73
2(M)	79.52	81.16	81.44	87.12	87.48	87.65
3	79.44	81.08	81.37	87.04	87.42	87.59
6	79.19	80.87	81.13	86.81	87.21	87.35
0(Y)	79.59	81.24	81.55	87.29	87.58	87.72
1	78.74	80.39	80.63	86.34	86.72	86.85
2	77.79	79.40	79.65	85.35	85.74	85.88
3	76.83	78.42	78.65	84.36	84.76	84.91
4	75.86	77.42	77.66	83.37	83.78	83.92
5	74.89	76.43	76.67	82.37	82.79	82.94
10	69.98	71.45	71.69	77.39	77.83	77.99
15	65.04	66.47	66.71	72.43	72.84	73.00
20	60.17	61.56	61.76	67.44	67.88	68.05
25	55.32	56.69	56.91	62.55	62.96	63.14
30	50.51	51.83	52.05	57.67	58.06	58.22
35	45.70	47.00	47.19	52.78	53.16	53.33
40	40.92	42.14	42.35	47.89	48.26	48.41
45	36.18	37.37	37.55	43.09	43.41	43.53
50	31.66	32.75	32.88	38.28	38.64	38.76
55	27.30	28.18	28.35	33.58	33.95	34.10
60	23.05	23.80	23.97	29.04	29.33	29.46
65	18.96	19.64	19.83	24.45	24.76	24.93
70	15.21	15.75	16.01	20.00	20.32	20.48
75	11.70	12.15	12.38	15.69	16.06	16.24
80	8.65	8.89	9.13	11.82	12.10	12.25
85	6.26	6.33	6.40	8.50	8.62	8.70
90	4.43	4.49	4.38	5.73	5.83	5.82
95	3.11	3.21	2.94	3.62	3.81	3.79
100	2.17	2.31	1.94	2.31	2.56	2.54

静岡市

(単位：年)

年齢	男				女			
	平成17年(2005)	22('10)	27('15)	令和2('20)	平成17年(2005)	22('10)	27('15)	令和2('20)
0(W)	78.97	79.48	80.87	81.67	85.91	86.56	87.01	87.50
4	79.05	79.45	80.90	81.67	85.94	86.52	86.98	87.47
2(M)	78.98	79.36	80.84	81.60	85.89	86.43	86.91	87.41
3	78.92	79.31	80.76	81.53	85.80	86.38	86.86	87.35
6	78.71	79.06	80.52	81.28	85.58	86.13	86.66	87.11
0(Y)	78.97	79.48	80.87	81.67	85.91	86.56	87.01	87.50
1	78.25	78.61	80.02	80.84	85.10	85.63	86.19	86.63
2	77.28	77.64	79.04	79.86	84.13	84.64	85.22	85.65
3	76.30	76.66	78.06	78.88	83.15	83.66	84.24	84.67
4	75.32	75.68	77.07	77.89	82.16	82.67	83.26	83.68
5	74.33	74.69	76.08	76.90	81.18	81.68	82.27	82.69
10	69.39	69.73	71.12	71.92	76.23	76.71	77.31	77.72
15	64.43	64.77	66.13	66.95	71.25	71.76	72.34	72.73
20	59.50	59.85	61.18	62.03	66.30	66.80	67.38	67.78
25	54.70	55.07	56.33	57.15	61.43	61.88	62.40	62.84
30	49.86	50.35	51.44	52.31	56.54	57.03	57.53	57.90
35	45.10	45.51	46.61	47.42	51.63	52.11	52.61	53.00
40	40.34	40.77	41.77	42.55	46.79	47.23	47.78	48.15
45	35.66	36.10	37.03	37.80	41.96	42.42	42.98	43.31
50	31.06	31.44	32.38	33.12	37.23	37.63	38.16	38.54
55	26.65	27.01	27.87	28.49	32.58	32.98	33.46	33.81
60	22.41	22.77	23.47	24.03	28.01	28.40	28.85	29.17
65	18.37	18.69	19.34	19.85	23.54	23.92	24.35	24.66
70	14.67	14.87	15.47	15.96	19.19	19.57	19.94	20.24
75	11.37	11.34	11.92	12.39	15.09	15.39	15.72	16.01
80	8.45	8.38	8.73	9.20	11.36	11.49	11.77	12.05
85	6.21	6.07	6.11	6.42	8.12	8.04	8.36	8.55
90	4.31	4.38	4.06	4.32	5.56	5.28	5.58	5.64
95	3.08	3.31	2.66	2.81	3.66	3.46	3.64	3.66
100		2.60	1.74	1.80		2.56	2.26	2.63

浜松市

(単位：年)

年齢	男			女		
	平成22年 (2010)	27 ('15)	令和2 ('20)	平成22年 (2010)	27 ('15)	令和2 ('20)
0(W)	81.14	81.64	82.24	86.57	87.58	87.76
4	81.07	81.62	82.29	86.65	87.57	87.79
2(M)	81.04	81.54	82.21	86.58	87.50	87.73
3	80.98	81.47	82.14	86.53	87.43	87.68
6	80.73	81.24	81.92	86.30	87.19	87.49
0(Y)	81.14	81.64	82.24	86.57	87.58	87.76
1	80.25	80.78	81.42	85.85	86.72	87.04
2	79.27	79.81	80.45	84.86	85.75	86.06
3	78.29	78.84	79.47	83.86	84.78	85.07
4	77.30	77.86	78.49	82.87	83.79	84.08
5	76.30	76.88	77.50	81.87	82.81	83.09
10	71.33	71.95	72.55	76.88	77.85	78.11
15	66.40	66.99	67.58	71.96	72.87	73.14
20	61.48	62.06	62.66	67.05	67.90	68.21
25	56.62	57.21	57.80	62.09	62.95	63.26
30	51.76	52.42	52.93	57.18	57.99	58.33
35	46.92	47.61	48.05	52.31	53.09	53.42
40	42.09	42.77	43.21	47.42	48.21	48.51
45	37.33	37.99	38.45	42.53	43.35	43.65
50	32.63	33.31	33.75	37.84	38.56	38.85
55	28.16	28.71	29.15	33.19	33.86	34.14
60	23.85	24.28	24.66	28.56	29.22	29.49
65	19.65	20.07	20.37	24.09	24.63	24.95
70	15.74	16.10	16.42	19.76	20.19	20.49
75	12.12	12.43	12.74	15.61	15.92	16.21
80	8.93	9.10	9.36	11.69	12.00	12.19
85	6.29	6.41	6.51	8.43	8.53	8.67
90	4.46	4.53	4.35	5.70	5.75	5.82
95	3.17	3.07	3.02	3.84	3.72	3.80
100	2.25	2.00	2.19	2.44	2.50	2.69

名古屋市

(単位：年)

年齢	男									女								
	昭和50年(1975)	60('85)	平成2('90)	7('95)	12(2000)	17('05)	22('10)	27('15)	令和2('20)	昭和50年(1975)	60('85)	平成2('90)	7('95)	12(2000)	17('05)	22('10)	27('15)	令和2('20)
0(W)	72.28	75.00	75.78	76.42	77.67	78.60	79.22	80.63	81.32	76.66	80.42	81.32	82.70	84.06	85.23	86.33	86.72	87.39
4	72.71	75.20	75.91	76.51	77.73	78.61	79.24	80.61	81.30	76.97	80.60	81.46	82.76	84.11	85.26	86.31	86.74	87.38
2(M)	72.68	75.16	75.86	76.45	77.67	78.55	79.15	80.54	81.23	76.93	80.54	81.40	82.69	84.04	85.20	86.22	86.67	87.32
3	72.62	75.10	75.80	76.39	77.60	78.48	79.08	80.47	81.15	76.88	80.48	81.34	82.62	83.97	85.14	86.15	86.61	87.25
6	72.46	74.91	75.60	76.20	77.39	78.27	78.85	80.25	80.92	76.69	80.27	81.13	82.42	83.75	84.91	85.94	86.39	87.01
0(Y)	72.28	75.00	75.78	76.42	77.67	78.60	79.22	80.63	81.32	76.66	80.42	81.32	82.70	84.06	85.23	86.33	86.72	87.39
1	72.04	74.45	75.14	75.72	76.92	77.83	78.36	79.78	80.46	76.25	79.83	80.66	81.94	83.30	84.44	85.47	85.91	86.53
2	71.13	73.51	74.20	74.77	75.94	76.86	77.39	78.80	79.48	75.33	78.86	79.71	80.98	82.32	83.48	84.49	84.93	85.55
3	70.19	72.55	73.24	73.80	74.96	75.88	76.41	77.82	78.50	74.38	77.90	78.73	80.02	81.35	82.51	83.51	83.95	84.57
4	69.23	71.57	72.27	72.83	73.98	74.90	75.43	76.83	77.51	73.41	76.93	77.75	79.04	80.36	81.53	82.52	82.96	83.58
5	68.28	70.59	71.29	71.85	73.00	73.91	74.44	75.84	76.52	72.43	75.96	76.76	78.06	79.38	80.54	81.53	81.97	82.58
10	63.42	65.67	66.35	66.93	68.05	68.95	69.49	70.87	71.55	67.53	71.02	71.79	73.10	74.43	75.57	76.56	77.00	77.61
15	58.50	60.72	61.41	61.99	63.12	63.99	64.54	65.90	66.58	62.59	66.08	66.84	68.13	69.46	70.59	71.59	72.03	72.66
20	53.69	55.91	56.59	57.13	58.27	59.09	59.64	61.00	61.65	57.65	61.15	61.91	63.18	64.55	65.65	66.62	67.06	67.71
25	48.90	51.10	51.78	52.29	53.43	54.24	54.79	56.14	56.77	52.77	56.25	56.99	58.25	59.62	60.74	61.64	62.11	62.78
30	44.08	46.26	46.95	47.46	48.59	49.40	49.96	51.28	51.89	47.93	51.33	52.08	53.35	54.71	55.84	56.72	57.19	57.85
35	39.30	41.45	42.09	42.61	43.75	44.57	45.16	46.41	47.00	43.09	46.46	47.18	48.45	49.83	50.96	51.84	52.29	52.93
40	34.63	36.70	37.30	37.80	38.96	39.77	40.31	41.58	42.14	38.30	41.65	42.32	43.61	44.97	46.11	46.98	47.41	48.04
45	30.08	32.07	32.61	33.12	34.26	35.06	35.57	36.81	37.33	33.59	36.88	37.55	38.82	40.19	41.30	42.13	42.57	43.20
50	25.64	27.55	28.07	28.57	29.73	30.44	30.97	32.15	32.65	29.03	32.22	32.85	34.13	35.48	36.58	37.38	37.82	38.40
55	21.32	23.31	23.73	24.18	25.35	26.06	26.51	27.58	28.06	24.59	27.67	28.25	29.51	30.84	31.94	32.73	33.12	33.69
60	17.25	19.29	19.71	20.07	21.23	21.90	22.27	23.19	23.63	20.28	23.24	23.77	24.99	26.33	27.40	28.12	28.53	29.05
65	13.53	15.48	15.97	16.33	17.42	17.99	18.32	19.09	19.45	16.21	19.00	19.46	20.67	21.94	22.96	23.62	24.03	24.52
70	10.34	11.96	12.44	12.84	13.94	14.34	14.67	15.31	15.64	12.43	15.01	15.43	16.52	17.75	18.68	19.25	19.69	20.14
75	7.65	8.95	9.35	9.76	10.81	11.11	11.24	11.85	12.15	9.23	11.38	11.69	12.71	13.83	14.65	15.09	15.50	15.96
80	5.61	6.58	6.75	7.13	8.07	8.29	8.35	8.73	9.02	6.65	8.31	8.50	9.35	10.36	11.03	11.34	11.61	12.03
85	4.04	4.72	4.82	5.03	5.86	5.97	5.94	6.17	6.39	4.85	5.87	5.99	6.65	7.46	7.89	8.07	8.22	8.58
90		3.56	3.55	3.61	4.29	4.13	4.16	4.21	4.30		4.45	4.11	4.72	5.26	5.51	5.46	5.53	5.74
95			3.08	2.67	3.91	2.91	2.98	2.83	3.02			2.94	3.34	3.81	3.84	3.47	3.61	3.69
100							2.18	1.89	2.21							2.47	2.47	2.55

京都市

(単位：年)

年齢	男									女								
	昭和50年 (1975)	60 ('85)	平成2 ('90)	7 ('95)	12 (2000)	17 ('05)	22 ('10)	27 ('15)	令和2 ('20)	昭和50年 (1975)	60 ('85)	平成2 ('90)	7 ('95)	12 (2000)	17 ('05)	22 ('10)	27 ('15)	令和2 ('20)
0(W)	72.73	75.22	76.23	76.94	78.08	79.13	79.98	81.47	82.09	77.32	80.62	81.95	83.31	84.73	85.77	86.65	87.39	88.22
4	73.18	75.41	76.36	77.10	78.14	79.18	80.04	81.47	82.05	77.66	80.80	82.08	83.37	84.82	85.84	86.67	87.44	88.19
2(M)	73.14	75.33	76.30	77.07	78.11	79.12	79.98	81.39	81.97	77.62	80.75	82.02	83.33	84.76	85.78	86.58	87.38	88.11
3	73.09	75.28	76.23	77.01	78.04	79.05	79.91	81.31	81.90	77.56	80.70	81.95	83.27	84.68	85.71	86.51	87.30	88.02
6	72.90	75.08	76.04	76.81	77.82	78.84	79.70	81.08	81.66	77.36	80.49	81.73	83.07	84.45	85.49	86.29	87.08	87.80
0(Y)	72.73	75.22	76.23	76.94	78.08	79.13	79.98	81.47	82.09	77.32	80.62	81.95	83.31	84.73	85.77	86.65	87.39	88.22
1	72.49	74.64	75.60	76.34	77.35	78.37	79.22	80.59	81.20	76.92	80.04	81.26	82.60	83.99	85.02	85.81	86.62	87.37
2	71.58	73.70	74.64	75.38	76.38	77.41	78.26	79.62	80.22	76.01	79.12	80.31	81.64	83.03	84.04	84.82	85.64	86.38
3	70.63	72.74	73.68	74.39	75.40	76.44	77.29	78.64	79.24	75.05	78.15	79.34	80.67	82.06	83.05	83.84	84.65	85.39
4	69.68	71.76	72.70	73.42	74.42	75.46	76.31	77.65	78.26	74.09	77.17	78.37	79.68	81.08	82.06	82.84	83.66	84.39
5	68.72	70.78	71.72	72.43	73.43	74.47	75.33	76.66	77.27	73.11	76.17	77.38	78.70	80.09	81.07	81.85	82.67	83.40
10	63.82	65.86	66.78	67.49	68.48	69.51	70.39	71.71	72.31	68.18	71.20	72.46	73.76	75.15	76.10	76.87	77.69	78.41
15	58.91	60.92	61.83	62.55	63.51	64.57	65.40	66.73	67.32	63.22	66.25	67.49	68.80	70.18	71.13	71.88	72.72	73.45
20	54.04	56.11	56.99	57.67	58.62	59.63	60.49	61.78	62.39	58.29	61.32	62.56	63.85	65.23	66.17	66.92	67.73	68.49
25	49.20	51.25	52.15	52.82	53.77	54.75	55.64	56.88	57.49	53.41	56.40	57.63	58.92	60.29	61.24	62.00	62.77	63.55
30	44.41	46.41	47.30	47.99	48.93	49.90	50.82	52.00	52.60	48.57	51.51	52.73	54.01	55.38	56.33	57.07	57.84	58.60
35	39.65	41.60	42.46	43.17	44.12	45.06	45.99	47.11	47.75	43.77	46.66	47.83	49.12	50.51	51.44	52.18	52.94	53.66
40	35.00	36.87	37.66	38.38	39.35	40.27	41.16	42.25	42.93	38.99	41.82	42.99	44.27	45.67	46.59	47.35	48.04	48.75
45	30.47	32.23	32.99	33.70	34.64	35.56	36.46	37.48	38.14	34.29	37.04	38.22	39.48	40.89	41.78	42.55	43.19	43.91
50	26.04	27.78	28.48	29.15	30.12	30.96	31.83	32.82	33.45	29.67	32.40	33.52	34.79	36.18	37.04	37.79	38.44	39.13
55	21.77	23.50	24.10	24.75	25.76	26.59	27.33	28.25	28.88	25.21	27.83	28.91	30.14	31.57	32.41	33.08	33.74	34.42
60	17.77	19.46	20.00	20.65	21.66	22.40	23.09	23.84	24.46	20.88	23.40	24.44	25.60	27.04	27.86	28.50	29.09	29.75
65	14.06	15.64	16.18	16.81	17.79	18.39	19.04	19.75	20.24	16.75	19.10	20.08	21.22	22.67	23.42	24.00	24.57	25.19
70	10.88	12.15	12.64	13.27	14.26	14.67	15.26	15.92	16.30	12.95	15.08	15.94	17.11	18.48	19.16	19.62	20.18	20.76
75	8.14	9.14	9.58	10.18	11.05	11.35	11.72	12.34	12.72	9.59	11.44	12.16	13.28	14.56	15.12	15.44	15.89	16.51
80	6.00	6.58	7.05	7.56	8.17	8.48	8.67	9.13	9.47	6.89	8.39	8.85	9.89	11.02	11.44	11.59	11.99	12.53
85	4.62	4.72	4.95	5.51	6.05	6.11	6.30	6.47	6.73	4.97	5.90	6.23	7.13	8.14	8.35	8.32	8.56	9.01
90		3.19	3.50	4.04	4.45	4.35	4.47	4.45	4.56		4.40	4.36	5.09	5.99	6.05	5.71	5.78	6.08
95			2.44	3.12	3.70	3.19	3.14	3.08	3.06			2.98	3.94	4.66	4.43	3.95	3.83	3.94
100							2.20	2.16	2.05							2.79	2.50	2.75

大阪市

(単位：年)

年齢	男									女								
	昭和50年 (1975)	60 ('85)	平成2 ('90)	7 ('95)	12 (2000)	17 ('05)	22 ('10)	27 ('15)	令和2 ('20)	昭和50年 (1975)	60 ('85)	平成2 ('90)	7 ('95)	12 (2000)	17 ('05)	22 ('10)	27 ('15)	令和2 ('20)
0(W)	70.63	72.91	73.97	74.69	75.74	76.99	77.40	78.81	79.32	76.08	79.38	80.60	81.95	83.38	84.53	85.20	86.23	86.75
4	71.10	73.15	74.11	74.77	75.82	77.03	77.44	78.83	79.32	76.42	79.54	80.74	82.05	83.45	84.60	85.23	86.18	86.72
2(M)	71.07	73.09	74.06	74.72	75.76	76.96	77.36	78.75	79.26	76.39	79.48	80.68	82.00	83.39	84.54	85.19	86.10	86.64
3	71.02	73.02	74.01	74.65	75.69	76.90	77.29	78.67	79.18	76.33	79.42	80.61	81.94	83.33	84.46	85.11	86.03	86.58
6	70.85	72.82	73.82	74.43	75.49	76.68	77.06	78.45	78.95	76.14	79.23	80.42	81.73	83.12	84.24	84.88	85.80	86.35
0(Y)	70.63	72.91	73.97	74.69	75.74	76.99	77.40	78.81	79.32	76.08	79.38	80.60	81.95	83.38	84.53	85.20	86.23	86.75
1	70.44	72.39	73.36	73.98	75.04	76.21	76.60	77.98	78.48	75.73	78.80	79.99	81.26	82.66	83.78	84.41	85.33	85.87
2	69.52	71.44	72.43	73.03	74.08	75.24	75.62	77.01	77.50	74.81	77.86	79.04	80.29	81.70	82.80	83.44	84.35	84.89
3	68.57	70.47	71.48	72.06	73.11	74.26	74.64	76.03	76.51	73.85	76.88	78.07	79.32	80.73	81.82	82.46	83.36	83.90
4	67.62	69.51	70.51	71.08	72.13	73.28	73.65	75.04	75.53	72.89	75.91	77.10	78.35	79.75	80.83	81.47	82.37	82.91
5	66.67	68.52	69.53	70.10	71.14	72.29	72.65	74.05	74.53	71.92	74.92	76.11	77.36	78.76	79.84	80.48	81.38	81.92
10	61.80	63.60	64.60	65.16	66.18	67.34	67.68	69.08	69.56	67.03	69.98	71.16	72.42	73.79	74.86	75.52	76.40	76.95
15	56.87	58.68	59.67	60.22	61.22	62.37	62.75	64.12	64.60	62.10	65.03	66.19	67.46	68.83	69.90	70.54	71.42	71.98
20	52.05	53.87	54.83	55.35	56.34	57.47	57.86	59.20	59.68	57.20	60.11	61.25	62.54	63.91	64.97	65.59	66.47	67.05
25	47.29	49.05	50.04	50.50	51.49	52.63	53.01	54.30	54.81	52.36	55.20	56.34	57.60	58.99	60.07	60.70	61.54	62.16
30	42.54	44.22	45.22	45.65	46.65	47.78	48.15	49.42	49.90	47.56	50.34	51.46	52.69	54.10	55.17	55.84	56.64	57.23
35	37.85	39.44	40.43	40.83	41.85	42.96	43.31	44.57	45.05	42.76	45.49	46.60	47.82	49.23	50.30	50.96	51.74	52.31
40	33.30	34.74	35.70	36.09	37.12	38.21	38.54	39.79	40.25	38.05	40.69	41.77	42.99	44.40	45.48	46.13	46.87	47.43
45	28.89	30.19	31.12	31.50	32.50	33.56	33.90	35.09	35.51	33.40	35.97	37.02	38.24	39.61	40.71	41.37	42.06	42.61
50	24.66	25.90	26.72	27.10	28.12	29.10	29.44	30.49	30.88	28.86	31.32	32.36	33.56	34.94	36.03	36.67	37.32	37.86
55	20.54	21.93	22.59	22.96	23.98	24.89	25.13	26.07	26.42	24.45	26.82	27.81	29.00	30.40	31.50	32.04	32.68	33.19
60	16.71	18.14	18.83	19.06	20.11	20.95	21.13	21.88	22.18	20.22	22.46	23.37	24.53	25.91	27.04	27.55	28.11	28.63
65	13.24	14.57	15.32	15.57	16.52	17.25	17.42	18.07	18.24	16.13	18.26	19.14	20.27	21.59	22.67	23.12	23.65	24.15
70	10.19	11.29	12.05	12.32	13.25	13.80	13.95	14.54	14.71	12.44	14.29	15.15	16.23	17.49	18.46	18.82	19.37	19.85
75	7.69	8.42	9.09	9.39	10.29	10.73	10.81	11.31	11.54	9.27	10.71	11.46	12.48	13.62	14.53	14.77	15.26	15.72
80	5.72	6.07	6.61	6.84	7.69	8.11	8.05	8.48	8.70	6.72	7.73	8.30	9.21	10.26	11.02	11.12	11.49	11.89
85	4.38	4.41	4.78	4.88	5.69	5.89	5.79	6.13	6.25	4.96	5.44	5.81	6.60	7.38	8.08	7.92	8.21	8.55
90		3.26	3.55	3.44	4.28	4.25	4.09	4.25	4.34		4.09	3.96	4.63	5.29	5.75	5.40	5.52	5.75
95			2.65	2.36	3.54	3.11	2.79	2.85	2.98			2.57	3.40	3.92	4.19	3.59	3.69	3.73
100							1.85	1.86	2.04							2.70	2.45	2.77

堺市

(単位：年)

年齢	男				女			
	平成17年 (2005)	22 ('10)	27 ('15)	令和2 ('20)	平成17年 (2005)	22 ('10)	27 ('15)	令和2 ('20)
0(W)	78.58	79.00	80.36	81.09	85.22	85.82	86.74	87.53
4	78.61	79.05	80.31	81.04	85.26	85.77	86.74	87.52
2(M)	78.53	78.96	80.23	80.96	85.19	85.70	86.66	87.44
3	78.46	78.87	80.14	80.89	85.10	85.62	86.60	87.37
6	78.25	78.66	79.94	80.68	84.90	85.37	86.35	87.14
0(Y)	78.58	79.00	80.36	81.09	85.22	85.82	86.74	87.53
1	77.78	78.20	79.46	80.19	84.48	84.91	85.86	86.66
2	76.82	77.23	78.49	79.20	83.50	83.93	84.88	85.67
3	75.84	76.25	77.51	78.20	82.52	82.95	83.89	84.67
4	74.86	75.27	76.53	77.21	81.54	81.96	82.90	83.67
5	73.87	74.28	75.55	76.21	80.55	80.97	81.91	82.67
10	68.92	69.32	70.60	71.23	75.57	76.00	76.93	77.68
15	63.95	64.36	65.65	66.26	70.59	71.01	71.96	72.71
20	59.05	59.43	60.73	61.34	65.66	66.03	67.03	67.74
25	54.19	54.59	55.88	56.44	60.77	61.19	62.10	62.82
30	49.39	49.72	51.02	51.59	55.87	56.23	57.22	57.90
35	44.58	44.83	46.18	46.74	51.00	51.31	52.33	52.98
40	39.79	40.00	41.33	41.90	46.15	46.47	47.44	48.07
45	35.13	35.31	36.56	37.11	41.35	41.65	42.57	43.23
50	30.61	30.73	31.91	32.43	36.66	36.90	37.84	38.47
55	26.24	26.38	27.45	27.93	32.07	32.32	33.14	33.79
60	22.09	22.24	23.21	23.60	27.57	27.79	28.57	29.16
65	18.15	18.33	19.15	19.54	23.16	23.32	24.14	24.69
70	14.48	14.61	15.34	15.78	18.88	19.07	19.77	20.30
75	11.23	11.18	11.81	12.30	14.92	15.05	15.58	16.09
80	8.48	8.20	8.67	9.13	11.32	11.39	11.67	12.14
85	6.27	5.85	6.16	6.53	8.17	8.11	8.35	8.68
90	4.51	4.00	4.16	4.52	5.93	5.79	5.63	5.86
95	3.51	2.68	2.99	2.99	4.35	4.21	3.79	3.73
100		1.77	2.28	1.91		3.00	2.76	2.37

神戸市

(単位：年)

年齢	男									女								
	昭和50年(1975)	60('85)	平成2('90)	7('95)	12(2000)	17('05)	22('10)	27('15)	令和2('20)	昭和50年(1975)	60('85)	平成2('90)	7('95)	12(2000)	17('05)	22('10)	27('15)	令和2('20)
0(W)	71.57	74.18	75.20	74.11	77.48	78.81	79.60	80.87	81.79	76.99	80.26	81.52	79.98	84.26	85.70	86.00	86.97	88.03
4	71.90	74.33	75.29	74.18	77.50	78.87	79.65	80.82	81.76	77.23	80.35	81.61	80.03	84.32	85.73	85.98	86.95	87.96
2(M)	71.87	74.28	75.24	74.11	77.44	78.81	79.59	80.76	81.70	77.19	80.32	81.56	79.98	84.26	85.65	85.89	86.88	87.89
3	71.81	74.21	75.18	74.05	77.37	78.75	79.52	80.69	81.63	77.14	80.25	81.50	79.92	84.19	85.59	85.83	86.79	87.82
6	71.62	74.01	74.97	73.83	77.16	78.53	79.31	80.48	81.40	76.93	80.03	81.29	79.72	83.97	85.36	85.62	86.56	87.59
0(Y)	71.57	74.18	75.20	74.11	77.48	78.81	79.60	80.87	81.79	76.99	80.26	81.52	79.98	84.26	85.70	86.00	86.97	88.03
1	71.22	73.56	74.52	73.38	76.71	78.05	78.85	80.00	80.91	76.48	79.56	80.82	79.28	83.53	84.90	85.15	86.10	87.12
2	70.30	72.65	73.56	72.47	75.74	77.08	77.87	79.02	79.93	75.57	78.61	79.88	78.34	82.55	83.93	84.19	85.12	86.13
3	69.37	71.69	72.59	71.52	74.77	76.09	76.88	78.04	78.94	74.61	77.64	78.91	77.37	81.57	82.95	83.21	84.14	85.15
4	68.40	70.70	71.61	70.55	73.79	75.11	75.89	77.06	77.95	73.64	76.66	77.94	76.41	80.58	81.96	82.23	83.15	84.16
5	67.43	69.72	70.63	69.58	72.81	74.11	74.90	76.07	76.95	72.67	75.68	76.95	75.45	79.60	80.97	81.25	82.16	83.16
10	62.56	64.81	65.67	64.73	67.86	69.14	69.93	71.11	71.98	67.73	70.73	72.00	70.63	74.62	76.00	76.30	77.19	78.19
15	57.63	59.87	60.73	59.86	62.88	64.19	64.97	66.15	67.04	62.79	65.78	67.04	65.79	69.66	71.02	71.34	72.23	73.22
20	52.89	55.06	55.89	55.06	58.01	59.28	60.04	61.20	62.11	57.88	60.84	62.09	60.99	64.73	66.09	66.39	67.28	68.25
25	48.16	50.26	51.08	50.39	53.15	54.43	55.21	56.35	57.24	53.06	55.94	57.19	56.19	59.82	61.18	61.47	62.34	63.32
30	43.39	45.45	46.26	45.63	48.33	49.60	50.38	51.49	52.39	48.23	51.06	52.27	51.38	54.92	56.27	56.58	57.44	58.40
35	38.69	40.66	41.48	40.86	43.53	44.78	45.57	46.68	47.52	43.45	46.21	47.38	46.58	50.04	51.40	51.69	52.55	53.49
40	34.04	35.94	36.71	36.11	38.77	40.00	40.77	41.86	42.69	38.72	41.40	42.53	41.77	45.18	46.59	46.83	47.67	48.62
45	29.59	31.35	32.06	31.52	34.12	35.34	36.00	37.12	37.92	34.04	36.64	37.75	37.05	40.36	41.80	42.00	42.84	43.80
50	25.32	26.92	27.58	27.07	29.61	30.77	31.35	32.45	33.24	29.51	31.96	33.05	32.41	35.64	37.06	37.25	38.08	39.00
55	21.20	22.86	23.36	22.82	25.32	26.44	26.90	27.91	28.70	25.08	27.40	28.45	27.90	30.99	32.41	32.57	33.36	34.25
60	17.42	18.92	19.42	18.87	21.24	22.31	22.65	23.59	24.31	20.80	23.02	24.00	23.57	26.46	27.85	28.06	28.74	29.62
65	13.95	15.23	15.76	15.29	17.43	18.38	18.65	19.52	20.13	16.74	18.80	19.72	19.42	22.06	23.37	23.56	24.21	25.09
70	10.86	11.88	12.40	11.98	13.94	14.73	14.86	15.69	16.21	13.07	14.84	15.68	15.47	17.88	19.08	19.24	19.83	20.66
75	8.17	8.91	9.40	9.03	10.79	11.47	11.42	12.12	12.65	9.83	11.21	11.92	11.87	13.98	15.06	15.11	15.60	16.41
80	6.08	6.50	6.89	6.53	8.05	8.61	8.38	8.92	9.44	7.22	8.16	8.71	8.65	10.49	11.44	11.28	11.73	12.41
85	4.78	4.79	4.95	4.61	5.95	6.21	6.01	6.30	6.72	5.55	5.79	6.15	6.14	7.64	8.45	8.06	8.34	8.88
90		3.65	3.61	3.40	4.26	4.46	4.09	4.36	4.66		4.20	4.23	4.33	5.33	6.08	5.51	5.64	5.96
95			3.09	2.35	3.55	3.23	3.15	2.93	3.27			3.09	3.07	3.58	4.53	3.79	3.78	3.85
100							2.65	1.92	2.33							2.64	2.57	2.47

岡山市

(単位：年)

年齢	男			女		
	平成22年 (2010)	27 ('15)	令和2 ('20)	平成22年 (2010)	27 ('15)	令和2 ('20)
0(W)	79.60	81.45	82.27	87.22	87.89	88.43
4	79.60	81.42	82.21	87.19	87.88	88.38
2(M)	79.53	81.35	82.14	87.13	87.80	88.30
3	79.47	81.26	82.07	87.04	87.72	88.23
6	79.22	81.04	81.86	86.79	87.52	88.01
0(Y)	79.60	81.45	82.27	87.22	87.89	88.43
1	78.74	80.57	81.39	86.32	87.03	87.53
2	77.80	79.59	80.41	85.34	86.04	86.54
3	76.84	78.61	79.42	84.36	85.05	85.56
4	75.88	77.62	78.43	83.38	84.05	84.56
5	74.92	76.63	77.44	82.39	83.06	83.57
10	70.04	71.66	72.47	77.42	78.07	78.59
15	65.06	66.69	67.51	72.45	73.09	73.64
20	60.11	61.77	62.59	67.50	68.11	68.71
25	55.28	56.87	57.67	62.54	63.16	63.78
30	50.43	52.03	52.83	57.61	58.22	58.82
35	45.62	47.21	47.97	52.74	53.32	53.89
40	40.77	42.34	43.13	47.87	48.42	49.02
45	36.12	37.53	38.34	43.02	43.57	44.14
50	31.51	32.89	33.62	38.26	38.79	39.37
55	27.05	28.35	29.05	33.51	34.04	34.68
60	22.86	23.95	24.57	28.79	29.37	30.01
65	18.81	19.80	20.32	24.36	24.79	25.40
70	15.10	15.94	16.36	19.95	20.33	20.91
75	11.67	12.27	12.77	15.74	16.05	16.63
80	8.56	8.95	9.50	11.86	12.05	12.58
85	5.99	6.27	6.74	8.43	8.53	9.01
90	4.16	4.37	4.67	5.71	5.66	6.04
95	3.14	3.02	3.03	3.82	3.63	3.90
100	2.52	2.07	1.85	2.34	2.38	2.84

広島市

(単位：年)

年齢	男								女							
	昭和60年 (1985)	平成2 ('90)	7 ('95)	12 (2000)	17 ('05)	22 ('10)	27 ('15)	令和2 ('20)	昭和60年 (1985)	平成2 ('90)	7 ('95)	12 (2000)	17 ('05)	22 ('10)	27 ('15)	令和2 ('20)
0(W)	75.85	76.47	76.98	77.96	79.45	79.90	81.43	82.53	81.39	82.60	83.82	85.20	86.33	86.99	87.52	88.41
4	76.00	76.55	77.02	77.97	79.49	79.94	81.42	82.49	81.54	82.68	83.86	85.24	86.31	87.02	87.53	88.42
2(M)	75.94	76.51	76.96	77.90	79.40	79.89	81.34	82.42	81.47	82.63	83.81	85.17	86.25	86.96	87.45	88.35
3	75.88	76.45	76.91	77.84	79.33	79.81	81.28	82.34	81.41	82.57	83.75	85.10	86.17	86.89	87.37	88.28
6	75.70	76.24	76.73	77.63	79.11	79.58	81.07	82.10	81.19	82.37	83.53	84.87	85.96	86.66	87.15	88.06
0(Y)	75.85	76.47	76.98	77.96	79.45	79.90	81.43	82.53	81.39	82.60	83.82	85.20	86.33	86.99	87.52	88.41
1	75.22	75.80	76.28	77.16	78.64	79.10	80.63	81.62	80.71	81.94	83.08	84.39	85.49	86.22	86.67	87.59
2	74.27	74.86	75.31	76.22	77.66	78.12	79.66	80.64	79.75	81.00	82.11	83.42	84.52	85.25	85.69	86.60
3	73.31	73.90	74.35	75.25	76.68	77.14	78.68	79.65	78.80	80.03	81.12	82.45	83.54	84.27	84.70	85.61
4	72.33	72.93	73.39	74.27	75.69	76.15	77.69	78.66	77.81	79.04	80.12	81.46	82.56	83.28	83.70	84.62
5	71.35	71.95	72.40	73.29	74.70	75.16	76.71	77.67	76.83	78.05	79.12	80.48	81.57	82.29	82.71	83.62
10	66.43	67.01	67.44	68.36	69.74	70.19	71.74	72.70	71.90	73.13	74.18	75.54	76.62	77.33	77.73	78.64
15	61.49	62.05	62.49	63.42	64.78	65.25	66.77	67.73	66.94	68.17	69.21	70.58	71.64	72.34	72.74	73.65
20	56.66	57.18	57.63	58.53	59.88	60.35	61.86	62.81	62.01	63.23	64.27	65.64	66.69	67.38	67.82	68.68
25	51.84	52.37	52.86	53.72	55.05	55.55	57.02	57.95	57.12	58.32	59.36	60.70	61.77	62.41	62.89	63.74
30	47.02	47.57	48.03	48.89	50.18	50.76	52.18	53.10	52.19	53.39	54.44	55.80	56.84	57.46	57.97	58.83
35	42.15	42.73	43.18	44.09	45.32	45.95	47.32	48.23	47.30	48.49	49.53	50.87	51.92	52.55	53.04	53.91
40	37.36	37.97	38.34	39.32	40.57	41.16	42.48	43.38	42.45	43.66	44.65	46.00	47.07	47.65	48.15	49.00
45	32.68	33.28	33.64	34.62	35.89	36.46	37.70	38.57	37.70	38.87	39.85	41.20	42.25	42.80	43.29	44.17
50	28.21	28.70	29.10	30.05	31.32	31.90	33.01	33.83	33.01	34.13	35.15	36.46	37.49	38.07	38.51	39.38
55	24.03	24.30	24.69	25.72	26.92	27.38	28.44	29.19	28.48	29.54	30.55	31.80	32.84	33.39	33.83	34.64
60	20.06	20.35	20.58	21.56	22.68	23.09	24.04	24.79	24.04	25.09	26.02	27.23	28.28	28.79	29.12	29.99
65	16.34	16.58	16.81	17.65	18.66	18.99	19.89	20.55	19.77	20.76	21.68	22.79	23.78	24.27	24.57	25.45
70	12.81	13.10	13.38	14.10	14.90	15.16	16.01	16.59	15.79	16.60	17.60	18.54	19.46	19.90	20.15	20.98
75	9.72	9.93	10.27	10.85	11.58	11.65	12.37	12.96	12.12	12.77	13.78	14.58	15.41	15.70	15.88	16.71
80	7.08	7.18	7.55	8.18	8.68	8.65	9.13	9.65	8.93	9.40	10.33	10.99	11.77	11.91	12.01	12.70
85	5.03	5.20	5.41	6.01	6.21	6.37	6.42	6.85	6.38	6.68	7.47	7.94	8.62	8.51	8.63	9.16
90	3.75	3.61	3.89	4.37	4.44	4.45	4.48	4.65	4.53	4.76	5.32	5.53	6.09	5.80	5.87	6.24
95		2.31	2.95	3.34	2.94	3.10	3.24	3.26		3.17	3.91	4.00	4.45	4.05	3.84	4.07
100						2.16	2.40	2.35						2.77	2.68	2.74

北九州市

(単位：年)

年齢	男 昭和50年(1975)	60('85)	平成2('90)	7('95)	12(2000)	17('05)	22('10)	27('15)	令和2('20)	女 昭和50年(1975)	60('85)	平成2('90)	7('95)	12(2000)	17('05)	22('10)	27('15)	令和2('20)
0(W)	70.95	73.94	74.73	75.82	77.00	77.81	78.85	80.44	81.01	76.94	80.66	81.91	83.04	84.21	85.55	86.20	87.06	87.69
4	71.37	74.14	74.87	75.91	77.11	77.84	78.82	80.46	81.01	77.27	80.86	82.05	83.15	84.24	85.56	86.21	87.03	87.71
2(M)	71.33	74.10	74.82	75.86	77.03	77.77	78.77	80.38	80.96	77.23	80.80	81.98	83.07	84.17	85.48	86.12	87.00	87.63
3	71.27	74.02	74.77	75.78	76.96	77.71	78.72	80.31	80.88	77.18	80.75	81.91	82.99	84.13	85.42	86.04	86.93	87.55
6	71.07	73.83	74.59	75.60	76.73	77.51	78.49	80.08	80.64	77.00	80.54	81.70	82.76	83.92	85.25	85.81	86.72	87.34
0(Y)	70.95	73.94	74.73	75.82	77.00	77.81	78.85	80.44	81.01	76.94	80.66	81.91	83.04	84.21	85.55	86.20	87.06	87.69
1	70.63	73.39	74.15	75.18	76.23	77.05	78.01	79.67	80.19	76.59	80.10	81.25	82.31	83.47	84.78	85.35	86.26	86.87
2	69.74	72.47	73.20	74.23	75.27	76.08	77.04	78.69	79.20	75.68	79.16	80.28	81.33	82.56	83.82	84.38	85.29	85.89
3	68.82	71.50	72.23	73.25	74.30	75.11	76.07	77.71	78.21	74.71	78.18	79.30	80.40	81.61	82.85	83.40	84.30	84.91
4	67.86	70.53	71.25	72.27	73.32	74.13	75.09	76.73	77.22	73.75	77.20	78.31	79.43	80.64	81.88	82.41	83.32	83.92
5	66.90	69.56	70.27	71.27	72.33	73.15	74.10	75.74	76.23	72.80	76.21	77.32	78.46	79.65	80.89	81.42	82.33	82.92
10	62.04	64.65	65.33	66.33	67.36	68.21	69.15	70.77	71.25	67.88	71.27	72.33	73.50	74.73	75.94	76.46	77.36	77.95
15	57.14	59.71	60.39	61.38	62.41	63.26	64.24	65.79	66.27	62.96	66.31	67.37	68.56	69.77	70.96	71.49	72.40	72.96
20	52.35	54.86	55.55	56.52	57.54	58.38	59.34	60.87	61.35	58.05	61.40	62.43	63.61	64.83	66.03	66.55	67.43	68.03
25	47.59	50.14	50.81	51.72	52.74	53.56	54.58	55.98	56.49	53.18	56.49	57.51	58.70	59.92	61.12	61.70	62.51	63.10
30	42.84	45.30	45.99	46.90	47.95	48.76	49.76	51.20	51.65	48.34	51.58	52.60	53.76	55.06	56.19	56.82	57.56	58.18
35	38.11	40.52	41.18	42.08	43.15	43.97	44.91	46.38	46.79	43.51	46.72	47.75	48.87	50.19	51.30	51.93	52.65	53.26
40	33.62	35.81	36.44	37.37	38.36	39.26	40.16	41.57	41.96	38.76	41.87	42.92	44.04	45.34	46.48	47.08	47.78	48.39
45	29.27	31.29	31.87	32.78	33.73	34.65	35.54	36.76	37.17	34.07	37.11	38.16	39.28	40.53	41.68	42.25	42.95	43.55
50	25.02	26.93	27.44	28.33	29.26	30.18	30.89	32.12	32.50	29.56	32.46	33.45	34.62	35.83	36.95	37.47	38.14	38.80
55	20.96	22.87	23.26	24.07	25.00	25.90	26.49	27.63	27.99	25.17	27.94	28.89	30.00	31.24	32.35	32.81	33.43	34.09
60	17.15	19.11	19.50	20.05	20.90	21.82	22.36	23.35	23.70	20.91	23.52	24.45	25.50	26.74	27.87	28.26	28.90	29.49
65	13.56	15.45	15.85	16.44	17.14	17.91	18.39	19.37	19.59	16.80	19.29	20.17	21.22	22.34	23.42	23.82	24.42	24.98
70	10.44	12.06	12.50	13.05	13.75	14.31	14.70	15.63	15.88	13.11	15.34	16.06	17.10	18.20	19.17	19.46	20.05	20.58
75	7.91	9.12	9.55	9.98	10.59	11.11	11.32	12.13	12.43	9.73	11.72	12.32	13.26	14.31	15.17	15.37	15.81	16.38
80	5.99	6.80	7.02	7.43	7.87	8.31	8.45	8.95	9.20	6.98	8.54	8.97	9.93	10.82	11.51	11.56	11.94	12.36
85	4.75	4.87	5.11	5.32	5.76	6.07	6.12	6.30	6.51	5.06	6.15	6.35	7.15	7.90	8.42	8.25	8.52	8.83
90		3.81	3.79	3.73	4.12	4.34	4.39	4.30	4.37		4.52	4.50	5.06	5.68	6.04	5.65	5.69	5.93
95			2.42	2.44	2.75	3.25	2.90	2.90	2.80			3.21	3.79	4.23	4.26	3.80	3.74	3.79
100							1.77	1.95	1.74							2.45	2.60	2.67

福岡市

(単位：年)

年齢	男									女								
	昭和50年 (1975)	60 ('85)	平成2 ('90)	7 ('95)	12 (2000)	17 ('05)	22 ('10)	27 ('15)	令和2 ('20)	昭和50年 (1975)	60 ('85)	平成2 ('90)	7 ('95)	12 (2000)	17 ('05)	22 ('10)	27 ('15)	令和2 ('20)
0(W)	72.54	74.75	75.81	76.62	77.72	79.17	79.84	81.10	81.65	78.02	81.33	82.63	84.13	84.79	86.27	86.71	87.62	87.91
4	72.86	74.95	75.92	76.71	77.77	79.20	79.89	81.08	81.66	78.27	81.45	82.74	84.25	84.90	86.26	86.78	87.64	87.89
2(M)	72.81	74.90	75.88	76.66	77.71	79.14	79.82	81.00	81.58	78.22	81.37	82.67	84.18	84.83	86.18	86.69	87.58	87.80
3	72.76	74.87	75.82	76.61	77.63	79.07	79.74	80.93	81.51	78.17	81.29	82.62	84.13	84.76	86.10	86.61	87.51	87.73
6	72.56	74.65	75.63	76.41	77.44	78.86	79.56	80.71	81.29	77.98	81.10	82.40	83.94	84.54	85.89	86.39	87.28	87.51
0(Y)	72.54	74.75	75.81	76.62	77.72	79.17	79.84	81.10	81.65	78.02	81.33	82.63	84.13	84.79	86.27	86.71	87.62	87.91
1	72.17	74.21	75.17	75.95	76.96	78.38	79.06	80.24	80.84	77.54	80.64	81.95	83.49	84.09	85.41	85.91	86.81	87.05
2	71.26	73.26	74.21	75.01	76.00	77.41	78.09	79.27	79.85	76.60	79.70	81.03	82.53	83.12	84.45	84.95	85.83	86.07
3	70.31	72.31	73.25	74.05	75.03	76.43	77.11	78.29	78.86	75.65	78.73	80.07	81.55	82.14	83.47	83.98	84.85	85.09
4	69.36	71.34	72.28	73.08	74.06	75.45	76.13	77.31	77.87	74.69	77.75	79.10	80.58	81.15	82.48	83.00	83.87	84.10
5	68.38	70.36	71.30	72.10	73.07	74.46	75.14	76.32	76.88	73.72	76.77	78.11	79.61	80.16	81.49	82.02	82.88	83.11
10	63.52	65.42	66.35	67.19	68.13	69.50	70.19	71.36	71.90	68.82	71.84	73.18	74.63	75.18	76.52	77.08	77.91	78.14
15	58.60	60.49	61.41	62.25	63.18	64.53	65.22	66.39	66.94	63.88	66.89	68.21	69.68	70.20	71.53	72.08	72.94	73.16
20	53.76	55.66	56.55	57.37	58.26	59.61	60.26	61.46	62.01	58.96	61.97	63.28	64.72	65.26	66.59	67.11	67.97	68.20
25	48.95	50.85	51.69	52.53	53.41	54.72	55.40	56.59	57.12	54.10	57.04	58.34	59.79	60.32	61.68	62.15	63.00	63.27
30	44.15	46.05	46.86	47.68	48.57	49.88	50.61	51.73	52.24	49.27	52.14	53.41	54.88	55.41	56.76	57.19	58.07	58.35
35	39.38	41.27	42.02	42.91	43.75	45.07	45.81	46.88	47.36	44.44	47.27	48.52	49.99	50.52	51.86	52.26	53.18	53.46
40	34.74	36.54	37.25	38.15	38.98	40.28	41.02	42.07	42.53	39.65	42.44	43.68	45.13	45.65	47.00	47.41	48.28	48.55
45	30.28	31.95	32.56	33.47	34.29	35.56	36.28	37.31	37.72	34.93	37.71	38.88	40.31	40.87	42.19	42.57	43.42	43.68
50	26.02	27.54	28.10	28.95	29.76	30.99	31.64	32.66	33.00	30.30	33.07	34.18	35.60	36.16	37.46	37.78	38.65	38.88
55	21.89	23.43	23.84	24.62	25.47	26.65	27.22	28.11	28.40	25.83	28.59	29.64	30.97	31.61	32.81	33.14	33.96	34.19
60	18.01	19.54	19.93	20.59	21.41	22.48	22.92	23.72	24.02	21.53	24.16	25.18	26.45	27.09	28.28	28.62	29.34	29.60
65	14.39	15.87	16.27	16.86	17.62	18.58	18.91	19.61	19.85	17.33	19.93	20.86	22.14	22.72	23.81	24.14	24.82	25.09
70	11.19	12.50	12.88	13.35	14.20	14.95	15.13	15.77	15.98	13.61	15.98	16.80	17.97	18.53	19.53	19.79	20.44	20.68
75	8.61	9.57	9.83	10.24	11.11	11.67	11.59	12.21	12.49	10.33	12.31	12.96	14.08	14.57	15.53	15.72	16.25	16.45
80	6.64	7.12	7.34	7.60	8.35	8.81	8.48	9.05	9.32	7.73	9.16	9.63	10.62	11.03	11.85	11.89	12.33	12.49
85	4.93	5.06	5.25	5.53	6.13	6.39	6.00	6.37	6.64	5.77	6.55	6.99	7.84	8.15	8.75	8.56	8.82	8.97
90		4.31	3.79	4.14	4.48	4.70	4.18	4.38	4.49		4.84	4.93	5.72	5.78	6.23	5.88	6.02	6.04
95			2.86	3.21	3.13	3.60	3.11	2.71	3.16			3.75	4.24	4.19	4.60	3.87	4.05	3.89
100							2.45	1.52	2.31							2.70	2.72	2.73

熊本市

(単位：年)

年齢	男		女	
	平成27年 (2015)	令和2 ('20)	平成27年 (2015)	令和2 ('20)
0(W)	81.89	82.29	87.77	88.32
4	81.91	82.30	87.72	88.31
2(M)	81.84	82.23	87.63	88.23
3	81.77	82.17	87.56	88.17
6	81.54	81.96	87.31	87.96
0(Y)	81.89	82.29	87.77	88.32
1	81.05	81.50	86.82	87.48
2	80.07	80.52	85.85	86.50
3	79.08	79.53	84.87	85.51
4	78.09	78.53	83.89	84.53
5	77.10	77.54	82.91	83.54
10	72.13	72.56	77.97	78.57
15	67.16	67.58	73.00	73.60
20	62.20	62.70	68.05	68.64
25	57.28	57.81	63.12	63.70
30	52.39	52.93	58.17	58.76
35	47.59	48.01	53.26	53.84
40	42.76	43.19	48.39	48.95
45	37.98	38.44	43.56	44.06
50	33.32	33.74	38.78	39.26
55	28.74	29.20	34.05	34.53
60	24.33	24.80	29.39	29.87
65	20.17	20.57	24.83	25.31
70	16.32	16.63	20.38	20.89
75	12.63	12.97	16.10	16.62
80	9.32	9.63	12.13	12.54
85	6.55	6.80	8.59	8.92
90	4.45	4.66	5.75	5.98
95	3.02	3.19	3.68	3.88
100	2.07	2.18	2.37	2.54

	定価は表紙に表示してあります。
令和5年12月18日　発　行	

令和 2 年
都道府県別生命表

編　　集	厚生労働省政策統括官（統計・情報システム管理、労使関係担当）
発　　行	一般財団法人　厚生労働統計協会
	郵便番号　103-0001
	東京都中央区日本橋小伝馬町4－9
	小伝馬町新日本橋ビルディング3F
	電　話　03－5623－4123（代表）
印　　刷	統計プリント株式会社

令和 2 年
市区町村別生命表

MUNICIPAL LIFE TABLES 2020

厚生労働省政策統括官（統計・情報システム管理、労使関係担当）編

DIRECTOR-GENERAL FOR STATISTICS,
INFORMATION SYSTEM MANAGEMENT AND INDUSTRIAL RELATIONS,
MINISTRY OF HEALTH, LABOUR AND WELFARE

一般財団法人　厚生労働統計協会

HEALTH, LABOUR AND WELFARE STATISTICS ASSOCIATION

令和2年

市区町村別生命表

MUNICIPAL LIFE TABLES 2020

令和4年

厚生労働省政策統括官（統計・情報政策、労使関係担当）
DIRECTOR-GENERAL FOR STATISTICS,
INFORMATION SYSTEMS MANAGEMENT AND INDUSTRIAL RELATIONS,
MINISTER OF HEALTH, LABOUR AND WELFARE

一般財団法人 厚生労働統計協会
HEALTH, LABOUR AND WELFARE STATISTICS ASSOCIATION

まえがき

　市区町村別生命表は、市区町村の死亡状況が今後変化しないと仮定したときに、各年齢の人が死亡する確率や平均してあと何年生きられるかという期待値などを死亡率や平均余命などの指標によって表したものです。

　これらの指標は、市区町村の年齢構成に影響されない形で、純粋に死亡状況のみを表しており、市区町村間での死亡状況を比較分析する際に不可欠なものとなっています。また、０歳の平均余命である「平均寿命」は、全ての年齢の死亡状況を集約したものとなっており、保健福祉水準を示す総合的指標として広く活用されています。

　厚生労働省では、市区町村別生命表を平成12年以降５年毎に作成しており、今回は５回目にあたります。今回の生命表は、令和元年から令和３年までの３年間の日本人の死亡状況及び令和２年国勢調査による日本人人口等を基礎資料として作成しています。

　本書が各方面で広くご活用いただければ幸いです。

　令和５年12月

　　　　　　　　　　　　　厚生労働省政策統括官（統計・情報システム管理、労使関係担当）

　　　　　　　　　　　　　　　　　　　　　森　川　善　樹

表 章 記 号 の 規 約

| … | 計数不明または表章することが不適当な場合 |

担当係
人口動態・保健社会統計室計析第一係
電話　03（5253）1111
内線　7470

目　　　次

まえがき

Ⅰ　市区町村別生命表について ………………………………………………………… 7

Ⅱ　令和2年市区町村別生命表の作成方法 …………………………………………… 11

Ⅲ　令和2年市区町村別生命表の概況 ………………………………………………… 19

Ⅳ　統計表　市区町村別人口・特定年齢の平均余命 ………………………………… 25

付録　市区町村の合併等一覧（平成30年〜令和3年）………………………… 116

平成27年市区町村別生命表報告書　正誤情報 ………………………………………… 117

Ⅰ　市区町村別生命表について

1．生命表とは

　生命表とは、一定期間（作成基礎期間）におけるある集団の死亡状況を年齢の関数（生命関数）として表したものである。生命関数の中で最も広く使われている平均余命は、「ある年齢の者が、当該期間での死亡状況で死亡していった場合に、平均して今後どの程度の期間生きていることが期待されるか」を表した指標である。特に、0歳の平均余命である平均寿命は全ての年齢の死亡状況を集約しており、保健福祉水準を測る総合的指標として広く活用されている。

　また、このほかにも、生命表には様々な生命関数が示されている。これらの種々の関数は、生命表の基本的考え方とでも呼ぶべき、死亡秩序を捉える一つの概念に基づいており、この考え方を色々な側面から表現したり、そこから導き出されたりしたものが、生命表に示されている各関数となっている。この基本的考え方の一つの表現は、「各年齢において人が死亡する確率は、年齢に応じて捉えることができ、これを算定し一定と仮定する」というものである。

　それでは、平均余命は実際にはどのように導き出されるのであろうか。いま、x歳の者があと何年生存すると期待されるかを考えてみよう。基本的考え方に従い、全ての年齢における死亡確率がわかったとすると、x歳の者がx歳以降の各年齢まで生存しその年齢で死亡する確率を求めることができる。一方、死亡年齢からx（歳）をひいたものがx歳以降の生存年数であることから、これは、x歳以降の生存年数がどのように分布しているかを表す確率分布を求めたことになっている。したがって、この分布の平均値が平均余命になるというわけである。

　ところで、以上のような基本的考え方においては、出生以降の各年齢での死亡確率が捉えられているということから、生命表とはある出生者がこの死亡確率に基づいて加齢する状況を追跡していくコーホート的経過を表しているとも考えられる。一方、これは同時に年間出生数とその死亡秩序が一定である集団において、長期の時間が経過した後に現れる定常的な人口集団の構造を表しており、生命表は一定の死亡秩序下における人口構造の特性を表したものと考えることもできる。

　また、生命表は年齢別の死亡確率のみに基づいて作成されており、集団の年齢構成如何に関わらずその集団の死亡の程度を表している。したがって、地域別や年次別といった、年齢構成の異なる集団間の死亡状況を精密に比較する際にも欠くことのできないものとなっている。

　なお、年齢別の死亡確率が算定できない場合、あるいは、算定することが不適当な場合には、年齢階級別の死亡確率により生命表が作成される。また、死亡確率のことを単に死亡率という。

2．生命表の考え方

ここでは、生命表における諸関数がどのような考え方に基づいて計算されるのかについて説明する。

まず最初に、ある地域において 10 万人の出生が同時にあったと仮定し、この 10 万人の集団が作成基礎期間における年齢別死亡率にしたがって死亡していく（つまり作成基礎期間における死亡状況が今後変わらない）と仮定すると、生存数は 10 万人からしだいに減少し、最終的には 0 になる。このとき、横軸に年齢、縦軸に生存数をとり、グラフに表すと図 1 のようになる。

この曲線は x 歳に到達する人が何人いるかを示すものであり、これを**生存数曲線**という。今度は見方を変えて、縦軸に並んでいる出生者のうち、ある 1 人に注目し、そこから横軸に平行な直線を生存数曲線に達するまで引くと、この線分の長さは対応する出生者の生存年数を与えており、そのうち横線部の中を通る長さは x 歳以降の生存年数を表している。（図 1）

この x 歳以降の生存年数を生存数 l_x すべてについて合計することにより生存延べ年数が得られるが、これは図 1 における横線部の面積に等しい（T_x とする）。このとき、T_x を x 歳の生存数 l_x で除した値は x 歳以降生存すると見込まれる平均年数とみなせるので、これを x 歳における**平均余命**という。とくに 0 歳の平均余命のことを**平均寿命**というが、これは 0 歳以降の平均生存年数に他ならない。

なお、この平均余命の数値は、その年齢以下の死亡の影響を受けない。例えば、0 歳の平均余命である平均寿命は、乳幼児期の死亡の影響を受けるが、20 歳の平均余命は、乳幼児期の死亡の影響を受けない。したがって、この両者を比較することによって、乳幼児期のおおよその死亡の状況を知ることができる。

図1　生存数曲線

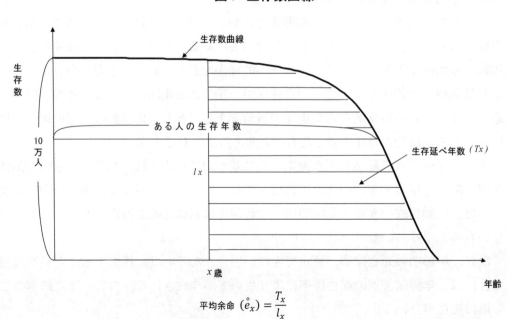

$$平均余命\ (\overset{\circ}{e}_x) = \frac{T_x}{l_x}$$

3．市区町村別生命表

　厚生労働省で作成している生命表には、全国単位の「完全生命表」、「簡易生命表」、都道府県単位の「都道府県別生命表」及び市区町村単位の「市区町村別生命表」がある。

　市区町村別生命表は、死亡状況を市区町村単位で把握し、比較分析に資することを目的としたものであり、人口動態統計及び国勢調査のデータを用いて作成している。作成にあたっては、完全生命表、簡易生命表及び都道府県別生命表が、各歳の死亡率を推定して生命関数を算定しているのに対し、市区町村別生命表では Chin Long Chiang の方法に基づき、5歳階級ごと（5歳未満は0歳と1～4歳に分割）の死亡率を推定して生命関数を算定しているという違いがある。また、死亡率推定にあたっては、小地域の死亡率推定に有力な手法であるベイズ推定を用いて死亡率の安定化を図っている。

　なお、令和2年市区町村別生命表に掲載されている全国、都道府県、東京都区部及び指定都市の値は、市区町村の値との比較の観点から、各市区町村と同様の方法で算出しており、令和2年簡易生命表、第23回生命表及び令和2年都道府県別生命表とは異なった作成方法となっている。そのため、令和2年市区町村別生命表における全国、都道府県、東京都区部及び指定都市の値は、令和2年簡易生命表、第23回生命表及び令和2年都道府県別生命表のいずれとも同一の値とはなっていないが、全国における死亡状況を表したものとしては第23回生命表を、また、都道府県、東京都区部及び指定都市における死亡状況を表したものとしては令和2年都道府県別生命表を用いるのが最も適切である。

4．生命関数の定義

　生命表における、生存率、死亡率、生存数、死亡数、定常人口及び平均余命の定義は以下のとおりである。

（1）生存率 $_np_x$、死亡率 $_nq_x$

　ちょうど x 歳に達した者が $x+n$ 歳に達するまで生存する確率を x 歳以上 $x+n$ 歳未満における生存率といい、これを $_np_x$ で表し、$x+n$ 歳に達しないで死亡する確率を、x 歳以上 $x+n$ 歳未満における死亡率といい、これを $_nq_x$ で表す。特に $_1p_x$、$_1q_x$ を x 歳における生存率、死亡率といい、これらを p_x、q_x で表す。

（2）生存数 l_x

　生命表上で一定の出生者数 l_0（通常 100,000 人とする）が、(1)の死亡率に従って死亡減少していくと考えた場合、x 歳に達するまで生きると期待される者の数を x 歳における生存数といい、これを l_x で表す。

（３）死亡数 $_nd_x$

　　x歳における生存数 l_x のうち $x+n$ 歳に達しないで死亡すると期待される者の数を x 歳以上 $x+n$ 歳未満における死亡数といい、これを $_nd_x$ で表す。特に $_1d_x$ を x 歳における死亡数といい、これを d_x で表す。

（４）定常人口 $_nL_x$ 及び T_x

　　x 歳における生存数 l_x について、これらの各々が x 歳から $x+n$ 歳に達するまでの間に生存する年数の和を x 歳以上 $x+n$ 歳未満における定常人口といい、これを $_nL_x$ で表す。すなわち、常に一定の出生があって、これらの者が（１）の死亡率に従って死亡すると仮定すると、一定期間経過後、一定の年齢構造をもつ人口集団が得られるが、その集団の x 歳以上 $x+n$ 歳未満の人口に相当する。特に $_1L_x$ を x 歳における定常人口といい、これを L_x で表す。

　　さらに、x 歳における生存数 l_x について、これらの各々が x 歳以後死亡に至るまでの間に生存する年数の和を x 歳以上の定常人口といい、これを T_x で表す。すなわち、上記の人口集団の x 歳以上の人口に相当する。$_nL_x$、T_x は、

$$_nL_x = \int_x^{x+n} l_t\,dt、\quad T_x = \int_x^{\infty} l_t\,dt$$

により与えられる。

（５）平均余命 $\overset{\circ}{e}_x$

　　x 歳における生存数 l_x について、これらの者が x 歳以降に生存する年数の平均を x 歳における平均余命といい、これを $\overset{\circ}{e}_x$ で表す。$\overset{\circ}{e}_x$ は

$$\overset{\circ}{e}_x = \frac{T_x}{l_x}$$

により与えられ、特に０歳における平均余命 $\overset{\circ}{e}_0$ を平均寿命という。

Ⅱ 令和2年市区町村別生命表の作成方法

1．対象
各市区町村における日本人とした。

2．作成基礎期間
平成31年1月1日から令和3年12月31日に至る3年間とした。

3．基礎資料
市区町村別に次の資料を用いた。なお、市区町村の名称及び区域は、令和3年12月31日現在のものとした。

(1) 令和元年～3年　性・年齢階級別死亡数
　　　－厚生労働省政策統括官（統計・情報政策、労使関係担当）　人口動態統計－
(2) 令和2年7月～9月　性・年齢階級別死亡数
　　　－厚生労働省政策統括官（統計・情報政策、労使関係担当）　人口動態統計－
(3) 平成30年～令和3年　性別出生数
　　　－厚生労働省政策統括官（統計・情報政策、労使関係担当）　人口動態統計－
(4) 令和2年10月1日現在　性・年齢別人口（不詳補完結果（参考表））
　　　－総務省統計局　令和2年国勢調査－

実際の計算にあたっての、上記資料の利用区分及び後述の計算方法の説明に用いる記号を次に示す（以下、記号の混乱を避けるため、それが都道府県、指定都市及び東京都区部 i の数値を表す場合は右肩に i、i に属する市区町村 j の数値を表す場合は (i,j) と、それぞれ付して区別する）。

人口及び死亡数

年齢	人口（令和2年10月1日）		死亡数	
	年齢階級別の人口	各年齢階級の始年齢人口	令和2年7月～9月	平成31年（令和元年）～3年 3か年合計
0歳	…	…	…	$D_0^{(i,j)}$
1～4	$_4P_1^{*(i,j)}$	$P_1^{*(i,j)}$	$_4D_1^{*(i,j)}$	$_4D_1^{(i,j)}$
5～9	$_5P_5^{*(i,j)}$	$P_5^{*(i,j)}$	$_5D_5^{*(i,j)}$	$_5D_5^{(i,j)}$

10～14	$_5P_{10}^{*(i,j)}$	$_5P_{10}^{(i,j)}$	$_5D_{10}^{*(i,j)}$	$_5D_{10}^{(i,j)}$
⋮	⋮	⋮	⋮	⋮
x～$x+4$	$_5P_x^{*(i,j)}$	$_5P_x^{(i,j)}$	$_5D_x^{*(i,j)}$	$_5D_x^{(i,j)}$
⋮	⋮	⋮	⋮	⋮
90～94	$_5P_{90}^{*(i,j)}$	$_5P_{90}^{(i,j)}$	$_5D_{90}^{*(i,j)}$	$_5D_{90}^{(i,j)}$
95～99	…	$P_{95}^{*(i,j)}$	$_5D_{95}^{*(i,j)}$	…

（注意）この基礎資料には年齢や住所地が不詳であるデータが存在しているので、次のように不詳按分をすることによりデータの補正を行った。4．で述べる計算はこの補正されたデータに対して行った。

① 人口の補正

不詳補完結果（参考表）を用いた。

② 死亡数の補正

死亡数には、「(a) 年齢のみ不詳、(b) 住所地のみ不詳、(c) 年齢及び住所地ともに不詳」という3つの不詳のパターンが存在する。これらの不詳按分は次のような順で行った。

(a) 年齢のみ不詳

年齢及び住所地ともに既知の死亡数をもとに、市区町村ごとに年齢別死亡数に比例させて按分して加えた。

(b) 住所地のみ不詳

(a) の結果をもとに、年齢ごとに市区町村別死亡数に比例させて按分して加えた。

(c) 年齢及び住所地ともに不詳

(b) の結果をもとに、年齢・市区町村別死亡数に比例させて按分して加えた。

出生数

平成30年～令和2年	平成31年（令和元年）～3年
$B^{(i,j)}\binom{'18}{'20}$	$B^{(i,j)}\binom{'19}{'21}$

4．計算方法

今回の市区町村別生命表の作成においては、Chin Long Chiang の方法によった。この方法は、各国で比較的多く用いられている作成方法である。

（1）死亡率推定のための地域

都道府県、指定都市及び東京都区部とした。

（2）中央人口 $_nP_x^{(i,j)}$

作成基礎期間の中央にあたる令和2年7月1日現在の人口を中央人口という。市区町村 (i,j) の 1 歳以上 5 歳未満の中央人口を $_4P_1^{(i,j)}$、x 歳以上 $x+5$ 歳未満の中央人口を $_5P_x^{(i,j)}$（ただし $x = 5, 10, 15, \cdots, 90$）で表すとき、それらを、

$$_4P_1^{(i,j)} = {_4P_1^{*(i,j)}} + \frac{1}{4}\left({_5P_5^{*(i,j)}} - {_4P_1^{*(i,j)}}\right) + \frac{31}{32}{_4D_1^{*(i,j)}} + \frac{1}{40}{_5D_5^{*(i,j)}}$$

$$_5P_x^{(i,j)} = {_5P_x^{*(i,j)}} + \frac{1}{4}\left({_5P_{x+5}^{*(i,j)}} - {_5P_x^{*(i,j)}}\right) + \frac{39}{40}{_5D_x^{*(i,j)}} + \frac{1}{40}{_5D_{x+5}^{*(i,j)}}$$

$$(x = 5, 10, 15, \cdots, 90)$$

により求めた。

（3）0 歳の死亡率 $q_0^{(i,j)}$

市区町村 (i,j) ごとに、0 歳の粗死亡率 $\tilde{q}_0^{(i,j)}$ を、

$$\tilde{q}_0^{(i,j)} = \frac{D_0^{(i,j)}}{\frac{1}{2}\left\{B^{(i,j)}\binom{'18}{'20} + B^{(i,j)}\binom{'19}{'21}\right\}}$$

により求めた。

次に、地域 i ごとに、

$$D_0^i = \sum_j D_0^{(i,j)}, \quad B^i\binom{'18}{'20} = \sum_j B^{(i,j)}\binom{'18}{'20}, \quad B^i\binom{'19}{'21} = \sum_j B^{(i,j)}\binom{'19}{'21}$$

とし、粗死亡率の人口による重み付き平均 E_0^i 及び分散 V_0^i を、

$$E_0^i = \sum_j \tilde{q}_0^{(i,j)} \times \frac{\frac{1}{2}\left\{B^{(i,j)}\binom{'18}{'20} + B^{(i,j)}\binom{'19}{'21}\right\}}{\frac{1}{2}\left\{B^i\binom{'18}{'20} + B^i\binom{'19}{'21}\right\}} = \frac{D_0^i}{\frac{1}{2}\left\{B^i\binom{'18}{'20} + B^i\binom{'19}{'21}\right\}}$$

$$V_0^i = \sum_j \left(\tilde{q}_0^{(i,j)}\right)^2 \times \frac{\frac{1}{2}\left\{B^{(i,j)}\binom{'18}{'20} + B^{(i,j)}\binom{'19}{'21}\right\}}{\frac{1}{2}\left\{B^i\binom{'18}{'20} + B^i\binom{'19}{'21}\right\}} - \left(E_0^i\right)^2$$

で求め、パラメータ α_0^i、β_0^i を、

$$\alpha_0^i = E_0^i\left\{\frac{E_0^i(1-E_0^i)}{V_0^i} - 1\right\}, \quad \beta_0^i = (1-E_0^i)\left\{\frac{E_0^i(1-E_0^i)}{V_0^i} - 1\right\}$$

とおいた。

最後に、市区町村 (i,j) ごとに、地域 i のパラメータ α_0^i、β_0^i を用いて、5．で述べるベイズ推定の考え方から、死亡率 $q_0^{(i,j)}$ を、

$$q_0^{(i,j)} = \frac{\alpha_0^i + D_0^{(i,j)}}{\alpha_0^i + \beta_0^i + \frac{1}{2}\left\{B^{(i,j)}\binom{'18}{'20} + B^{(i,j)}\binom{'19}{'21}\right\}}$$

により求めた。

（4）1歳以上の死亡率 ${}_nq_x^{(i,j)}$

市区町村 (i,j) ごとに、1歳以上の年齢階級ごとの粗中央死亡率 ${}_n\widetilde{m}_x^{(i,j)}$ を、

$$ {}_n\widetilde{m}_x^{(i,j)} = \frac{{}_nD_x^{(i,j)}}{3 \cdot {}_nP_x^{(i,j)}} $$

により求めた。ただし、年齢階級は $x = 1, 5, 10, 15, \cdots, 90$ として、それぞれ $x = 1$ のとき $n = 4$、$x = 5, 10, 15, \cdots, 90$ のとき $n = 5$ とした（以下同様）。

次に、地域 i ごとに、

$$ {}_nD_x^i = \sum_j {}_nD_x^{(i,j)} 、\quad {}_nP_x^i = \sum_j {}_nP_x^{(i,j)} $$

とし、粗中央死亡率の人口による重み付き平均 ${}_nE_x^i$ 及び分散 ${}_nV_x^i$ を、

$$ {}_nE_x^i = \sum_j {}_n\widetilde{m}_x^{(i,j)} \times \frac{{}_nP_x^{(i,j)}}{{}_nP_x^i} = \frac{{}_nD_x^i}{3 \cdot {}_nP_x^i}、\quad {}_nV_x^i = \sum_j \left({}_n\widetilde{m}_x^{(i,j)}\right)^2 \times \frac{{}_nP_x^{(i,j)}}{{}_nP_x^i} - \left({}_nE_x^i\right)^2 $$

で求め、パラメータ ${}_n\alpha_x^i$、${}_n\beta_x^i$ を、

$$ {}_n\alpha_x^i = {}_nE_x^i\left\{\frac{{}_nE_x^i(1 - {}_nE_x^i)}{{}_nV_x^i} - 1\right\}、\quad {}_n\beta_x^i = (1 - {}_nE_x^i)\left\{\frac{{}_nE_x^i(1 - {}_nE_x^i)}{{}_nV_x^i} - 1\right\} $$

とおいた。

最後に、市区町村 (i,j) ごとに、地域 i のパラメータ ${}_n\alpha_x^i$、${}_n\beta_x^i$ を用いて、5．で述べるベイズ推定の考え方から、中央死亡率 ${}_nm_x^{(i,j)}$ を、

$$ {}_nm_x^{(i,j)} = \frac{{}_n\alpha_x^i + {}_nD_x^{(i,j)}}{{}_n\alpha_x^i + {}_n\beta_x^i + 3 \cdot {}_nP_x^{(i,j)}} \quad (x = 1, 5, 10, 15, \cdots, 90) $$

により求めた。

こうして得られた中央死亡率 ${}_nm_x^{(i,j)}$ を、変換式

$$ {}_nq_x^{(i,j)} = \frac{n \cdot {}_nm_x^{(i,j)}}{1 + (n - {}_na_x^i) {}_nm_x^{(i,j)}} \quad (x = 1, 5, 10, 15, \cdots, 90) $$

で変換することにより、死亡率 ${}_nq_x^{(i,j)}$ を求めた。

ただしここで、${}_na_x^i$ は、地域 i の平均生存期間であり、令和2年都道府県別生命表における生存数 l_{x+n}^i、死亡数 ${}_nd_x^i$ 及び定常人口 ${}_nL_x^i$ から、

$$ {}_na_x^i = \frac{{}_nL_x^i - n \cdot l_{x+n}^i}{{}_nd_x^i} $$

により定義されるものである（$x=0$ のときは $n=1$、$x=95$ のときは $n=\infty$ とする（以下同様））。

（5）生存数 $l_x^{(i,j)}$ 及び死亡数 $_n d_x^{(i,j)}$

0歳の生存数を $l_0^{(i,j)} = 100{,}000$ とし、生存率を逐次乗じることで、

$$p_0^{(i,j)} = 1 - q_0^{(i,j)} \qquad l_1^{(i,j)} = l_0^{(i,j)} \times p_0^{(i,j)} \qquad d_0^{(i,j)} = l_0^{(i,j)} - l_1^{(i,j)}$$
$$_4p_1^{(i,j)} = 1 - {}_4q_1^{(i,j)} \qquad l_5^{(i,j)} = l_1^{(i,j)} \times {}_4p_1^{(i,j)} \qquad _4d_1^{(i,j)} = l_1^{(i,j)} - l_5^{(i,j)}$$
$$_5p_5^{(i,j)} = 1 - {}_5q_5^{(i,j)} \qquad l_{10}^{(i,j)} = l_5^{(i,j)} \times {}_5p_5^{(i,j)} \qquad _5d_5^{(i,j)} = l_5^{(i,j)} - l_{10}^{(i,j)}$$
$$_5p_{10}^{(i,j)} = 1 - {}_5q_{10}^{(i,j)} \qquad l_{15}^{(i,j)} = l_{10}^{(i,j)} \times {}_5p_{10}^{(i,j)} \qquad _5d_{10}^{(i,j)} = l_{10}^{(i,j)} - l_{15}^{(i,j)}$$
$$\cdots \qquad \cdots \qquad \cdots$$
$$_5p_{90}^{(i,j)} = 1 - {}_5q_{90}^{(i,j)} \qquad l_{95}^{(i,j)} = l_{90}^{(i,j)} \times {}_5p_{90}^{(i,j)} \qquad _5d_{90}^{(i,j)} = l_{90}^{(i,j)} - l_{95}^{(i,j)}$$
$$_\infty d_{95}^{(i,j)} = l_{95}^{(i,j)}$$

により生存数 $l_x^{(i,j)}$ 及び死亡数 $_n d_x^{(i,j)}$ を求めた。

（6）定常人口 $_n L_x^{(i,j)}$

x 歳以上 $x+n$ 歳未満の定常人口 $_n L_x^{(i,j)}$ は、

$$_n L_x^{(i,j)} = n \cdot l_{x+n}^{(i,j)} + {}_n a_x^i \cdot {}_n d_x^{(i,j)} \quad (x = 0, 1, 5, 10, 15, \cdots, 90)$$
$$_\infty L_{95}^{(i,j)} = {}_\infty a_{95}^i \cdot {}_\infty d_{95}^{(i,j)}$$

により求めた。

（7）定常人口 $T_x^{(i,j)}$

x 歳以上の定常人口 $T_x^{(i,j)}$ は、

$$T_x^{(i,j)} = \sum_{t=x}^{95} {}_n L_t^{(i,j)}$$

により求めた。

（8）平均余命 $\overset{\circ}{e}_x^{(i,j)}$

平均余命 $\overset{\circ}{e}_x^{(i,j)}$ は、

$$\overset{\circ}{e}_x^{(i,j)} = \frac{T_x^{(i,j)}}{l_x^{(i,j)}}$$

により求めた。

（9）平均余命 $\overset{\circ}{e}_x^{(i,j)}$ の標準誤差

平均余命 $\overset{\circ}{e}_x^{(i,j)}$ の標準誤差を、中央死亡率（0歳では死亡率）の事後分布の分散（5.を参照）

$$_nV_x^{(i,j)} = \frac{\left(_n\alpha_x^i + {}_nD_x^{(i,j)}\right)\left(_n\beta_x^i + 3\cdot {}_nP_x^{(i,j)} - {}_nD_x^{(i,j)}\right)}{\left(_n\alpha_x^i + {}_n\beta_x^i + 3\cdot {}_nP_x^{(i,j)}\right)^2 \left(_n\alpha_x^i + {}_n\beta_x^i + 3\cdot {}_nP_x^{(i,j)} + 1\right)}$$

(ただし $x = 0$ では $3 \cdot P_0^{(i,j)}$

$= \frac{1}{2}\left\{B^{(i,j)}\binom{'18}{'20} + B^{(i,j)}\binom{'19}{'21}\right\}$ とする)

を用いて、

$$\frac{1}{l_x^{(i,j)}}\sqrt{\sum_{t=x}^{90}\left(l_t^{(i,j)}\right)^2 \cdot \left(n - {}_na_t^i + \overset{\circ}{e}_{t+n}^{(i,j)}\right)^2 \cdot {}_nV_t^{(i,j)}}$$

$(x = 0, 1, 5, 10, 15, \cdots, 90)$

により求めた。

5．死亡率のベイズ推定

 生命表作成の基礎となる中央死亡率（0歳では死亡率）については、市区町村ごとでは死亡数が少なく、人口（0歳では出生数）と死亡数の実績値から直接計算しただけでは偶然変動の影響を受けて不安定であることが多いため、ベイズ統計学の手法を用いた推定（ベイズ推定）を行った。

 ベイズ推定とは、前もって利用可能な情報を事前分布として表現したものに、観測によって得られる標本情報を尤度として乗ずることで、ベイズの定理により決定される事後分布に基づき推定する方法をいう。

（1）ベイズ推定の考え方

 母数 θ（ここでは市区町村 (i,j) の死亡率を指す）の取り得る値について、あらかじめ何らかの情報（ここでは地域 i 内の死亡率の分布を指す）が与えられているとき、それを確率分布の形で表現したものを事前分布という。

 θ の事前分布の確率密度関数を $p(\theta)$ とし、また、θ を与えたときのデータ X（ここでは市区町村 (i,j) の死亡数を指す）の確率密度関数を $f(X|\theta)$ とすると、データの観測値 $X = x$ が与えられたときの θ の条件付き確率密度関数 $p(\theta|x)$ は、ベイズの定理より、

$$p(\theta|x) = \frac{p(\theta)\cdot f(x|\theta)}{\int p(\theta)\cdot f(x|\theta)d\theta}$$

で与えられる。これを θ の事後確率密度関数、その分布を事後分布という。

 ここで分母の正規化定数を無視すれば、$p(\theta|x) \propto p(\theta)\cdot f(x|\theta)$ となっており、事前分布 $p(\theta)$ にデータの観測値の情報を θ の尤度関数 $f(x|\theta)$ として乗ずることにより、事後分布 $p(\theta|x)$ が決定されることが分かる。

（2）死亡率の推定方法

 具体的には、以下に述べる方法で死亡率を推定した。

1歳以上の死亡率については、母数を中央死亡率 $_nm_x^{(i,j)}$ とし、その事前分布として、次の性質を持つベータ分布 $Beta(_n\alpha_x^i, _n\beta_x^i)$ を選択した。すなわち、

$$p\left(_nm_x^{(i,j)}\right) = \frac{1}{B(_n\alpha_x^i, _n\beta_x^i)} \left(_nm_x^{(i,j)}\right)^{_n\alpha_x^i - 1} \left(1 - _nm_x^{(i,j)}\right)^{_n\beta_x^i - 1}$$

とすると、その平均及び分散は $\frac{_n\alpha_x^i}{_n\alpha_x^i + _n\beta_x^i}$ 及び $\frac{_n\alpha_x^i \cdot _n\beta_x^i}{(_n\alpha_x^i + _n\beta_x^i)^2 (_n\alpha_x^i + _n\beta_x^i + 1)}$ で与えられるが、これらが粗中央死亡率の人口による重み付き平均 $_nE_x^i$ 及び分散 $_nV_x^i$ に等しくなるよう、事前分布のパラメータを、それぞれ、

$$_n\alpha_x^i = {_nE_x^i}\left\{\frac{_nE_x^i(1 - {_nE_x^i})}{_nV_x^i} - 1\right\}、\quad _n\beta_x^i = (1 - {_nE_x^i})\left\{\frac{_nE_x^i(1 - {_nE_x^i})}{_nV_x^i} - 1\right\}$$

により決定した。

ここで中央人口 $_nP_x^{(i,j)}$ は既知とし、死亡数 $_nD_x^{(i,j)}$ は2項分布 $Bin(3 \cdot {_nP_x^{(i,j)}}, {_nm_x^{(i,j)}})$ に従う確率変数 $_n\widetilde{D}_x^{(i,j)}$ の実現値と考える。このとき $_n\widetilde{D}_x^{(i,j)} = {_nD_x^{(i,j)}}$ となる確率は、

$$f\left(_nD_x^{(i,j)}\big|_nm_x^{(i,j)}\right) = \binom{3 \cdot {_nP_x^{(i,j)}}}{_nD_x^{(i,j)}} \left(_nm_x^{(i,j)}\right)^{_nD_x^{(i,j)}} \left(1 - _nm_x^{(i,j)}\right)^{3 \cdot {_nP_x^{(i,j)}} - {_nD_x^{(i,j)}}}$$

であるから、観測値 $_nD_x^{(i,j)}$ が与えられたときの $_nm_x^{(i,j)}$ の条件付き確率密度関数は、

$$p\left(_nm_x^{(i,j)}\big|_nD_x^{(i,j)}\right) \propto p\left(_nm_x^{(i,j)}\right) \cdot f\left(_nD_x^{(i,j)}\big|_nm_x^{(i,j)}\right)$$
$$\propto \left(_nm_x^{(i,j)}\right)^{_n\alpha_x^i + {_nD_x^{(i,j)}} - 1} \left(1 - _nm_x^{(i,j)}\right)^{_n\beta_x^i + 3 \cdot {_nP_x^{(i,j)}} - {_nD_x^{(i,j)}} - 1}$$

となる。

以上のことから、中央死亡率 $_nm_x^{(i,j)}$ の事後分布は再びベータ分布となり、

$$_nm_x^{(i,j)}\big|\left(_n\widetilde{D}_x^{(i,j)} = {_nD_x^{(i,j)}}\right) \sim Beta\left(_n\alpha_x^i + {_nD_x^{(i,j)}}, {_n\beta_x^i} + 3 \cdot {_nP_x^{(i,j)}} - {_nD_x^{(i,j)}}\right)$$

であることが分かる。母数の推定値には、この事後分布の平均をあてることとし、

$$_nm_x^{(i,j)} = \frac{_n\alpha_x^i + {_nD_x^{(i,j)}}}{_n\alpha_x^i + {_n\beta_x^i} + 3 \cdot {_nP_x^{(i,j)}}}$$
$$= \frac{_n\alpha_x^i + {_n\beta_x^i}}{_n\alpha_x^i + {_n\beta_x^i} + 3 \cdot {_nP_x^{(i,j)}}} {_nE_x^i} + \frac{_nP_x^{(i,j)}}{_n\alpha_x^i + {_n\beta_x^i} + 3 \cdot {_nP_x^{(i,j)}}} {_n\widetilde{m}_x^{(i,j)}}$$

と推定した。

0歳についても同様の推定をした。

（参考）変更点について

95歳以上の定常人口の計算方法を95歳未満と統一する。人口構造の変化を踏まえ今回より見直す。
これにより、全年齢の計算方法が同じとなる。

前回（平成27年市区町村別生命表）まで

<95歳未満の定常人口>
ある階級の生存数 × 階級の長さ（①）
＋ある階級における死亡数 × 死亡者の平均生存期間（②）

「死亡者の平均生存期間」は市区町村が属する都道府県の値（同じ年の都道府県生命表から求めた値）を使用。

<95歳以上の定常人口>
95歳以上の死亡数 ÷ 95歳以上の中央死亡率の実績（③）

⇒これはチャンの方法に基づくもので、95歳以上については、以前まで、簡易生命表等でも同様の計算方法が採用されていた。
※簡易生命表では昭和55年まで、都道府県別生命表では平成17年までこの方法を採用

理論上は変更前後で同じ定常人口

今回（令和2年市区町村別生命表）

<95歳未満の定常人口>
ある階級の生存数 × 階級の長さ（①）
＋ある階級における死亡数 × 死亡者の平均生存期間（②）

↕ 簡易生命表等と同様、全年齢で計算方法を統一する。

<95歳以上の定常人口> ※生存数が0になるため①に相当する項はない
95歳以上における死亡数 × 死亡者の平均生存期間（②）

※ 簡易生命表では昭和56年から、都道府県別生命表では平成22年から、全年齢で計算方法を統一（超高齢部の各歳ごとの死亡率を推計する手法を導入したことにより統一が可能となったもの）。市区町村別生命表は従前から統一は可能だったが、95歳以上の人口が増え、影響が大きくなってきたことを踏まえ、今回から見直し。

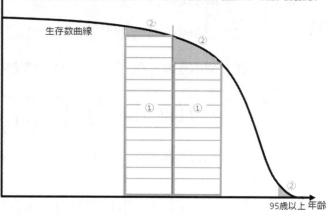

Ⅲ 令和2年市区町村別生命表の概況

(1) 対象市区町村について

　この生命表における市区町村（区は特別区及び行政区としている）は、令和3年12月31日時点のものである。また、その対象は、人口動態統計の観察対象範囲に含まれる同時点における1896市区町村のうち、令和2年10月1日現在、東日本大震災による福島第一原子力発電所の事故に伴う避難指示区域に指定されていた町村及び集中豪雨による熊本県球磨川水系の被害を受けた村について、住民基本台帳に基づく人口より令和2年国勢調査人口が過少である9町村（福島県双葉郡楢葉町、富岡町、川内村、大熊町、双葉町、浪江町、葛尾村、相馬郡飯舘村及び熊本県球磨郡球磨村）を除く1887市区町村としている。

(2) 計算方法の変更について

　今回から95歳以上の定常人口（95歳の生存者が95歳以後死亡に至るまでの間に生存すると期待される年数の和）の計算方法について、ベイズ推定を行う際に用いた広地域の情報を活用する方法に改めることにより、当該市区町村の95歳以上の人口における年齢構成の偏りなどによる影響を受けないよう変更している。

＜利用上の注意＞

（１）表章記号の規約

| 計数不明または表章することが不適当な場合 | … |

（２）表示数値が同じであった場合、表示桁以下の数値を基に順位付けを行っている。

（３）掲載の数値は四捨五入して記載していることから、これらの数値の四則演算結果が対応する数値と合わない場合がある。

（４）公表している生命表の資料は次のとおりである。

簡易生命表（基幹統計）作成頻度：毎年	完全生命表（基幹統計）作成頻度：5年ごと	都道府県別生命表 作成頻度：5年ごと	市区町村別生命表 作成頻度：5年ごと
作成方法：推計人口による日本人人口、人口動態統計（概数）をもとに作成	作成方法：国勢調査による日本人人口（確定数）、人口動態統計（確定数）をもとに作成	作成方法：国勢調査による日本人人口（確定数）、国勢調査年を含む前後3年間の人口動態統計（確定数）をもとに作成	作成方法：国勢調査による日本人人口（確定数）、国勢調査年を含む前後3年間の人口動態統計（確定数）をもとに作成

※本概況は太線の部分である。

市区町村別にみた平均寿命

(1) 平均寿命

　　平均寿命（0歳の平均余命）の分布を市区町村別にみると、男では81.0年以上81.5年未満、女では87.0年以上87.5年未満に最も多く分布している。男では神奈川県川崎市麻生区が84.0年で最も長く、次いで神奈川県横浜市青葉区（83.9年）、長野県上伊那郡宮田村（83.4年）となっている。また、女も神奈川県川崎市麻生区が89.2年で最も長く、次いで熊本県上益城郡益城町（89.0年）、長野県下伊那郡高森町（89.0年）となっている。

　　一方、男では大阪府大阪市西成区が73.2年で最も短く、次いで大阪府大阪市浪速区（77.9年）、大阪府大阪市生野区（78.0年）となっており、女も大阪府大阪市西成区が84.9年で最も短く、次いで青森県東津軽郡今別町（85.5年）、青森県南津軽郡田舎館村（85.5年）となっている。平均寿命の最も長い市区町村と最も短い市区町村との差は、男10.8年、女4.2年となっている。（図1、表1）

図1　市区町村別平均寿命の分布（1,887市区町村）

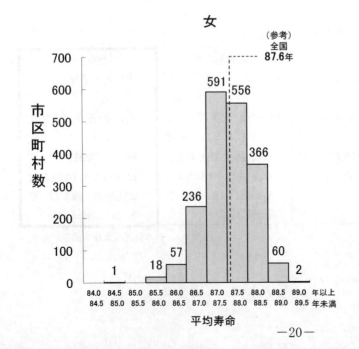

表1 市区町村別平均寿命 （上位・下位10市区町村）

[上位10市区町村] （単位：年）

順位	男			女		
	都道府県	市区町村	平均寿命	都道府県	市区町村	平均寿命
1	神奈川県	川崎市麻生区	84.0	神奈川県	川崎市麻生区	89.2
2	神奈川県	横浜市青葉区	83.9	熊本県	上益城郡益城町	89.0
3	長野県	上伊那郡宮田村	83.4	長野県	下伊那郡高森町	89.0
4	愛知県	日進市	83.4	滋賀県	草津市	89.0
5	京都府	木津川市	83.3	兵庫県	芦屋市	88.9
6	神奈川県	鎌倉市	83.3	東京都	世田谷区	88.9
7	長野県	諏訪郡原村	83.3	東京都	小金井市	88.9
8	神奈川県	横浜市都筑区	83.3	山梨県	南都留郡富士河口湖町	88.8
9	滋賀県	草津市	83.3	長野県	上伊那郡箕輪町	88.8
10	長野県	下伊那郡豊丘村	83.3	長野県	伊那市	88.8

[下位10市区町村] （単位：年）

順位	男			女		
	都道府県	市区町村	平均寿命	都道府県	市区町村	平均寿命
1	大阪府	大阪市西成区	73.2	大阪府	大阪市西成区	84.9
2	大阪府	大阪市浪速区	77.9	青森県	東津軽郡今別町	85.5
3	大阪府	大阪市生野区	78.0	青森県	南津軽郡田舎館村	85.5
4	青森県	下北郡東通村	78.1	青森県	南津軽郡大鰐町	85.6
5	青森県	上北郡六ヶ所村	78.3	青森県	むつ市	85.6
6	青森県	下北郡大間町	78.4	高知県	幡多郡三原村	85.6
7	青森県	むつ市	78.4	北海道	野付郡別海町	85.8
8	青森県	三戸郡三戸町	78.5	青森県	下北郡風間浦村	85.8
9	青森県	下北郡風間浦村	78.6	山形県	最上郡大蔵村	85.8
10	青森県	東津軽郡平内町	78.6	青森県	上北郡七戸町	85.9

(2)平均寿命の男女比較

　男女の平均寿命の相関をみると、男女ともにほぼ全国値（男 81.5 年、女 87.6 年）を中心に分布しており、相関係数は 0.73 となっている。

　男女の平均寿命の差は全国で 6.1 年となっており、これを市区町村別にみると、男女差が最も大きいのは大阪府大阪市西成区（11.8 年）であり、次いで高知県高岡郡中土佐町（8.5 年）、大阪府大阪市生野区（8.3 年）となっている。逆に、最も小さいのは高知県幡多郡三原村（4.5 年）であり、次いで長野県上伊那郡宮田村（4.6 年）、奈良県吉野郡吉野町（4.6 年）となっている。（図2、表2）

図2　市区町村別平均寿命の散布図

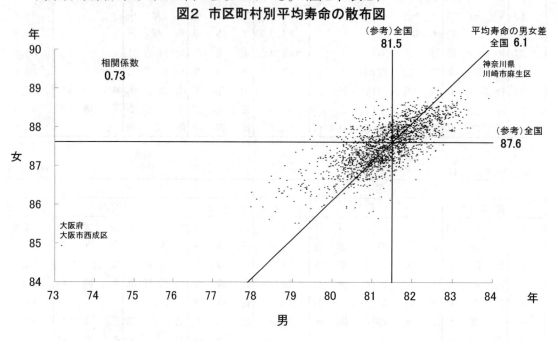

表2　市区町村別平均寿命の男女差　（男女差の大きい・小さい10市区町村）

[男女差の大きい10市区町村]　　　　　　　　　　　　　　　　　　（単位：年）

順位	都道府県	市区町村	男女差（女－男）	平均寿命 男	平均寿命 女
1	大阪府	大阪市西成区	11.8	73.2	84.9
2	高知県	高岡郡中土佐町	8.5	79.6	88.0
3	大阪府	大阪市生野区	8.3	78.0	86.3
4	高知県	幡多郡大月町	8.3	79.5	87.8
5	鹿児島県	大島郡天城町	8.3	79.1	87.3
6	青森県	三戸郡三戸町	8.3	78.5	86.7
7	沖縄県	宮古島市	8.3	79.4	87.7
8	神奈川県	川崎市川崎区	8.2	78.8	87.0
9	鹿児島県	奄美市	8.2	79.2	87.4
10	青森県	下北郡大間町	8.1	78.4	86.6

[男女差の小さい10市区町村]　　　　　　　　　　　　　　　　　　（単位：年）

順位	都道府県	市区町村	男女差（女－男）	平均寿命 男	平均寿命 女
1	高知県	幡多郡三原村	4.5	81.1	85.6
2	長野県	上伊那郡宮田村	4.6	83.4	88.0
3	奈良県	吉野郡吉野町	4.6	82.1	86.7
4	愛知県	日進市	4.6	83.4	88.0
5	山形県	西置賜郡白鷹町	4.7	81.4	86.1
6	北海道	千歳市	4.7	82.2	86.9
7	奈良県	生駒市	4.7	83.2	88.0
8	静岡県	菊川市	4.8	82.4	87.2
9	茨城県	守谷市	4.8	82.8	87.5
10	山形県	最上郡大蔵村	4.8	81.0	85.8

＜参考＞ ベイズ推定とは

　小地域における生命表作成では、当該小地域内の観測死亡データが少なく、死亡率の推定が困難となる場合が生じるという問題がある。これは、死亡という事象の発生頻度が低い一方、実際の死亡データが1人単位でしか観測できないことによっている。例えば、本来の死亡率を0.05とした場合、人口1万人の地域では本来の死亡数は500人であるが、観測死亡数に1人増減が出たとしても、死亡率推定値は0.0499～0.0501と本来の死亡率からは0.2%の変動しか起こらない。ところが、人口100人の地域で同様に考えると、観測死亡数1人の増減は死亡率の推定値に0.04～0.06という変動を与え、本来の死亡率から20%も変動してしまうこととなる。このような場合、観測データ以外にも対象に関する情報を推定に反映させることが可能なベイズ推定が、死亡率推定にあたっての有力な手法となる。

　令和2年市区町村別生命表では、市区町村別死亡率の推定にあたり、当該市区町村を含むより広い地域である都道府県、指定都市及び東京都区部の死亡状況を情報として活用し、これと各市区町村固有の死亡数等の観測データとを総合化して当該市区町村の死亡率を推定するという形でベイズ推定を適用し、生命表を作成している。このようにベイズ推定の手法を適用することにより、小地域の死亡率推定に特有な不安定性を緩和し、安定的な死亡率推定を行うことが可能となっているのである。

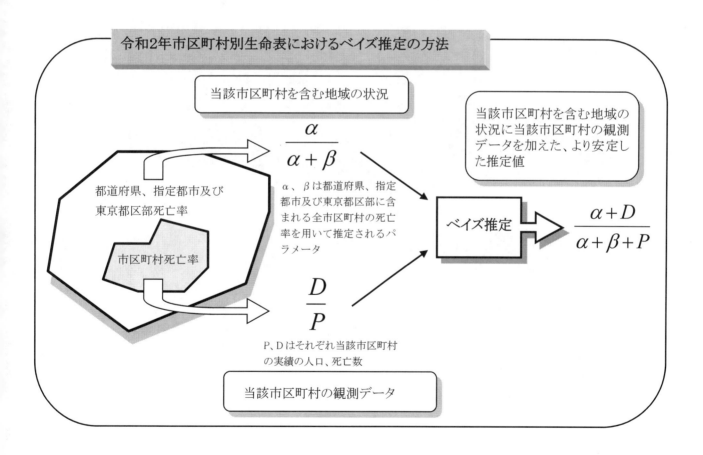

Ⅳ 統 計 表
市区町村別人口・特定年齢の平均余命

統計表利用上の注意事項

1. 人口は令和2年10月1日現在の市区町村別日本人人口である（総務省統計局「令和2年国勢調査」）。

2. 市区町村の名称及び区域は、令和3年12月31日現在のものであり、その対象は、人口動態統計の観察対象範囲に含まれる1896市区町村のうち、令和2年10月1日現在、東日本大震災による福島第一原子力発電所の事故に伴う避難指示区域に指定されていた町村及び集中豪雨による熊本県球磨川水系の被害を受けた村について、住民基本台帳に基づく人口より令和2年国勢調査人口が過少である9町村（福島県双葉郡楢葉町、富岡町、川内村、大熊町、双葉町、浪江町、葛尾村、相馬郡飯舘村及び熊本県球磨郡球磨村）を除く1887市区町村としている。

3. 誤差とは、一般に標準誤差と呼ばれるものであり、推定された平均余命の値の精度を示すものである。

4. 平均寿命の誤差が0.4年を超える地域に"＊"を付した。

			男											
		人口	平均余命（年）											
			0歳		20歳		40歳		65歳		75歳		80歳	
		（人）	平均寿命	誤差	平均余命	誤差	平均余命	誤差	平均余命	誤差	平均余命	誤差	平均余命	誤差
全国		60 002 838	81.5	…	61.8	…	42.4	…	19.9	…	12.5	…	9.3	…
北海道		2 448 759	80.9	…	61.3	…	42.0	…	19.7	…	12.4	…	9.2	…
札幌市		911 689	81.3	…	61.7	…	42.3	…	19.9	…	12.5	…	9.3	…
札幌市	中央区	111 470	81.6	0.1	61.9	0.0	42.5	0.0	20.0	0.0	12.5	0.0	9.4	0.0
札幌市	北区	135 037	81.3	0.1	61.6	0.0	42.3	0.0	20.0	0.0	12.6	0.0	9.4	0.0
札幌市	東区	124 976	81.0	0.1	61.4	0.0	42.0	0.0	19.5	0.0	12.3	0.0	9.2	0.0
札幌市	白石区	99 486	80.4	0.1	60.8	0.0	41.5	0.0	19.2	0.0	12.1	0.0	9.2	0.0
札幌市	豊平区	103 366	81.0	0.1	61.5	0.0	42.1	0.0	19.7	0.0	12.5	0.0	9.4	0.0
札幌市	南区	62 042	81.6	0.1	61.9	0.0	42.6	0.0	20.1	0.0	12.6	0.0	9.3	0.0
札幌市	西区	99 510	81.4	0.1	61.8	0.0	42.4	0.0	19.8	0.0	12.5	0.0	9.4	0.0
札幌市	厚別区	56 469	81.8	0.1	62.1	0.0	42.8	0.0	20.3	0.0	12.8	0.0	9.5	0.0
札幌市	手稲区	66 684	81.8	0.1	62.2	0.0	42.8	0.0	20.2	0.0	12.6	0.0	9.5	0.0
札幌市	清田区	52 649	81.5	0.1	62.1	0.0	42.7	0.0	20.1	0.0	12.5	0.0	9.3	0.0
函館市		113 528	79.3	0.1	59.6	0.0	40.5	0.0	18.6	0.0	11.6	0.0	8.7	0.0
小樽市		49 869	80.5	0.1	60.8	0.1	41.5	0.0	19.1	0.0	12.0	0.0	9.0	0.0
旭川市		151 458	80.8	0.1	61.1	0.0	41.8	0.0	19.5	0.0	12.2	0.0	9.2	0.0
室蘭市		40 145	79.9	0.1	60.2	0.1	41.0	0.1	19.0	0.1	12.1	0.0	9.1	0.0
釧路市		77 271	80.0	0.1	60.3	0.0	40.9	0.0	18.9	0.0	11.9	0.0	8.9	0.0
帯広市		79 235	81.2	0.1	61.6	0.0	42.3	0.0	19.8	0.0	12.5	0.0	9.4	0.0
北見市		54 520	81.1	0.1	61.4	0.1	42.4	0.1	20.2	0.0	12.9	0.0	9.7	0.0
夕張市		3 373	80.4	0.2	60.7	0.1	41.3	0.1	19.1	0.1	11.8	0.1	8.8	0.1
岩見沢市		36 997	80.3	0.1	60.7	0.1	41.7	0.1	19.7	0.1	12.4	0.1	9.2	0.0
網走市		17 967	80.9	0.2	61.3	0.1	42.0	0.1	19.8	0.1	12.5	0.1	9.3	0.1
留萌市		9 623	80.9	0.2	61.2	0.1	41.8	0.1	19.3	0.1	12.1	0.1	9.2	0.1
苫小牧市		83 048	80.6	0.1	60.8	0.0	41.7	0.0	19.3	0.0	12.3	0.0	9.1	0.0
稚内市		16 524	80.3	0.2	60.7	0.1	41.5	0.1	19.5	0.1	12.5	0.1	9.3	0.1
美唄市		9 540	80.5	0.2	60.7	0.1	41.4	0.1	19.3	0.1	12.2	0.1	9.2	0.1
芦別市		5 758	80.5	0.2	60.8	0.1	41.6	0.1	19.1	0.1	11.9	0.1	8.9	0.1
江別市		57 163	82.1	0.1	62.4	0.1	42.9	0.0	20.4	0.0	12.6	0.0	9.3	0.0
赤平市		4 355	79.2	0.3	59.7	0.1	41.1	0.1	18.6	0.1	11.8	0.1	8.9	0.1
紋別市		9 811	80.5	0.2	60.7	0.1	41.4	0.1	19.2	0.1	12.1	0.1	9.2	0.1
士別市		8 357	82.0	0.1	62.2	0.1	43.0	0.1	20.6	0.1	13.0	0.1	9.7	0.1
名寄市		13 296	81.8	0.2	62.3	0.1	42.8	0.1	20.3	0.1	12.8	0.1	9.7	0.1
三笠市		3 621	80.1	0.2	60.4	0.1	41.2	0.1	19.1	0.1	11.9	0.1	9.1	0.1
根室市		11 717	80.0	0.2	60.4	0.1	41.2	0.1	19.1	0.1	12.0	0.1	9.0	0.1
千歳市		49 460	82.2	0.1	62.5	0.1	43.1	0.0	20.3	0.0	12.8	0.0	9.7	0.1
滝川市		18 775	80.3	0.1	60.7	0.1	41.4	0.1	19.2	0.1	12.0	0.1	9.0	0.1
砂川市		7 592	81.0	0.2	61.4	0.1	42.1	0.1	19.7	0.1	12.5	0.1	9.3	0.1
歌志内市		1 393	80.4	0.2	60.7	0.2	41.4	0.2	19.3	0.1	12.2	0.1	9.3	0.1
深川市		9 311	81.0	0.1	61.5	0.1	42.3	0.1	19.9	0.1	12.5	0.1	9.5	0.1
富良野市		9 871	81.6	0.2	61.8	0.1	42.8	0.1	20.3	0.1	12.6	0.1	9.3	0.1
登別市		22 063	81.0	0.1	61.3	0.1	42.0	0.1	19.8	0.1	12.5	0.1	9.2	0.1
恵庭市		33 863	81.7	0.2	62.2	0.1	43.0	0.1	20.2	0.1	12.7	0.1	9.5	0.1
伊達市		15 144	81.0	0.2	61.3	0.1	41.9	0.1	19.8	0.1	12.6	0.1	9.5	0.1

		女												
		人口	平均余命（年）											
			0歳		20歳		40歳		65歳		75歳		80歳	
		（人）	平均寿命	誤差	平均余命	誤差	平均余命	誤差	平均余命	誤差	平均余命	誤差	平均余命	誤差
全国		63 396 124	87.6	…	67.9	…	48.3	…	24.8	…	16.1	…	12.2	…
北海道		2 739 682	87.1	…	67.4	…	47.8	…	24.5	…	16.1	…	12.2	…
札幌市		1 047 834	87.4	…	67.7	…	48.1	…	24.8	…	16.3	…	12.5	…
札幌市	中央区	134 557	87.5	0.1	67.7	0.0	48.2	0.0	24.8	0.0	16.4	0.0	12.5	0.0
札幌市	北区	151 154	87.5	0.0	67.7	0.0	48.1	0.0	24.8	0.0	16.3	0.0	12.5	0.0
札幌市	東区	138 509	87.2	0.1	67.6	0.0	47.9	0.0	24.6	0.0	16.2	0.0	12.4	0.0
札幌市	白石区	111 245	87.1	0.0	67.3	0.0	47.7	0.0	24.4	0.0	16.2	0.0	12.4	0.0
札幌市	豊平区	120 339	87.4	0.1	67.8	0.0	48.2	0.0	24.8	0.0	16.3	0.0	12.5	0.0
札幌市	南区	73 071	87.5	0.1	67.7	0.0	48.2	0.0	24.9	0.0	16.4	0.0	12.5	0.0
札幌市	西区	116 465	87.3	0.1	67.7	0.0	48.1	0.0	24.7	0.0	16.3	0.0	12.4	0.0
札幌市	厚別区	67 944	87.5	0.1	67.8	0.0	48.3	0.0	24.9	0.0	16.4	0.0	12.5	0.0
札幌市	手稲区	75 458	87.5	0.1	67.8	0.0	48.2	0.0	24.9	0.0	16.4	0.0	12.5	0.0
札幌市	清田区	59 092	87.6	0.1	67.8	0.0	48.2	0.0	24.8	0.0	16.2	0.0	12.4	0.0
函館市		136 449	86.3	0.1	66.7	0.0	47.0	0.0	23.9	0.0	15.6	0.0	11.8	0.0
小樽市		60 823	86.5	0.1	66.9	0.0	47.5	0.0	24.3	0.0	15.9	0.0	12.1	0.0
旭川市		176 695	86.9	0.1	67.3	0.0	47.7	0.0	24.3	0.0	15.9	0.0	12.0	0.0
室蘭市		41 830	86.4	0.1	66.6	0.1	47.1	0.1	24.1	0.0	15.8	0.0	12.0	0.0
釧路市		86 933	86.2	0.2	66.7	0.0	47.2	0.0	24.1	0.0	15.8	0.0	11.9	0.0
帯広市		86 579	87.1	0.2	67.7	0.0	48.1	0.0	24.8	0.0	16.4	0.0	12.6	0.0
北見市		60 535	87.1	0.1	67.5	0.0	47.9	0.0	24.7	0.0	16.3	0.0	12.4	0.0
夕張市		3 874	86.7	0.3	67.0	0.1	47.5	0.1	24.3	0.1	16.1	0.1	12.3	0.1
岩見沢市		42 113	87.1	0.2	67.5	0.1	48.1	0.0	24.8	0.0	16.2	0.0	12.4	0.0
網走市		17 471	87.0	0.2	67.5	0.1	47.8	0.0	24.6	0.0	16.1	0.0	12.3	0.1
留萌市		10 356	86.7	0.2	67.0	0.1	47.4	0.1	24.0	0.1	15.8	0.1	12.1	0.1
苫小牧市		86 313	86.7	0.1	66.9	0.0	47.3	0.0	24.2	0.0	15.9	0.0	12.1	0.0
稚内市		16 601	86.5	0.1	66.8	0.1	47.1	0.1	23.8	0.1	15.7	0.1	11.9	0.1
美唄市		10 829	86.9	0.2	67.1	0.1	47.6	0.1	24.3	0.1	15.9	0.1	12.1	0.1
芦別市		6 780	86.6	0.2	66.8	0.1	47.3	0.1	24.4	0.1	15.9	0.1	12.0	0.1
江別市		63 207	88.2	0.1	68.4	0.0	48.7	0.0	25.2	0.0	16.6	0.0	12.6	0.0
赤平市		5 276	86.8	0.3	67.1	0.1	47.5	0.1	24.3	0.1	16.1	0.1	12.3	0.1
紋別市		10 874	86.8	0.2	66.9	0.1	47.2	0.1	23.9	0.1	15.5	0.1	11.7	0.1
士別市		9 425	88.1	0.2	68.3	0.1	48.7	0.1	25.3	0.1	16.7	0.1	12.8	0.1
名寄市		13 936	88.1	0.1	68.2	0.1	48.6	0.1	25.1	0.1	16.6	0.1	12.6	0.1
三笠市		4 404	86.7	0.2	66.9	0.1	47.3	0.1	24.0	0.1	15.9	0.1	12.2	0.1
根室市		12 610	86.4	0.2	66.7	0.1	47.1	0.1	23.9	0.1	15.5	0.1	11.8	0.1
千歳市		47 786	86.9	0.2	67.4	0.1	47.8	0.1	24.6	0.0	16.2	0.0	12.2	0.0
滝川市		20 605	87.1	0.1	67.2	0.1	47.7	0.1	24.3	0.1	16.1	0.1	12.2	0.0
砂川市		8 865	87.0	0.2	67.4	0.1	47.7	0.1	24.4	0.1	16.1	0.1	12.2	0.1
歌志内市		1 586	86.9	0.3	67.2	0.1	47.8	0.1	24.5	0.1	15.9	0.1	12.2	0.1
深川市		10 618	87.2	0.2	67.5	0.1	48.0	0.1	24.8	0.1	16.4	0.1	12.4	0.1
富良野市		11 028	87.5	0.2	67.7	0.1	47.9	0.1	24.7	0.1	16.2	0.1	12.3	0.1
登別市		24 148	87.1	0.1	67.5	0.1	47.9	0.1	24.5	0.0	16.2	0.0	12.2	0.0
恵庭市		36 022	87.7	0.1	67.9	0.1	48.2	0.1	24.9	0.0	16.4	0.0	12.5	0.0
伊達市		17 502	86.3	0.3	67.2	0.1	47.8	0.1	24.7	0.1	16.2	0.0	12.3	0.0

		人口	男											
			平均余命（年）											
			0歳		20歳		40歳		65歳		75歳		80歳	
		(人)	平均寿命	誤差	平均余命	誤差	平均余命	誤差	平均余命	誤差	平均余命	誤差	平均余命	誤差
北広島市		27 563	81.8	0.2	62.4	0.1	43.2	0.1	20.5	0.1	13.0	0.1	9.7	0.1
石狩市		27 146	81.1	0.2	61.6	0.1	42.7	0.1	20.1	0.1	12.5	0.1	9.5	0.1
北斗市		20 505	80.4	0.2	61.0	0.1	41.9	0.1	19.4	0.1	12.0	0.1	9.0	0.1
石狩郡	当別町	7 642	81.6	0.2	61.9	0.1	42.5	0.1	20.0	0.1	12.8	0.1	9.4	0.1
石狩郡	新篠津村	1 477	80.5	0.2	61.0	0.1	41.7	0.1	19.5	0.1	12.2	0.1	9.1	0.1
松前郡	松前町	2 800	79.9	0.2	60.3	0.1	41.1	0.1	19.0	0.1	12.0	0.1	9.2	0.1
松前郡	福島町	1 753	80.1	0.3	60.8	0.1	41.5	0.1	19.1	0.1	12.1	0.1	9.0	0.1
上磯郡	知内町	2 052	80.9	0.2	61.2	0.1	42.2	0.1	19.8	0.1	12.4	0.1	9.4	0.1
上磯郡	木古内町	1 746	80.8	0.2	61.1	0.1	41.8	0.1	19.3	0.1	12.0	0.1	8.9	0.1
亀田郡	七飯町	12 661	80.5	0.2	61.0	0.1	41.6	0.1	19.3	0.1	12.0	0.1	9.0	0.1
茅部郡	鹿部町	1 756	80.1	0.2	60.5	0.1	41.4	0.1	19.5	0.1	12.3	0.1	9.3	0.1
茅部郡	森町	6 606	80.3	0.2	60.6	0.1	41.3	0.1	19.1	0.1	11.8	0.1	8.8	0.1
二海郡	八雲町	7 785	80.7	0.3	61.3	0.1	42.5	0.1	20.0	0.1	12.4	0.1	9.5	0.1
山越郡	長万部町	2 394	80.9	0.2	61.4	0.1	42.1	0.1	19.8	0.1	12.5	0.1	9.4	0.1
檜山郡	江差町	3 558	80.4	0.2	60.9	0.1	42.1	0.1	20.0	0.1	12.6	0.1	9.4	0.1
檜山郡	上ノ国町	1 945	80.6	0.2	60.9	0.1	41.7	0.1	19.6	0.1	12.4	0.1	9.2	0.1
檜山郡	厚沢部町	1 711	81.2	0.2	61.5	0.1	42.2	0.1	19.8	0.1	12.3	0.1	9.1	0.1
爾志郡	乙部町	1 537	80.8	0.2	61.2	0.1	41.8	0.1	19.4	0.1	12.2	0.1	9.2	0.1
奥尻郡	奥尻町	1 276	80.8	0.2	61.1	0.1	41.9	0.1	19.7	0.1	12.3	0.1	9.2	0.1
瀬棚郡	今金町	2 444	81.0	0.3	61.5	0.1	42.3	0.1	19.7	0.1	12.3	0.1	9.0	0.1
久遠郡	せたな町	3 462	81.1	0.2	61.5	0.1	42.1	0.1	19.9	0.1	12.6	0.1	9.4	0.1
島牧郡	島牧村	686	80.7	0.3	61.0	0.1	41.7	0.1	19.3	0.1	12.2	0.1	9.0	0.1
寿都郡	寿都町	1 394	81.0	0.2	61.3	0.1	42.1	0.1	19.8	0.1	12.4	0.1	9.5	0.1
寿都郡	黒松内町	1 348	80.7	0.2	61.2	0.1	42.0	0.1	19.8	0.1	12.3	0.1	9.3	0.1
磯谷郡	蘭越町	2 175	81.0	0.2	61.3	0.1	42.1	0.1	19.8	0.1	12.4	0.1	9.4	0.1
虻田郡	ニセコ町	2 458	81.2	0.3	61.7	0.1	42.4	0.1	19.7	0.1	12.1	0.1	9.2	0.1
虻田郡	真狩村	1 006	81.0	0.2	61.4	0.1	42.1	0.1	19.8	0.1	12.4	0.1	9.3	0.1
虻田郡	留寿都村	923	81.4	0.2	61.7	0.1	42.4	0.1	20.0	0.1	12.6	0.1	9.4	0.1
虻田郡	喜茂別町	1 093	80.7	0.2	61.0	0.1	41.9	0.1	19.5	0.1	12.1	0.1	9.1	0.1
虻田郡	京極町	1 411	81.1	0.2	61.5	0.1	42.3	0.1	19.9	0.1	12.5	0.1	9.2	0.1
虻田郡	倶知安町	7 368	81.5	0.2	61.9	0.1	42.5	0.1	20.0	0.1	12.5	0.1	9.4	0.1
岩内郡	共和町	3 044	80.8	0.3	61.6	0.1	42.1	0.1	19.8	0.1	12.3	0.1	9.1	0.1
岩内郡	岩内町	5 479	79.7	0.2	60.3	0.1	40.9	0.1	18.7	0.1	11.7	0.1	8.7	0.1
古宇郡	泊村	784	80.6	0.2	61.0	0.1	42.0	0.1	19.5	0.1	12.3	0.1	9.2	0.1
古宇郡	神恵内村	399	81.0	0.3	61.4	0.1	42.1	0.1	19.7	0.1	12.4	0.1	9.3	0.1
積丹郡	積丹町	851	80.5	0.3	60.8	0.1	41.5	0.1	19.6	0.1	12.4	0.1	9.3	0.1
古平郡	古平町	1 301	80.9	0.2	61.3	0.1	41.9	0.1	19.6	0.1	12.2	0.1	9.0	0.1
余市郡	仁木町	1 504	80.7	0.2	61.2	0.1	42.0	0.1	19.5	0.1	12.0	0.1	8.9	0.1
余市郡	余市町	8 308	81.2	0.2	61.4	0.1	41.9	0.1	19.7	0.1	12.5	0.1	9.4	0.1
余市郡	赤井川村	573	80.8	0.3	61.2	0.1	42.0	0.1	19.6	0.1	12.4	0.1	9.3	0.1
空知郡	南幌町	3 458	81.3	0.2	61.6	0.1	42.5	0.1	20.1	0.1	12.9	0.1	9.6	0.1
空知郡	奈井江町	2 390	81.0	0.2	61.3	0.1	42.1	0.1	19.8	0.1	12.5	0.1	9.4	0.1
空知郡	上砂川町	1 281	80.0	0.2	60.3	0.1	41.1	0.1	18.8	0.1	12.0	0.1	8.8	0.1
夕張郡	由仁町	2 292	81.0	0.2	61.3	0.1	42.1	0.1	19.7	0.1	12.5	0.1	9.4	0.1
夕張郡	長沼町	4 902	81.0	0.3	61.5	0.1	42.1	0.1	19.7	0.1	12.3	0.1	9.2	0.1
夕張郡	栗山町	5 155	81.7	0.2	61.9	0.1	42.6	0.1	20.0	0.1	12.4	0.1	9.3	0.1

			女													
			人口	平均余命（年）												
				0歳		20歳		40歳		65歳		75歳		80歳			
			（人）	平均寿命	誤差	平均余命	誤差	平均余命	誤差	平均余命	誤差	平均余命	誤差	平均余命	誤差		
北広島市			30 236	88.2	0.1	68.3	0.1	48.8	0.1	25.1	0.0	16.5	0.0	12.5	0.0
石狩市			29 272	87.6	0.2	68.1	0.1	48.4	0.1	25.1	0.0	16.3	0.0	12.2	0.0
北斗市			23 497	86.4	0.1	66.6	0.1	47.3	0.1	24.2	0.1	15.9	0.0	12.0	0.0
石狩郡	当別町		8 153	87.5	0.2	67.7	0.1	48.4	0.1	25.0	0.1	16.4	0.1	12.4	0.1
石狩郡	新篠津村	*	1 559	86.4	0.5	67.2	0.1	47.6	0.1	24.3	0.1	15.7	0.1	11.9	0.1
松前郡	松前町		3 418	86.4	0.3	66.7	0.1	47.0	0.1	23.9	0.1	15.6	0.1	11.7	0.1
松前郡	福島町		2 005	86.9	0.3	67.2	0.1	47.6	0.1	24.1	0.1	15.9	0.1	12.0	0.1
上磯郡	知内町		2 052	86.9	0.3	67.2	0.1	47.7	0.1	24.4	0.1	16.2	0.1	12.3	0.1
上磯郡	木古内町	*	2 062	86.6	0.6	67.4	0.1	47.8	0.1	24.6	0.1	16.2	0.1	12.4	0.1
亀田郡	七飯町		14 913	86.9	0.3	67.3	0.1	47.8	0.1	24.5	0.1	16.0	0.1	12.0	0.1
茅部郡	鹿部町		1 890	86.9	0.3	67.2	0.1	47.5	0.1	24.3	0.1	16.0	0.1	12.0	0.1
茅部郡	森町		7 416	85.9	0.4	66.6	0.1	47.2	0.1	24.1	0.1	15.6	0.1	11.7	0.1
二海郡	八雲町		7 812	87.2	0.2	67.4	0.1	47.7	0.1	24.6	0.1	15.9	0.1	12.0	0.1
山越郡	長万部町		2 538	87.1	0.3	67.4	0.1	47.8	0.1	24.8	0.1	16.3	0.1	12.4	0.1
檜山郡	江差町		3 851	87.1	0.3	67.6	0.1	47.9	0.1	24.7	0.1	16.2	0.1	12.3	0.1
檜山郡	上ノ国町	*	2 311	85.9	0.5	66.7	0.1	47.1	0.1	24.3	0.1	16.0	0.1	12.0	0.1
檜山郡	厚沢部町		1 851	87.1	0.3	67.3	0.1	47.7	0.1	24.5	0.1	16.2	0.1	12.3	0.1
爾志郡	乙部町		1 849	86.9	0.3	67.2	0.1	47.6	0.1	24.3	0.1	16.0	0.1	12.2	0.1
奥尻郡	奥尻町		1 126	86.5	0.3	67.2	0.1	47.6	0.1	24.4	0.1	15.9	0.1	12.1	0.1
瀬棚郡	今金町		2 624	87.3	0.3	67.6	0.1	48.2	0.1	24.7	0.1	16.3	0.1	12.4	0.1
久遠郡	せたな町		3 906	87.4	0.3	67.6	0.1	48.0	0.1	24.8	0.1	16.3	0.1	12.4	0.1
島牧郡	島牧村		668	87.1	0.3	67.4	0.1	47.8	0.1	24.5	0.1	16.1	0.1	12.1	0.1
寿都郡	寿都町		1 390	86.9	0.3	67.2	0.1	47.8	0.1	24.6	0.1	16.1	0.1	12.2	0.1
寿都郡	黒松内町		1 427	87.2	0.3	67.5	0.1	48.0	0.1	24.9	0.1	16.4	0.1	12.6	0.1
磯谷郡	蘭越町		2 355	87.2	0.3	67.5	0.1	47.9	0.1	24.5	0.1	16.0	0.1	12.2	0.1
虻田郡	ニセコ町		2 369	87.1	0.2	67.4	0.1	47.8	0.1	24.4	0.1	15.9	0.1	11.9	0.1
虻田郡	真狩村		1 002	87.3	0.3	67.6	0.1	48.0	0.1	24.7	0.1	16.2	0.1	12.4	0.1
虻田郡	留寿都村		875	87.2	0.3	67.5	0.1	47.8	0.1	24.6	0.1	16.1	0.1	12.2	0.1
虻田郡	喜茂別町		1 000	87.0	0.3	67.3	0.1	47.7	0.1	24.5	0.1	16.0	0.1	12.1	0.1
虻田郡	京極町		1 477	86.9	0.3	67.2	0.1	47.5	0.1	24.4	0.1	16.0	0.1	12.3	0.1
虻田郡	倶知安町		7 062	87.5	0.2	67.7	0.1	48.0	0.1	24.7	0.1	16.2	0.1	12.3	0.1
岩内郡	共和町		2 719	87.1	0.2	67.3	0.1	47.7	0.1	24.3	0.1	15.8	0.1	12.0	0.1
岩内郡	岩内町		6 122	85.9	0.2	66.4	0.1	46.9	0.1	23.5	0.1	15.2	0.1	11.6	0.1
古宇郡	泊村		782	86.9	0.3	67.2	0.1	47.6	0.1	24.5	0.1	16.0	0.1	12.0	0.1
古宇郡	神恵内村		470	87.1	0.3	67.4	0.1	47.8	0.1	24.7	0.1	16.2	0.1	12.4	0.1
積丹郡	積丹町		976	87.2	0.3	67.5	0.1	47.9	0.1	24.5	0.1	16.1	0.1	12.2	0.1
古平郡	古平町		1 391	86.8	0.3	67.1	0.1	47.5	0.1	24.1	0.1	15.8	0.1	12.0	0.1
余市郡	仁木町		1 609	87.1	0.3	67.4	0.1	47.8	0.1	24.5	0.1	16.0	0.1	12.2	0.1
余市郡	余市町		9 567	87.2	0.2	67.4	0.1	47.9	0.1	24.5	0.1	16.0	0.1	12.2	0.1
余市郡	赤井川村		532	87.0	0.3	67.3	0.1	47.7	0.1	24.3	0.1	15.9	0.1	12.1	0.1
空知郡	南幌町		3 815	87.3	0.3	67.5	0.1	48.1	0.1	24.9	0.1	16.2	0.1	12.4	0.1
空知郡	奈井江町		2 702	86.7	0.3	67.0	0.1	47.5	0.1	24.3	0.1	16.0	0.1	12.1	0.1
空知郡	上砂川町		1 543	87.1	0.3	67.4	0.1	47.8	0.1	24.6	0.1	16.2	0.1	12.3	0.1
夕張郡	由仁町		2 506	87.5	0.3	67.8	0.1	48.2	0.1	24.8	0.1	16.3	0.1	12.4	0.1
夕張郡	長沼町		5 361	87.6	0.2	67.9	0.1	48.4	0.1	25.0	0.1	16.3	0.1	12.5	0.1
夕張郡	栗山町		6 081	87.0	0.2	67.5	0.1	48.0	0.1	24.9	0.1	16.6	0.1	12.7	0.1

			男											
		人口	平均余命（年）											
			0歳		20歳		40歳		65歳		75歳		80歳	
		（人）	平均寿命	誤差	平均余命	誤差	平均余命	誤差	平均余命	誤差	平均余命	誤差	平均余命	誤差
樺戸郡	月形町	2 174	80.8	0.2	61.1	0.1	42.1	0.1	19.6	0.1	12.3	0.1	9.2	0.1
樺戸郡	浦臼町	843	81.0	0.3	61.4	0.1	42.2	0.1	20.0	0.1	12.7	0.1	9.6	0.1
樺戸郡	新十津川町	2 968	80.5	0.2	61.0	0.1	42.2	0.1	20.0	0.1	12.5	0.1	9.4	0.1
雨竜郡	妹背牛町	1 256	80.7	0.3	61.4	0.1	42.2	0.1	19.9	0.1	12.4	0.1	9.2	0.1
雨竜郡	秩父別町	1 071	80.8	0.2	61.2	0.1	42.2	0.1	19.7	0.1	12.4	0.1	9.3	0.1
雨竜郡	雨竜町	1 164	80.9	0.3	61.3	0.1	42.1	0.1	19.9	0.1	12.6	0.1	9.4	0.1
雨竜郡	北竜町	820	80.5	0.3	60.9	0.1	41.7	0.1	19.7	0.1	12.5	0.1	9.3	0.1
雨竜郡	沼田町	1 387	81.3	0.2	61.7	0.1	42.3	0.1	20.0	0.1	12.5	0.1	9.3	0.1
上川郡	鷹栖町	3 102	81.1	0.2	61.4	0.1	42.0	0.1	19.8	0.1	12.5	0.1	9.1	0.1
上川郡	東神楽町	4 682	80.9	0.3	61.5	0.1	42.6	0.1	20.1	0.1	12.5	0.1	9.2	0.1
上川郡	当麻町	2 906	81.5	0.2	61.8	0.1	42.4	0.1	20.1	0.1	12.5	0.1	9.4	0.1
上川郡	比布町	1 662	80.7	0.2	61.0	0.1	41.9	0.1	19.5	0.1	12.1	0.1	9.1	0.1
上川郡	愛別町	1 213	81.0	0.2	61.4	0.1	42.0	0.1	19.7	0.1	12.4	0.1	9.3	0.1
上川郡	上川町	1 688	81.6	0.2	62.0	0.1	42.6	0.1	20.1	0.1	12.6	0.1	9.6	0.1
上川郡	東川町	3 771	81.2	0.2	61.6	0.1	42.2	0.1	19.7	0.1	12.5	0.1	9.4	0.1
上川郡	美瑛町	4 459	81.7	0.2	62.0	0.1	42.9	0.1	20.4	0.1	12.8	0.1	9.5	0.1
空知郡	上富良野町	5 340	81.3	0.2	61.6	0.1	42.2	0.1	19.7	0.1	12.1	0.1	9.2	0.1
空知郡	中富良野町	2 255	81.3	0.2	61.6	0.1	42.4	0.1	20.2	0.1	12.6	0.1	9.5	0.1
空知郡	南富良野町	1 218	80.9	0.2	61.2	0.1	42.2	0.1	19.7	0.1	12.1	0.1	8.9	0.1
勇払郡	占冠村	572	80.6	0.3	61.0	0.1	41.8	0.1	19.5	0.1	12.2	0.1	9.2	0.1
上川郡	和寒町	1 482	81.0	0.2	61.3	0.1	42.0	0.1	19.7	0.1	12.5	0.1	9.3	0.1
上川郡	剣淵町	1 425	81.2	0.2	61.5	0.1	42.5	0.1	20.0	0.1	12.5	0.1	9.5	0.1
上川郡	下川町	1 479	81.0	0.2	61.3	0.1	42.2	0.1	19.7	0.1	12.3	0.1	9.3	0.1
中川郡	美深町	2 021	81.3	0.2	61.6	0.1	42.5	0.1	20.0	0.1	12.6	0.1	9.4	0.1
中川郡	音威子府村	364	81.1	0.3	61.5	0.1	42.2	0.1	19.8	0.1	12.4	0.1	9.3	0.1
中川郡	中川町	798	81.0	0.2	61.3	0.1	42.0	0.1	19.7	0.1	12.3	0.1	9.3	0.1
雨竜郡	幌加内町	680	80.8	0.3	61.2	0.1	41.9	0.1	19.6	0.1	12.4	0.1	9.3	0.1
増毛郡	増毛町	1 752	80.7	0.2	61.1	0.1	41.7	0.1	19.3	0.1	12.1	0.1	9.0	0.1
留萌郡	小平町	1 411	80.6	0.2	60.9	0.1	41.6	0.1	19.2	0.1	12.0	0.1	8.8	0.1
苫前郡	苫前町	1 418	81.2	0.2	61.6	0.1	42.2	0.1	19.7	0.1	12.5	0.1	9.4	0.1
苫前郡	羽幌町	3 150	81.4	0.2	61.7	0.1	42.3	0.1	19.9	0.1	12.4	0.1	9.0	0.1
苫前郡	初山別村	512	81.1	0.3	61.4	0.1	42.1	0.1	19.8	0.1	12.5	0.1	9.3	0.1
天塩郡	遠別町	1 201	80.8	0.2	61.1	0.1	41.9	0.1	19.7	0.1	12.3	0.1	9.1	0.1
天塩郡	天塩町	1 461	81.0	0.2	61.4	0.1	42.0	0.1	19.7	0.1	12.3	0.1	9.2	0.1
宗谷郡	猿払村	1 250	80.7	0.2	61.0	0.1	41.8	0.1	19.5	0.1	12.2	0.1	9.1	0.1
枝幸郡	浜頓別町	1 671	80.8	0.2	61.2	0.1	42.1	0.1	19.7	0.1	12.5	0.1	9.5	0.1
枝幸郡	中頓別町	816	81.0	0.3	61.4	0.1	42.1	0.1	19.8	0.1	12.3	0.1	9.4	0.1
枝幸郡	枝幸町	3 588	80.6	0.2	60.9	0.1	41.4	0.1	19.5	0.1	12.2	0.1	9.2	0.1
天塩郡	豊富町	2 086	81.1	0.2	61.4	0.1	42.4	0.1	20.0	0.1	12.7	0.1	9.6	0.1
礼文郡	礼文町	1 280	81.2	0.2	61.5	0.1	42.3	0.1	19.9	0.1	12.4	0.1	9.3	0.1
利尻郡	利尻町	993	81.2	0.2	61.5	0.1	42.2	0.1	19.7	0.1	12.4	0.1	9.3	0.1
利尻郡	利尻富士町	1 187	81.2	0.2	61.6	0.1	42.2	0.1	19.9	0.1	12.4	0.1	9.4	0.1
天塩郡	幌延町	1 275	80.9	0.2	61.2	0.1	41.8	0.1	19.4	0.1	12.2	0.1	9.2	0.1
網走郡	美幌町	9 051	80.8	0.2	61.2	0.1	42.1	0.1	19.8	0.1	12.4	0.1	9.4	0.1
網走郡	津別町	2 093	80.3	0.3	61.1	0.1	41.9	0.1	19.6	0.1	12.3	0.1	9.2	0.1
斜里郡	斜里町	5 611	81.2	0.3	61.7	0.1	42.4	0.1	20.2	0.1	12.7	0.1	9.6	0.1

			女												
		人口	平均余命（年）												
			0歳		20歳		40歳		65歳		75歳		80歳		
		(人)	平均寿命	誤差	平均余命	誤差	平均余命	誤差	平均余命	誤差	平均余命	誤差	平均余命	誤差	
樺戸郡	月形町	1 504	87.0	0.3	67.3	0.1	47.9	0.1	24.7	0.1	16.1	0.1	12.2	0.1	
樺戸郡	浦臼町	881	87.2	0.3	67.5	0.1	47.9	0.1	24.5	0.1	15.9	0.1	12.0	0.1	
樺戸郡	新十津川町	3 497	87.7	0.3	68.0	0.1	48.6	0.1	25.1	0.1	16.7	0.1	12.8	0.1	
雨竜郡	妹背牛町	1 394	87.0	0.3	67.3	0.1	47.7	0.1	24.4	0.1	16.0	0.1	12.1	0.1	
雨竜郡	秩父別町	1 255	87.5	0.3	67.8	0.1	48.2	0.1	24.8	0.1	16.3	0.1	12.4	0.1	
雨竜郡	雨竜町	1 216	87.1	0.3	67.6	0.1	48.0	0.1	24.6	0.1	16.1	0.1	12.3	0.1	
雨竜郡	北竜町	898	87.3	0.3	67.6	0.1	48.1	0.1	24.7	0.1	16.2	0.1	12.4	0.1	
雨竜郡	沼田町	1 516	87.1	0.3	67.4	0.1	47.8	0.1	24.5	0.1	16.1	0.1	12.3	0.1	
上川郡	鷹栖町	3 462	87.2	0.3	67.5	0.1	47.8	0.1	24.6	0.1	16.1	0.1	12.2	0.1	
上川郡	東神楽町	5 402	87.4	0.2	67.7	0.1	48.1	0.1	24.7	0.1	16.2	0.1	12.3	0.1	
上川郡	当麻町	3 403	87.4	0.3	67.7	0.1	48.0	0.1	24.7	0.1	16.4	0.1	12.4	0.1	
上川郡	比布町	1 855	87.2	0.3	67.5	0.1	47.9	0.1	24.6	0.1	16.1	0.1	12.2	0.1	
上川郡	愛別町	1 352	87.3	0.3	67.6	0.1	48.0	0.1	24.7	0.1	16.2	0.1	12.3	0.1	
上川郡	上川町	1 764	87.4	0.3	67.7	0.1	48.1	0.1	24.8	0.1	16.3	0.1	12.5	0.1	
上川郡	東川町	4 277	87.3	0.2	67.7	0.1	48.1	0.1	24.7	0.1	16.4	0.1	12.4	0.1	
上川郡	美瑛町	5 123	87.7	0.2	67.9	0.1	48.3	0.1	24.9	0.1	16.4	0.1	12.5	0.1	
空知郡	上富良野町	4 945	87.9	0.2	68.1	0.1	48.5	0.1	24.9	0.1	16.3	0.1	12.4	0.1	
空知郡	中富良野町	2 444	87.1	0.3	67.3	0.1	47.7	0.1	24.4	0.1	16.0	0.1	12.0	0.1	
空知郡	南富良野町	1 140	87.0	0.3	67.3	0.1	47.7	0.1	24.4	0.1	16.0	0.1	12.1	0.1	
勇払郡	占冠村	589	87.4	0.3	67.7	0.1	48.1	0.1	24.7	0.1	16.2	0.1	12.4	0.1	
上川郡	和寒町	1 688	87.2	0.3	67.5	0.1	47.9	0.1	24.9	0.1	16.4	0.1	12.5	0.1	
上川郡	剣淵町	1 500	87.5	0.3	67.8	0.1	48.2	0.1	24.8	0.1	16.3	0.1	12.3	0.1	
上川郡	下川町	1 621	87.1	0.3	67.4	0.1	47.8	0.1	24.5	0.1	16.2	0.1	12.3	0.1	
中川郡	美深町	2 089	87.5	0.3	67.8	0.1	48.2	0.1	24.8	0.1	16.5	0.1	12.5	0.1	
中川郡	音威子府村	341	87.2	0.3	67.5	0.1	47.9	0.1	24.6	0.1	16.1	0.1	12.2	0.1	
中川郡	中川町	722	87.0	0.3	67.3	0.1	47.7	0.1	24.5	0.1	16.0	0.1	12.2	0.1	
雨竜郡	幌加内町	688	87.3	0.3	67.6	0.1	48.0	0.1	24.6	0.1	16.2	0.1	12.3	0.1	
増毛郡	増毛町	2 076	87.1	0.3	67.3	0.1	47.7	0.1	24.3	0.1	15.9	0.1	12.1	0.1	
留萌郡	小平町	1 516	87.3	0.3	67.6	0.1	48.0	0.1	24.6	0.1	16.3	0.1	12.4	0.1	
苫前郡	苫前町	1 492	87.1	0.3	67.4	0.1	47.8	0.1	24.5	0.1	16.0	0.1	12.2	0.1	
苫前郡	羽幌町	3 376	87.3	0.3	67.9	0.1	48.2	0.1	25.1	0.1	16.5	0.1	12.6	0.1	
苫前郡	初山別村	560	87.3	0.3	67.6	0.1	48.0	0.1	24.7	0.1	16.2	0.1	12.3	0.1	
天塩郡	遠別町	1 259	86.9	0.3	67.4	0.1	47.8	0.1	24.5	0.1	16.0	0.1	12.1	0.1	
天塩郡	天塩町	1 455	87.4	0.3	67.7	0.1	48.1	0.1	24.7	0.1	16.3	0.1	12.4	0.1	
宗谷郡	猿払村	1 200	87.0	0.3	67.3	0.1	47.8	0.1	24.5	0.1	16.0	0.1	12.1	0.1	
枝幸郡	浜頓別町	1 702	87.3	0.3	67.6	0.1	48.0	0.1	24.8	0.1	16.2	0.1	12.3	0.1	
枝幸郡	中頓別町	817	87.2	0.3	67.5	0.1	48.0	0.1	24.7	0.1	16.3	0.1	12.5	0.1	
枝幸郡	枝幸町 ＊	3 847	86.1	0.6	67.0	0.1	47.4	0.1	24.2	0.1	15.5	0.1	11.7	0.1	
天塩郡	豊富町	1 846	87.2	0.3	67.5	0.1	47.9	0.1	24.6	0.1	16.1	0.1	12.3	0.1	
礼文郡	礼文町 ＊	1 201	86.7	0.5	67.5	0.1	47.9	0.1	24.7	0.1	16.2	0.1	12.3	0.1	
利尻郡	利尻町	1 010	87.0	0.3	67.5	0.1	47.9	0.1	24.8	0.1	16.4	0.1	12.4	0.1	
利尻郡	利尻富士町 ＊	1 260	86.7	0.6	67.5	0.1	47.9	0.1	24.6	0.1	16.2	0.1	12.3	0.1	
天塩郡	幌延町	1 068	86.9	0.3	67.2	0.1	47.6	0.1	24.3	0.1	15.8	0.1	11.8	0.1	
網走郡	美幌町	9 558	87.5	0.2	67.6	0.1	48.0	0.1	24.7	0.1	16.3	0.1	12.4	0.1	
網走郡	津別町	2 271	87.0	0.3	67.3	0.1	47.7	0.1	24.6	0.1	16.0	0.1	12.2	0.1	
斜里郡	斜里町	5 620	87.2	0.2	67.4	0.1	47.8	0.1	24.4	0.1	16.0	0.1	12.2	0.1	

			男												
		人口	平均余命（年）												
			0歳		20歳		40歳		65歳		75歳		80歳		
		（人）	平均寿命	誤差	平均余命	誤差	平均余命	誤差	平均余命	誤差	平均余命	誤差	平均余命	誤差
斜里郡	清里町	1 880	80.5	0.2	60.8	0.1	41.7	0.1	19.6	0.1	12.3	0.1	9.3	0.1
斜里郡	小清水町	2 206	80.3	0.3	60.8	0.1	41.5	0.1	19.2	0.1	11.8	0.1	8.9	0.1
常呂郡	訓子府町	2 228	81.1	0.2	61.4	0.1	42.3	0.1	20.0	0.1	12.4	0.1	9.2	0.1
常呂郡	置戸町	1 280	81.0	0.2	61.4	0.1	42.0	0.1	19.7	0.1	12.3	0.1	9.0	0.1
常呂郡	佐呂間町	2 267	81.1	0.2	61.5	0.1	42.2	0.1	19.8	0.1	12.6	0.1	9.4	0.1
紋別郡	遠軽町	9 320	81.4	0.2	61.7	0.1	42.3	0.1	19.9	0.1	12.6	0.1	9.4	0.1
紋別郡	湧別町	3 913	80.8	0.2	61.1	0.1	41.8	0.1	19.4	0.1	12.0	0.1	8.9	0.1
紋別郡	滝上町	1 165	81.0	0.2	61.4	0.1	42.2	0.1	19.9	0.1	12.6	0.1	9.4	0.1
紋別郡	興部町	1 740	80.9	0.2	61.4	0.1	42.1	0.1	19.6	0.1	12.4	0.1	9.3	0.1
紋別郡	西興部村	505	80.8	0.3	61.1	0.1	41.8	0.1	19.6	0.1	12.3	0.1	9.1	0.1
紋別郡	雄武町	1 932	80.2	0.2	60.5	0.1	41.4	0.1	19.4	0.1	12.2	0.1	9.3	0.1
網走郡	大空町	3 281	80.9	0.2	61.4	0.1	42.2	0.1	20.0	0.1	12.4	0.1	9.4	0.1
虻田郡	豊浦町	1 749	81.0	0.2	61.3	0.1	42.0	0.1	19.6	0.1	12.4	0.1	9.4	0.1
有珠郡	壮瞥町	1 276	81.0	0.3	61.4	0.1	42.2	0.1	20.0	0.1	12.8	0.1	9.6	0.1
白老郡	白老町	7 667	80.4	0.2	60.6	0.1	41.3	0.1	19.2	0.1	12.0	0.1	9.0	0.1
勇払郡	厚真町	2 209	80.9	0.2	61.4	0.1	42.2	0.1	19.9	0.1	12.4	0.1	9.3	0.1
虻田郡	洞爺湖町	3 871	80.5	0.2	60.8	0.1	41.7	0.1	19.4	0.1	12.3	0.1	9.3	0.1
勇払郡	安平町	3 603	80.7	0.2	61.3	0.1	42.0	0.1	19.6	0.1	12.1	0.1	8.9	0.1
勇払郡	むかわ町	3 687	80.9	0.2	61.2	0.1	41.9	0.1	19.9	0.1	12.5	0.1	9.3	0.1
沙流郡	日高町	5 509	80.9	0.2	61.3	0.1	42.2	0.1	19.8	0.1	12.4	0.1	9.2	0.1
沙流郡	平取町	2 318	80.6	0.2	60.9	0.1	41.7	0.1	19.5	0.1	12.2	0.1	9.2	0.1
新冠郡	新冠町	2 502	80.3	0.2	60.6	0.1	41.4	0.1	19.1	0.1	12.0	0.1	8.9	0.1
浦河郡	浦河町	5 758	80.4	0.2	60.6	0.1	41.8	0.1	19.8	0.1	12.6	0.1	9.5	0.1
様似郡	様似町	1 913	80.9	0.2	61.3	0.1	42.0	0.1	20.0	0.1	12.5	0.1	9.4	0.1
幌泉郡	えりも町	2 206	80.6	0.2	61.1	0.1	41.8	0.1	19.3	0.1	12.1	0.1	9.2	0.1
日高郡	新ひだか町	10 403	80.9	0.2	61.3	0.1	42.1	0.1	19.8	0.1	12.3	0.1	9.5	0.1
河東郡	音更町	20 569	81.2	0.2	61.9	0.1	42.6	0.1	20.1	0.1	12.5	0.1	9.5	0.1
河東郡	士幌町	2 836	81.3	0.2	61.6	0.1	42.2	0.1	19.8	0.1	12.4	0.1	9.2	0.1
河東郡	上士幌町	2 274	81.1	0.2	61.5	0.1	42.2	0.1	19.8	0.1	12.3	0.1	9.2	0.1
河東郡	鹿追町	2 551	81.8	0.2	62.1	0.1	42.7	0.1	20.2	0.1	12.7	0.1	9.4	0.1
上川郡	新得町	2 888	80.5	0.2	60.8	0.1	41.5	0.1	19.4	0.1	12.2	0.1	9.2	0.1
上川郡	清水町	4 425	81.5	0.2	61.8	0.1	42.5	0.1	20.1	0.1	12.4	0.1	9.2	0.1
河西郡	芽室町	8 583	82.1	0.2	62.3	0.1	43.0	0.1	20.3	0.1	12.7	0.1	9.3	0.1
河西郡	中札内村	1 866	81.1	0.3	61.7	0.1	42.2	0.1	20.0	0.1	12.5	0.1	9.3	0.1
河西郡	更別村	1 515	81.4	0.2	61.8	0.1	42.6	0.1	20.0	0.1	12.8	0.1	9.7	0.1
広尾郡	大樹町	2 666	81.3	0.2	61.6	0.1	42.3	0.1	20.1	0.1	12.7	0.1	9.5	0.1
広尾郡	広尾町	3 087	80.6	0.2	61.0	0.1	41.7	0.1	19.3	0.1	12.2	0.1	9.2	0.1
中川郡	幕別町	12 217	81.7	0.2	62.0	0.1	42.7	0.1	20.4	0.1	12.8	0.1	9.7	0.1
中川郡	池田町	2 961	81.0	0.2	61.5	0.1	42.3	0.1	19.7	0.1	12.5	0.1	9.3	0.1
中川郡	豊頃町	1 465	81.5	0.2	61.8	0.1	42.6	0.1	20.1	0.1	12.5	0.1	9.3	0.1
中川郡	本別町	3 199	80.4	0.2	61.0	0.1	41.8	0.1	19.2	0.1	12.0	0.1	8.9	0.1
足寄郡	足寄町	3 207	81.8	0.2	62.1	0.1	42.7	0.1	20.3	0.1	12.8	0.1	9.4	0.1
足寄郡	陸別町	1 125	80.8	0.2	61.1	0.1	41.9	0.1	19.6	0.1	12.3	0.1	9.3	0.1
十勝郡	浦幌町	2 122	81.3	0.2	61.6	0.1	42.3	0.1	19.9	0.1	12.4	0.1	9.2	0.1
釧路郡	釧路町	9 039	81.1	0.2	61.4	0.1	42.4	0.1	20.0	0.1	12.2	0.1	9.2	0.1
厚岸郡	厚岸町	4 143	81.0	0.3	61.6	0.1	42.2	0.1	19.7	0.1	12.3	0.1	9.3	0.1

		人口	女												
			平均余命（年）												
			0歳		20歳		40歳		65歳		75歳		80歳	
		（人）	平均寿命	誤差	平均余命	誤差	平均余命	誤差	平均余命	誤差	平均余命	誤差	平均余命	誤差
斜里郡	清里町	2 001	87.5	0.3	67.7	0.1	48.1	0.1	25.0	0.1	16.4	0.1	12.7	0.1
斜里郡	小清水町	2 394	86.9	0.3	67.2	0.1	47.5	0.1	24.3	0.1	15.9	0.1	12.1	0.1
常呂郡	訓子府町	2 421	87.3	0.3	67.6	0.1	48.1	0.1	24.8	0.1	16.5	0.1	12.5	0.1
常呂郡	置戸町	1 490	87.1	0.3	67.4	0.1	47.8	0.1	24.7	0.1	16.2	0.1	12.4	0.1
常呂郡	佐呂間町	2 386	87.3	0.3	67.6	0.1	48.0	0.1	24.6	0.1	16.1	0.1	12.3	0.1
紋別郡	遠軽町	9 852	87.6	0.2	67.8	0.1	48.2	0.1	24.6	0.1	16.0	0.1	12.0	0.1
紋別郡	湧別町	4 212	87.0	0.2	67.3	0.1	47.6	0.1	24.3	0.1	15.9	0.1	12.1	0.1
紋別郡	滝上町	1 231	86.9	0.3	67.2	0.1	47.6	0.1	24.4	0.1	15.9	0.1	12.1	0.1
紋別郡	興部町	1 803	87.3	0.3	67.5	0.1	47.9	0.1	24.9	0.1	16.3	0.1	12.5	0.1
紋別郡	西興部村	520	87.2	0.3	67.5	0.1	47.9	0.1	24.6	0.1	16.1	0.1	12.5	0.1
紋別郡	雄武町	2 039	87.0	0.3	67.3	0.1	47.6	0.1	24.4	0.1	16.2	0.1	12.3	0.1
網走郡	大空町 ＊	3 481	86.7	0.5	67.3	0.1	47.7	0.1	24.4	0.1	15.8	0.1	12.1	0.1
虻田郡	豊浦町	2 010	87.2	0.3	67.4	0.1	47.9	0.1	24.5	0.1	16.1	0.1	12.3	0.1
有珠郡	壮瞥町	1 441	87.5	0.3	67.8	0.1	48.2	0.1	25.0	0.1	16.5	0.1	12.7	0.1
白老郡	白老町	8 355	86.9	0.2	67.2	0.1	47.9	0.1	24.6	0.1	16.2	0.1	12.2	0.1
勇払郡	厚真町	2 177	87.2	0.3	67.5	0.1	48.0	0.1	24.6	0.1	16.2	0.1	12.4	0.1
虻田郡	洞爺湖町	4 483	86.9	0.2	67.2	0.1	47.5	0.1	24.5	0.1	16.0	0.1	12.2	0.1
勇払郡	安平町	3 664	87.3	0.3	67.5	0.1	47.9	0.1	24.6	0.1	16.3	0.1	12.4	0.1
勇払郡	むかわ町	3 822	87.0	0.2	67.2	0.1	47.6	0.1	24.4	0.1	16.0	0.1	12.1	0.1
沙流郡	日高町	5 510	86.9	0.2	67.1	0.1	47.6	0.1	24.2	0.1	16.0	0.1	12.2	0.1
沙流郡	平取町	2 331	87.0	0.3	67.2	0.1	47.6	0.1	24.5	0.1	15.9	0.1	12.1	0.1
新冠郡	新冠町	2 661	86.9	0.3	67.2	0.1	47.6	0.1	24.3	0.1	15.8	0.1	12.0	0.1
浦河郡	浦河町	6 060	87.0	0.2	67.4	0.1	47.7	0.1	24.7	0.1	16.2	0.1	12.4	0.1
様似郡	様似町	2 104	87.1	0.3	67.4	0.1	47.8	0.1	24.4	0.1	16.0	0.1	12.2	0.1
幌泉郡	えりも町	2 129	86.5	0.3	66.8	0.1	47.3	0.1	24.1	0.1	15.8	0.1	12.0	0.1
日高郡	新ひだか町	11 010	86.7	0.2	67.1	0.1	47.6	0.1	24.5	0.1	15.9	0.1	12.1	0.1
河東郡	音更町	22 900	87.1	0.1	67.5	0.1	48.0	0.1	24.8	0.1	16.1	0.1	12.3	0.0
河東郡	士幌町	2 922	86.8	0.3	67.2	0.1	47.5	0.1	24.2	0.1	15.9	0.1	12.0	0.1
河東郡	上士幌町	2 368	86.9	0.3	67.2	0.1	47.6	0.1	24.6	0.1	16.2	0.1	12.4	0.1
河東郡	鹿追町	2 640	87.5	0.3	67.7	0.1	48.1	0.1	24.7	0.1	16.4	0.1	12.6	0.1
上川郡	新得町	2 896	87.1	0.3	67.3	0.1	47.7	0.1	24.3	0.1	16.0	0.1	12.2	0.1
上川郡	清水町	4 534	87.6	0.2	68.0	0.1	48.4	0.1	24.9	0.1	16.5	0.1	12.7	0.1
河西郡	芽室町	9 405	87.8	0.2	68.0	0.1	48.5	0.1	25.1	0.1	16.6	0.1	12.6	0.1
河西郡	中札内村	1 942	87.5	0.3	67.8	0.1	48.2	0.1	24.9	0.1	16.4	0.1	12.5	0.1
河西郡	更別村	1 557	87.4	0.3	67.6	0.1	48.0	0.1	24.7	0.1	16.1	0.1	12.3	0.1
広尾郡	大樹町	2 646	87.3	0.2	67.5	0.1	47.9	0.1	24.5	0.1	16.1	0.1	12.2	0.1
広尾郡	広尾町	3 249	87.1	0.3	67.3	0.1	47.7	0.1	24.4	0.1	16.1	0.1	12.3	0.1
中川郡	幕別町	13 440	87.1	0.2	67.3	0.1	47.9	0.1	24.7	0.1	16.3	0.1	12.3	0.1
中川郡	池田町	3 311	87.1	0.3	67.3	0.1	47.8	0.1	24.6	0.1	16.1	0.1	12.2	0.1
中川郡	豊頃町	1 507	87.2	0.3	67.5	0.1	47.9	0.1	24.6	0.1	16.1	0.1	12.3	0.1
中川郡	本別町 ＊	3 377	86.8	0.5	67.5	0.1	47.9	0.1	24.5	0.1	16.0	0.1	12.1	0.1
足寄郡	足寄町	3 330	87.3	0.3	67.5	0.1	47.9	0.1	24.5	0.1	16.1	0.1	12.1	0.1
足寄郡	陸別町	1 098	87.1	0.3	67.4	0.1	47.8	0.1	24.4	0.1	16.0	0.1	12.2	0.1
十勝郡	浦幌町 ＊	2 231	86.7	0.5	67.4	0.1	47.8	0.1	24.5	0.1	16.0	0.1	12.1	0.1
釧路郡	釧路町	9 991	87.5	0.2	67.6	0.1	47.9	0.1	24.6	0.1	16.0	0.1	12.2	0.1
厚岸郡	厚岸町	4 593	87.2	0.2	67.5	0.1	47.8	0.1	24.5	0.1	15.7	0.1	11.8	0.1

			男											
		人口	平均余命（年）											
			0歳		20歳		40歳		65歳		75歳		80歳	
		（人）	平均寿命	誤差	平均余命	誤差	平均余命	誤差	平均余命	誤差	平均余命	誤差	平均余命	誤差
厚岸郡	浜中町	2 716	80.8	0.2	61.1	0.1	41.7	0.1	19.5	0.1	12.1	0.1	8.9	0.1
川上郡	標茶町	3 454	80.9	0.2	61.4	0.1	42.3	0.1	19.9	0.1	12.6	0.1	9.3	0.1
川上郡	弟子屈町	3 300	80.6	0.2	61.5	0.1	42.1	0.1	19.8	0.1	12.7	0.1	9.6	0.1
阿寒郡	鶴居村	1 247	81.0	0.2	61.5	0.1	42.2	0.1	19.9	0.1	12.6	0.1	9.6	0.1
白糠郡	白糠町	3 405	80.6	0.2	60.9	0.1	41.8	0.1	19.5	0.1	12.3	0.1	9.3	0.1
野付郡	別海町	7 117	80.9	0.2	61.5	0.1	42.2	0.1	19.8	0.1	12.3	0.1	9.3	0.1
標津郡	中標津町	11 289	81.2	0.2	61.7	0.1	42.5	0.1	19.9	0.1	12.4	0.1	9.0	0.1
標津郡	標津町	2 427	80.5	0.2	60.8	0.1	41.8	0.1	19.4	0.1	12.3	0.1	9.4	0.1
目梨郡	羅臼町	2 333	80.3	0.2	60.8	0.1	42.0	0.1	19.4	0.1	12.1	0.1	9.1	0.1
青森県		581 132	79.3	…	59.7	…	40.5	…	18.5	…	11.5	…	8.6	…
青森市		127 622	79.9	0.1	60.2	0.0	41.0	0.0	18.8	0.0	11.7	0.0	8.8	0.0
弘前市		77 008	79.2	0.1	59.5	0.0	40.2	0.0	18.2	0.0	11.4	0.0	8.4	0.0
八戸市		106 215	79.3	0.1	59.8	0.0	40.6	0.0	18.6	0.0	11.6	0.0	8.6	0.0
黒石市		14 759	79.3	0.3	59.9	0.1	40.6	0.1	18.5	0.1	11.6	0.1	8.7	0.1
五所川原市		23 224	79.5	0.1	59.8	0.1	40.4	0.1	18.4	0.1	11.6	0.1	8.6	0.1
十和田市		28 567	79.2	0.1	59.8	0.1	40.8	0.1	18.6	0.1	11.5	0.1	8.5	0.1
三沢市		19 292	79.8	0.2	60.2	0.1	40.7	0.1	18.6	0.1	11.5	0.1	8.8	0.1
むつ市		26 075	78.4	0.1	58.6	0.1	39.4	0.1	18.0	0.1	11.1	0.1	8.3	0.1
つがる市		14 345	79.6	0.2	59.8	0.1	40.7	0.1	18.8	0.1	11.7	0.1	8.7	0.1
平川市		14 178	79.8	0.2	60.4	0.1	40.9	0.1	18.9	0.1	11.9	0.1	8.8	0.1
東津軽郡	平内町	4 811	78.6	0.2	59.1	0.1	40.1	0.1	18.3	0.1	11.7	0.1	8.6	0.1
東津軽郡	今別町	1 117	79.1	0.3	59.4	0.1	40.2	0.1	18.5	0.1	11.4	0.1	8.6	0.1
東津軽郡	蓬田村	1 211	79.4	0.3	59.8	0.1	40.5	0.1	18.4	0.1	11.6	0.1	8.8	0.1
東津軽郡	外ヶ浜町	2 521	79.2	0.2	59.5	0.1	40.2	0.1	18.5	0.1	11.7	0.1	8.5	0.1
西津軽郡	鰺ヶ沢町	4 140	78.8	0.2	59.1	0.1	39.9	0.1	18.0	0.1	11.2	0.1	8.5	0.1
西津軽郡	深浦町	3 393	79.0	0.2	59.3	0.1	40.6	0.1	18.7	0.1	11.7	0.1	8.8	0.1
中津軽郡	西目屋村	589	79.3	0.3	59.7	0.1	40.4	0.1	18.6	0.1	11.6	0.1	8.6	0.1
南津軽郡	藤崎町	6 743	79.9	0.2	60.1	0.1	40.6	0.1	18.4	0.1	11.2	0.1	8.3	0.1
南津軽郡	大鰐町	3 933	79.4	0.2	59.7	0.1	40.5	0.1	18.3	0.1	11.5	0.1	8.5	0.1
南津軽郡	田舎館村	3 423	79.1	0.2	59.5	0.1	40.2	0.1	18.5	0.1	11.6	0.1	8.5	0.1
北津軽郡	板柳町	5 796	79.3	0.2	59.6	0.1	40.2	0.1	18.5	0.1	11.5	0.1	8.6	0.1
北津軽郡	鶴田町	5 550	78.9	0.2	59.3	0.1	40.2	0.1	18.4	0.1	11.2	0.1	8.2	0.1
北津軽郡	中泊町	4 413	78.7	0.2	59.0	0.1	40.0	0.1	18.3	0.1	11.7	0.1	8.8	0.1
上北郡	野辺地町	5 732	79.2	0.2	59.5	0.1	40.6	0.1	18.9	0.1	12.0	0.1	8.9	0.1
上北郡	七戸町	6 937	79.4	0.2	59.9	0.1	40.4	0.1	18.5	0.1	11.4	0.1	8.3	0.1
上北郡	六戸町	5 045	78.7	0.2	59.4	0.1	40.8	0.1	18.8	0.1	11.6	0.1	8.8	0.1
上北郡	横浜町	2 063	79.3	0.2	59.6	0.1	40.4	0.1	18.7	0.1	11.7	0.1	8.6	0.1
上北郡	東北町	7 813	78.7	0.2	58.9	0.1	40.3	0.1	18.5	0.1	11.5	0.1	8.6	0.1
上北郡	六ヶ所村	5 842	78.3	0.2	59.5	0.1	40.4	0.1	18.3	0.1	11.3	0.1	8.6	0.1
上北郡	おいらせ町	11 544	79.4	0.2	59.7	0.1	40.7	0.1	18.4	0.1	11.5	0.1	8.6	0.1
下北郡	大間町	2 373	78.4	0.2	58.7	0.1	39.5	0.1	18.2	0.1	11.2	0.1	8.3	0.1
下北郡	東通村	3 156	78.1	0.3	58.9	0.1	40.0	0.1	18.3	0.1	11.3	0.1	8.4	0.1
下北郡	風間浦村	779	78.6	0.3	58.9	0.1	40.0	0.1	18.1	0.1	11.2	0.1	8.5	0.1
下北郡	佐井村	883	79.0	0.3	59.4	0.1	40.1	0.1	18.3	0.1	11.5	0.1	8.4	0.1

		女													
		人口	平均余命（年）												
			0歳		20歳		40歳		65歳		75歳		80歳			
		（人）	平均寿命	誤差	平均余命	誤差	平均余命	誤差	平均余命	誤差	平均余命	誤差	平均余命	誤差
厚岸郡	浜中町	2 707	86.9	0.2	67.1	0.1	47.5	0.1	24.4	0.1	15.9	0.1	12.1	0.1
川上郡	標茶町	3 681	87.3	0.2	67.6	0.1	47.9	0.1	24.5	0.1	15.9	0.1	12.1	0.1
川上郡	弟子屈町	3 607	86.8	0.3	67.3	0.1	47.8	0.1	24.4	0.1	15.9	0.1	12.2	0.1
阿寒郡	鶴居村	1 276	87.4	0.3	67.7	0.1	48.1	0.1	24.8	0.1	16.4	0.1	12.5	0.1
白糠郡	白糠町	3 794	86.8	0.3	67.3	0.1	47.7	0.1	24.6	0.1	16.0	0.1	12.1	0.1
野付郡	別海町 *	6 864	85.8	0.5	67.0	0.1	47.6	0.1	24.2	0.1	15.9	0.1	11.9	0.1
標津郡	中標津町	11 614	86.9	0.3	67.3	0.1	47.5	0.1	24.4	0.1	16.2	0.1	12.2	0.1
標津郡	標津町	2 519	87.0	0.2	67.3	0.1	47.7	0.1	24.4	0.1	16.0	0.1	12.2	0.1
目梨郡	羅臼町	2 347	86.8	0.3	67.1	0.1	47.5	0.1	24.2	0.1	15.9	0.1	11.9	0.1
青森県		651 095	86.3	…	66.7	…	47.1	…	23.9	…	15.4	…	11.5	…
青森市		146 536	86.2	0.1	66.6	0.0	47.0	0.0	23.7	0.0	15.2	0.0	11.4	0.0
弘前市		90 752	86.4	0.1	66.7	0.0	47.0	0.0	23.8	0.0	15.3	0.0	11.5	0.0
八戸市		116 037	86.4	0.1	66.8	0.0	47.2	0.0	24.0	0.0	15.5	0.0	11.6	0.0
黒石市		17 071	86.0	0.3	66.4	0.1	47.0	0.1	23.8	0.1	15.3	0.0	11.3	0.0
五所川原市		28 092	86.3	0.3	66.7	0.1	47.2	0.1	24.0	0.0	15.5	0.0	11.6	0.0
十和田市		31 478	86.7	0.2	67.1	0.1	47.5	0.1	24.1	0.1	15.6	0.0	11.6	0.0
三沢市		19 178	87.1	0.1	67.3	0.1	47.6	0.1	24.3	0.1	15.9	0.0	12.1	0.0
むつ市		27 862	85.6	0.2	66.0	0.1	46.3	0.1	23.5	0.1	15.0	0.1	11.2	0.1
つがる市		16 531	87.1	0.2	67.3	0.1	47.6	0.1	24.5	0.1	15.9	0.0	11.9	0.0
平川市		16 341	86.0	0.3	66.5	0.1	47.0	0.1	24.0	0.1	15.4	0.0	11.5	0.0
東津軽郡	平内町	5 268	86.2	0.3	66.5	0.1	47.1	0.1	23.9	0.1	15.3	0.1	11.5	0.1
東津軽郡	今別町 *	1 214	85.5	0.8	66.5	0.1	46.9	0.1	23.7	0.1	15.2	0.1	11.2	0.1
東津軽郡	蓬田村	1 327	86.2	0.4	66.6	0.1	46.9	0.1	23.8	0.1	15.2	0.1	11.3	0.1
東津軽郡	外ヶ浜町	2 844	86.5	0.4	66.8	0.1	47.2	0.1	23.8	0.1	15.4	0.1	11.4	0.1
西津軽郡	鰺ヶ沢町	4 889	86.4	0.3	66.6	0.1	47.0	0.1	23.8	0.1	15.2	0.1	11.4	0.1
西津軽郡	深浦町	3 931	86.4	0.3	66.7	0.1	47.1	0.1	24.0	0.1	15.4	0.1	11.5	0.1
中津軽郡	西目屋村	676	86.6	0.4	67.0	0.1	47.4	0.1	24.1	0.1	15.6	0.1	11.7	0.1
南津軽郡	藤崎町	7 803	86.2	0.2	66.4	0.1	46.6	0.1	24.1	0.1	15.6	0.1	11.7	0.1
南津軽郡	大鰐町 *	4 730	85.6	0.6	66.5	0.1	47.0	0.1	23.8	0.1	15.2	0.1	11.3	0.1
南津軽郡	田舎館村 *	3 892	85.5	0.5	66.3	0.1	46.7	0.1	23.6	0.1	15.1	0.1	11.1	0.1
北津軽郡	板柳町	6 885	86.9	0.2	67.1	0.1	47.4	0.1	24.1	0.1	15.5	0.1	11.5	0.1
北津軽郡	鶴田町 *	6 509	86.5	0.5	67.1	0.1	47.4	0.1	24.1	0.1	15.6	0.1	11.7	0.1
北津軽郡	中泊町	5 180	86.3	0.3	66.6	0.1	47.0	0.1	23.8	0.1	15.2	0.1	11.3	0.1
上北郡	野辺地町	6 491	86.5	0.3	66.7	0.1	47.1	0.1	24.0	0.1	15.6	0.1	11.6	0.1
上北郡	七戸町	7 565	85.9	0.2	66.1	0.1	47.0	0.1	23.8	0.1	15.3	0.1	11.4	0.1
上北郡	六戸町	5 321	86.4	0.2	66.6	0.1	47.2	0.1	24.1	0.1	15.6	0.1	11.8	0.1
上北郡	横浜町	2 090	86.4	0.3	66.8	0.1	47.1	0.1	23.9	0.1	15.4	0.1	11.4	0.1
上北郡	東北町	8 512	86.3	0.2	66.8	0.1	47.2	0.1	24.2	0.1	15.9	0.1	12.0	0.1
上北郡	六ヶ所村	4 409	85.9	0.2	66.2	0.1	46.7	0.1	23.6	0.1	14.9	0.1	11.0	0.1
上北郡	おいらせ町	12 474	86.3	0.1	66.7	0.1	47.1	0.1	23.7	0.1	15.3	0.1	11.4	0.1
下北郡	大間町	2 336	86.6	0.3	66.9	0.1	47.2	0.1	24.0	0.1	15.5	0.1	11.6	0.1
下北郡	東通村	2 787	86.1	0.3	66.4	0.1	46.8	0.1	23.6	0.1	15.1	0.1	11.1	0.1
下北郡	風間浦村	854	85.8	0.4	66.2	0.1	46.8	0.1	23.5	0.1	15.1	0.1	11.2	0.1
下北郡	佐井村	904	86.1	0.4	66.4	0.1	46.8	0.1	23.6	0.1	15.2	0.1	11.3	0.1

		人口	男											
			平均余命（年）											
			0歳		20歳		40歳		65歳		75歳		80歳	
		（人）	平均寿命	誤差	平均余命	誤差	平均余命	誤差	平均余命	誤差	平均余命	誤差	平均余命	誤差
三戸郡	三戸町	4 281	78.5	0.2	58.8	0.1	39.8	0.1	18.2	0.1	11.4	0.1	8.6	0.1
三戸郡	五戸町	7 651	79.1	0.2	59.8	0.1	40.8	0.1	18.7	0.1	12.0	0.1	8.8	0.1
三戸郡	田子町	2 375	79.6	0.2	59.9	0.1	40.7	0.1	18.6	0.1	11.5	0.1	8.5	0.1
三戸郡	南部町	7 879	78.9	0.2	59.3	0.1	40.3	0.1	18.4	0.1	11.4	0.1	8.7	0.1
三戸郡	階上町	6 786	79.3	0.2	59.6	0.1	40.6	0.1	18.7	0.1	11.4	0.1	8.5	0.1
三戸郡	新郷村	1 068	78.7	0.3	59.0	0.1	40.1	0.1	18.6	0.1	11.6	0.1	8.7	0.1
岩手県		580 264	80.6	…	61.0	…	41.6	…	19.4	…	12.1	…	9.0	…
盛岡市		136 179	81.3	0.1	61.7	0.0	42.2	0.0	19.8	0.0	12.4	0.0	9.3	0.0
宮古市		24 334	79.9	0.1	60.1	0.1	40.6	0.1	18.8	0.1	11.9	0.1	8.9	0.0
大船渡市		16 635	80.7	0.1	60.9	0.1	41.4	0.1	19.0	0.1	11.8	0.1	8.8	0.1
花巻市		44 268	80.8	0.1	61.2	0.1	41.7	0.1	19.3	0.1	12.2	0.1	9.1	0.0
北上市		46 525	81.0	0.1	61.4	0.1	41.9	0.1	19.3	0.0	11.9	0.1	8.8	0.0
久慈市		15 816	79.7	0.2	60.1	0.1	41.1	0.1	19.3	0.1	12.1	0.1	9.0	0.1
遠野市		12 171	80.5	0.1	60.9	0.1	41.4	0.1	19.4	0.1	12.1	0.1	9.1	0.1
一関市		54 044	80.3	0.1	60.6	0.1	41.5	0.0	19.5	0.0	12.1	0.0	8.9	0.0
陸前高田市		8 796	80.7	0.1	60.9	0.1	41.6	0.1	19.6	0.1	12.2	0.1	9.1	0.1
釜石市		15 315	79.4	0.2	59.8	0.1	40.6	0.1	18.8	0.1	11.7	0.1	8.7	0.1
二戸市		11 973	80.1	0.1	60.4	0.1	41.1	0.1	19.2	0.1	12.0	0.1	8.8	0.1
八幡平市		11 472	80.3	0.1	60.6	0.1	41.4	0.1	19.3	0.1	12.1	0.1	8.8	0.1
奥州市		54 585	81.3	0.1	61.7	0.1	42.4	0.0	19.8	0.0	12.4	0.0	9.2	0.0
滝沢市		27 045	81.5	0.1	61.7	0.1	42.5	0.1	19.8	0.1	12.1	0.1	9.0	0.1
岩手郡	雫石町	7 482	80.9	0.2	61.2	0.1	41.9	0.1	19.4	0.1	12.0	0.1	8.9	0.1
岩手郡	葛巻町	2 727	80.3	0.2	60.6	0.1	41.4	0.1	19.4	0.1	12.0	0.1	8.8	0.1
岩手郡	岩手町	5 851	80.2	0.2	60.7	0.1	41.3	0.1	19.3	0.1	12.1	0.1	9.0	0.1
紫波郡	紫波町	15 353	81.2	0.2	61.8	0.1	42.3	0.1	19.8	0.1	12.3	0.1	8.9	0.1
紫波郡	矢巾町	13 301	81.1	0.2	61.4	0.1	42.0	0.1	19.8	0.1	12.3	0.1	9.2	0.1
和賀郡	西和賀町	2 374	80.9	0.2	61.2	0.1	42.0	0.1	19.7	0.1	12.2	0.1	9.1	0.1
胆沢郡	金ケ崎町	7 947	81.0	0.1	61.4	0.1	42.0	0.1	19.4	0.1	12.3	0.1	9.1	0.1
西磐井郡	平泉町	3 470	80.6	0.2	61.0	0.1	41.6	0.1	19.6	0.1	12.2	0.1	9.1	0.1
気仙郡	住田町	2 428	80.5	0.2	60.8	0.1	41.4	0.1	19.3	0.1	12.1	0.1	9.0	0.1
上閉伊郡	大槌町	5 229	79.3	0.2	59.6	0.1	40.5	0.1	18.8	0.1	11.6	0.1	8.5	0.1
下閉伊郡	山田町	6 871	80.2	0.2	60.6	0.1	41.1	0.1	19.0	0.1	11.8	0.1	8.6	0.1
下閉伊郡	岩泉町	4 305	79.9	0.2	60.2	0.1	40.7	0.1	19.1	0.1	11.9	0.1	8.9	0.1
下閉伊郡	田野畑村	1 518	80.5	0.2	61.0	0.1	41.6	0.1	19.5	0.1	12.1	0.1	9.1	0.1
下閉伊郡	普代村	1 233	80.4	0.2	60.8	0.1	41.6	0.1	19.6	0.1	12.1	0.1	9.1	0.1
九戸郡	軽米町	4 087	80.2	0.2	60.5	0.1	41.1	0.1	19.2	0.1	11.9	0.1	8.9	0.1
九戸郡	野田村	1 853	80.7	0.2	61.0	0.1	41.7	0.1	19.6	0.1	12.4	0.1	9.1	0.1
九戸郡	九戸村	2 554	80.3	0.2	60.6	0.1	41.3	0.1	19.2	0.1	12.1	0.1	9.0	0.1
九戸郡	洋野町	7 079	80.0	0.2	60.3	0.1	41.0	0.1	19.1	0.1	11.9	0.1	9.0	0.1
二戸郡	一戸町	5 444	80.3	0.2	60.6	0.1	41.2	0.1	19.2	0.1	11.8	0.1	8.7	0.1
宮城県		1 112 335	81.7	…	62.0	…	42.7	…	20.1	…	12.5	…	9.2	…
仙台市		524 458	82.4	…	62.7	…	43.3	…	20.6	…	12.9	…	9.6	…

			女												
		人口	平均余命（年）												
			0歳		20歳		40歳		65歳		75歳		80歳		
		(人)	平均寿命	誤差	平均余命	誤差	平均余命	誤差	平均余命	誤差	平均余命	誤差	平均余命	誤差
三戸郡	三戸町	4 767	86.7	0.3	67.0	0.1	47.6	0.1	24.1	0.1	15.6	0.1	11.7	0.1
三戸郡	五戸町	8 319	86.9	0.2	67.1	0.1	47.6	0.1	24.4	0.1	15.8	0.1	11.9	0.1
三戸郡	田子町	2 580	86.2	0.3	66.5	0.1	47.0	0.1	23.8	0.1	15.3	0.1	11.3	0.1
三戸郡	南部町	8 897	86.2	0.2	66.4	0.1	47.0	0.1	24.3	0.1	15.7	0.1	11.8	0.1
三戸郡	階上町	6 642	86.4	0.2	66.7	0.1	47.1	0.1	24.0	0.1	15.6	0.1	11.7	0.1
三戸郡	新郷村	1 121	86.7	0.4	67.0	0.1	47.4	0.1	24.2	0.1	15.7	0.1	11.8	0.1
岩手県		622 939	87.1	…	67.3	…	47.7	…	24.4	…	15.9	…	11.9	…
盛岡市		152 002	87.4	0.1	67.6	0.0	48.0	0.0	24.6	0.0	16.1	0.0	12.2	0.0
宮古市		25 910	86.3	0.1	66.6	0.1	47.1	0.1	24.0	0.1	15.8	0.0	11.8	0.0
大船渡市		17 767	86.7	0.1	66.9	0.1	47.3	0.1	24.2	0.1	15.8	0.1	12.0	0.0
花巻市		48 536	86.8	0.1	67.1	0.1	47.7	0.0	24.3	0.1	15.8	0.1	11.8	0.0
北上市		45 739	86.8	0.1	67.2	0.1	47.6	0.0	24.3	0.1	15.6	0.1	11.7	0.0
久慈市		16 901	86.8	0.2	67.1	0.1	47.4	0.1	24.4	0.1	15.9	0.1	12.0	0.1
遠野市		13 040	86.9	0.1	67.2	0.1	47.5	0.1	24.1	0.1	15.6	0.1	11.7	0.0
一関市		57 078	87.1	0.1	67.4	0.0	48.0	0.0	24.6	0.0	15.9	0.0	11.9	0.0
陸前高田市		9 291	87.3	0.1	67.5	0.1	48.1	0.1	24.7	0.1	16.1	0.1	12.1	0.1
釜石市		16 538	86.5	0.1	66.7	0.1	47.0	0.1	23.8	0.0	15.4	0.0	11.4	0.0
二戸市		13 344	87.1	0.1	67.4	0.1	47.7	0.1	24.5	0.1	15.9	0.1	12.0	0.1
八幡平市		12 454	87.5	0.1	67.7	0.1	48.0	0.1	24.6	0.1	15.9	0.1	12.0	0.1
奥州市		57 724	87.5	0.1	67.6	0.0	48.0	0.0	24.6	0.0	15.8	0.0	11.9	0.0
滝沢市		28 278	87.6	0.1	67.8	0.1	48.2	0.1	24.9	0.0	16.1	0.1	12.2	0.0
岩手郡	雫石町	8 207	87.0	0.2	67.2	0.1	47.8	0.1	24.4	0.1	15.9	0.1	11.9	0.1
岩手郡	葛巻町	2 884	86.9	0.2	67.2	0.1	47.6	0.1	24.4	0.1	15.7	0.1	11.7	0.1
岩手郡	岩手町	6 269	86.7	0.2	66.9	0.1	47.3	0.1	24.1	0.1	15.7	0.1	11.8	0.1
紫波郡	紫波町	16 708	86.9	0.1	67.2	0.1	47.6	0.1	24.3	0.1	15.7	0.0	11.7	0.0
紫波郡	矢巾町	14 647	87.6	0.1	67.8	0.1	48.2	0.1	25.0	0.1	16.3	0.1	12.3	0.1
和賀郡	西和賀町	2 736	87.3	0.2	67.5	0.1	47.9	0.1	24.7	0.1	16.1	0.1	12.2	0.1
胆沢郡	金ケ崎町	7 443	87.1	0.2	67.4	0.1	47.8	0.1	24.5	0.1	15.8	0.1	11.9	0.1
西磐井郡	平泉町	3 743	87.2	0.2	67.4	0.1	47.8	0.1	24.5	0.1	15.9	0.1	11.9	0.1
気仙郡	住田町	2 511	87.3	0.2	67.6	0.1	48.0	0.1	24.7	0.1	15.9	0.1	12.0	0.1
上閉伊郡	大槌町	5 723	86.4	0.2	67.0	0.1	47.4	0.1	24.0	0.1	15.4	0.1	11.5	0.1
下閉伊郡	山田町	7 387	87.0	0.2	67.4	0.1	47.7	0.1	24.4	0.1	15.7	0.1	11.7	0.1
下閉伊郡	岩泉町	4 360	86.9	0.2	67.1	0.1	47.5	0.1	24.3	0.1	15.6	0.1	11.6	0.1
下閉伊郡	田野畑村	1 512	86.7	0.2	67.0	0.1	47.3	0.1	24.1	0.1	15.5	0.1	11.6	0.1
下閉伊郡	普代村	1 233	87.1	0.2	67.3	0.1	47.7	0.1	24.5	0.1	15.8	0.1	11.9	0.1
九戸郡	軽米町	4 245	87.2	0.2	67.5	0.1	47.8	0.1	24.5	0.1	16.0	0.1	12.0	0.1
九戸郡	野田村	2 061	86.9	0.2	67.1	0.1	47.5	0.1	24.3	0.1	15.9	0.1	12.0	0.1
九戸郡	九戸村	2 808	87.4	0.2	67.6	0.1	48.1	0.1	24.7	0.1	16.1	0.1	12.1	0.1
九戸郡	洋野町	7 961	87.0	0.2	67.4	0.1	47.7	0.1	24.6	0.1	16.0	0.1	12.2	0.1
二戸郡	一戸町	5 899	86.6	0.2	66.8	0.1	47.2	0.1	24.0	0.1	15.5	0.1	11.5	0.1
宮城県		1 167 868	87.5	…	67.8	…	48.2	…	24.7	…	16.0	…	12.0	…
仙台市		558 732	88.1	…	68.4	…	48.8	…	25.2	…	16.5	…	12.5	…

			男											
		人口	平均余命（年）											
			0歳		20歳		40歳		65歳		75歳		80歳	
		（人）	平均寿命	誤差	平均余命	誤差	平均余命	誤差	平均余命	誤差	平均余命	誤差	平均余命	誤差
仙台市	青葉区	147 383	82.3	0.1	62.7	0.0	43.3	0.0	20.6	0.0	12.9	0.0	9.5	0.0
仙台市	宮城野区	95 210	82.1	0.1	62.4	0.0	42.9	0.0	20.3	0.0	12.9	0.0	9.6	0.0
仙台市	若林区	68 850	82.2	0.1	62.5	0.0	43.0	0.0	20.2	0.0	12.8	0.0	9.5	0.0
仙台市	太白区	111 912	82.1	0.1	62.4	0.0	43.1	0.0	20.5	0.0	12.9	0.0	9.6	0.0
仙台市	泉区	101 103	83.2	0.1	63.4	0.0	44.1	0.0	21.2	0.0	13.1	0.0	9.7	0.0
石巻市		67 931	80.8	0.1	61.0	0.0	41.8	0.0	19.6	0.0	12.1	0.0	9.0	0.0
塩竈市		24 750	81.2	0.1	61.5	0.1	42.2	0.1	19.7	0.1	12.2	0.1	9.0	0.1
気仙沼市		29 757	81.0	0.1	61.4	0.1	42.1	0.1	19.8	0.0	12.4	0.0	9.1	0.0
白石市		15 893	81.3	0.2	61.8	0.1	42.5	0.1	19.8	0.1	12.2	0.1	9.0	0.1
名取市		38 384	82.1	0.1	62.4	0.1	43.1	0.1	20.5	0.1	12.8	0.1	9.4	0.1
角田市		13 698	81.6	0.1	61.8	0.1	42.6	0.1	19.9	0.1	12.4	0.1	9.1	0.1
多賀城市		31 206	81.8	0.1	62.1	0.1	42.8	0.1	20.1	0.1	12.4	0.1	9.0	0.1
岩沼市		21 514	81.8	0.1	62.0	0.1	42.8	0.1	20.2	0.1	12.5	0.1	9.2	0.1
登米市		37 054	81.0	0.1	61.3	0.1	42.2	0.1	19.7	0.0	12.2	0.0	9.0	0.0
栗原市		30 998	81.4	0.1	61.7	0.1	42.6	0.1	19.9	0.0	12.1	0.0	8.8	0.0
東松島市		19 034	81.2	0.2	61.6	0.1	42.2	0.1	19.8	0.1	12.3	0.1	9.0	0.1
大崎市		62 137	80.8	0.1	61.3	0.1	42.1	0.0	19.7	0.0	12.3	0.0	9.0	0.0
富谷市		24 980	82.8	0.1	63.2	0.1	43.7	0.1	20.6	0.1	12.8	0.1	9.5	0.1
刈田郡	蔵王町	5 527	81.4	0.2	61.6	0.1	42.3	0.1	19.9	0.1	12.3	0.1	8.9	0.1
刈田郡	七ヶ宿町	609	81.6	0.2	61.9	0.1	42.6	0.1	20.1	0.1	12.5	0.1	9.2	0.1
柴田郡	大河原町	11 452	81.8	0.1	62.2	0.1	42.8	0.1	20.3	0.1	12.6	0.1	9.2	0.1
柴田郡	村田町	5 269	81.3	0.2	61.6	0.1	42.3	0.1	19.8	0.1	12.1	0.1	8.9	0.1
柴田郡	柴田町	19 272	81.2	0.1	61.6	0.1	42.3	0.1	19.7	0.1	12.1	0.1	8.9	0.1
柴田郡	川崎町	4 082	81.8	0.2	62.1	0.1	42.8	0.1	20.3	0.1	12.7	0.1	9.4	0.1
伊具郡	丸森町	6 044	81.4	0.2	61.6	0.1	42.3	0.1	20.2	0.1	12.5	0.1	9.3	0.1
亘理郡	亘理町	16 144	81.6	0.1	62.0	0.1	42.6	0.1	20.1	0.1	12.6	0.1	9.3	0.1
亘理郡	山元町	5 948	81.9	0.2	62.3	0.1	42.9	0.1	20.3	0.1	12.6	0.1	9.2	0.1
宮城郡	松島町	6 384	81.4	0.2	61.7	0.1	42.3	0.1	20.1	0.1	12.5	0.1	9.2	0.1
宮城郡	七ヶ浜町	8 971	81.3	0.2	61.8	0.1	42.5	0.1	20.0	0.1	12.5	0.1	9.1	0.1
宮城郡	利府町	17 101	82.7	0.1	62.9	0.1	43.6	0.1	20.6	0.1	12.8	0.1	9.6	0.1
黒川郡	大和町	14 785	81.6	0.1	62.0	0.1	42.8	0.1	20.3	0.1	12.6	0.1	9.3	0.1
黒川郡	大郷町	3 769	81.5	0.2	61.8	0.1	42.6	0.1	20.2	0.1	12.6	0.1	9.4	0.1
黒川郡	大衡村	2 898	81.7	0.2	61.9	0.1	42.6	0.1	20.1	0.1	12.5	0.1	9.1	0.1
加美郡	色麻町	3 242	81.6	0.2	61.9	0.1	42.6	0.1	20.1	0.1	12.5	0.1	9.2	0.1
加美郡	加美町	10 691	81.5	0.1	61.8	0.1	42.6	0.1	19.9	0.1	12.3	0.1	8.9	0.1
遠田郡	涌谷町	7 499	81.1	0.2	61.3	0.1	42.1	0.1	20.0	0.1	12.4	0.1	9.3	0.1
遠田郡	美里町	11 595	81.3	0.1	61.5	0.1	42.1	0.1	19.7	0.1	12.2	0.1	9.1	0.1
牡鹿郡	女川町	3 300	81.7	0.2	62.0	0.1	42.7	0.1	20.0	0.1	12.4	0.1	9.0	0.1
本吉郡	南三陸町	5 959	81.3	0.2	61.7	0.1	42.5	0.1	20.2	0.1	12.7	0.1	9.4	0.1
秋田県		451 082	80.5	…	60.8	…	41.5	…	19.2	…	11.9	…	8.9	…
秋田市		144 717	81.2	0.1	61.6	0.0	42.3	0.0	19.7	0.0	12.3	0.0	9.2	0.0
能代市		22 894	80.2	0.1	60.3	0.1	41.1	0.1	18.9	0.0	11.8	0.0	8.9	0.0
横手市		40 252	81.1	0.1	61.3	0.1	42.1	0.1	19.7	0.0	12.2	0.0	9.0	0.0
大館市		32 493	79.7	0.2	60.0	0.1	40.7	0.1	18.9	0.0	11.7	0.0	8.8	0.0

		女												
		人口	平均余命（年）											
			0歳		20歳		40歳		65歳		75歳		80歳	
		（人）	平均寿命	誤差	平均余命	誤差	平均余命	誤差	平均余命	誤差	平均余命	誤差	平均余命	誤差
仙台市	青葉区	157 674	88.0	0.1	68.3	0.0	48.6	0.0	25.1	0.0	16.4	0.0	12.4	0.0
仙台市	宮城野区	99 292	88.0	0.1	68.2	0.0	48.7	0.0	25.2	0.0	16.5	0.0	12.4	0.0
仙台市	若林区	71 154	88.0	0.1	68.2	0.0	48.5	0.0	25.0	0.0	16.3	0.0	12.3	0.0
仙台市	太白区	120 897	88.3	0.0	68.6	0.0	48.9	0.0	25.3	0.0	16.7	0.0	12.7	0.0
仙台市	泉区	109 715	88.4	0.1	68.7	0.0	49.2	0.0	25.4	0.0	16.7	0.0	12.5	0.0
石巻市		71 079	86.9	0.2	67.3	0.0	47.7	0.0	24.4	0.0	15.8	0.0	11.9	0.0
塩竈市		26 935	87.2	0.1	67.4	0.1	47.8	0.1	24.3	0.0	15.7	0.0	11.7	0.0
気仙沼市		30 800	87.5	0.1	67.7	0.1	48.1	0.0	24.5	0.0	15.9	0.0	12.0	0.0
白石市		16 647	87.5	0.1	67.9	0.1	48.4	0.1	24.9	0.1	16.2	0.0	12.2	0.0
名取市		39 935	87.4	0.1	67.7	0.1	48.1	0.1	24.6	0.0	15.9	0.0	12.0	0.0
角田市		14 065	87.0	0.1	67.2	0.1	47.6	0.1	24.2	0.1	15.4	0.1	11.5	0.0
多賀城市		31 223	87.5	0.1	67.9	0.1	48.4	0.1	24.9	0.0	16.2	0.0	12.2	0.0
岩沼市		22 167	87.4	0.2	67.7	0.1	48.2	0.1	24.8	0.1	16.1	0.1	12.0	0.0
登米市		38 643	87.0	0.2	67.4	0.1	47.8	0.0	24.3	0.0	15.6	0.0	11.8	0.0
栗原市		33 153	87.4	0.2	67.8	0.1	48.2	0.0	24.7	0.0	15.9	0.0	11.9	0.0
東松島市		19 922	86.9	0.3	67.6	0.1	48.0	0.1	24.4	0.1	15.8	0.1	11.8	0.0
大崎市		64 431	86.7	0.1	67.0	0.0	47.4	0.0	24.0	0.0	15.3	0.0	11.4	0.0
富谷市		26 444	88.1	0.1	68.2	0.1	48.5	0.1	24.9	0.1	16.0	0.1	12.0	0.1
刈田郡	蔵王町	5 824	87.7	0.2	67.9	0.1	48.3	0.1	24.8	0.1	16.1	0.1	12.1	0.1
刈田郡	七ヶ宿町	626	87.2	0.2	67.5	0.1	47.9	0.1	24.5	0.1	15.8	0.1	11.7	0.1
柴田郡	大河原町	11 992	87.3	0.2	67.6	0.1	48.0	0.1	24.4	0.1	15.7	0.1	11.8	0.1
柴田郡	村田町	5 343	87.2	0.3	67.7	0.1	48.4	0.1	25.0	0.1	16.2	0.1	12.1	0.1
柴田郡	柴田町	18 846	87.2	0.1	67.6	0.1	48.0	0.1	24.4	0.1	15.6	0.1	11.7	0.1
柴田郡	川崎町	4 132	87.6	0.2	67.8	0.1	48.2	0.1	24.8	0.1	16.1	0.1	12.1	0.1
伊具郡	丸森町	6 085	87.4	0.2	67.7	0.1	48.1	0.1	24.7	0.1	16.0	0.1	12.0	0.1
亘理郡	亘理町	16 786	87.5	0.1	67.9	0.1	48.2	0.1	24.6	0.1	15.9	0.1	11.9	0.1
亘理郡	山元町	6 040	87.8	0.3	68.2	0.1	48.6	0.1	25.1	0.1	16.3	0.1	12.2	0.1
宮城郡	松島町	6 876	86.9	0.2	67.5	0.1	48.3	0.1	24.8	0.1	16.1	0.1	12.1	0.1
宮城郡	七ヶ浜町	9 063	86.4	0.3	67.0	0.1	47.9	0.1	24.5	0.1	15.8	0.1	11.9	0.1
宮城郡	利府町	17 955	87.8	0.1	68.0	0.1	48.4	0.1	24.8	0.1	16.1	0.1	12.2	0.1
黒川郡	大和町	13 571	87.7	0.1	67.9	0.1	48.2	0.1	24.6	0.1	15.9	0.1	12.0	0.1
黒川郡	大郷町	3 965	87.3	0.2	67.6	0.1	48.0	0.1	24.4	0.1	15.7	0.1	11.8	0.1
黒川郡	大衡村	2 893	87.3	0.3	67.6	0.1	48.0	0.1	24.4	0.1	15.6	0.1	11.6	0.1
加美郡	色麻町	3 422	87.1	0.2	67.7	0.1	48.1	0.1	24.6	0.1	15.9	0.1	11.9	0.1
加美郡	加美町	11 088	87.3	0.2	67.5	0.1	47.8	0.1	24.3	0.1	15.5	0.1	11.6	0.1
遠田郡	涌谷町	7 831	86.8	0.2	67.1	0.1	47.6	0.1	24.4	0.1	15.7	0.1	11.7	0.1
遠田郡	美里町	12 334	87.5	0.1	67.8	0.1	48.1	0.1	24.6	0.1	15.8	0.1	11.9	0.1
牡鹿郡	女川町	2 918	87.5	0.2	67.7	0.1	48.1	0.1	24.6	0.1	15.9	0.1	11.8	0.1
本吉郡	南三陸町	6 102	87.4	0.2	68.0	0.1	48.5	0.1	25.0	0.1	16.3	0.1	12.4	0.1
秋田県		504 577	87.1	…	67.4	…	47.8	…	24.5	…	15.9	…	11.9	…
秋田市		161 629	87.5	0.1	67.7	0.0	48.1	0.0	24.7	0.0	16.0	0.0	12.0	0.0
能代市		26 866	86.8	0.1	67.0	0.1	47.6	0.1	24.5	0.0	16.0	0.0	12.0	0.0
横手市		44 922	87.4	0.1	67.7	0.1	48.2	0.0	24.8	0.0	16.0	0.0	12.1	0.0
大館市		36 431	87.2	0.1	67.4	0.1	47.9	0.0	24.4	0.0	15.9	0.0	11.9	0.0

		男												
		人口	平均余命（年）											
			0歳		20歳		40歳		65歳		75歳		80歳	
		（人）	平均寿命	誤差	平均余命	誤差	平均余命	誤差	平均余命	誤差	平均余命	誤差	平均余命	誤差
男鹿市		11 839	80.1	0.2	60.3	0.1	41.1	0.1	19.1	0.1	11.8	0.1	8.8	0.1
湯沢市		20 089	80.4	0.1	60.6	0.1	41.4	0.1	19.3	0.0	11.9	0.0	8.8	0.0
鹿角市		13 656	80.0	0.1	60.2	0.1	40.8	0.1	18.9	0.1	11.8	0.1	8.8	0.1
由利本荘市		35 742	80.7	0.1	61.1	0.1	41.7	0.1	19.2	0.0	11.9	0.0	8.9	0.0
潟上市		14 924	80.3	0.2	60.8	0.1	41.5	0.1	19.3	0.1	11.8	0.1	8.9	0.1
大仙市		36 213	79.9	0.1	60.3	0.1	41.1	0.1	19.1	0.0	11.7	0.0	8.8	0.0
北秋田市		14 139	80.1	0.2	60.5	0.1	41.2	0.1	19.0	0.1	11.8	0.1	8.7	0.1
にかほ市		11 171	80.5	0.3	60.9	0.1	41.6	0.1	19.3	0.1	11.9	0.1	8.8	0.1
仙北市		11 394	80.3	0.2	60.7	0.1	41.3	0.1	19.0	0.1	11.8	0.1	8.6	0.1
鹿角郡	小坂町	2 224	79.6	0.2	59.9	0.1	40.7	0.1	18.9	0.1	11.7	0.1	8.9	0.1
北秋田郡	上小阿仁村	983	80.5	0.2	60.8	0.1	41.5	0.1	19.2	0.1	11.9	0.1	8.8	0.1
山本郡	藤里町	1 377	79.9	0.2	60.2	0.1	40.9	0.1	18.7	0.1	11.5	0.1	8.6	0.1
山本郡	三種町	7 024	79.7	0.2	60.0	0.1	40.8	0.1	18.9	0.1	11.7	0.1	8.5	0.1
山本郡	八峰町	3 069	80.2	0.3	60.8	0.1	41.5	0.1	19.0	0.1	11.6	0.1	8.6	0.1
南秋田郡	五城目町	3 984	80.5	0.2	60.8	0.1	41.5	0.1	19.4	0.1	12.0	0.1	8.9	0.1
南秋田郡	八郎潟町	2 525	80.3	0.2	60.6	0.1	41.5	0.1	19.3	0.1	11.9	0.1	8.9	0.1
南秋田郡	井川町	2 127	80.4	0.2	60.7	0.1	41.6	0.1	19.4	0.1	12.1	0.1	9.0	0.1
南秋田郡	大潟村	1 490	80.7	0.2	61.0	0.1	41.9	0.1	19.4	0.1	12.1	0.1	9.0	0.1
仙北郡	美郷町	8 697	80.7	0.2	60.9	0.1	41.5	0.1	19.3	0.1	12.0	0.1	8.8	0.1
雄勝郡	羽後町	6 626	80.4	0.2	60.7	0.1	41.3	0.1	18.9	0.1	11.4	0.1	8.6	0.1
雄勝郡	東成瀬村	1 433	80.5	0.2	60.8	0.1	41.5	0.1	19.1	0.1	11.9	0.1	8.8	0.1
山形県		513 878	81.4	…	61.8	…	42.5	…	20.0	…	12.4	…	9.1	…
山形市		118 449	82.5	0.1	62.8	0.0	43.4	0.0	20.5	0.0	12.8	0.0	9.4	0.0
米沢市		39 946	80.9	0.2	61.5	0.1	42.2	0.1	19.9	0.1	12.2	0.0	9.0	0.0
鶴岡市		58 413	80.9	0.1	61.0	0.1	41.9	0.0	19.7	0.0	12.2	0.0	8.9	0.0
酒田市		47 708	81.0	0.1	61.5	0.1	42.2	0.1	19.5	0.0	12.2	0.0	9.0	0.0
新庄市		16 373	79.9	0.2	60.3	0.1	41.5	0.1	18.9	0.1	11.9	0.1	8.8	0.1
寒河江市		19 419	81.8	0.2	62.3	0.1	42.9	0.1	20.3	0.1	12.4	0.1	9.0	0.1
上山市	*	13 867	81.1	0.5	62.2	0.1	42.7	0.1	19.8	0.1	12.3	0.1	9.0	0.1
村山市		10 908	81.7	0.2	62.0	0.1	42.9	0.1	20.2	0.1	12.3	0.1	9.1	0.1
長井市		12 818	81.3	0.1	61.4	0.1	42.2	0.1	19.9	0.1	12.4	0.1	9.0	0.1
天童市		29 952	82.4	0.1	62.6	0.1	43.1	0.1	20.6	0.1	12.6	0.0	9.3	0.0
東根市		23 427	81.9	0.1	62.2	0.1	43.0	0.1	20.3	0.1	12.5	0.1	9.1	0.1
尾花沢市		7 313	81.7	0.2	61.9	0.1	42.4	0.1	20.1	0.1	12.5	0.1	9.1	0.1
南陽市		14 552	81.1	0.2	61.7	0.1	42.4	0.1	19.8	0.1	12.4	0.1	8.9	0.1
東村山郡	山辺町	6 590	81.5	0.2	61.8	0.1	42.6	0.1	20.1	0.1	12.5	0.1	9.2	0.1
東村山郡	中山町	5 227	81.5	0.2	61.7	0.1	42.7	0.1	20.0	0.1	12.6	0.1	9.2	0.1
西村山郡	河北町	8 458	81.2	0.2	61.6	0.1	42.4	0.1	20.2	0.1	12.4	0.1	9.1	0.1
西村山郡	西川町	2 382	81.1	0.3	61.4	0.1	42.6	0.1	20.1	0.1	12.5	0.1	9.1	0.1
西村山郡	朝日町	3 139	81.6	0.3	61.9	0.1	42.6	0.1	20.1	0.1	12.3	0.1	9.0	0.1
西村山郡	大江町	3 744	81.4	0.3	61.7	0.1	42.5	0.1	19.8	0.1	12.2	0.1	9.0	0.1
北村山郡	大石田町	3 208	81.2	0.3	61.8	0.1	42.5	0.1	20.1	0.1	12.3	0.1	9.0	0.1
最上郡	金山町	2 464	80.9	0.3	61.1	0.1	42.2	0.1	19.8	0.1	12.3	0.1	9.0	0.1
最上郡	最上町	3 909	81.5	0.3	61.8	0.1	42.4	0.1	20.0	0.1	12.2	0.1	9.0	0.1

		人口（人）	女												
			平均余命（年）												
			0歳		20歳		40歳		65歳		75歳		80歳		
			平均寿命	誤差	平均余命	誤差	平均余命	誤差	平均余命	誤差	平均余命	誤差	平均余命	誤差
男鹿市		13 271	86.5	0.2	66.7	0.1	47.2	0.1	24.4	0.0	15.7	0.0	11.8	0.0
湯沢市		21 888	86.5	0.1	66.8	0.1	47.2	0.1	23.8	0.0	15.2	0.0	11.3	0.0
鹿角市		15 341	87.1	0.1	67.4	0.1	47.7	0.1	24.6	0.0	15.9	0.0	12.0	0.0
由利本荘市		38 692	87.3	0.1	67.7	0.0	48.1	0.0	24.6	0.0	15.9	0.0	11.9	0.0
潟上市		16 709	87.0	0.2	67.5	0.1	47.8	0.1	24.7	0.0	16.0	0.0	12.0	0.0
大仙市		41 213	86.8	0.2	67.1	0.1	47.5	0.0	24.2	0.0	15.6	0.0	11.6	0.0
北秋田市		15 917	86.3	0.3	66.8	0.1	47.5	0.1	24.6	0.0	15.9	0.0	11.9	0.0
にかほ市		12 180	87.3	0.2	67.5	0.1	48.0	0.1	24.6	0.0	16.0	0.0	12.0	0.0
仙北市		13 127	87.2	0.2	67.4	0.1	47.8	0.1	24.5	0.0	15.8	0.0	11.9	0.0
鹿角郡	小坂町	2 523	87.2	0.2	67.4	0.1	47.9	0.1	24.7	0.1	16.0	0.1	12.0	0.1
北秋田郡	上小阿仁村	1 059	87.1	0.2	67.4	0.1	47.8	0.1	24.5	0.1	15.8	0.1	11.8	0.1
山本郡	藤里町	1 493	87.0	0.2	67.3	0.1	47.7	0.1	24.4	0.1	15.8	0.1	11.8	0.1
山本郡	三種町	8 184	86.7	0.4	67.2	0.1	47.7	0.1	24.4	0.1	15.9	0.0	11.9	0.0
山本郡	八峰町	3 460	87.1	0.2	67.4	0.1	47.7	0.1	24.5	0.1	15.9	0.1	11.9	0.1
南秋田郡	五城目町	4 536	86.8	0.4	67.4	0.1	48.0	0.1	24.6	0.1	16.0	0.1	12.0	0.1
南秋田郡	八郎潟町	3 032	87.6	0.2	67.8	0.1	48.2	0.1	24.8	0.1	16.1	0.1	12.2	0.1
南秋田郡	井川町	2 433	87.5	0.2	67.8	0.1	48.2	0.1	24.8	0.1	16.1	0.1	12.1	0.1
南秋田郡	大潟村	1 502	87.2	0.2	67.5	0.1	47.9	0.1	24.5	0.1	15.9	0.1	11.9	0.1
仙北郡	美郷町	9 867	87.2	0.2	67.5	0.1	47.8	0.1	24.4	0.1	15.7	0.0	11.8	0.0
雄勝郡	羽後町	7 097	86.7	0.3	67.2	0.1	47.6	0.1	24.1	0.1	15.5	0.1	11.5	0.0
雄勝郡	東成瀬村	1 205	87.2	0.2	67.5	0.1	47.9	0.1	24.5	0.1	15.9	0.1	11.9	0.1
山形県		546 708	87.4	…	67.8	…	48.2	…	24.7	…	15.9	…	11.9	…
山形市		127 835	87.9	0.1	68.2	0.0	48.6	0.0	24.9	0.0	16.1	0.0	12.2	0.0
米沢市		40 569	87.2	0.1	67.5	0.1	48.2	0.0	24.9	0.0	16.0	0.0	12.0	0.0
鶴岡市		63 225	87.6	0.1	68.0	0.0	48.1	0.0	24.6	0.0	16.0	0.0	11.9	0.0
酒田市		52 053	87.0	0.1	67.4	0.1	47.7	0.0	24.2	0.0	15.5	0.0	11.5	0.0
新庄市		17 669	86.8	0.2	67.3	0.1	47.7	0.1	24.2	0.1	15.6	0.0	11.6	0.0
寒河江市		20 413	87.7	0.1	68.0	0.1	48.4	0.1	24.8	0.1	15.9	0.1	11.9	0.0
上山市		15 092	87.4	0.2	67.8	0.1	48.3	0.1	24.9	0.1	16.0	0.1	11.9	0.0
村山市		11 428	87.5	0.2	67.9	0.1	48.1	0.1	24.6	0.1	15.9	0.1	11.7	0.0
長井市		13 384	88.0	0.1	68.3	0.1	48.5	0.1	24.6	0.1	15.9	0.1	11.9	0.0
天童市		31 657	87.4	0.2	68.2	0.1	48.5	0.1	25.0	0.0	16.1	0.0	12.0	0.0
東根市		23 924	88.2	0.1	68.5	0.1	48.5	0.1	24.8	0.1	16.1	0.0	12.0	0.0
尾花沢市		7 578	87.1	0.2	67.3	0.1	47.7	0.1	24.5	0.1	15.7	0.1	11.8	0.1
南陽市		15 598	86.7	0.1	67.1	0.1	47.9	0.1	24.3	0.1	15.7	0.1	11.8	0.0
東村山郡	山辺町	7 088	87.3	0.2	67.6	0.1	47.9	0.1	24.8	0.1	16.0	0.1	12.0	0.1
東村山郡	中山町	5 462	87.9	0.2	68.1	0.1	48.4	0.1	24.9	0.1	16.2	0.1	12.0	0.1
西村山郡	河北町	8 999	88.1	0.2	68.5	0.1	48.8	0.1	25.3	0.1	16.4	0.1	12.4	0.1
西村山郡	西川町	2 532	87.3	0.3	67.8	0.1	48.3	0.1	24.7	0.1	15.9	0.1	11.8	0.1
西村山郡	朝日町	3 175	87.5	0.2	68.1	0.1	48.4	0.1	24.8	0.1	16.1	0.1	12.1	0.1
西村山郡	大江町	3 815	86.9	0.3	67.2	0.1	47.9	0.1	24.3	0.1	15.5	0.1	11.4	0.1
北村山郡	大石田町	3 291	86.2	0.3	66.5	0.2	47.8	0.1	24.2	0.1	15.6	0.1	11.6	0.1
最上郡	金山町	2 550	87.1	0.3	67.4	0.1	48.0	0.1	24.4	0.1	15.6	0.1	11.6	0.1
最上郡	最上町	4 089	87.4	0.2	67.7	0.1	48.0	0.1	24.4	0.1	15.6	0.1	11.6	0.1

			人口	男											
				平均余命（年）											
				0歳		20歳		40歳		65歳		75歳		80歳	
			（人）	平均寿命	誤差	平均余命	誤差	平均余命	誤差	平均余命	誤差	平均余命	誤差	平均余命	誤差
最上郡	舟形町	*	2 420	80.0	0.6	61.1	0.1	42.2	0.1	19.8	0.1	12.4	0.1	9.0	0.1
最上郡	真室川町		3 390	80.1	0.3	60.3	0.1	41.9	0.1	19.5	0.1	12.0	0.1	8.8	0.1
最上郡	大蔵村	*	1 497	81.0	0.7	62.0	0.1	42.7	0.1	20.1	0.1	12.3	0.1	8.9	0.1
最上郡	鮭川村		1 885	81.5	0.3	61.8	0.1	42.5	0.1	19.9	0.1	12.3	0.1	8.9	0.1
最上郡	戸沢村		1 978	80.5	0.3	60.8	0.1	42.2	0.1	19.7	0.1	12.2	0.1	8.8	0.1
東置賜郡	高畠町		10 863	80.9	0.2	61.3	0.1	42.3	0.1	19.9	0.1	12.3	0.1	9.2	0.1
東置賜郡	川西町	*	7 089	81.3	0.4	61.9	0.1	42.9	0.1	20.3	0.1	12.6	0.1	9.3	0.1
西置賜郡	小国町		3 534	81.2	0.3	61.5	0.1	42.6	0.1	20.2	0.1	12.6	0.1	9.2	0.1
西置賜郡	白鷹町		6 314	81.4	0.2	61.7	0.1	42.6	0.1	20.2	0.1	12.5	0.1	9.3	0.1
西置賜郡	飯豊町		3 201	81.4	0.3	61.7	0.1	42.3	0.1	19.5	0.1	12.1	0.1	8.7	0.1
東田川郡	三川町		3 682	81.4	0.2	61.6	0.1	42.3	0.1	19.8	0.1	12.3	0.1	9.1	0.1
東田川郡	庄内町	*	9 602	80.3	0.6	61.4	0.1	42.1	0.1	19.9	0.1	12.2	0.1	9.0	0.1
飽海郡	遊佐町	*	6 157	80.7	0.5	61.4	0.1	42.1	0.1	19.8	0.1	12.3	0.1	9.2	0.1
福島県			897 843	80.6	…	61.0	…	41.7	…	19.5	…	12.1	…	9.0	…
福島市			137 383	81.6	0.1	61.9	0.0	42.7	0.0	20.1	0.0	12.6	0.0	9.3	0.0
会津若松市			55 716	80.6	0.1	61.1	0.1	41.6	0.0	19.2	0.0	11.9	0.0	8.8	0.0
郡山市			160 487	81.0	0.1	61.4	0.0	41.9	0.0	19.6	0.0	12.2	0.0	9.1	0.0
いわき市			162 248	80.4	0.1	61.0	0.1	41.7	0.0	19.5	0.0	12.2	0.0	9.1	0.0
白河市			29 428	80.8	0.1	61.4	0.1	42.3	0.1	20.1	0.1	12.7	0.1	9.4	0.1
須賀川市			36 615	80.8	0.2	61.3	0.1	41.9	0.1	19.6	0.1	12.2	0.1	9.0	0.0
喜多方市			21 373	80.6	0.1	60.8	0.1	41.5	0.1	19.4	0.1	12.1	0.1	9.0	0.1
相馬市			17 474	80.2	0.2	60.6	0.1	41.5	0.1	19.6	0.1	12.2	0.1	8.9	0.1
二本松市			26 166	81.5	0.1	61.7	0.1	42.3	0.1	19.8	0.1	12.1	0.1	9.1	0.1
田村市			17 212	80.6	0.2	61.0	0.1	41.8	0.1	19.6	0.1	12.1	0.1	8.9	0.1
南相馬市			30 825	81.1	0.1	61.6	0.1	42.2	0.1	19.9	0.0	12.5	0.0	9.4	0.0
伊達市			28 171	81.0	0.1	61.4	0.1	42.1	0.1	19.7	0.1	12.3	0.1	9.1	0.1
本宮市			14 942	80.7	0.1	61.1	0.1	41.7	0.1	19.2	0.1	11.8	0.1	8.8	0.1
伊達郡	桑折町		5 482	80.8	0.2	61.1	0.1	41.9	0.1	19.7	0.1	12.2	0.1	9.0	0.1
伊達郡	国見町		4 105	80.5	0.2	61.0	0.1	41.8	0.1	19.8	0.1	12.3	0.1	9.1	0.1
伊達郡	川俣町		5 941	80.5	0.2	60.9	0.1	41.5	0.1	19.4	0.1	12.0	0.1	9.0	0.1
安達郡	大玉村		4 398	80.9	0.2	61.2	0.1	41.9	0.1	19.5	0.1	12.0	0.1	8.8	0.1
岩瀬郡	鏡石町		6 012	81.0	0.2	61.2	0.1	42.0	0.1	19.5	0.1	12.3	0.1	9.1	0.1
岩瀬郡	天栄村		2 533	80.1	0.2	61.0	0.1	41.8	0.1	19.5	0.1	12.1	0.1	8.9	0.1
南会津郡	下郷町		2 600	80.6	0.2	61.1	0.1	42.1	0.1	19.7	0.1	12.3	0.1	9.2	0.1
南会津郡	檜枝岐村		259	81.0	0.3	61.4	0.1	42.1	0.1	19.8	0.1	12.4	0.1	9.2	0.1
南会津郡	只見町		1 962	80.2	0.3	60.9	0.1	41.9	0.1	19.6	0.1	12.3	0.1	9.0	0.1
南会津郡	南会津町		7 093	80.7	0.2	61.0	0.1	41.8	0.1	19.7	0.1	12.3	0.1	9.1	0.1
耶麻郡	北塩原村		1 277	80.8	0.3	61.2	0.1	42.0	0.1	19.5	0.1	12.1	0.1	8.9	0.1
耶麻郡	西会津町		2 782	80.6	0.2	61.0	0.1	41.7	0.1	19.7	0.1	12.3	0.1	9.2	0.1
耶麻郡	磐梯町		1 599	80.9	0.2	61.3	0.1	42.2	0.1	19.8	0.1	12.4	0.1	9.2	0.1
耶麻郡	猪苗代町		6 508	80.4	0.2	60.7	0.1	41.6	0.1	19.9	0.1	12.4	0.1	9.2	0.1
河沼郡	会津坂下町		7 190	80.8	0.2	61.1	0.1	41.8	0.1	19.5	0.1	12.0	0.1	8.8	0.1
河沼郡	湯川村		1 485	81.1	0.2	61.5	0.1	42.2	0.1	19.8	0.1	12.3	0.1	9.0	0.1
河沼郡	柳津町		1 500	81.0	0.3	61.4	0.1	42.2	0.1	19.8	0.1	12.3	0.1	9.1	0.1

			女											
		人口	平均余命（年）											
			0歳		20歳		40歳		65歳		75歳		80歳	
		(人)	平均寿命	誤差	平均余命	誤差	平均余命	誤差	平均余命	誤差	平均余命	誤差	平均余命	誤差
最上郡	舟形町	2 554	86.5	0.3	66.8	0.2	48.3	0.1	24.9	0.1	16.2	0.1	12.2	0.1
最上郡	真室川町	3 778	86.7	0.2	67.2	0.1	47.6	0.1	24.1	0.1	15.5	0.1	11.6	0.1
最上郡	大蔵村 *	1 515	85.8	0.5	66.9	0.2	47.9	0.1	24.3	0.1	15.7	0.1	11.8	0.1
最上郡	鮭川村	1 991	86.9	0.3	67.2	0.2	48.1	0.1	24.5	0.1	15.8	0.1	11.7	0.1
最上郡	戸沢村	2 161	86.7	0.3	67.1	0.1	47.8	0.1	24.3	0.1	15.6	0.1	11.6	0.1
東置賜郡	高畠町	11 404	87.7	0.2	67.9	0.1	48.4	0.1	24.9	0.1	16.1	0.1	12.2	0.1
東置賜郡	川西町	7 401	87.6	0.2	67.8	0.1	48.3	0.1	24.9	0.1	16.2	0.1	12.2	0.1
西置賜郡	小国町	3 517	86.9	0.3	67.2	0.2	48.1	0.1	24.8	0.1	15.9	0.1	12.0	0.1
西置賜郡	白鷹町	6 455	86.1	0.2	66.6	0.1	47.7	0.1	24.2	0.1	15.5	0.1	11.4	0.1
西置賜郡	飯豊町	3 364	87.1	0.2	67.6	0.1	47.9	0.1	24.3	0.1	15.5	0.1	11.6	0.1
東田川郡	三川町	3 889	87.8	0.2	68.1	0.1	48.4	0.1	24.9	0.1	16.1	0.1	12.0	0.1
東田川郡	庄内町	10 443	86.9	0.2	67.2	0.1	48.1	0.1	24.8	0.1	16.0	0.1	12.1	0.1
飽海郡	遊佐町	6 810	87.4	0.2	67.7	0.1	47.9	0.1	24.5	0.1	15.7	0.1	11.7	0.1
福島県		921 242	86.8	…	67.2	…	47.7	…	24.3	…	15.7	…	11.8	…
福島市		143 328	87.4	0.1	67.6	0.0	48.1	0.0	24.5	0.0	15.9	0.0	12.0	0.0
会津若松市		60 802	87.1	0.1	67.6	0.1	47.9	0.1	24.5	0.0	15.8	0.0	12.0	0.0
郡山市		164 341	87.1	0.1	67.6	0.0	47.9	0.0	24.4	0.0	15.8	0.0	11.9	0.0
いわき市		167 868	86.8	0.1	67.1	0.1	47.5	0.0	24.2	0.0	15.7	0.0	11.8	0.0
白河市		29 433	87.3	0.1	67.6	0.1	47.9	0.1	24.6	0.0	16.1	0.0	12.1	0.0
須賀川市		37 974	87.2	0.1	67.5	0.1	48.0	0.0	24.5	0.0	15.9	0.0	11.9	0.0
喜多方市		23 171	87.2	0.1	67.4	0.1	47.8	0.1	24.4	0.1	15.8	0.0	11.8	0.0
相馬市		17 198	86.6	0.2	67.1	0.1	47.6	0.1	24.3	0.1	15.8	0.0	11.9	0.0
二本松市		27 044	87.4	0.1	67.6	0.1	48.0	0.1	24.6	0.0	15.8	0.0	11.9	0.0
田村市		17 639	86.6	0.2	67.3	0.1	47.8	0.1	24.4	0.1	15.8	0.0	11.9	0.0
南相馬市		27 734	86.7	0.1	67.0	0.1	47.7	0.1	24.4	0.1	15.8	0.0	11.8	0.0
伊達市		29 659	87.2	0.2	67.7	0.1	48.1	0.0	24.4	0.0	15.8	0.0	12.0	0.0
本宮市		15 108	87.0	0.2	67.5	0.1	47.9	0.1	24.5	0.1	15.8	0.0	11.9	0.0
伊達郡	桑折町	5 942	86.7	0.2	67.0	0.1	47.4	0.1	24.0	0.1	15.5	0.1	11.6	0.1
伊達郡	国見町	4 475	87.2	0.2	68.0	0.1	48.3	0.1	24.8	0.1	16.0	0.1	12.1	0.1
伊達郡	川俣町	6 120	86.8	0.2	67.1	0.1	47.7	0.1	24.3	0.1	15.6	0.1	11.5	0.1
安達郡	大玉村	4 455	87.3	0.2	67.6	0.1	48.1	0.1	24.5	0.1	15.9	0.1	12.0	0.1
岩瀬郡	鏡石町	6 256	86.8	0.2	67.1	0.1	47.5	0.1	24.2	0.1	15.6	0.1	11.8	0.1
岩瀬郡	天栄村	2 605	86.4	0.2	67.2	0.1	47.6	0.1	24.2	0.1	15.6	0.1	11.6	0.1
南会津郡	下郷町	2 649	87.3	0.2	67.6	0.1	48.0	0.1	24.5	0.1	15.8	0.1	11.9	0.1
南会津郡	檜枝岐村	245	87.1	0.2	67.5	0.1	47.9	0.1	24.5	0.1	15.9	0.1	11.9	0.1
南会津郡	只見町	2 052	87.3	0.2	67.6	0.1	48.0	0.1	24.6	0.1	15.9	0.1	12.1	0.1
南会津郡	南会津町	7 290	87.1	0.2	67.4	0.1	47.7	0.1	24.4	0.1	15.9	0.1	12.0	0.0
耶麻郡	北塩原村	1 244	87.1	0.2	67.5	0.1	47.9	0.1	24.5	0.1	15.9	0.1	11.9	0.1
耶麻郡	西会津町	2 950	87.3	0.2	67.7	0.1	48.1	0.1	24.6	0.1	15.9	0.1	11.9	0.1
耶麻郡	磐梯町	1 714	87.0	0.2	67.6	0.1	48.0	0.1	24.6	0.1	16.0	0.1	12.0	0.1
耶麻郡	猪苗代町	6 980	87.1	0.1	67.4	0.1	47.7	0.1	24.5	0.1	15.9	0.1	12.0	0.0
河沼郡	会津坂下町	7 751	87.2	0.2	67.6	0.1	48.2	0.1	24.7	0.1	16.0	0.1	11.9	0.0
河沼郡	湯川村	1 588	87.1	0.2	67.5	0.1	47.9	0.1	24.4	0.1	15.8	0.1	11.8	0.1
河沼郡	柳津町	1 574	87.0	0.2	67.5	0.1	47.9	0.1	24.4	0.1	15.8	0.1	11.9	0.1

		人口	男											
			平均余命（年）											
			0歳		20歳		40歳		65歳		75歳		80歳	
		（人）	平均寿命	誤差	平均余命	誤差	平均余命	誤差	平均余命	誤差	平均余命	誤差	平均余命	誤差
大沼郡	三島町	711	80.9	0.3	61.3	0.1	42.0	0.1	19.7	0.1	12.3	0.1	9.1	0.1
大沼郡	金山町	904	80.5	0.3	61.4	0.1	42.0	0.1	19.8	0.1	12.4	0.1	9.2	0.1
大沼郡	昭和村	623	80.7	0.3	61.2	0.1	41.8	0.1	19.6	0.1	12.2	0.1	9.0	0.1
大沼郡	会津美里町	9 101	80.5	0.2	60.8	0.1	41.7	0.1	19.5	0.1	12.1	0.1	9.0	0.1
西白河郡	西郷村	10 504	80.1	0.3	60.7	0.1	41.4	0.1	19.3	0.1	12.1	0.1	9.0	0.1
西白河郡	泉崎村	3 020	80.9	0.3	61.5	0.1	42.1	0.1	19.7	0.1	12.2	0.1	9.0	0.1
西白河郡	中島村	2 368	80.7	0.2	61.1	0.1	41.9	0.1	19.5	0.1	12.1	0.1	8.8	0.1
西白河郡	矢吹町	8 559	80.3	0.2	60.7	0.1	41.4	0.1	19.3	0.1	12.0	0.1	8.9	0.1
東白川郡	棚倉町	6 547	80.6	0.3	61.3	0.1	41.9	0.1	19.7	0.1	12.3	0.1	9.1	0.1
東白川郡	矢祭町	2 613	81.2	0.2	61.6	0.1	42.3	0.1	19.7	0.1	12.3	0.1	9.1	0.1
東白川郡	塙町	4 053	80.6	0.2	61.1	0.1	42.1	0.1	19.8	0.1	12.4	0.1	9.3	0.1
東白川郡	鮫川村	1 531	81.0	0.2	61.4	0.1	42.0	0.1	19.6	0.1	12.2	0.1	9.0	0.1
石川郡	石川町	7 296	81.1	0.2	61.5	0.1	42.0	0.1	19.6	0.1	12.4	0.1	9.2	0.1
石川郡	玉川村	3 156	80.9	0.2	61.3	0.1	42.0	0.1	19.6	0.1	12.3	0.1	9.1	0.1
石川郡	平田村	2 817	80.2	0.3	60.8	0.1	41.9	0.1	19.6	0.1	12.2	0.1	9.0	0.1
石川郡	浅川町	3 027	80.8	0.2	61.3	0.1	41.9	0.1	19.6	0.1	12.2	0.1	9.0	0.1
石川郡	古殿町	2 356	80.9	0.2	61.3	0.1	41.9	0.1	19.8	0.1	12.5	0.1	9.3	0.1
田村郡	三春町	8 430	81.2	0.2	61.5	0.1	42.2	0.1	20.0	0.1	12.6	0.1	9.4	0.1
田村郡	小野町	4 590	80.9	0.2	61.4	0.1	42.0	0.1	19.6	0.1	12.2	0.1	9.0	0.1
双葉郡	広野町	3 256	81.3	0.2	61.7	0.1	42.3	0.1	19.6	0.1	12.2	0.1	9.1	0.1
双葉郡	楢葉町	2 133	…	…	…	…	…	…	…	…	…	…	…	…
双葉郡	富岡町	1 539	…	…	…	…	…	…	…	…	…	…	…	…
双葉郡	川内村	1 032	…	…	…	…	…	…	…	…	…	…	…	…
双葉郡	大熊町	753	…	…	…	…	…	…	…	…	…	…	…	…
双葉郡	双葉町	0	…	…	…	…	…	…	…	…	…	…	…	…
双葉郡	浪江町	1 347	…	…	…	…	…	…	…	…	…	…	…	…
双葉郡	葛尾村	238	…	…	…	…	…	…	…	…	…	…	…	…
相馬郡	新地町	3 912	81.0	0.2	61.3	0.1	41.9	0.1	19.6	0.1	12.3	0.1	9.0	0.1
相馬郡	飯舘村	661	…	…	…	…	…	…	…	…	…	…	…	…
茨城県		1 397 039	80.9	…	61.3	…	42.0	…	19.6	…	12.3	…	9.1	…
水戸市		130 929	81.0	0.1	61.6	0.0	42.2	0.0	19.8	0.0	12.6	0.0	9.3	0.0
日立市		86 331	81.6	0.1	61.8	0.0	42.3	0.0	19.9	0.0	12.6	0.0	9.5	0.0
土浦市		68 677	80.9	0.1	61.2	0.0	41.8	0.0	19.3	0.0	12.1	0.0	8.9	0.0
古河市		67 913	80.1	0.1	60.6	0.0	41.3	0.0	19.2	0.0	12.0	0.0	9.0	0.0
石岡市		35 610	80.5	0.1	60.9	0.0	41.9	0.0	19.6	0.0	12.2	0.0	9.2	0.0
結城市		24 127	80.9	0.1	61.3	0.1	42.0	0.1	19.5	0.1	12.3	0.1	9.2	0.1
龍ケ崎市		36 859	81.3	0.1	61.6	0.1	42.2	0.0	19.8	0.1	12.3	0.1	9.0	0.1
下妻市		20 245	80.7	0.1	60.9	0.1	41.7	0.1	19.5	0.1	12.3	0.1	9.1	0.1
常総市		27 809	80.6	0.2	61.2	0.1	41.9	0.1	19.5	0.1	12.1	0.1	8.8	0.1
常陸太田市		23 621	81.2	0.2	61.7	0.1	42.2	0.1	20.0	0.1	12.6	0.1	9.3	0.0
高萩市		13 669	81.0	0.1	61.3	0.1	41.9	0.1	19.8	0.1	12.2	0.1	9.0	0.1
北茨城市		20 601	80.6	0.1	60.9	0.1	41.7	0.1	19.4	0.1	12.2	0.1	9.2	0.1
笠間市		35 409	80.4	0.1	60.8	0.1	41.6	0.1	19.2	0.0	11.8	0.0	8.8	0.0
取手市		50 823	81.2	0.1	61.7	0.1	42.5	0.0	20.0	0.0	12.5	0.0	9.1	0.0

		人口 (人)	女												
			平均余命（年）												
			0歳		20歳		40歳		65歳		75歳		80歳		
			平均寿命	誤差	平均余命	誤差	平均余命	誤差	平均余命	誤差	平均余命	誤差	平均余命	誤差
大沼郡	三島町	733	87.0	0.2	67.4	0.1	47.8	0.1	24.4	0.1	15.7	0.1	11.8	0.1
大沼郡	金山町	947	87.1	0.2	67.5	0.1	47.9	0.1	24.5	0.1	15.8	0.1	11.9	0.1
大沼郡	昭和村	619	87.1	0.2	67.5	0.1	47.9	0.1	24.5	0.1	15.9	0.1	12.0	0.1
大沼郡	会津美里町	9 875	86.8	0.2	67.2	0.1	47.8	0.1	24.3	0.1	15.7	0.0	11.7	0.0
西白河郡	西郷村	10 043	86.5	0.2	67.1	0.1	47.5	0.1	24.0	0.1	15.5	0.1	11.6	0.1
西白河郡	泉崎村	3 075	87.1	0.2	67.5	0.1	47.8	0.1	24.5	0.1	15.8	0.1	12.0	0.1
西白河郡	中島村	2 482	87.3	0.2	67.6	0.1	48.0	0.1	24.5	0.1	15.8	0.1	11.9	0.1
西白河郡	矢吹町	8 565	87.2	0.2	67.7	0.1	48.1	0.1	24.5	0.1	15.9	0.1	12.1	0.1
東白川郡	棚倉町	6 725	86.7	0.2	67.5	0.1	47.9	0.1	24.3	0.1	15.8	0.1	11.9	0.1
東白川郡	矢祭町	2 756	86.7	0.2	67.2	0.1	47.6	0.1	24.4	0.1	15.8	0.1	11.9	0.1
東白川郡	塙町	4 162	87.4	0.2	67.8	0.1	48.3	0.1	24.7	0.1	16.1	0.1	12.1	0.1
東白川郡	鮫川村	1 500	87.0	0.2	67.4	0.1	47.8	0.1	24.4	0.1	15.8	0.1	11.9	0.1
石川郡	石川町	7 237	86.7	0.2	67.3	0.1	47.9	0.1	24.7	0.1	15.9	0.1	12.0	0.1
石川郡	玉川村	3 165	86.2	0.2	67.5	0.1	47.9	0.1	24.4	0.1	15.7	0.1	11.8	0.1
石川郡	平田村	2 889	86.7	0.3	67.3	0.1	47.9	0.1	24.4	0.1	15.8	0.1	11.9	0.1
石川郡	浅川町	2 985	86.9	0.2	67.2	0.1	47.6	0.1	24.2	0.1	15.7	0.1	11.8	0.1
石川郡	古殿町	2 411	86.9	0.2	67.2	0.1	47.9	0.1	24.4	0.1	15.7	0.1	11.8	0.1
田村郡	三春町	8 530	87.3	0.2	67.7	0.1	48.1	0.1	24.6	0.1	15.9	0.1	11.9	0.1
田村郡	小野町	4 738	87.0	0.2	67.3	0.1	47.9	0.1	24.5	0.1	15.8	0.1	11.9	0.1
双葉郡	広野町	2 081	87.1	0.2	67.5	0.1	47.9	0.1	24.4	0.1	15.8	0.1	11.8	0.1
双葉郡	楢葉町	1 555	…	…	…	…	…	…	…	…	…	…	…	…
双葉郡	富岡町	579	…	…	…	…	…	…	…	…	…	…	…	…
双葉郡	川内村	978	…	…	…	…	…	…	…	…	…	…	…	…
双葉郡	大熊町	93	…	…	…	…	…	…	…	…	…	…	…	…
双葉郡	双葉町	0	…	…	…	…	…	…	…	…	…	…	…	…
双葉郡	浪江町	571	…	…	…	…	…	…	…	…	…	…	…	…
双葉郡	葛尾村	178	…	…	…	…	…	…	…	…	…	…	…	…
相馬郡	新地町	3 943	86.9	0.3	67.8	0.1	48.1	0.1	24.6	0.1	16.0	0.1	12.0	0.1
相馬郡	飯舘村	638	…	…	…	…	…	…	…	…	…	…	…	…
茨城県		1 404 601	86.9	…	67.4	…	47.8	…	24.4	…	15.7	…	11.8	…
水戸市		136 090	87.1	0.1	67.6	0.0	48.0	0.0	24.6	0.0	16.0	0.0	12.1	0.0
日立市		86 450	87.1	0.1	67.4	0.0	47.8	0.0	24.5	0.0	15.9	0.0	11.9	0.0
土浦市		68 962	86.8	0.1	67.4	0.0	47.9	0.0	24.4	0.0	15.7	0.0	11.7	0.0
古河市		68 120	86.5	0.1	67.1	0.0	47.5	0.0	24.0	0.0	15.4	0.0	11.4	0.0
石岡市		36 304	86.8	0.2	67.5	0.1	47.9	0.1	24.4	0.0	15.7	0.0	11.8	0.0
結城市		24 310	86.5	0.1	66.9	0.1	47.3	0.1	24.1	0.0	15.5	0.0	11.5	0.0
龍ケ崎市		37 397	86.8	0.1	67.2	0.1	47.7	0.1	24.1	0.0	15.5	0.0	11.6	0.0
下妻市		20 155	87.2	0.2	67.6	0.1	48.0	0.1	24.6	0.0	15.9	0.0	12.0	0.0
常総市		28 029	87.1	0.1	67.5	0.1	48.0	0.1	24.6	0.0	15.9	0.0	11.9	0.0
常陸太田市		24 801	87.1	0.1	67.6	0.1	48.0	0.1	24.6	0.0	15.9	0.0	12.0	0.0
高萩市		13 819	86.7	0.2	67.5	0.1	47.8	0.1	24.3	0.1	15.6	0.1	11.7	0.0
北茨城市		20 836	86.7	0.2	67.2	0.1	47.5	0.1	24.2	0.1	15.6	0.1	11.7	0.0
笠間市		37 020	86.7	0.1	67.2	0.1	47.6	0.0	24.3	0.0	15.5	0.0	11.6	0.0
取手市		52 197	87.2	0.1	67.5	0.0	47.9	0.0	24.5	0.0	15.9	0.0	11.8	0.0

	人口	男												
		平均余命（年）												
		0歳		20歳		40歳		65歳		75歳		80歳		
	（人）	平均寿命	誤差	平均余命	誤差	平均余命	誤差	平均余命	誤差	平均余命	誤差	平均余命	誤差
牛久市	41 098	82.5	0.1	62.7	0.1	43.4	0.1	20.8	0.0	13.0	0.0	9.5	0.0
つくば市	116 258	81.9	0.1	62.3	0.0	42.8	0.0	20.0	0.0	12.4	0.0	9.2	0.0
ひたちなか市	78 376	81.7	0.1	62.1	0.0	42.6	0.0	19.9	0.0	12.5	0.0	9.1	0.0
鹿嶋市	34 031	80.7	0.1	61.0	0.1	41.8	0.1	19.3	0.0	12.1	0.0	9.0	0.1
潮来市	13 484	80.9	0.2	61.2	0.1	41.8	0.1	19.4	0.1	12.1	0.1	8.9	0.1
守谷市	33 685	82.8	0.1	62.9	0.1	43.4	0.1	20.5	0.1	12.7	0.1	9.4	0.1
常陸大宮市	19 277	81.0	0.2	61.7	0.1	42.3	0.1	20.0	0.1	12.5	0.1	9.5	0.1
那珂市	25 896	81.3	0.2	61.8	0.1	42.6	0.1	20.3	0.1	12.8	0.1	9.5	0.1
筑西市	48 756	80.3	0.1	60.8	0.1	41.6	0.0	19.4	0.0	12.2	0.0	8.9	0.0
坂東市	25 132	79.8	0.2	60.3	0.1	41.1	0.1	19.0	0.1	11.8	0.1	8.7	0.1
稲敷市	18 915	80.1	0.2	60.6	0.1	41.6	0.1	19.2	0.1	12.0	0.1	8.9	0.1
かすみがうら市	19 769	79.8	0.2	60.5	0.1	41.2	0.1	19.0	0.1	11.7	0.1	8.9	0.1
桜川市	19 214	80.3	0.1	60.7	0.1	41.5	0.1	19.4	0.1	12.1	0.1	8.9	0.1
神栖市	48 174	79.9	0.1	60.3	0.1	41.0	0.1	19.1	0.0	11.9	0.0	8.9	0.1
行方市	15 482	80.0	0.1	60.3	0.1	41.4	0.1	19.1	0.1	11.9	0.1	8.7	0.1
鉾田市	21 774	79.8	0.2	60.3	0.1	41.1	0.1	19.1	0.1	12.1	0.1	8.9	0.1
つくばみらい市	24 653	81.3	0.1	61.8	0.1	42.5	0.1	19.8	0.1	12.2	0.1	9.0	0.1
小美玉市	23 773	80.1	0.1	60.6	0.1	41.4	0.1	19.2	0.1	11.9	0.1	8.8	0.1
東茨城郡　茨城町	15 242	80.5	0.2	60.8	0.1	41.6	0.1	19.4	0.1	12.3	0.1	9.1	0.1
東茨城郡　大洗町	7 427	80.6	0.2	60.9	0.1	41.5	0.1	19.1	0.1	11.9	0.1	8.9	0.1
東茨城郡　城里町	8 894	80.4	0.2	60.7	0.1	41.7	0.1	19.3	0.1	11.9	0.1	9.0	0.1
那珂郡　東海村	19 072	81.5	0.1	61.8	0.1	42.4	0.1	20.1	0.1	12.7	0.1	9.4	0.1
久慈郡　大子町	7 669	80.9	0.2	61.2	0.1	41.9	0.1	19.8	0.1	12.4	0.1	9.0	0.1
稲敷郡　美浦村	7 345	80.6	0.2	61.1	0.1	41.7	0.1	19.3	0.1	12.0	0.1	9.1	0.1
稲敷郡　阿見町	23 844	80.8	0.2	61.2	0.1	41.9	0.1	19.3	0.1	12.1	0.1	8.9	0.1
稲敷郡　河内町	4 007	80.8	0.2	61.1	0.1	41.8	0.1	19.8	0.1	12.3	0.1	9.0	0.1
結城郡　八千代町	10 090	80.6	0.2	61.1	0.1	41.8	0.1	19.4	0.1	12.2	0.1	9.0	0.1
猿島郡　五霞町	3 986	80.2	0.2	61.1	0.1	41.7	0.1	19.5	0.1	12.1	0.1	8.9	0.1
猿島郡　境町	11 728	80.6	0.1	60.9	0.1	41.8	0.1	19.3	0.1	12.1	0.1	8.8	0.1
北相馬郡　利根町	7 365	80.9	0.2	61.8	0.1	42.3	0.1	20.1	0.1	12.6	0.1	9.3	0.1
栃木県	943 800	81.0	…	61.4	…	42.1	…	19.7	…	12.3	…	9.1	…
宇都宮市	255 373	81.7	0.1	62.0	0.0	42.6	0.0	20.1	0.0	12.7	0.0	9.5	0.0
足利市	68 720	80.3	0.1	60.8	0.0	41.5	0.0	19.2	0.0	12.1	0.0	8.9	0.0
栃木市	74 927	80.5	0.1	61.0	0.1	41.8	0.0	19.5	0.0	12.2	0.0	9.0	0.0
佐野市	55 997	80.5	0.1	60.9	0.0	41.4	0.0	19.2	0.0	12.0	0.0	9.0	0.0
鹿沼市	45 848	80.9	0.1	61.4	0.0	42.1	0.0	19.6	0.0	12.2	0.0	9.1	0.0
日光市	37 453	80.0	0.1	60.6	0.0	41.4	0.0	19.4	0.0	12.0	0.0	8.8	0.0
小山市	80 727	80.8	0.1	61.3	0.0	41.9	0.0	19.6	0.0	12.3	0.0	9.2	0.0
真岡市	37 864	80.5	0.1	61.0	0.1	41.8	0.0	19.6	0.0	12.1	0.0	8.8	0.0
大田原市	34 854	80.9	0.1	61.3	0.0	42.0	0.0	19.6	0.0	12.2	0.0	9.1	0.0
矢板市	15 299	80.9	0.2	61.4	0.1	42.0	0.1	19.7	0.1	12.2	0.1	9.0	0.1
那須塩原市	56 236	81.4	0.1	61.8	0.1	42.3	0.0	20.0	0.1	12.6	0.1	9.3	0.1
さくら市	22 899	81.5	0.1	61.9	0.1	42.4	0.1	20.0	0.1	12.4	0.1	9.2	0.1
那須烏山市	12 273	80.8	0.2	61.3	0.1	42.0	0.1	19.6	0.1	12.2	0.1	9.0	0.1

	女														
	人口	平均余命（年）													
		0歳		20歳		40歳		65歳		75歳		80歳			
	（人）	平均寿命	誤差	平均余命	誤差	平均余命	誤差	平均余命	誤差	平均余命	誤差	平均余命	誤差		
牛久市	42 094	87.5	0.1	68.0	0.0	48.3	0.0	24.6	0.0	15.9	0.0	11.9	0.0		
つくば市	116 166	87.7	0.1	68.0	0.0	48.4	0.0	24.7	0.0	15.9	0.0	11.9	0.0		
ひたちなか市	76 374	87.4	0.1	68.0	0.0	48.3	0.0	24.8	0.0	16.1	0.0	12.0	0.0		
鹿嶋市	31 960	86.8	0.1	67.2	0.1	47.7	0.1	24.3	0.0	15.5	0.0	11.7	0.0		
潮来市	13 753	86.7	0.2	67.3	0.1	47.7	0.1	24.3	0.1	15.6	0.1	11.7	0.1		
守谷市	33 568	87.5	0.1	68.0	0.1	48.3	0.1	24.7	0.0	15.9	0.0	11.8	0.0		
常陸大宮市	19 733	87.2	0.1	67.7	0.1	48.2	0.1	24.8	0.0	16.1	0.0	12.1	0.0		
那珂市	27 334	87.5	0.1	67.9	0.1	48.3	0.1	24.8	0.0	16.1	0.0	12.1	0.0		
筑西市	49 415	87.2	0.1	67.6	0.0	47.9	0.0	24.3	0.0	15.6	0.0	11.7	0.0		
坂東市	24 697	86.0	0.2	66.7	0.1	47.2	0.1	23.8	0.0	15.2	0.0	11.3	0.0		
稲敷市	19 058	86.7	0.1	67.0	0.1	47.4	0.1	24.0	0.0	15.4	0.0	11.5	0.0		
かすみがうら市	19 288	86.7	0.1	67.0	0.1	47.5	0.1	24.0	0.0	15.4	0.0	11.5	0.0		
桜川市	19 614	86.8	0.1	67.2	0.1	47.6	0.1	24.2	0.0	15.5	0.0	11.6	0.0		
神栖市	44 584	86.5	0.1	66.9	0.1	47.3	0.0	23.8	0.0	15.1	0.0	11.3	0.0		
行方市	15 772	86.5	0.1	66.8	0.1	47.3	0.1	23.9	0.0	15.3	0.0	11.4	0.0		
鉾田市	21 622	86.4	0.1	66.8	0.1	47.3	0.0	24.0	0.0	15.5	0.0	11.6	0.0		
つくばみらい市	24 697	87.3	0.1	67.6	0.1	48.1	0.1	24.4	0.0	15.7	0.0	11.8	0.0		
小美玉市	23 657	86.7	0.2	67.2	0.1	47.6	0.1	24.2	0.0	15.6	0.0	11.7	0.0		
東茨城郡　茨城町	15 603	86.7	0.2	67.6	0.1	48.1	0.1	24.7	0.0	15.9	0.0	11.9	0.0		
東茨城郡　大洗町	7 547	86.8	0.2	67.2	0.1	47.6	0.1	24.1	0.1	15.5	0.1	11.5	0.1		
東茨城郡　城里町	9 137	86.9	0.2	67.4	0.1	47.8	0.1	24.3	0.1	15.7	0.1	11.8	0.1		
那珂郡　東海村	18 522	86.9	0.2	67.4	0.1	47.8	0.1	24.4	0.1	15.7	0.1	11.6	0.1		
久慈郡　大子町	7 985	86.5	0.2	67.0	0.1	47.4	0.1	24.0	0.1	15.4	0.1	11.5	0.0		
稲敷郡　美浦村	6 946	86.7	0.2	67.1	0.1	47.6	0.1	24.1	0.1	15.4	0.1	11.5	0.1		
稲敷郡　阿見町	23 753	86.6	0.1	67.0	0.1	47.4	0.1	24.1	0.0	15.5	0.0	11.6	0.0		
稲敷郡　河内町	4 117	86.9	0.2	67.3	0.1	47.8	0.1	24.4	0.1	15.8	0.1	11.8	0.1		
結城郡　八千代町	9 849	87.0	0.2	67.4	0.1	47.9	0.1	24.6	0.1	15.8	0.1	11.8	0.1		
猿島郡　五霞町	3 962	86.8	0.2	67.2	0.1	47.6	0.1	24.1	0.1	15.3	0.1	11.4	0.1		
猿島郡　境町	11 569	86.3	0.2	67.0	0.1	47.5	0.1	24.1	0.1	15.4	0.1	11.5	0.1		
北相馬郡　利根町	7 735	87.1	0.2	67.6	0.1	48.0	0.1	24.5	0.1	15.8	0.1	11.9	0.1		
栃木県	947 596	86.9	…	67.2	…	47.7	…	24.3	…	15.7	…	11.7	…		
宇都宮市	253 756	87.4	0.1	67.6	0.0	48.0	0.0	24.7	0.0	16.0	0.0	12.1	0.0		
足利市	71 287	86.3	0.1	66.7	0.0	47.1	0.0	23.8	0.0	15.2	0.0	11.3	0.0		
栃木市	76 421	86.3	0.1	66.7	0.0	47.1	0.0	23.8	0.0	15.2	0.0	11.4	0.0		
佐野市	57 341	86.5	0.1	66.9	0.0	47.2	0.0	24.0	0.0	15.3	0.0	11.5	0.0		
鹿沼市	46 771	86.7	0.1	67.0	0.0	47.4	0.0	24.2	0.0	15.5	0.0	11.6	0.0		
日光市	39 280	86.7	0.2	67.1	0.1	47.6	0.1	24.2	0.0	15.6	0.0	11.5	0.0		
小山市	79 131	87.1	0.1	67.3	0.0	47.9	0.0	24.4	0.0	15.7	0.0	11.8	0.0		
真岡市	36 953	86.8	0.1	67.1	0.1	47.5	0.0	24.0	0.0	15.4	0.0	11.5	0.0		
大田原市	36 079	87.0	0.1	67.3	0.1	47.8	0.1	24.4	0.0	15.8	0.0	11.9	0.0		
矢板市	15 560	86.5	0.2	67.2	0.1	47.7	0.1	24.3	0.0	15.6	0.0	11.6	0.0		
那須塩原市	56 761	86.9	0.1	67.1	0.0	47.5	0.0	24.3	0.0	15.6	0.0	11.8	0.0		
さくら市	21 233	87.1	0.1	67.5	0.1	48.0	0.1	24.6	0.0	15.9	0.0	12.0	0.0		
那須烏山市	12 375	86.5	0.2	66.9	0.1	47.3	0.1	24.0	0.1	15.6	0.0	11.7	0.0		

			男											
		人口	平均余命（年）											
			0歳		20歳		40歳		65歳		75歳		80歳	
		（人）	平均寿命	誤差	平均余命	誤差	平均余命	誤差	平均余命	誤差	平均余命	誤差	平均余命	誤差
下野市		29 141	81.9	0.1	62.3	0.1	42.8	0.1	20.2	0.1	12.5	0.1	9.3	0.1
河内郡	上三川町	15 607	81.3	0.1	61.7	0.1	42.3	0.1	19.8	0.1	12.3	0.1	9.0	0.1
芳賀郡	益子町	10 794	81.1	0.1	61.4	0.1	42.1	0.1	19.6	0.1	12.2	0.1	8.9	0.1
芳賀郡	茂木町	5 841	80.7	0.2	61.1	0.1	42.1	0.1	19.6	0.1	12.3	0.1	9.1	0.1
芳賀郡	市貝町	5 667	81.0	0.2	61.3	0.1	41.9	0.1	19.7	0.1	12.2	0.1	9.1	0.1
芳賀郡	芳賀町	7 478	80.6	0.2	61.1	0.1	42.1	0.1	19.7	0.1	12.2	0.1	8.9	0.1
下都賀郡	壬生町	19 109	81.1	0.1	61.5	0.1	42.1	0.1	19.9	0.1	12.3	0.1	9.1	0.1
下都賀郡	野木町	12 216	81.3	0.2	61.7	0.1	42.3	0.1	19.8	0.1	12.3	0.1	8.9	0.1
塩谷郡	塩谷町	5 120	81.1	0.2	61.5	0.1	42.1	0.1	19.8	0.1	12.3	0.1	9.1	0.1
塩谷郡	高根沢町	15 037	81.1	0.1	61.5	0.1	42.1	0.1	19.8	0.1	12.3	0.1	9.1	0.1
那須郡	那須町	11 692	80.9	0.1	61.3	0.1	42.0	0.1	20.0	0.1	12.5	0.1	9.2	0.1
那須郡	那珂川町	7 628	81.0	0.2	61.4	0.1	42.2	0.1	19.9	0.1	12.6	0.1	9.4	0.1
群馬県		928 834	81.1	…	61.4	…	42.1	…	19.6	…	12.2	…	9.0	…
前橋市		158 443	81.7	0.1	62.0	0.0	42.8	0.0	20.0	0.0	12.5	0.0	9.3	0.0
高崎市		180 079	81.2	0.1	61.5	0.0	42.2	0.0	19.5	0.0	12.2	0.0	9.0	0.0
桐生市		50 635	80.5	0.1	60.9	0.1	41.6	0.1	19.2	0.1	11.9	0.1	8.8	0.1
伊勢崎市		99 494	80.9	0.1	61.3	0.0	42.0	0.0	19.5	0.0	12.1	0.0	8.9	0.0
太田市		107 280	80.8	0.1	61.1	0.0	41.8	0.0	19.3	0.0	12.1	0.0	8.9	0.0
沼田市		21 659	81.0	0.1	61.5	0.1	42.1	0.1	19.7	0.0	12.3	0.1	9.1	0.0
館林市		36 391	81.0	0.1	61.2	0.1	41.8	0.1	19.5	0.1	12.1	0.1	8.8	0.1
渋川市		36 053	80.7	0.1	61.0	0.1	41.5	0.1	19.3	0.1	12.0	0.1	8.8	0.1
藤岡市		30 427	81.1	0.1	61.3	0.1	41.9	0.1	19.7	0.1	12.1	0.1	9.0	0.0
富岡市		23 068	81.2	0.1	61.4	0.1	42.0	0.1	19.4	0.1	12.1	0.1	8.9	0.1
安中市		26 643	81.2	0.1	61.6	0.1	42.2	0.1	19.7	0.0	12.2	0.0	8.9	0.0
みどり市		24 195	80.6	0.1	60.9	0.1	41.6	0.1	19.3	0.1	11.9	0.1	8.7	0.1
北群馬郡	榛東村	7 108	81.0	0.1	61.3	0.1	42.0	0.1	19.6	0.1	12.2	0.1	9.0	0.1
北群馬郡	吉岡町	10 550	81.9	0.1	62.1	0.1	42.7	0.1	20.0	0.1	12.4	0.1	9.2	0.1
多野郡	上野村	573	81.3	0.1	61.6	0.1	42.2	0.1	19.7	0.1	12.3	0.1	9.1	0.1
多野郡	神流町	790	81.0	0.1	61.3	0.1	41.9	0.1	19.6	0.1	12.2	0.1	8.9	0.1
甘楽郡	下仁田町	3 216	81.1	0.1	61.4	0.1	42.2	0.1	19.6	0.1	12.2	0.1	8.9	0.1
甘楽郡	南牧村	759	81.3	0.1	61.6	0.1	42.3	0.1	19.8	0.1	12.4	0.1	9.2	0.1
甘楽郡	甘楽町	6 081	81.1	0.1	61.4	0.1	42.0	0.1	19.6	0.1	12.1	0.1	8.9	0.1
吾妻郡	中之条町	7 413	81.3	0.1	61.6	0.1	42.3	0.1	19.9	0.1	12.6	0.1	9.3	0.1
吾妻郡	長野原町	2 497	81.3	0.1	61.6	0.1	42.2	0.1	19.7	0.1	12.3	0.1	9.1	0.1
吾妻郡	嬬恋村	4 410	81.4	0.1	61.7	0.1	42.3	0.1	19.8	0.1	12.2	0.1	8.9	0.1
吾妻郡	草津町	2 929	81.3	0.1	61.5	0.1	42.3	0.1	19.8	0.1	12.5	0.1	9.3	0.1
吾妻郡	高山村	1 620	81.1	0.1	61.4	0.1	42.0	0.1	19.6	0.1	12.2	0.1	9.1	0.1
吾妻郡	東吾妻町	6 176	81.2	0.1	61.5	0.1	42.2	0.1	19.7	0.1	12.4	0.1	9.1	0.1
利根郡	片品村	1 921	81.2	0.1	61.5	0.1	42.2	0.1	19.7	0.1	12.3	0.1	9.0	0.1
利根郡	川場村	1 589	81.3	0.1	61.6	0.1	42.4	0.1	19.9	0.1	12.7	0.1	9.5	0.1
利根郡	昭和村	3 266	81.1	0.1	61.4	0.1	42.1	0.1	19.7	0.1	12.3	0.1	9.2	0.1
利根郡	みなかみ町	8 233	81.3	0.1	61.6	0.1	42.2	0.1	19.9	0.1	12.5	0.1	9.4	0.1
佐波郡	玉村町	17 106	81.5	0.1	61.9	0.1	42.5	0.1	19.9	0.1	12.3	0.1	9.0	0.1
邑楽郡	板倉町	6 897	80.6	0.1	60.8	0.1	41.5	0.1	19.3	0.1	12.0	0.1	8.8	0.1

		女													
		人口 (人)	平均余命（年）												
			0歳		20歳		40歳		65歳		75歳		80歳		
			平均寿命	誤差	平均余命	誤差	平均余命	誤差	平均余命	誤差	平均余命	誤差	平均余命	誤差
下野市		29 648	87.3	0.1	67.7	0.1	47.9	0.1	24.4	0.0	15.7	0.0	11.8	0.0
河内郡	上三川町	14 813	87.0	0.1	67.3	0.1	47.6	0.1	24.2	0.1	15.6	0.1	11.7	0.1
芳賀郡	益子町	10 906	86.7	0.2	67.1	0.1	47.5	0.1	24.2	0.1	15.5	0.1	11.6	0.1
芳賀郡	茂木町	5 956	86.8	0.2	67.1	0.1	47.8	0.1	24.4	0.1	15.7	0.1	11.8	0.1
芳賀郡	市貝町	5 422	87.0	0.2	67.4	0.1	47.9	0.1	24.5	0.1	15.8	0.1	11.8	0.1
芳賀郡	芳賀町	7 321	87.0	0.2	67.3	0.1	47.7	0.1	24.3	0.1	15.6	0.1	11.8	0.1
下都賀郡	壬生町	19 820	87.2	0.1	67.4	0.1	47.8	0.1	24.4	0.0	15.7	0.0	11.9	0.0
下都賀郡	野木町	12 372	87.0	0.2	67.4	0.1	47.7	0.1	24.3	0.1	15.6	0.1	11.6	0.1
塩谷郡	塩谷町	5 181	86.6	0.2	66.9	0.1	47.5	0.1	24.1	0.1	15.5	0.1	11.7	0.1
塩谷郡	高根沢町	13 766	87.3	0.1	67.5	0.1	48.1	0.1	24.7	0.1	16.1	0.1	12.0	0.0
那須郡	那須町	12 000	87.1	0.2	67.4	0.1	47.9	0.1	24.6	0.1	16.0	0.0	12.1	0.0
那須郡	那珂川町	7 443	87.3	0.1	67.5	0.1	47.9	0.1	24.5	0.1	16.0	0.1	11.9	0.1
群馬県		950 986	87.2	…	67.5	…	47.9	…	24.4	…	15.8	…	11.8	…
前橋市		166 453	87.6	0.1	67.9	0.0	48.2	0.0	24.6	0.0	15.9	0.0	11.9	0.0
高崎市		187 135	87.6	0.1	67.9	0.0	48.3	0.0	24.7	0.0	16.0	0.0	12.0	0.0
桐生市		54 113	86.7	0.1	67.0	0.1	47.2	0.0	23.8	0.0	15.2	0.0	11.4	0.0
伊勢崎市		99 275	87.0	0.1	67.3	0.0	47.7	0.0	24.3	0.0	15.7	0.0	11.8	0.0
太田市		103 729	86.7	0.1	67.0	0.1	47.4	0.0	24.0	0.0	15.5	0.0	11.7	0.0
沼田市		23 094	87.7	0.1	68.0	0.1	48.4	0.1	24.7	0.0	16.1	0.0	12.2	0.0
館林市		36 282	87.0	0.1	67.3	0.1	47.9	0.0	24.5	0.0	15.9	0.0	12.0	0.0
渋川市		37 750	86.9	0.1	67.3	0.1	47.8	0.1	24.6	0.0	15.8	0.0	11.9	0.0
藤岡市		32 049	87.4	0.1	67.6	0.1	48.1	0.1	24.7	0.0	16.0	0.0	12.1	0.0
富岡市		23 567	87.1	0.1	67.3	0.1	47.9	0.1	24.2	0.0	15.5	0.0	11.6	0.0
安中市		27 753	87.2	0.1	67.5	0.1	48.0	0.1	24.2	0.0	15.6	0.0	11.7	0.0
みどり市		24 731	86.7	0.1	67.0	0.1	47.5	0.1	24.4	0.0	15.8	0.0	11.8	0.0
北群馬郡	榛東村	6 939	87.5	0.1	67.7	0.1	48.1	0.1	24.6	0.1	15.9	0.1	12.0	0.1
北群馬郡	吉岡町	11 085	87.3	0.1	67.6	0.1	47.9	0.1	24.4	0.1	15.6	0.1	11.6	0.1
多野郡	上野村	538	87.3	0.2	67.6	0.1	48.0	0.1	24.5	0.1	15.9	0.1	12.0	0.1
多野郡	神流町	844	87.2	0.1	67.5	0.1	47.9	0.1	24.4	0.1	15.8	0.1	11.9	0.1
甘楽郡	下仁田町	3 329	87.2	0.1	67.5	0.1	48.0	0.1	24.4	0.1	15.8	0.1	11.7	0.1
甘楽郡	南牧村	847	87.0	0.2	67.3	0.1	47.9	0.1	24.4	0.1	15.8	0.1	11.9	0.1
甘楽郡	甘楽町	6 249	86.9	0.1	67.2	0.1	47.6	0.1	24.0	0.1	15.4	0.1	11.5	0.1
吾妻郡	中之条町	7 777	87.3	0.1	67.6	0.1	48.1	0.1	24.6	0.1	16.0	0.1	12.1	0.1
吾妻郡	長野原町	2 539	87.2	0.1	67.5	0.1	47.9	0.1	24.4	0.1	15.8	0.1	11.8	0.1
吾妻郡	嬬恋村	4 296	87.5	0.1	67.8	0.1	48.2	0.1	24.7	0.1	16.1	0.1	12.1	0.1
吾妻郡	草津町	2 853	87.1	0.1	67.5	0.1	47.8	0.1	24.4	0.1	15.7	0.1	11.8	0.1
吾妻郡	高山村	1 698	87.1	0.2	67.4	0.1	47.8	0.1	24.4	0.1	15.7	0.1	11.8	0.1
吾妻郡	東吾妻町	6 312	87.2	0.1	67.6	0.1	48.1	0.1	24.5	0.1	15.8	0.1	11.8	0.1
利根郡	片品村	2 030	87.2	0.2	67.5	0.1	47.9	0.1	24.4	0.1	15.7	0.1	11.7	0.1
利根郡	川場村	1 881	87.8	0.2	68.2	0.1	48.7	0.1	25.1	0.1	16.5	0.1	12.6	0.1
利根郡	昭和村	3 251	87.0	0.1	67.3	0.1	47.8	0.1	24.5	0.1	15.8	0.1	11.8	0.1
利根郡	みなかみ町	8 733	87.1	0.1	67.4	0.1	47.9	0.1	24.3	0.1	15.6	0.1	11.6	0.1
佐波郡	玉村町	17 963	87.5	0.1	67.9	0.1	48.2	0.1	24.7	0.1	15.9	0.1	12.0	0.1
邑楽郡	板倉町	6 893	86.9	0.2	67.3	0.1	47.6	0.1	24.2	0.1	15.6	0.1	11.6	0.1

		人口	男												
			平均余命（年）												
			0歳		20歳		40歳		65歳		75歳		80歳		
		（人）	平均寿命	誤差	平均余命	誤差	平均余命	誤差	平均余命	誤差	平均余命	誤差	平均余命	誤差
邑楽郡	明和町	5 336	81.1	0.1	61.4	0.1	42.1	0.1	19.5	0.1	12.1	0.1	8.9	0.1
邑楽郡	千代田町	5 320	81.0	0.1	61.3	0.1	41.9	0.1	19.6	0.1	12.2	0.1	8.9	0.1
邑楽郡	大泉町	18 195	81.3	0.1	61.5	0.1	42.0	0.1	19.6	0.1	12.2	0.1	9.1	0.1
邑楽郡	邑楽町	12 482	81.0	0.1	61.2	0.1	41.9	0.1	19.5	0.1	12.2	0.1	8.9	0.1
埼玉県		3 559 650	81.4	…	61.8	…	42.3	…	19.8	…	12.4	…	9.2	…
さいたま市		640 115	82.0	…	62.3	…	42.8	…	20.0	…	12.6	…	9.4	…
さいたま市	西区	45 343	81.5	0.1	61.9	0.0	42.3	0.0	19.9	0.0	12.6	0.0	9.4	0.0
さいたま市	北区	72 121	82.3	0.1	62.6	0.0	43.0	0.0	19.9	0.0	12.5	0.0	9.4	0.0
さいたま市	大宮区	57 034	82.0	0.1	62.3	0.0	42.7	0.0	19.9	0.0	12.4	0.0	9.1	0.0
さいたま市	見沼区	79 281	81.9	0.1	62.4	0.0	42.8	0.0	20.2	0.0	12.9	0.0	9.7	0.0
さいたま市	中央区	50 128	82.3	0.1	62.6	0.0	43.1	0.0	20.2	0.0	12.8	0.0	9.5	0.0
さいたま市	桜区	48 418	81.6	0.1	62.0	0.1	42.6	0.0	20.0	0.0	12.6	0.0	9.4	0.0
さいたま市	浦和区	78 067	82.8	0.1	63.2	0.0	43.5	0.0	20.4	0.0	12.8	0.0	9.5	0.0
さいたま市	南区	92 907	82.0	0.1	62.3	0.0	42.8	0.0	19.9	0.0	12.4	0.0	9.2	0.0
さいたま市	緑区	62 342	81.7	0.1	62.0	0.0	42.5	0.0	19.8	0.0	12.4	0.0	9.3	0.0
さいたま市	岩槻区	54 474	81.0	0.1	61.4	0.1	42.0	0.1	19.6	0.1	12.3	0.1	9.3	0.1
川越市		172 725	81.8	0.1	62.0	0.0	42.6	0.0	20.2	0.0	12.6	0.0	9.3	0.0
熊谷市		95 454	80.9	0.1	61.1	0.1	41.7	0.0	19.3	0.0	11.9	0.0	8.9	0.0
川口市		280 428	80.4	0.1	60.7	0.0	41.3	0.0	18.9	0.0	11.8	0.0	8.8	0.0
行田市		37 956	80.7	0.1	61.1	0.1	41.6	0.1	19.4	0.0	12.0	0.1	8.8	0.0
秩父市		28 873	80.9	0.1	61.2	0.1	41.9	0.1	19.6	0.1	12.1	0.1	9.1	0.1
所沢市		165 352	81.9	0.1	62.3	0.0	42.9	0.0	20.5	0.0	12.9	0.0	9.6	0.0
飯能市		39 791	81.7	0.1	62.1	0.1	42.6	0.1	20.2	0.1	12.5	0.1	9.2	0.1
加須市		54 770	81.2	0.1	61.6	0.0	42.2	0.0	19.6	0.0	12.1	0.0	8.9	0.0
本庄市		37 892	80.4	0.1	60.7	0.1	41.2	0.1	18.8	0.0	11.8	0.0	8.7	0.0
東松山市		44 678	81.8	0.1	61.9	0.1	42.4	0.0	19.9	0.0	12.4	0.0	9.2	0.0
春日部市		111 682	81.5	0.1	62.0	0.1	42.5	0.0	20.3	0.0	12.8	0.0	9.4	0.0
狭山市		72 929	81.9	0.1	62.1	0.0	42.6	0.0	20.2	0.0	12.7	0.0	9.6	0.0
羽生市		25 366	80.9	0.1	61.3	0.1	41.9	0.1	19.7	0.1	12.3	0.1	9.0	0.1
鴻巣市		56 747	81.9	0.1	62.2	0.0	42.8	0.0	20.3	0.0	12.7	0.0	9.4	0.0
深谷市		68 607	80.5	0.1	60.8	0.0	41.4	0.0	19.1	0.0	11.7	0.0	8.7	0.0
上尾市		110 399	82.1	0.1	62.3	0.0	42.8	0.0	20.2	0.0	12.6	0.0	9.3	0.0
草加市		121 736	81.3	0.1	61.6	0.0	42.2	0.0	19.7	0.0	12.3	0.0	9.1	0.0
越谷市		165 555	81.2	0.1	61.6	0.0	42.2	0.0	19.7	0.0	12.3	0.0	9.1	0.0
蕨市		34 140	80.9	0.1	61.2	0.1	41.7	0.1	19.3	0.1	12.3	0.1	9.2	0.1
戸田市		67 879	80.9	0.1	61.2	0.0	41.6	0.0	19.1	0.0	12.1	0.0	8.9	0.0
入間市		70 712	81.9	0.1	62.2	0.0	42.7	0.0	20.2	0.0	12.5	0.0	9.2	0.0
朝霞市		68 786	81.6	0.1	61.9	0.0	42.3	0.0	19.8	0.0	12.4	0.0	9.2	0.0
志木市		36 104	81.7	0.1	61.9	0.1	42.4	0.1	19.8	0.1	12.4	0.1	9.3	0.1
和光市		41 952	82.1	0.1	62.2	0.1	42.8	0.1	20.1	0.1	12.6	0.1	9.4	0.1
新座市		80 032	81.8	0.1	62.1	0.0	42.6	0.0	19.9	0.0	12.6	0.0	9.5	0.0
桶川市		36 505	81.4	0.1	61.7	0.1	42.4	0.1	19.9	0.0	12.4	0.0	9.0	0.0
久喜市		73 224	81.8	0.1	62.0	0.0	42.6	0.0	20.0	0.0	12.5	0.0	9.1	0.0
北本市		31 961	81.5	0.1	62.0	0.1	42.6	0.1	20.1	0.0	12.5	0.0	9.2	0.0

			女												
		人口	平均余命（年）												
			0歳		20歳		40歳		65歳		75歳		80歳		
		（人）	平均寿命	誤差	平均余命	誤差	平均余命	誤差	平均余命	誤差	平均余命	誤差	平均余命	誤差
邑楽郡	明和町	5 270	87.3	0.1	67.6	0.1	47.9	0.1	24.4	0.1	15.7	0.1	11.7	0.1
邑楽郡	千代田町	5 202	87.2	0.1	67.5	0.1	47.9	0.1	24.5	0.1	15.9	0.1	11.9	0.1
邑楽郡	大泉町	16 157	86.8	0.1	67.2	0.1	47.8	0.1	24.4	0.1	15.6	0.1	11.8	0.1
邑楽郡	邑楽町	12 369	87.0	0.1	67.2	0.1	47.8	0.1	24.4	0.1	15.8	0.1	11.9	0.1
埼玉県		3 599 437	87.3	…	67.6	…	47.9	…	24.6	…	15.9	…	12.0	…
さいたま市		656 982	87.9	…	68.2	…	48.5	…	25.0	…	16.4	…	12.4	…
さいたま市	西区	47 113	88.1	0.1	68.3	0.0	48.5	0.0	25.0	0.0	16.5	0.0	12.5	0.0
さいたま市	北区	74 184	88.1	0.1	68.3	0.0	48.7	0.0	25.2	0.0	16.5	0.0	12.6	0.0
さいたま市	大宮区	57 893	87.8	0.1	68.1	0.0	48.4	0.0	24.8	0.0	16.3	0.0	12.2	0.0
さいたま市	見沼区	82 687	87.8	0.1	68.1	0.0	48.4	0.0	25.2	0.0	16.5	0.0	12.6	0.0
さいたま市	中央区	51 242	88.1	0.1	68.3	0.0	48.7	0.0	25.1	0.0	16.4	0.0	12.4	0.0
さいたま市	桜区	47 503	88.0	0.1	68.3	0.0	48.7	0.0	25.1	0.0	16.5	0.0	12.6	0.0
さいたま市	浦和区	83 524	88.3	0.1	68.5	0.0	48.8	0.0	25.2	0.0	16.5	0.0	12.5	0.0
さいたま市	南区	93 465	88.2	0.1	68.4	0.0	48.6	0.0	24.9	0.0	16.3	0.0	12.3	0.0
さいたま市	緑区	64 181	87.7	0.1	67.9	0.0	48.3	0.0	24.9	0.0	16.2	0.0	12.3	0.0
さいたま市	岩槻区	55 190	87.2	0.1	67.5	0.0	48.0	0.0	24.8	0.0	16.2	0.0	12.2	0.0
川越市		173 062	87.1	0.0	67.3	0.0	47.7	0.0	24.3	0.0	15.6	0.0	11.6	0.0
熊谷市		95 600	86.6	0.1	66.9	0.0	47.3	0.0	24.1	0.0	15.6	0.0	11.7	0.0
川口市		276 895	86.6	0.0	66.9	0.0	47.3	0.0	24.0	0.0	15.5	0.0	11.7	0.0
行田市		39 110	87.0	0.1	67.2	0.0	47.5	0.0	24.3	0.0	15.7	0.0	11.8	0.0
秩父市		30 264	87.3	0.1	67.5	0.1	47.7	0.0	24.4	0.0	15.8	0.0	11.9	0.0
所沢市		171 339	87.9	0.1	68.1	0.0	48.5	0.0	25.0	0.0	16.2	0.0	12.2	0.0
飯能市		39 568	87.2	0.1	67.5	0.1	47.9	0.0	24.5	0.0	16.0	0.0	12.1	0.0
加須市		54 575	87.3	0.1	67.5	0.0	47.8	0.0	24.4	0.0	15.7	0.0	11.8	0.0
本庄市		38 083	87.2	0.1	67.3	0.0	47.8	0.0	24.2	0.0	15.6	0.0	11.6	0.0
東松山市		44 364	87.0	0.1	67.4	0.1	47.8	0.0	24.6	0.0	15.9	0.0	11.9	0.0
春日部市		114 614	86.8	0.1	67.2	0.0	47.8	0.0	24.5	0.0	15.9	0.0	11.9	0.0
狭山市		73 092	87.7	0.1	67.8	0.0	48.2	0.0	24.9	0.0	16.3	0.0	12.3	0.0
羽生市		25 949	87.1	0.1	67.3	0.1	47.6	0.1	24.4	0.0	15.8	0.0	11.9	0.0
鴻巣市		58 258	87.2	0.1	67.7	0.0	48.0	0.0	24.4	0.0	15.7	0.0	11.7	0.0
深谷市		69 610	87.2	0.1	67.4	0.0	47.7	0.0	24.3	0.0	15.6	0.0	11.7	0.0
上尾市		112 626	87.1	0.1	67.5	0.0	47.8	0.0	24.5	0.0	15.8	0.0	11.9	0.0
草加市		119 420	87.1	0.1	67.5	0.0	47.8	0.0	24.5	0.0	15.9	0.0	11.9	0.0
越谷市		169 459	87.3	0.1	67.5	0.0	47.9	0.0	24.6	0.0	15.9	0.0	12.0	0.0
蕨市		33 630	87.4	0.1	67.6	0.1	48.0	0.1	24.7	0.0	16.1	0.0	12.1	0.0
戸田市		65 812	87.3	0.1	67.5	0.0	47.8	0.0	24.4	0.0	15.9	0.0	12.0	0.0
入間市		72 763	87.3	0.1	67.8	0.0	48.2	0.0	24.7	0.0	16.1	0.0	12.1	0.0
朝霞市		68 503	87.5	0.1	67.8	0.0	48.0	0.0	24.6	0.0	16.0	0.0	12.1	0.0
志木市		37 434	88.0	0.1	68.3	0.1	48.5	0.0	25.0	0.0	16.4	0.0	12.5	0.0
和光市		39 811	87.9	0.1	68.1	0.1	48.4	0.1	24.9	0.0	16.2	0.0	12.3	0.0
新座市		82 346	87.5	0.1	67.8	0.0	48.2	0.0	24.9	0.0	16.2	0.0	12.1	0.0
桶川市		37 411	87.4	0.1	67.6	0.1	47.9	0.0	24.6	0.0	16.0	0.0	11.9	0.0
久喜市		74 341	87.4	0.1	67.5	0.0	48.0	0.0	24.4	0.0	15.8	0.0	11.9	0.0
北本市		32 678	87.2	0.1	67.4	0.1	47.8	0.0	24.4	0.0	15.8	0.0	11.9	0.0

			男												
		人口	平均余命（年）												
			0歳		20歳		40歳		65歳		75歳		80歳		
		（人）	平均寿命	誤差	平均余命	誤差	平均余命	誤差	平均余命	誤差	平均余命	誤差	平均余命	誤差
八潮市		45 968	81.4	0.1	61.6	0.1	42.1	0.1	19.5	0.0	12.3	0.0	9.3	0.1
富士見市		53 638	81.3	0.1	61.5	0.1	42.1	0.0	19.7	0.0	12.3	0.0	9.0	0.1
三郷市		68 958	81.2	0.1	61.4	0.0	41.9	0.0	19.6	0.0	12.3	0.0	9.2	0.0
蓮田市		30 163	81.6	0.1	62.0	0.1	42.6	0.1	20.3	0.0	12.6	0.0	9.3	0.1
坂戸市		48 544	81.5	0.1	61.8	0.1	42.4	0.0	19.9	0.0	12.4	0.0	9.2	0.0
幸手市		24 443	81.2	0.2	61.6	0.1	42.3	0.1	19.8	0.1	12.4	0.1	9.2	0.1
鶴ヶ島市		33 927	81.6	0.1	62.0	0.1	42.5	0.1	19.9	0.1	12.2	0.1	9.2	0.1
日高市		26 622	81.2	0.2	61.5	0.1	42.0	0.1	19.6	0.1	12.2	0.1	9.0	0.1
吉川市		35 038	81.5	0.1	61.7	0.1	42.2	0.1	19.6	0.1	12.2	0.1	9.1	0.1
ふじみ野市		54 580	81.4	0.1	61.6	0.0	42.1	0.0	19.5	0.0	12.4	0.0	9.3	0.0
白岡市		25 487	81.7	0.1	62.0	0.1	42.5	0.1	20.1	0.1	12.4	0.1	9.2	0.1
北足立郡	伊奈町	22 281	82.0	0.1	62.2	0.1	42.8	0.1	20.3	0.1	12.6	0.1	9.3	0.1
入間郡	三芳町	18 575	81.1	0.1	61.4	0.1	42.1	0.1	19.9	0.1	12.6	0.1	9.3	0.1
入間郡	毛呂山町	17 298	81.4	0.1	61.7	0.1	42.3	0.1	19.9	0.1	12.6	0.1	9.3	0.1
入間郡	越生町	5 442	81.7	0.1	62.0	0.1	42.5	0.1	20.2	0.1	12.7	0.1	9.2	0.1
比企郡	滑川町	9 793	81.4	0.2	61.9	0.1	42.4	0.1	19.8	0.1	12.6	0.1	9.2	0.1
比企郡	嵐山町	8 643	81.4	0.1	61.7	0.1	42.3	0.1	19.7	0.1	12.1	0.1	8.8	0.1
比企郡	小川町	14 042	81.5	0.1	61.8	0.1	42.3	0.1	19.8	0.1	12.1	0.1	9.0	0.1
比企郡	川島町	9 661	81.7	0.1	62.0	0.1	42.6	0.1	20.2	0.1	12.5	0.1	9.2	0.1
比企郡	吉見町	9 051	81.2	0.2	61.6	0.1	42.2	0.1	19.7	0.1	12.2	0.1	9.0	0.1
比企郡	鳩山町	6 505	82.1	0.1	62.4	0.1	43.0	0.1	20.5	0.1	12.8	0.1	9.4	0.1
比企郡	ときがわ町	5 212	81.4	0.1	61.7	0.1	42.3	0.1	19.8	0.1	12.3	0.1	9.1	0.1
秩父郡	横瀬町	3 950	80.7	0.2	61.3	0.1	41.8	0.1	19.2	0.1	12.0	0.1	9.1	0.1
秩父郡	皆野町	4 552	81.4	0.1	61.7	0.1	42.3	0.1	19.7	0.1	12.3	0.1	9.2	0.1
秩父郡	長瀞町	3 308	81.4	0.2	61.7	0.1	42.3	0.1	19.8	0.1	12.3	0.1	9.0	0.1
秩父郡	小鹿野町	5 333	81.3	0.1	61.7	0.1	42.2	0.1	19.7	0.1	12.2	0.1	9.0	0.1
秩父郡	東秩父村	1 350	81.4	0.2	61.8	0.1	42.3	0.1	19.9	0.1	12.5	0.1	9.2	0.1
児玉郡	美里町	5 448	80.6	0.1	60.8	0.1	41.4	0.1	18.8	0.1	11.8	0.1	8.8	0.1
児玉郡	神川町	6 550	80.3	0.2	60.7	0.1	41.2	0.1	18.8	0.1	11.6	0.1	8.9	0.1
児玉郡	上里町	14 461	81.1	0.1	61.3	0.1	41.8	0.1	19.3	0.1	11.9	0.1	8.8	0.1
大里郡	寄居町	15 816	81.3	0.1	61.6	0.1	42.2	0.1	19.6	0.1	12.0	0.1	8.9	0.1
南埼玉郡	宮代町	16 963	81.5	0.1	61.7	0.1	42.4	0.1	20.0	0.1	12.7	0.1	9.4	0.1
北葛飾郡	杉戸町	21 651	81.5	0.2	62.0	0.1	42.6	0.1	20.1	0.1	12.7	0.1	9.4	0.1
北葛飾郡	松伏町	14 047	81.2	0.2	61.6	0.1	42.1	0.1	19.8	0.1	12.2	0.1	9.0	0.1
千葉県		3 039 216	81.5	…	61.8	…	42.4	…	20.0	…	12.5	…	9.3	…
千葉市		467 453	81.2	…	61.6	…	42.2	…	19.9	…	12.6	…	9.4	…
千葉市	中央区	102 843	80.3	0.1	60.6	0.0	41.2	0.0	19.3	0.0	12.3	0.0	9.3	0.0
千葉市	花見川区	84 846	81.5	0.1	61.8	0.1	42.5	0.0	20.0	0.0	12.6	0.0	9.4	0.0
千葉市	稲毛区	78 173	81.5	0.1	61.9	0.0	42.5	0.0	20.1	0.0	12.7	0.0	9.6	0.0
千葉市	若葉区	71 154	80.3	0.1	60.5	0.1	41.3	0.0	19.5	0.0	12.5	0.0	9.5	0.0
千葉市	緑区	62 379	81.5	0.1	61.8	0.0	42.3	0.0	19.9	0.0	12.5	0.0	9.4	0.0
千葉市	美浜区	68 058	82.6	0.1	63.0	0.0	43.6	0.0	20.7	0.0	12.9	0.0	9.5	0.0
銚子市		27 125	80.5	0.1	60.9	0.1	41.5	0.1	19.3	0.0	12.1	0.0	8.9	0.0
市川市		242 076	81.6	0.0	61.9	0.0	42.4	0.0	19.8	0.0	12.4	0.0	9.3	0.0

			女												
		人口	平均余命（年）												
			0歳		20歳		40歳		65歳		75歳		80歳		
		（人）	平均寿命	誤差	平均余命	誤差	平均余命	誤差	平均余命	誤差	平均余命	誤差	平均余命	誤差
八潮市		43 458	87.4	0.1	67.7	0.1	48.0	0.0	24.5	0.0	16.0	0.0	12.1	0.0
富士見市		55 456	87.1	0.1	67.4	0.0	47.7	0.0	24.3	0.0	15.6	0.0	11.7	0.0
三郷市		68 375	87.1	0.1	67.4	0.0	47.8	0.0	24.5	0.0	15.9	0.0	12.0	0.0
蓮田市		30 727	87.8	0.1	68.1	0.1	48.5	0.0	25.0	0.0	16.3	0.0	12.3	0.0
坂戸市		48 817	87.4	0.1	67.7	0.0	48.1	0.0	24.7	0.0	16.0	0.0	12.1	0.0
幸手市		24 575	87.1	0.1	67.3	0.1	47.6	0.1	24.4	0.0	15.7	0.0	11.9	0.0
鶴ヶ島市		34 804	87.5	0.1	67.8	0.1	48.0	0.1	24.6	0.0	15.8	0.0	11.9	0.0
日高市		27 148	87.5	0.1	67.6	0.1	48.1	0.0	24.7	0.0	15.9	0.0	12.0	0.0
吉川市		35 377	87.1	0.1	67.4	0.1	47.8	0.1	24.3	0.0	15.7	0.0	11.8	0.0
ふじみ野市		56 079	87.9	0.1	68.1	0.0	48.5	0.0	25.1	0.0	16.4	0.0	12.4	0.0
白岡市		26 166	87.7	0.1	67.9	0.1	48.3	0.1	24.7	0.0	16.0	0.0	11.9	0.0
北足立郡	伊奈町	22 103	87.3	0.1	67.5	0.1	47.9	0.1	24.6	0.1	16.0	0.1	12.1	0.1
入間郡	三芳町	19 105	87.8	0.1	68.1	0.1	48.4	0.1	25.0	0.1	16.3	0.0	12.3	0.0
入間郡	毛呂山町	17 521	87.0	0.2	67.4	0.1	47.7	0.1	24.4	0.1	15.8	0.1	11.9	0.1
入間郡	越生町	5 462	87.2	0.1	67.4	0.1	47.8	0.1	24.4	0.1	15.7	0.1	11.8	0.1
比企郡	滑川町	9 429	87.4	0.2	67.7	0.1	48.0	0.1	24.5	0.1	15.9	0.1	11.9	0.1
比企郡	嵐山町	8 652	86.6	0.1	67.0	0.1	47.4	0.1	24.1	0.1	15.4	0.1	11.5	0.1
比企郡	小川町	14 209	87.2	0.1	67.4	0.1	47.8	0.1	24.3	0.1	15.6	0.1	11.8	0.1
比企郡	川島町	9 381	87.5	0.1	67.7	0.1	48.0	0.1	24.6	0.1	15.9	0.1	12.0	0.1
比企郡	吉見町	8 986	86.7	0.1	67.0	0.1	47.3	0.1	23.9	0.1	15.1	0.1	11.2	0.1
比企郡	鳩山町	6 922	87.2	0.2	67.5	0.1	47.9	0.1	24.6	0.1	16.1	0.1	12.1	0.1
比企郡	ときがわ町	5 152	87.0	0.1	67.2	0.1	47.6	0.1	24.3	0.1	15.6	0.1	11.6	0.1
秩父郡	横瀬町	3 966	86.8	0.2	67.2	0.1	47.6	0.1	24.1	0.1	15.5	0.1	11.6	0.1
秩父郡	皆野町	4 686	87.2	0.1	67.5	0.1	47.9	0.1	24.6	0.1	16.0	0.1	12.1	0.1
秩父郡	長瀞町	3 475	87.2	0.1	67.5	0.1	47.9	0.1	24.5	0.1	15.9	0.1	12.0	0.1
秩父郡	小鹿野町	5 495	87.3	0.1	67.6	0.1	47.9	0.1	24.5	0.1	15.8	0.1	11.9	0.1
秩父郡	東秩父村	1 350	87.4	0.2	67.7	0.1	48.0	0.1	24.7	0.1	16.0	0.1	12.1	0.1
児玉郡	美里町	5 454	86.7	0.2	67.2	0.1	47.5	0.1	24.3	0.1	15.7	0.1	11.8	0.1
児玉郡	神川町	6 418	86.8	0.1	67.1	0.1	47.4	0.1	24.0	0.1	15.3	0.1	11.4	0.1
児玉郡	上里町	14 742	86.8	0.1	67.0	0.1	47.4	0.1	24.1	0.1	15.4	0.1	11.5	0.1
大里郡	寄居町	16 045	87.1	0.1	67.3	0.1	47.7	0.1	24.4	0.1	15.9	0.0	12.0	0.0
南埼玉郡	宮代町	16 766	87.4	0.1	67.8	0.1	48.1	0.1	24.7	0.1	16.1	0.1	12.1	0.1
北葛飾郡	杉戸町	21 645	87.2	0.2	67.6	0.1	48.0	0.1	24.5	0.1	15.9	0.1	11.9	0.1
北葛飾郡	松伏町	13 892	87.0	0.1	67.2	0.1	47.6	0.1	24.3	0.1	15.6	0.1	11.7	0.1
千葉県		3 082 989	87.5	...	67.8	...	48.2	...	24.7	...	16.1	...	12.1	...
千葉市		479 116	87.7	...	68.0	...	48.4	...	24.9	...	16.3	...	12.3	...
千葉市	中央区	102 279	87.4	0.1	67.7	0.0	48.1	0.0	24.7	0.0	16.0	0.0	12.2	0.0
千葉市	花見川区	87 753	87.7	0.1	68.0	0.0	48.4	0.0	25.0	0.0	16.3	0.0	12.3	0.0
千葉市	稲毛区	78 073	87.8	0.1	68.0	0.0	48.4	0.0	25.0	0.0	16.3	0.0	12.2	0.0
千葉市	若葉区	71 971	87.6	0.1	67.8	0.0	48.2	0.0	24.8	0.0	16.2	0.0	12.2	0.0
千葉市	緑区	65 511	87.5	0.1	67.9	0.0	48.4	0.0	24.8	0.0	16.2	0.0	12.2	0.0
千葉市	美浜区	73 529	88.2	0.1	68.5	0.0	48.8	0.0	25.2	0.0	16.5	0.0	12.5	0.0
銚子市		29 088	86.5	0.1	66.8	0.1	47.2	0.0	23.9	0.0	15.3	0.0	11.4	0.0
市川市		236 249	87.9	0.1	68.2	0.0	48.4	0.0	24.8	0.0	16.2	0.0	12.1	0.0

			男										
		人口	平均余命（年）										
			0歳		20歳		40歳		65歳		75歳		80歳	
		（人）	平均寿命	誤差	平均余命	誤差	平均余命	誤差	平均余命	誤差	平均余命	誤差	平均余命	誤差
船橋市		309 409	81.9	0.0	62.2	0.0	42.6	0.0	20.1	0.0	12.7	0.0	9.4	0.0
館山市		21 761	81.5	0.1	62.0	0.1	42.7	0.1	20.2	0.0	12.6	0.0	9.3	0.0
木更津市		67 360	81.1	0.1	61.6	0.0	42.2	0.0	19.8	0.0	12.3	0.0	9.0	0.0
松戸市		238 782	81.3	0.1	61.7	0.0	42.3	0.0	19.9	0.0	12.5	0.0	9.3	0.0
野田市		74 408	80.8	0.1	61.3	0.0	42.0	0.0	19.6	0.0	12.2	0.0	8.9	0.0
茂原市		42 139	80.7	0.1	61.2	0.1	41.8	0.0	19.5	0.0	12.2	0.0	9.1	0.0
成田市		63 147	81.6	0.1	62.0	0.1	42.6	0.0	20.1	0.0	12.8	0.0	9.5	0.0
佐倉市		80 880	82.1	0.1	62.4	0.0	43.1	0.0	20.5	0.0	12.6	0.0	9.3	0.0
東金市		28 456	81.2	0.1	61.5	0.1	42.0	0.1	19.6	0.0	12.2	0.0	8.9	0.0
旭市		30 641	80.9	0.1	61.2	0.1	41.8	0.1	19.7	0.0	12.3	0.0	9.1	0.0
習志野市		85 787	82.1	0.1	62.5	0.0	43.0	0.0	20.2	0.0	12.8	0.0	9.6	0.0
柏市		206 125	82.1	0.1	62.5	0.0	43.0	0.0	20.4	0.0	12.8	0.0	9.5	0.0
勝浦市		8 613	81.2	0.1	61.5	0.1	42.0	0.1	19.7	0.1	12.4	0.1	9.2	0.1
市原市		135 711	80.6	0.1	61.0	0.0	41.6	0.0	19.6	0.0	12.3	0.0	9.1	0.0
流山市		96 897	82.7	0.1	63.0	0.0	43.4	0.0	20.7	0.0	13.1	0.0	9.7	0.0
八千代市		95 342	81.8	0.1	62.1	0.0	42.6	0.0	20.0	0.0	12.7	0.0	9.4	0.0
我孫子市		62 714	82.3	0.1	62.6	0.0	43.1	0.0	20.6	0.0	13.0	0.0	9.6	0.0
鴨川市		15 027	80.9	0.1	61.2	0.1	41.8	0.1	19.5	0.1	12.5	0.1	9.3	0.1
鎌ケ谷市		52 818	81.7	0.1	62.0	0.1	42.6	0.0	20.1	0.0	12.7	0.0	9.5	0.0
君津市		41 623	81.3	0.1	61.7	0.1	42.1	0.1	19.8	0.1	12.5	0.1	9.3	0.1
富津市		21 248	80.3	0.1	60.9	0.1	41.6	0.1	19.5	0.1	12.2	0.1	9.0	0.0
浦安市		81 463	82.6	0.1	62.9	0.0	43.4	0.0	20.4	0.0	12.9	0.0	9.5	0.0
四街道市		44 998	82.0	0.1	62.4	0.1	43.0	0.1	20.5	0.1	13.0	0.0	9.6	0.1
袖ケ浦市		31 848	81.2	0.1	61.7	0.1	42.2	0.1	19.8	0.1	12.3	0.0	9.1	0.1
八街市		32 956	80.1	0.2	60.8	0.1	41.4	0.1	19.1	0.1	12.0	0.1	8.9	0.0
印西市		49 642	82.5	0.1	62.9	0.1	43.3	0.1	20.4	0.1	12.6	0.0	9.4	0.0
白井市		30 227	82.4	0.1	62.8	0.1	43.3	0.1	20.6	0.1	12.7	0.0	9.5	0.1
富里市		23 782	81.0	0.2	61.6	0.1	42.2	0.1	19.7	0.1	12.1	0.1	9.0	0.1
南房総市		16 916	81.2	0.1	61.6	0.1	42.2	0.1	20.0	0.1	12.4	0.1	9.2	0.1
匝瑳市		17 087	81.1	0.1	61.4	0.1	41.9	0.1	19.6	0.1	12.4	0.1	9.2	0.1
香取市		35 246	80.3	0.1	60.7	0.1	41.4	0.1	19.4	0.1	12.0	0.0	8.9	0.0
山武市		23 704	80.4	0.1	60.7	0.1	41.4	0.1	19.4	0.0	12.0	0.0	8.9	0.0
いすみ市		17 185	81.2	0.1	61.5	0.1	42.3	0.1	19.9	0.1	12.6	0.1	9.4	0.0
大網白里市		23 322	81.1	0.1	61.5	0.1	42.0	0.1	19.9	0.1	12.3	0.0	9.1	0.1
印旛郡	酒々井町	9 949	82.1	0.1	62.5	0.1	43.0	0.1	20.7	0.1	12.9	0.1	9.4	0.1
印旛郡	栄町	9 779	81.7	0.2	62.1	0.1	42.7	0.1	20.2	0.1	12.7	0.1	9.3	0.1
香取郡	神崎町	2 860	81.2	0.2	61.6	0.1	42.1	0.1	19.5	0.1	12.4	0.1	9.1	0.1
香取郡	多古町	6 699	81.3	0.1	61.7	0.1	42.4	0.1	20.1	0.1	12.8	0.1	9.5	0.1
香取郡	東庄町	6 408	81.0	0.2	61.6	0.1	42.2	0.1	19.8	0.1	12.3	0.1	9.1	0.1
山武郡	九十九里町	7 055	80.6	0.1	61.0	0.1	41.6	0.1	19.2	0.1	12.1	0.1	9.1	0.1
山武郡	芝山町	3 397	81.5	0.2	61.9	0.1	42.5	0.1	20.1	0.1	12.6	0.1	9.4	0.1
山武郡	横芝光町	10 637	80.8	0.2	61.2	0.1	41.8	0.1	19.5	0.1	12.3	0.1	9.2	0.1
長生郡	一宮町	5 775	81.3	0.1	61.7	0.1	42.3	0.1	19.8	0.1	12.3	0.1	9.1	0.1
長生郡	睦沢町	3 248	81.7	0.2	62.0	0.1	42.6	0.1	20.2	0.1	12.5	0.1	9.4	0.1
長生郡	長生村	6 772	81.0	0.2	61.5	0.1	42.0	0.1	19.7	0.1	12.3	0.1	9.3	0.1
長生郡	白子町	5 081	81.1	0.1	61.5	0.1	42.0	0.0	19.8	0.1	12.3	0.1	9.1	0.1

		女													
		人口	平均余命（年）												
			0歳		20歳		40歳		65歳		75歳		80歳		
		(人)	平均寿命	誤差	平均余命	誤差	平均余命	誤差	平均余命	誤差	平均余命	誤差	平均余命	誤差
船橋市		314 420	87.8	0.0	68.2	0.0	48.5	0.0	24.9	0.0	16.3	0.0	12.2	0.0
館山市		23 038	87.7	0.1	68.0	0.1	48.4	0.0	24.9	0.0	16.3	0.0	12.2	0.0
木更津市		66 282	87.1	0.1	67.4	0.0	47.8	0.0	24.4	0.0	15.8	0.0	11.9	0.0
松戸市		241 958	87.5	0.1	67.9	0.0	48.2	0.0	24.9	0.0	16.3	0.0	12.3	0.0
野田市		74 740	86.9	0.1	67.3	0.0	47.8	0.0	24.5	0.0	15.8	0.0	11.8	0.0
茂原市		43 312	86.9	0.1	67.2	0.0	47.6	0.0	24.3	0.0	15.7	0.0	11.8	0.0
成田市		63 773	87.7	0.1	68.1	0.0	48.4	0.0	24.8	0.0	16.2	0.0	12.2	0.0
佐倉市		84 536	87.7	0.1	67.9	0.0	48.3	0.0	24.8	0.0	16.0	0.0	12.0	0.0
東金市		28 123	86.9	0.1	67.2	0.1	47.6	0.1	24.3	0.0	15.7	0.0	11.8	0.0
旭市		31 708	86.7	0.1	67.2	0.1	47.6	0.0	24.2	0.0	15.6	0.0	11.6	0.0
習志野市		85 922	88.1	0.1	68.4	0.0	48.6	0.0	25.0	0.0	16.4	0.0	12.4	0.0
柏市		210 725	87.9	0.1	68.2	0.0	48.5	0.0	25.0	0.0	16.3	0.0	12.3	0.0
勝浦市		8 148	87.2	0.1	67.5	0.1	47.9	0.1	24.6	0.1	15.9	0.1	12.0	0.0
市原市		127 855	87.0	0.1	67.4	0.0	47.8	0.0	24.4	0.0	15.7	0.0	11.8	0.0
流山市		99 813	88.2	0.1	68.5	0.0	48.7	0.0	25.2	0.0	16.4	0.0	12.4	0.0
八千代市		98 653	87.5	0.1	67.8	0.0	48.1	0.0	24.6	0.0	16.1	0.0	12.2	0.0
我孫子市		66 002	88.0	0.1	68.2	0.0	48.6	0.0	25.1	0.0	16.3	0.0	12.3	0.0
鴨川市		16 552	87.1	0.1	67.5	0.1	47.9	0.1	24.5	0.0	15.9	0.0	11.9	0.0
鎌ケ谷市		55 431	87.8	0.1	68.2	0.0	48.5	0.0	25.1	0.0	16.4	0.0	12.4	0.0
君津市		39 755	87.4	0.1	67.8	0.0	48.2	0.0	24.8	0.0	16.1	0.0	12.1	0.0
富津市		20 698	87.0	0.1	67.4	0.1	47.7	0.1	24.4	0.0	15.8	0.0	11.8	0.0
浦安市		85 766	87.7	0.1	68.0	0.0	48.3	0.0	24.7	0.0	15.9	0.0	11.9	0.0
四街道市		46 224	87.7	0.1	68.1	0.0	48.4	0.0	25.0	0.0	16.2	0.0	12.1	0.0
袖ケ浦市		31 262	87.1	0.1	67.4	0.1	47.9	0.1	24.4	0.0	15.7	0.0	11.7	0.0
八街市		32 145	86.7	0.1	67.0	0.1	47.4	0.0	24.0	0.0	15.4	0.0	11.4	0.0
印西市		50 886	87.8	0.1	68.1	0.0	48.3	0.0	24.8	0.0	15.9	0.0	11.9	0.0
白井市		31 002	87.5	0.1	67.9	0.1	48.2	0.1	24.8	0.0	16.1	0.0	12.1	0.0
富里市		23 064	87.1	0.1	67.4	0.1	47.7	0.1	24.5	0.0	15.8	0.0	11.8	0.0
南房総市		18 551	87.4	0.1	67.8	0.1	48.1	0.0	24.7	0.0	16.1	0.0	12.1	0.0
匝瑳市		17 546	87.0	0.1	67.3	0.1	47.8	0.1	24.5	0.0	15.9	0.0	11.9	0.0
香取市		36 193	87.2	0.1	67.5	0.0	48.0	0.0	24.6	0.0	16.0	0.0	12.1	0.0
山武市		23 796	86.8	0.1	67.1	0.1	47.5	0.0	24.1	0.0	15.5	0.0	11.5	0.0
いすみ市		17 916	87.4	0.1	67.8	0.1	48.2	0.1	24.7	0.0	16.1	0.0	12.1	0.0
大網白里市		24 192	87.2	0.1	67.5	0.1	47.8	0.1	24.3	0.0	15.7	0.0	11.9	0.0
印旛郡	酒々井町	10 279	87.8	0.1	68.0	0.1	48.5	0.1	25.1	0.1	16.4	0.1	12.5	0.1
印旛郡	栄町	10 101	87.6	0.1	67.9	0.1	48.2	0.1	24.8	0.1	16.1	0.1	12.1	0.1
香取郡	神崎町	2 825	87.2	0.1	67.5	0.1	47.8	0.1	24.4	0.1	15.7	0.1	11.8	0.1
香取郡	多古町	6 614	87.3	0.1	67.6	0.1	48.0	0.1	24.6	0.1	15.9	0.1	12.0	0.1
香取郡	東庄町	6 580	87.2	0.1	67.5	0.1	47.8	0.1	24.5	0.1	15.8	0.1	11.9	0.1
山武郡	九十九里町	7 283	87.3	0.1	67.6	0.1	47.9	0.1	24.5	0.1	15.9	0.1	11.9	0.1
山武郡	芝山町	3 450	87.8	0.1	68.1	0.1	48.5	0.1	25.0	0.1	16.3	0.1	12.3	0.1
山武郡	横芝光町	11 121	87.6	0.1	67.8	0.1	48.2	0.1	24.8	0.1	16.1	0.0	12.1	0.0
長生郡	一宮町	5 993	87.2	0.1	67.5	0.1	47.8	0.1	24.3	0.1	15.7	0.1	11.6	0.1
長生郡	睦沢町	3 470	87.4	0.1	67.7	0.1	48.1	0.1	24.7	0.1	16.1	0.1	12.1	0.1
長生郡	長生村	6 943	87.3	0.1	67.6	0.1	48.0	0.1	24.5	0.1	15.9	0.1	12.0	0.1
長生郡	白子町	5 141	87.1	0.1	67.4	0.1	47.8	0.1	24.2	0.1	15.5	0.1	11.4	0.1

			男											
		人口	平均余命（年）											
			0歳		20歳		40歳		65歳		75歳		80歳	
		（人）	平均寿命	誤差	平均余命	誤差	平均余命	誤差	平均余命	誤差	平均余命	誤差	平均余命	誤差
長生郡	長柄町	3 269	81.3	0.2	61.7	0.1	42.3	0.1	19.9	0.1	12.6	0.1	9.4	0.1
長生郡	長南町	3 521	81.4	0.2	61.8	0.1	42.3	0.1	19.9	0.1	12.4	0.1	9.3	0.1
夷隅郡	大多喜町	4 261	81.4	0.2	61.7	0.1	42.3	0.1	19.8	0.1	12.6	0.1	9.3	0.1
夷隅郡	御宿町	3 247	81.4	0.2	61.7	0.1	42.3	0.1	19.9	0.1	12.4	0.1	9.3	0.1
安房郡	鋸南町	3 340	81.3	0.2	61.6	0.1	42.2	0.1	19.9	0.1	12.5	0.1	9.2	0.1
東京都		6 623 630	81.8	…	62.1	…	42.5	…	19.9	…	12.6	…	9.4	…
東京都区部		4 543 915	81.5	…	61.8	…	42.3	…	19.7	…	12.4	…	9.3	…
千代田区		32 181	82.4	0.1	62.7	0.1	43.2	0.1	20.3	0.1	12.9	0.1	9.3	0.1
中央区		77 311	82.7	0.1	63.0	0.0	43.4	0.0	20.3	0.0	12.7	0.0	9.4	0.0
港区		113 176	82.8	0.1	63.2	0.0	43.6	0.0	20.4	0.0	12.8	0.0	9.5	0.0
新宿区		155 373	81.3	0.0	61.6	0.0	42.0	0.0	19.6	0.0	12.5	0.0	9.3	0.0
文京区		110 277	82.9	0.1	63.2	0.0	43.6	0.0	20.6	0.0	13.0	0.0	9.5	0.0
台東区		101 397	80.7	0.1	61.0	0.0	41.4	0.0	19.0	0.0	12.2	0.0	9.2	0.0
墨田区		130 152	80.7	0.0	61.0	0.0	41.5	0.0	19.0	0.0	12.0	0.0	9.0	0.0
江東区		243 913	81.4	0.0	61.7	0.0	42.1	0.0	19.4	0.0	12.1	0.0	9.0	0.0
品川区		201 761	81.8	0.0	62.1	0.0	42.5	0.0	19.9	0.0	12.6	0.0	9.4	0.0
目黒区		130 733	83.0	0.1	63.3	0.0	43.7	0.0	20.7	0.0	13.0	0.0	9.7	0.0
大田区		357 559	81.2	0.0	61.5	0.0	41.9	0.0	19.3	0.0	12.2	0.0	9.0	0.0
世田谷区		433 841	83.2	0.0	63.5	0.0	43.9	0.0	20.9	0.0	13.2	0.0	9.8	0.0
渋谷区		111 889	83.0	0.1	63.3	0.0	43.6	0.0	20.9	0.0	13.2	0.0	9.8	0.0
中野区		163 057	81.5	0.0	61.7	0.0	42.2	0.0	19.7	0.0	12.5	0.0	9.3	0.0
杉並区		275 548	82.9	0.0	63.2	0.0	43.6	0.0	20.8	0.0	13.1	0.0	9.8	0.0
豊島区		137 290	81.1	0.1	61.4	0.0	41.9	0.0	19.4	0.0	12.4	0.0	9.3	0.0
北区		166 155	81.0	0.0	61.2	0.0	41.6	0.0	19.2	0.0	12.0	0.0	9.0	0.0
荒川区		99 114	80.6	0.1	60.8	0.0	41.3	0.0	18.8	0.0	11.9	0.0	9.0	0.0
板橋区		270 121	81.0	0.0	61.4	0.0	41.9	0.0	19.4	0.0	12.3	0.0	9.3	0.0
練馬区		352 097	82.2	0.0	62.5	0.0	43.0	0.0	20.3	0.0	12.9	0.0	9.7	0.0
足立区		331 550	80.1	0.0	60.4	0.0	40.9	0.0	18.8	0.0	11.9	0.0	9.0	0.0
葛飾区		216 217	80.5	0.0	60.8	0.0	41.3	0.0	19.0	0.0	12.0	0.0	9.0	0.0
江戸川区		333 203	80.6	0.0	60.9	0.0	41.3	0.0	18.9	0.0	11.9	0.0	9.0	0.0
八王子市		284 733	82.1	0.0	62.4	0.0	43.0	0.0	20.5	0.0	12.9	0.0	9.7	0.0
立川市		89 220	81.5	0.1	61.8	0.0	42.3	0.0	19.8	0.0	12.5	0.0	9.3	0.0
武蔵野市		70 221	83.2	0.1	63.5	0.0	43.9	0.0	21.0	0.0	13.3	0.0	9.9	0.0
三鷹市		92 539	82.6	0.1	63.0	0.0	43.4	0.0	20.5	0.0	13.1	0.0	9.9	0.0
青梅市		65 810	81.1	0.1	61.5	0.0	42.0	0.0	19.4	0.0	12.0	0.0	9.0	0.0
府中市		128 806	82.0	0.1	62.4	0.0	42.9	0.0	20.0	0.0	12.7	0.0	9.5	0.0
昭島市		55 248	81.4	0.1	61.7	0.0	42.1	0.0	19.5	0.0	12.2	0.0	9.1	0.0
調布市		114 736	82.4	0.1	62.7	0.0	43.1	0.0	20.3	0.0	12.9	0.0	9.7	0.0
町田市		207 067	82.7	0.0	63.0	0.0	43.6	0.0	20.8	0.0	13.0	0.0	9.7	0.0
小金井市		60 324	82.7	0.1	63.0	0.0	43.4	0.0	20.8	0.0	12.9	0.0	9.6	0.0
小平市		94 925	82.4	0.1	62.8	0.0	43.3	0.0	20.5	0.0	13.0	0.0	9.7	0.0
日野市		92 844	82.8	0.1	63.0	0.0	43.5	0.0	20.6	0.0	13.1	0.0	9.7	0.0
東村山市		72 366	81.7	0.1	62.0	0.0	42.5	0.0	20.1	0.0	12.7	0.0	9.5	0.0
国分寺市		61 536	83.1	0.1	63.4	0.0	43.9	0.0	21.0	0.0	13.3	0.0	9.9	0.0

		女												
		人口	平均余命（年）											
			0歳		20歳		40歳		65歳		75歳		80歳	
		（人）	平均寿命	誤差	平均余命	誤差	平均余命	誤差	平均余命	誤差	平均余命	誤差	平均余命	誤差
長生郡	長柄町	3 382	87.8	0.1	68.1	0.1	48.4	0.1	25.0	0.1	16.4	0.1	12.4	0.1
長生郡	長南町	3 651	87.3	0.1	67.7	0.1	48.1	0.1	24.7	0.1	16.0	0.1	12.1	0.1
夷隅郡	大多喜町	4 532	87.5	0.1	67.8	0.1	48.2	0.1	24.7	0.1	16.0	0.1	12.1	0.1
夷隅郡	御宿町	3 594	87.5	0.1	67.8	0.1	48.1	0.1	24.7	0.1	16.0	0.1	12.1	0.1
安房郡	鋸南町	3 590	87.3	0.1	67.7	0.1	48.0	0.1	24.5	0.1	15.9	0.1	11.9	0.1
東京都		6 860 398	87.9	…	68.1	…	48.5	…	24.9	…	16.3	…	12.4	…
東京都区部		4 717 792	87.8	…	68.1	…	48.4	…	24.9	…	16.3	…	12.4	…
千代田区		31 764	88.3	0.1	68.5	0.0	48.9	0.0	25.3	0.0	16.7	0.0	12.7	0.0
中央区		84 480	87.8	0.1	68.0	0.0	48.4	0.0	24.8	0.0	16.2	0.0	12.1	0.0
港区		127 906	88.1	0.1	68.4	0.0	48.7	0.0	25.1	0.0	16.5	0.0	12.5	0.0
新宿区		155 455	87.9	0.0	68.2	0.0	48.7	0.0	25.1	0.0	16.5	0.0	12.6	0.0
文京区		118 895	88.3	0.1	68.6	0.0	48.9	0.0	25.3	0.0	16.6	0.0	12.4	0.0
台東区		95 721	87.8	0.1	68.0	0.0	48.3	0.0	24.8	0.0	16.3	0.0	12.4	0.0
墨田区		131 123	87.2	0.0	67.5	0.0	47.7	0.0	24.3	0.0	15.9	0.0	12.0	0.0
江東区		250 397	87.5	0.0	67.8	0.0	48.1	0.0	24.6	0.0	16.1	0.0	12.1	0.0
品川区		206 623	87.9	0.0	68.2	0.0	48.4	0.0	24.9	0.0	16.3	0.0	12.3	0.0
目黒区		147 768	88.5	0.0	68.7	0.0	49.1	0.0	25.5	0.0	16.9	0.0	12.8	0.0
大田区		358 951	87.6	0.0	67.9	0.0	48.1	0.0	24.6	0.0	16.1	0.0	12.1	0.0
世田谷区		486 679	88.9	0.0	69.1	0.0	49.4	0.0	25.7	0.0	17.0	0.0	13.0	0.0
渋谷区		121 110	88.6	0.1	68.8	0.0	49.1	0.0	25.6	0.0	16.9	0.0	12.9	0.0
中野区		163 135	88.1	0.0	68.3	0.0	48.6	0.0	25.1	0.0	16.4	0.0	12.4	0.0
杉並区		297 919	88.6	0.0	68.8	0.0	49.2	0.0	25.6	0.0	16.9	0.0	12.8	0.0
豊島区		136 749	87.6	0.1	67.9	0.0	48.3	0.0	24.8	0.0	16.3	0.0	12.4	0.0
北区		168 683	87.5	0.0	67.7	0.0	48.1	0.0	24.7	0.0	16.1	0.0	12.3	0.0
荒川区		100 534	87.3	0.1	67.6	0.0	47.9	0.0	24.5	0.0	15.9	0.0	12.0	0.0
板橋区		280 661	87.6	0.0	67.9	0.0	48.3	0.0	24.9	0.0	16.4	0.0	12.5	0.0
練馬区		379 595	88.2	0.0	68.5	0.0	48.8	0.0	25.3	0.0	16.7	0.0	12.7	0.0
足立区		329 264	86.7	0.0	67.1	0.0	47.4	0.0	24.1	0.0	15.7	0.0	11.9	0.0
葛飾区		216 734	86.9	0.0	67.2	0.0	47.5	0.0	24.1	0.0	15.6	0.0	11.7	0.0
江戸川区		327 646	87.0	0.0	67.3	0.0	47.6	0.0	24.2	0.0	15.8	0.0	12.0	0.0
八王子市		281 095	87.7	0.0	68.0	0.0	48.4	0.0	24.9	0.0	16.2	0.0	12.2	0.0
立川市		90 129	87.5	0.1	67.8	0.0	48.2	0.0	24.6	0.0	16.0	0.0	12.2	0.0
武蔵野市		76 586	88.7	0.1	69.0	0.0	49.3	0.0	25.5	0.0	16.8	0.0	12.8	0.0
三鷹市		98 949	88.5	0.1	68.8	0.0	49.1	0.0	25.6	0.0	17.0	0.0	12.9	0.0
青梅市		65 809	87.1	0.1	67.4	0.0	47.7	0.0	24.3	0.0	15.6	0.0	11.7	0.0
府中市		128 415	88.0	0.1	68.3	0.0	48.6	0.0	25.1	0.0	16.4	0.0	12.4	0.0
昭島市		55 752	87.1	0.1	67.5	0.0	47.8	0.0	24.4	0.0	15.8	0.0	11.9	0.0
調布市		123 152	88.6	0.1	68.8	0.0	49.1	0.0	25.6	0.0	16.9	0.0	12.8	0.0
町田市		216 839	88.2	0.0	68.5	0.0	48.8	0.0	25.3	0.0	16.6	0.0	12.6	0.0
小金井市		62 840	88.9	0.1	69.1	0.0	49.3	0.0	25.7	0.0	17.0	0.0	13.0	0.0
小平市		98 431	88.3	0.0	68.6	0.0	48.9	0.0	25.3	0.0	16.7	0.0	12.6	0.0
日野市		93 459	88.4	0.1	68.6	0.0	49.0	0.0	25.3	0.0	16.6	0.0	12.5	0.0
東村山市		76 388	87.7	0.1	68.0	0.0	48.3	0.0	24.8	0.0	16.2	0.0	12.2	0.0
国分寺市		64 603	88.3	0.1	68.5	0.0	48.9	0.0	25.2	0.0	16.6	0.0	12.5	0.0

		人口	男											
			平均余命（年）											
			0歳		20歳		40歳		65歳		75歳		80歳	
		（人）	平均寿命	誤差	平均余命	誤差	平均余命	誤差	平均余命	誤差	平均余命	誤差	平均余命	誤差
国立市		36 704	82.4	0.1	62.7	0.1	43.2	0.1	20.5	0.1	13.1	0.0	9.7	0.0
福生市		26 199	81.2	0.1	61.5	0.1	42.0	0.1	19.5	0.1	12.4	0.1	9.2	0.1
狛江市		40 304	82.4	0.1	62.7	0.1	43.2	0.1	20.5	0.0	12.9	0.0	9.4	0.0
東大和市		40 603	81.8	0.1	62.1	0.1	42.7	0.1	20.1	0.0	12.8	0.0	9.5	0.0
清瀬市		35 928	81.7	0.1	62.0	0.1	42.5	0.1	19.9	0.0	12.7	0.0	9.7	0.0
東久留米市		54 620	81.6	0.1	61.9	0.0	42.4	0.0	19.8	0.0	12.4	0.0	9.2	0.0
武蔵村山市		34 499	81.7	0.1	62.0	0.1	42.5	0.1	20.0	0.1	12.4	0.0	9.4	0.0
多摩市		70 521	82.7	0.1	63.0	0.0	43.5	0.0	20.6	0.0	13.1	0.0	9.7	0.0
稲城市		46 144	83.0	0.1	63.3	0.1	43.7	0.1	20.9	0.0	13.2	0.0	9.9	0.0
羽村市		26 813	81.8	0.1	62.1	0.1	42.5	0.1	20.2	0.1	12.6	0.1	9.3	0.1
あきる野市		38 697	81.9	0.1	62.3	0.1	42.7	0.1	20.1	0.1	12.7	0.0	9.3	0.0
西東京市		98 332	82.3	0.1	62.7	0.0	43.2	0.0	20.5	0.0	13.1	0.0	9.8	0.0
西多摩郡	瑞穂町	15 595	80.9	0.1	61.2	0.1	41.7	0.1	19.2	0.1	11.9	0.1	8.9	0.1
西多摩郡	日の出町	8 238	81.4	0.1	61.7	0.1	42.1	0.1	19.5	0.1	12.1	0.1	8.9	0.1
西多摩郡	檜原村	982	81.3	0.1	61.6	0.1	42.0	0.1	19.5	0.1	12.3	0.1	9.2	0.1
西多摩郡	奥多摩町	2 368	80.7	0.1	61.0	0.1	41.4	0.1	18.7	0.1	11.6	0.1	8.9	0.1
	大島町	3 596	81.2	0.1	61.5	0.1	41.9	0.1	19.5	0.1	12.2	0.1	9.2	0.1
	利島村	194	81.8	0.1	62.1	0.1	42.6	0.1	19.9	0.1	12.6	0.1	9.4	0.1
	新島村	1 200	81.4	0.1	61.7	0.1	42.2	0.1	19.5	0.1	12.4	0.1	9.3	0.1
	神津島村	948	81.7	0.1	62.1	0.1	42.5	0.1	19.9	0.1	12.5	0.1	9.3	0.1
	三宅村	1 260	81.8	0.1	62.1	0.1	42.5	0.1	20.0	0.1	12.4	0.1	9.5	0.1
	御蔵島村	172	81.8	0.1	62.1	0.1	42.5	0.1	19.9	0.1	12.6	0.1	9.4	0.1
	八丈町	3 528	80.9	0.1	61.2	0.1	41.7	0.1	19.3	0.1	12.3	0.1	9.3	0.1
	青ヶ島村	102	81.8	0.1	62.1	0.1	42.5	0.1	19.9	0.1	12.6	0.1	9.4	0.1
	小笠原村	1 793	82.0	0.1	62.3	0.1	42.7	0.1	20.1	0.1	12.7	0.1	9.5	0.1
神奈川県		4 474 645	82.0	…	62.4	…	42.9	…	20.2	…	12.8	…	9.5	…
横浜市		1 816 951	82.3	…	62.6	…	43.1	…	20.3	…	12.9	…	9.6	…
横浜市	鶴見区	146 469	81.5	0.1	61.7	0.0	42.2	0.0	19.5	0.0	12.2	0.0	9.1	0.0
横浜市	神奈川区	122 215	82.2	0.1	62.4	0.1	42.9	0.1	20.0	0.1	12.6	0.0	9.3	0.0
横浜市	西区	50 605	81.6	0.1	61.9	0.1	42.4	0.1	19.6	0.1	12.4	0.1	9.3	0.0
横浜市	中区	69 388	79.5	0.1	59.8	0.0	40.3	0.0	18.2	0.0	11.6	0.0	8.7	0.0
横浜市	南区	94 030	80.9	0.1	61.2	0.1	41.8	0.1	19.4	0.1	12.4	0.0	9.3	0.0
横浜市	保土ケ谷区	99 071	81.8	0.1	62.1	0.0	42.6	0.0	19.9	0.0	12.5	0.0	9.3	0.0
横浜市	磯子区	79 654	82.6	0.1	62.8	0.1	43.3	0.1	20.6	0.1	12.9	0.0	9.6	0.0
横浜市	金沢区	95 476	83.1	0.1	63.4	0.0	43.9	0.0	21.2	0.0	13.3	0.0	9.9	0.0
横浜市	港北区	175 463	83.1	0.1	63.4	0.0	43.9	0.0	20.8	0.0	13.1	0.0	9.8	0.0
横浜市	戸塚区	136 014	83.0	0.1	63.2	0.0	43.7	0.0	20.7	0.0	13.1	0.0	9.8	0.0
横浜市	港南区	103 590	82.5	0.1	62.9	0.1	43.5	0.0	20.6	0.0	13.1	0.0	9.8	0.0
横浜市	旭区	116 723	82.0	0.1	62.3	0.1	42.9	0.0	20.2	0.0	12.8	0.0	9.6	0.0
横浜市	緑区	88 118	82.7	0.1	63.0	0.1	43.5	0.0	20.7	0.0	13.1	0.0	9.8	0.0
横浜市	瀬谷区	58 447	81.6	0.1	62.0	0.0	42.5	0.0	20.1	0.0	12.7	0.0	9.5	0.0
横浜市	栄区	58 014	83.0	0.1	63.3	0.0	43.8	0.0	21.0	0.0	13.4	0.0	10.1	0.0
横浜市	泉区	72 821	82.6	0.1	62.8	0.0	43.4	0.0	20.5	0.0	12.9	0.0	9.6	0.0
横浜市	青葉区	148 033	83.9	0.0	64.1	0.0	44.6	0.0	21.4	0.0	13.5	0.0	10.0	0.0

			女											
		人口	平均余命（年）											
			0歳		20歳		40歳		65歳		75歳		80歳	
		（人）	平均寿命	誤差	平均余命	誤差	平均余命	誤差	平均余命	誤差	平均余命	誤差	平均余命	誤差
国立市		38 647	87.9	0.1	68.2	0.0	48.5	0.0	25.0	0.0	16.4	0.0	12.4	0.0
福生市		26 459	87.2	0.1	67.5	0.1	47.9	0.0	24.5	0.0	15.9	0.0	11.9	0.0
狛江市		42 994	88.2	0.1	68.5	0.0	48.8	0.0	25.3	0.0	16.6	0.0	12.7	0.0
東大和市		42 197	88.0	0.1	68.2	0.0	48.5	0.0	24.9	0.0	16.3	0.0	12.4	0.0
清瀬市		38 939	87.7	0.1	68.0	0.0	48.3	0.0	24.9	0.0	16.3	0.0	12.4	0.0
東久留米市		58 409	88.0	0.1	68.3	0.0	48.6	0.0	25.1	0.0	16.3	0.0	12.5	0.0
武蔵村山市		34 587	87.3	0.1	67.6	0.0	47.9	0.0	24.5	0.0	15.8	0.0	11.9	0.0
多摩市		74 034	88.1	0.1	68.4	0.0	48.7	0.0	25.2	0.0	16.5	0.0	12.5	0.0
稲城市		45 563	87.9	0.1	68.2	0.0	48.6	0.0	25.0	0.0	16.3	0.0	12.4	0.0
羽村市		26 148	87.5	0.1	67.8	0.1	48.2	0.1	24.8	0.0	16.3	0.0	12.4	0.0
あきる野市		39 561	87.3	0.1	67.6	0.0	48.0	0.0	24.5	0.0	15.7	0.0	11.8	0.0
西東京市		103 771	88.5	0.1	68.8	0.0	49.0	0.0	25.4	0.0	16.8	0.0	12.8	0.0
西多摩郡	瑞穂町	15 444	87.4	0.1	67.6	0.1	48.0	0.1	24.4	0.1	15.8	0.1	11.9	0.1
西多摩郡	日の出町	8 642	86.8	0.1	67.0	0.1	47.4	0.1	23.8	0.1	15.4	0.1	11.4	0.1
西多摩郡	檜原村	1 016	87.2	0.1	67.4	0.1	47.7	0.1	24.2	0.1	15.6	0.1	11.7	0.1
西多摩郡	奥多摩町	2 334	86.9	0.1	67.2	0.1	47.5	0.1	23.9	0.1	15.3	0.1	11.4	0.1
	大島町	3 420	87.4	0.1	67.7	0.1	48.0	0.1	24.5	0.1	15.9	0.1	11.9	0.1
	利島村	128	87.8	0.1	68.1	0.1	48.4	0.1	24.9	0.1	16.3	0.1	12.4	0.1
	新島村	1 230	87.7	0.1	68.0	0.1	48.3	0.1	24.8	0.1	16.2	0.1	12.2	0.1
	神津島村	902	87.7	0.1	68.0	0.1	48.3	0.1	24.8	0.1	16.2	0.1	12.3	0.1
	三宅村	982	87.6	0.1	67.8	0.1	48.2	0.1	24.6	0.1	16.0	0.1	12.1	0.1
	御蔵島村	141	87.8	0.1	68.1	0.1	48.4	0.1	24.9	0.1	16.3	0.1	12.3	0.1
	八丈町	3 431	87.5	0.1	67.8	0.1	48.1	0.1	24.6	0.1	16.0	0.1	12.0	0.1
	青ヶ島村	67	87.9	0.1	68.1	0.1	48.4	0.1	24.9	0.1	16.3	0.1	12.4	0.1
	小笠原村	1 113	87.9	0.1	68.2	0.1	48.5	0.1	25.0	0.1	16.4	0.1	12.4	0.1
神奈川県		4 531 963	87.9	…	68.2	…	48.5	…	25.0	…	16.4	…	12.4	…
横浜市		1 856 949	88.1	…	68.4	…	48.7	…	25.2	…	16.5	…	12.5	…
横浜市	鶴見区	136 913	87.3	0.1	67.7	0.0	48.0	0.0	24.5	0.0	16.1	0.0	12.1	0.0
横浜市	神奈川区	117 418	88.1	0.1	68.3	0.0	48.6	0.0	25.1	0.0	16.3	0.0	12.3	0.0
横浜市	西区	49 456	87.6	0.1	67.9	0.0	48.3	0.0	24.6	0.0	15.9	0.0	11.9	0.0
横浜市	中区	65 408	87.4	0.1	67.8	0.0	48.3	0.0	24.7	0.0	16.1	0.0	12.1	0.0
横浜市	南区	93 466	87.3	0.1	67.6	0.0	48.0	0.0	24.6	0.0	16.0	0.0	12.1	0.0
横浜市	保土ケ谷区	102 928	88.2	0.1	68.5	0.0	48.7	0.0	25.2	0.0	16.5	0.0	12.4	0.0
横浜市	磯子区	82 019	87.8	0.1	68.2	0.0	48.5	0.0	25.0	0.0	16.5	0.0	12.4	0.0
横浜市	金沢区	100 299	88.4	0.1	68.7	0.0	49.2	0.0	25.6	0.0	16.8	0.0	12.7	0.0
横浜市	港北区	175 809	88.4	0.1	68.7	0.0	48.9	0.0	25.3	0.0	16.6	0.0	12.6	0.0
横浜市	戸塚区	143 188	88.5	0.0	68.7	0.0	49.0	0.0	25.3	0.0	16.6	0.0	12.6	0.0
横浜市	港南区	108 703	88.0	0.1	68.4	0.0	48.7	0.0	25.1	0.0	16.5	0.0	12.5	0.0
横浜市	旭区	125 291	88.1	0.1	68.3	0.0	48.7	0.0	25.1	0.0	16.5	0.0	12.5	0.0
横浜市	緑区	90 768	88.1	0.1	68.4	0.0	48.8	0.0	25.3	0.0	16.6	0.0	12.6	0.0
横浜市	瀬谷区	62 254	87.8	0.1	68.1	0.0	48.5	0.0	25.0	0.0	16.3	0.0	12.4	0.0
横浜市	栄区	61 006	88.4	0.1	68.8	0.0	49.1	0.0	25.5	0.0	16.7	0.0	12.6	0.0
横浜市	泉区	77 186	88.2	0.1	68.5	0.0	48.9	0.0	25.4	0.0	16.6	0.0	12.6	0.0
横浜市	青葉区	158 137	88.8	0.1	69.0	0.0	49.3	0.0	25.7	0.0	16.8	0.0	12.7	0.0

		人口	男												
			平均余命（年）												
			0歳		20歳		40歳		65歳		75歳		80歳		
		（人）	平均寿命	誤差	平均余命	誤差	平均余命	誤差	平均余命	誤差	平均余命	誤差	平均余命	誤差
横浜市	都筑区	102 820	83.3	0.1	63.6	0.0	44.1	0.0	20.9	0.0	13.2	0.0	9.9	0.0
川崎市		753 282	81.7	…	62.0	…	42.5	…	19.8	…	12.5	…	9.4	…
川崎市	川崎区	117 130	78.8	0.0	59.2	0.0	39.7	0.0	17.7	0.0	11.3	0.0	8.6	0.0
川崎市	幸区	84 305	81.0	0.1	61.3	0.0	41.8	0.0	19.3	0.0	12.2	0.0	9.2	0.0
川崎市	中原区	130 778	82.2	0.1	62.5	0.0	42.8	0.0	19.9	0.0	12.5	0.0	9.2	0.0
川崎市	高津区	113 562	81.9	0.1	62.2	0.0	42.7	0.0	20.0	0.0	12.6	0.0	9.6	0.0
川崎市	多摩区	110 360	82.2	0.1	62.6	0.0	43.0	0.0	20.4	0.0	12.9	0.0	9.6	0.0
川崎市	宮前区	111 365	82.6	0.1	62.9	0.0	43.3	0.0	20.4	0.0	12.8	0.0	9.6	0.0
川崎市	麻生区	85 782	84.0	0.1	64.3	0.0	44.9	0.0	21.8	0.0	13.8	0.0	10.2	0.0
相模原市		353 091	81.6	…	61.9	…	42.5	…	20.1	…	12.7	…	9.5	…
相模原市	緑区	83 569	81.4	0.1	61.8	0.0	42.4	0.0	20.0	0.0	12.6	0.0	9.3	0.0
相模原市	中央区	133 682	81.2	0.0	61.6	0.0	42.2	0.0	19.9	0.0	12.5	0.0	9.3	0.0
相模原市	南区	135 840	82.0	0.0	62.3	0.0	42.9	0.0	20.5	0.0	13.1	0.0	9.9	0.0
横須賀市		191 078	81.2	0.1	61.6	0.0	42.2	0.0	19.9	0.0	12.4	0.0	9.2	0.0
平塚市		126 711	81.7	0.1	62.1	0.0	42.7	0.0	20.1	0.0	12.7	0.0	9.4	0.0
鎌倉市		80 319	83.3	0.1	63.6	0.0	44.2	0.0	21.4	0.0	13.4	0.0	9.9	0.0
藤沢市		211 998	83.0	0.0	63.2	0.0	43.7	0.0	20.7	0.0	13.0	0.0	9.7	0.0
小田原市		90 222	81.3	0.1	61.6	0.0	42.2	0.0	19.8	0.0	12.3	0.0	9.1	0.0
茅ヶ崎市		116 655	82.7	0.1	63.0	0.0	43.5	0.0	20.8	0.0	13.1	0.0	9.7	0.0
逗子市		26 433	83.0	0.1	63.3	0.1	43.8	0.1	20.8	0.1	13.1	0.1	9.6	0.0
三浦市		19 980	81.1	0.1	61.4	0.1	42.0	0.1	19.6	0.1	12.2	0.1	9.1	0.1
秦野市		80 128	82.5	0.1	62.8	0.0	43.4	0.0	20.7	0.0	13.0	0.0	9.5	0.0
厚木市		111 173	81.7	0.1	62.0	0.0	42.6	0.0	20.2	0.0	12.7	0.0	9.5	0.0
大和市		116 006	81.5	0.1	61.9	0.0	42.4	0.0	20.0	0.0	12.7	0.0	9.5	0.0
伊勢原市		50 088	82.2	0.1	62.7	0.0	43.2	0.1	20.7	0.0	13.0	0.0	9.7	0.0
海老名市		67 214	82.5	0.1	62.8	0.0	43.4	0.0	20.6	0.0	13.0	0.0	9.7	0.0
座間市		64 185	81.5	0.1	61.9	0.0	42.5	0.0	19.9	0.0	12.7	0.0	9.5	0.0
南足柄市		19 823	81.8	0.1	62.2	0.1	42.7	0.1	20.3	0.1	12.8	0.1	9.5	0.1
綾瀬市		40 207	81.6	0.1	61.9	0.1	42.5	0.1	20.3	0.1	12.9	0.1	9.5	0.1
三浦郡	葉山町	14 762	82.4	0.1	62.8	0.1	43.4	0.1	20.7	0.1	13.1	0.1	9.8	0.1
高座郡	寒川町	24 007	81.7	0.1	62.1	0.1	42.7	0.1	20.2	0.1	12.6	0.1	9.4	0.1
中郡	大磯町	15 342	82.4	0.1	62.8	0.1	43.4	0.1	20.6	0.1	13.0	0.1	9.5	0.1
中郡	二宮町	13 208	82.4	0.1	62.7	0.1	43.3	0.1	20.6	0.1	13.0	0.1	9.6	0.1
足柄上郡	中井町	4 489	82.1	0.1	62.4	0.1	42.9	0.1	20.2	0.1	12.8	0.1	9.7	0.1
足柄上郡	大井町	8 373	82.1	0.1	62.4	0.1	43.1	0.1	20.3	0.1	12.7	0.1	9.4	0.1
足柄上郡	松田町	5 377	81.7	0.1	62.1	0.1	42.5	0.1	19.8	0.1	12.4	0.1	9.0	0.1
足柄上郡	山北町	4 789	81.8	0.1	62.1	0.1	42.6	0.1	19.9	0.1	12.5	0.1	9.5	0.1
足柄上郡	開成町	8 837	82.6	0.1	62.9	0.1	43.4	0.1	20.6	0.1	13.2	0.1	9.8	0.1
足柄下郡	箱根町	5 234	81.2	0.1	61.5	0.1	42.1	0.1	19.5	0.1	12.2	0.1	9.0	0.1
足柄下郡	真鶴町	3 103	81.3	0.1	61.7	0.1	42.2	0.1	19.6	0.1	12.2	0.1	9.0	0.1
足柄下郡	湯河原町	10 776	81.6	0.1	61.9	0.1	42.4	0.1	19.7	0.1	12.5	0.1	9.2	0.1
愛甲郡	愛川町	19 256	80.9	0.1	61.3	0.1	41.9	0.1	19.6	0.1	12.3	0.1	9.2	0.1
愛甲郡	清川村	1 548	82.1	0.1	62.5	0.1	43.0	0.1	20.4	0.1	12.8	0.1	9.4	0.1

		女												
		人口	平均余命（年）											
			0歳		20歳		40歳		65歳		75歳		80歳	
		（人）	平均寿命	誤差	平均余命	誤差	平均余命	誤差	平均余命	誤差	平均余命	誤差	平均余命	誤差
横浜市	都筑区	106 700	88.7	0.1	69.0	0.0	49.3	0.0	25.7	0.0	17.0	0.0	12.9	0.0
川崎市		738 954	88.2	…	68.5	…	48.7	…	25.1	…	16.5	…	12.6	…
川崎市	川崎区	99 128	87.0	0.1	67.3	0.0	47.5	0.0	24.2	0.0	15.7	0.0	12.0	0.0
川崎市	幸区	81 463	88.1	0.1	68.3	0.0	48.6	0.0	25.0	0.0	16.4	0.0	12.5	0.0
川崎市	中原区	126 686	88.0	0.1	68.2	0.0	48.5	0.0	25.0	0.0	16.3	0.0	12.4	0.0
川崎市	高津区	115 205	88.6	0.1	68.8	0.0	49.1	0.0	25.4	0.0	16.8	0.0	12.7	0.0
川崎市	多摩区	106 219	88.4	0.1	68.7	0.0	49.0	0.0	25.3	0.0	16.7	0.0	12.7	0.0
川崎市	宮前区	118 417	88.5	0.1	68.7	0.0	49.0	0.0	25.2	0.0	16.5	0.0	12.6	0.0
川崎市	麻生区	91 836	89.2	0.1	69.4	0.0	49.6	0.0	25.9	0.0	17.3	0.0	13.2	0.0
相模原市		354 086	87.4	…	67.7	…	48.1	…	24.7	…	16.2	…	12.2	…
相模原市	緑区	82 614	87.2	0.0	67.5	0.0	48.0	0.0	24.5	0.0	15.9	0.0	12.1	0.0
相模原市	中央区	133 123	87.2	0.0	67.5	0.0	47.9	0.0	24.6	0.0	16.0	0.0	12.1	0.0
相模原市	南区	138 349	87.9	0.0	68.1	0.0	48.5	0.0	25.0	0.0	16.5	0.0	12.4	0.0
横須賀市		191 814	87.1	0.1	67.4	0.0	47.7	0.0	24.4	0.0	15.9	0.0	12.0	0.0
平塚市		126 489	87.5	0.1	67.9	0.0	48.2	0.0	24.7	0.0	16.1	0.0	12.2	0.0
鎌倉市		90 901	88.3	0.1	68.5	0.0	48.9	0.0	25.4	0.0	16.6	0.0	12.5	0.0
藤沢市		218 228	87.9	0.1	68.3	0.0	48.6	0.0	25.0	0.0	16.4	0.0	12.3	0.0
小田原市		96 078	87.5	0.1	67.7	0.0	48.1	0.0	24.6	0.0	16.0	0.0	12.0	0.0
茅ヶ崎市		123 769	88.4	0.1	68.7	0.0	49.0	0.0	25.4	0.0	16.7	0.0	12.7	0.0
逗子市		30 087	88.3	0.1	68.6	0.0	48.9	0.0	25.5	0.0	16.7	0.0	12.5	0.0
三浦市		21 781	87.5	0.1	67.7	0.1	48.1	0.0	24.7	0.0	16.0	0.0	12.1	0.0
秦野市		78 543	87.8	0.1	68.1	0.0	48.6	0.0	25.2	0.0	16.5	0.0	12.5	0.0
厚木市		104 697	87.4	0.1	67.7	0.0	48.1	0.0	24.5	0.0	16.0	0.0	12.0	0.0
大和市		115 879	87.6	0.1	67.9	0.0	48.2	0.0	24.7	0.0	16.2	0.0	12.3	0.0
伊勢原市		48 957	88.1	0.1	68.3	0.0	48.7	0.0	25.2	0.0	16.5	0.0	12.5	0.0
海老名市		66 577	88.1	0.1	68.4	0.0	48.7	0.0	25.1	0.0	16.3	0.0	12.3	0.0
座間市		64 329	88.0	0.1	68.2	0.0	48.5	0.0	25.2	0.0	16.5	0.0	12.5	0.0
南足柄市		20 625	87.8	0.1	68.1	0.1	48.4	0.1	24.9	0.0	16.3	0.0	12.3	0.0
綾瀬市		39 466	87.5	0.1	67.8	0.0	48.1	0.0	24.5	0.0	16.0	0.0	12.1	0.0
三浦郡	葉山町	16 656	88.1	0.1	68.5	0.1	48.8	0.1	25.2	0.0	16.5	0.0	12.5	0.0
高座郡	寒川町	23 420	87.4	0.1	67.8	0.1	48.1	0.1	24.7	0.0	16.0	0.0	12.0	0.0
中郡	大磯町	16 151	87.8	0.1	68.0	0.1	48.3	0.1	24.9	0.0	16.3	0.0	12.2	0.0
中郡	二宮町	14 179	87.8	0.1	68.1	0.1	48.5	0.1	25.0	0.1	16.4	0.0	12.2	0.0
足柄上郡	中井町	4 481	88.0	0.1	68.2	0.1	48.6	0.1	25.0	0.1	16.3	0.1	12.3	0.1
足柄上郡	大井町	8 632	87.9	0.1	68.2	0.1	48.6	0.1	25.0	0.1	16.4	0.1	12.4	0.1
足柄上郡	松田町	5 379	87.8	0.1	68.1	0.1	48.5	0.1	24.9	0.1	16.3	0.1	12.3	0.1
足柄上郡	山北町	4 899	87.5	0.1	67.8	0.1	48.3	0.1	24.7	0.1	16.0	0.1	12.0	0.1
足柄上郡	開成町	9 335	88.2	0.1	68.5	0.1	48.8	0.1	25.3	0.1	16.7	0.1	12.7	0.1
足柄下郡	箱根町	5 617	87.6	0.1	68.0	0.1	48.3	0.1	24.8	0.1	16.1	0.1	12.1	0.1
足柄下郡	真鶴町	3 562	87.8	0.1	68.1	0.1	48.4	0.1	24.9	0.1	16.3	0.1	12.3	0.1
足柄下郡	湯河原町	12 351	87.1	0.1	67.4	0.1	47.8	0.1	24.5	0.0	15.9	0.0	12.0	0.0
愛甲郡	愛川町	17 624	87.4	0.1	67.7	0.1	48.1	0.1	24.5	0.1	15.9	0.0	12.0	0.0
愛甲郡	清川村	1 468	87.8	0.1	68.1	0.1	48.4	0.1	24.9	0.1	16.3	0.1	12.3	0.1

		人口	男											
			平均余命（年）											
			0歳		20歳		40歳		65歳		75歳		80歳	
		（人）	平均寿命	誤差	平均余命	誤差	平均余命	誤差	平均余命	誤差	平均余命	誤差	平均余命	誤差
新潟県		1 062 137	81.3	…	61.6	…	42.2	…	19.7	…	12.3	…	9.0	…
新潟市		377 095	81.6	…	61.8	…	42.4	…	19.8	…	12.4	…	9.1	…
新潟市	北区	35 218	81.2	0.1	61.4	0.1	42.2	0.0	19.6	0.0	12.2	0.0	9.0	0.0
新潟市	東区	63 961	81.1	0.1	61.4	0.0	42.0	0.0	19.6	0.0	12.3	0.0	9.1	0.0
新潟市	中央区	85 134	81.9	0.1	62.1	0.0	42.6	0.0	19.8	0.0	12.3	0.0	9.0	0.0
新潟市	江南区	32 743	81.4	0.1	61.6	0.1	42.2	0.0	19.7	0.0	12.3	0.0	9.1	0.0
新潟市	秋葉区	35 931	82.0	0.1	62.2	0.0	42.9	0.0	20.1	0.0	12.5	0.0	9.2	0.0
新潟市	南区	20 916	81.3	0.1	61.5	0.1	42.1	0.1	19.7	0.0	12.2	0.0	9.0	0.0
新潟市	西区	77 091	81.8	0.1	62.0	0.0	42.5	0.0	20.1	0.0	12.7	0.0	9.4	0.0
新潟市	西蒲区	26 101	81.3	0.1	61.5	0.1	42.1	0.1	19.8	0.0	12.3	0.0	9.0	0.0
長岡市		130 210	81.7	0.1	62.0	0.1	42.6	0.0	20.0	0.0	12.4	0.0	9.1	0.0
三条市		45 455	81.2	0.1	61.5	0.1	42.2	0.0	19.6	0.0	12.1	0.0	8.9	0.0
柏崎市		40 192	80.8	0.1	61.0	0.1	41.7	0.0	19.1	0.0	11.9	0.0	8.7	0.0
新発田市		45 741	80.7	0.1	61.0	0.1	41.9	0.0	19.4	0.0	12.0	0.0	8.7	0.0
小千谷市		16 790	81.6	0.2	61.9	0.1	42.5	0.1	20.1	0.1	12.5	0.0	9.1	0.0
加茂市		12 370	81.2	0.1	61.4	0.1	42.1	0.1	19.5	0.0	12.1	0.1	8.8	0.1
十日町市		24 301	81.4	0.1	61.8	0.1	42.7	0.1	20.3	0.0	12.5	0.0	9.2	0.0
見附市		18 987	81.7	0.1	61.9	0.1	42.6	0.1	19.8	0.0	12.5	0.0	9.1	0.1
村上市		27 382	80.7	0.1	61.0	0.1	41.8	0.1	19.5	0.0	12.3	0.0	9.2	0.0
燕市		37 418	81.4	0.1	61.8	0.1	42.3	0.1	19.9	0.0	12.3	0.0	8.8	0.0
糸魚川市		19 918	81.4	0.2	61.8	0.1	42.3	0.1	19.7	0.0	12.2	0.0	8.9	0.0
妙高市		14 671	81.2	0.2	61.6	0.1	42.3	0.1	19.7	0.1	12.3	0.1	9.0	0.1
五泉市		22 794	81.1	0.1	61.4	0.1	42.1	0.1	19.6	0.0	12.0	0.0	8.9	0.0
上越市		91 330	81.5	0.1	61.9	0.0	42.5	0.0	19.8	0.0	12.4	0.0	9.0	0.0
阿賀野市		19 491	81.1	0.1	61.3	0.1	41.9	0.1	19.5	0.1	12.1	0.0	9.0	0.0
佐渡市		24 840	80.0	0.2	60.5	0.1	41.5	0.1	19.2	0.0	11.9	0.0	8.9	0.0
魚沼市		16 719	81.5	0.1	61.8	0.1	42.5	0.1	20.0	0.1	12.5	0.0	9.3	0.0
南魚沼市		26 570	81.3	0.1	61.7	0.1	42.2	0.1	19.7	0.1	12.2	0.1	9.1	0.1
胎内市		13 853	81.0	0.1	61.3	0.1	41.9	0.1	19.5	0.1	12.1	0.1	9.0	0.1
北蒲原郡	聖籠町	7 044	81.2	0.1	61.5	0.1	42.1	0.1	19.5	0.1	12.1	0.1	8.9	0.1
西蒲原郡	弥彦村	3 727	80.8	0.2	61.2	0.1	41.9	0.1	19.5	0.1	12.2	0.1	8.9	0.1
南蒲原郡	田上町	5 378	81.2	0.2	61.5	0.1	42.2	0.1	19.7	0.1	12.2	0.1	9.0	0.1
東蒲原郡	阿賀町	4 818	80.7	0.2	61.2	0.1	41.9	0.1	19.5	0.1	12.2	0.1	9.0	0.1
三島郡	出雲崎町	1 974	81.4	0.2	61.7	0.1	42.3	0.1	19.8	0.1	12.2	0.1	8.8	0.1
南魚沼郡	湯沢町	3 900	81.4	0.2	61.7	0.1	42.4	0.1	19.9	0.1	12.4	0.1	9.1	0.1
中魚沼郡	津南町	4 311	81.6	0.2	61.9	0.1	42.5	0.1	20.0	0.1	12.5	0.1	9.3	0.1
刈羽郡	刈羽村	2 238	81.3	0.2	61.7	0.1	42.4	0.1	19.8	0.1	12.3	0.1	9.0	0.1
岩船郡	関川村	2 439	81.1	0.2	61.3	0.1	42.0	0.1	19.7	0.1	12.1	0.1	8.9	0.1
岩船郡	粟島浦村	181	81.3	0.2	61.6	0.1	42.2	0.1	19.7	0.1	12.2	0.1	9.0	0.1
富山県		494 151	81.8	…	62.0	…	42.7	…	19.9	…	12.4	…	9.1	…
富山市		198 891	81.8	0.1	62.1	0.0	42.7	0.0	19.9	0.0	12.4	0.0	9.1	0.0
高岡市		78 750	81.6	0.1	61.8	0.0	42.4	0.0	19.8	0.0	12.4	0.0	9.0	0.0
魚津市		19 548	81.6	0.1	62.0	0.1	42.6	0.1	19.9	0.1	12.6	0.1	9.3	0.1

			女												
		人口	平均余命（年）												
			0歳		20歳		40歳		65歳		75歳		80歳		
		（人）	平均寿命	誤差	平均余命	誤差	平均余命	誤差	平均余命	誤差	平均余命	誤差	平均余命	誤差
新潟県		1 123 034	87.6	…	67.9	…	48.3	…	24.8	…	16.0	…	12.0	…
新潟市		406 838	87.7	…	68.1	…	48.4	…	24.9	…	16.2	…	12.3	…
新潟市	北区	37 079	87.7	0.1	68.0	0.0	48.4	0.0	24.9	0.0	16.3	0.0	12.3	0.0
新潟市	東区	69 611	87.5	0.1	67.7	0.0	48.1	0.0	24.7	0.0	16.0	0.0	12.1	0.0
新潟市	中央区	93 349	87.6	0.1	68.1	0.0	48.5	0.0	24.9	0.0	16.2	0.0	12.2	0.0
新潟市	江南区	34 869	87.8	0.1	68.2	0.0	48.6	0.0	25.0	0.0	16.2	0.0	12.2	0.0
新潟市	秋葉区	38 874	88.0	0.1	68.3	0.0	48.6	0.0	25.0	0.0	16.2	0.0	12.2	0.0
新潟市	南区	22 348	87.4	0.1	67.7	0.1	48.1	0.0	24.9	0.0	16.1	0.0	12.1	0.0
新潟市	西区	82 509	88.0	0.1	68.2	0.0	48.6	0.0	25.1	0.0	16.5	0.0	12.4	0.0
新潟市	西蒲区	28 199	87.7	0.1	68.1	0.0	48.4	0.0	25.1	0.0	16.5	0.0	12.5	0.0
長岡市		134 595	87.2	0.1	67.6	0.0	48.0	0.0	24.6	0.0	15.8	0.0	11.8	0.0
三条市		48 573	87.5	0.1	68.1	0.0	48.3	0.0	24.7	0.0	15.9	0.0	11.9	0.0
柏崎市		40 465	87.6	0.1	67.8	0.0	48.1	0.0	24.5	0.0	15.7	0.0	11.8	0.0
新発田市		48 576	87.5	0.1	67.6	0.0	48.1	0.0	24.5	0.0	15.6	0.0	11.5	0.0
小千谷市		17 129	87.8	0.2	68.2	0.1	48.7	0.1	25.1	0.0	16.2	0.0	12.2	0.0
加茂市		12 981	87.0	0.1	67.3	0.1	47.6	0.1	24.1	0.0	15.2	0.1	11.4	0.0
十日町市		25 239	88.1	0.1	68.4	0.1	48.7	0.1	25.2	0.0	16.4	0.0	12.3	0.0
見附市		20 004	87.6	0.1	67.8	0.1	48.2	0.1	24.7	0.0	16.0	0.0	12.0	0.0
村上市		29 724	86.9	0.1	67.4	0.1	48.1	0.0	24.8	0.0	16.0	0.0	12.0	0.0
燕市		39 294	87.2	0.1	67.6	0.0	47.9	0.0	24.3	0.0	15.6	0.0	11.8	0.0
糸魚川市		20 474	87.8	0.1	68.0	0.1	48.4	0.1	24.8	0.0	16.0	0.0	12.1	0.0
妙高市		15 446	87.6	0.2	68.0	0.1	48.3	0.1	24.9	0.0	16.0	0.0	12.1	0.0
五泉市		24 358	87.3	0.1	67.6	0.1	48.0	0.1	24.5	0.0	15.7	0.0	11.6	0.0
上越市		95 129	87.9	0.1	68.3	0.0	48.6	0.0	25.0	0.0	16.3	0.0	12.2	0.0
阿賀野市		20 958	87.9	0.1	68.1	0.1	48.4	0.1	24.7	0.0	16.1	0.0	12.1	0.0
佐渡市		26 451	87.3	0.1	67.5	0.1	48.0	0.0	24.6	0.0	15.8	0.0	11.8	0.0
魚沼市		17 539	87.8	0.1	68.1	0.1	48.4	0.1	25.1	0.0	16.3	0.0	12.2	0.0
南魚沼市		27 564	87.7	0.1	68.1	0.1	48.4	0.1	25.0	0.0	16.1	0.0	12.0	0.0
胎内市		14 458	87.7	0.2	68.3	0.1	48.5	0.1	24.8	0.1	15.9	0.0	12.0	0.0
北蒲原郡	聖籠町	6 926	87.5	0.1	67.8	0.1	48.1	0.1	24.8	0.1	16.0	0.1	12.0	0.1
西蒲原郡	弥彦村	3 958	87.8	0.2	68.1	0.1	48.4	0.1	24.8	0.1	16.0	0.1	12.0	0.1
南蒲原郡	田上町	5 810	87.4	0.2	67.7	0.1	48.2	0.1	24.9	0.1	16.1	0.1	12.1	0.1
東蒲原郡	阿賀町	5 111	87.7	0.2	68.0	0.1	48.3	0.1	24.9	0.1	16.1	0.1	12.2	0.1
三島郡	出雲崎町	2 125	87.5	0.2	67.8	0.1	48.1	0.1	24.6	0.1	15.8	0.1	11.9	0.1
南魚沼郡	湯沢町	3 753	87.7	0.2	68.0	0.1	48.4	0.1	24.8	0.1	16.1	0.1	12.2	0.1
中魚沼郡	津南町	4 575	87.7	0.2	68.0	0.1	48.5	0.1	25.2	0.1	16.4	0.1	12.5	0.1
刈羽郡	刈羽村	2 128	87.5	0.2	67.8	0.1	48.3	0.1	24.7	0.1	15.9	0.1	11.9	0.1
岩船郡	関川村	2 683	87.5	0.2	67.8	0.1	48.1	0.1	24.6	0.1	15.9	0.1	11.8	0.1
岩船郡	粟島浦村	170	87.6	0.2	67.9	0.1	48.3	0.1	24.8	0.1	16.0	0.1	12.0	0.1
富山県		523 170	88.0	…	68.2	…	48.5	…	24.9	…	16.2	…	12.2	…
富山市		208 103	87.8	0.0	68.1	0.0	48.4	0.0	24.8	0.0	16.1	0.0	12.2	0.0
高岡市		84 303	88.3	0.1	68.5	0.0	48.7	0.0	25.0	0.0	16.3	0.0	12.3	0.0
魚津市		20 562	88.1	0.1	68.3	0.1	48.5	0.0	24.8	0.0	16.0	0.0	12.0	0.0

			男												
		人口	平均余命（年）												
			0歳		20歳		40歳		65歳		75歳		80歳		
		（人）	平均寿命	誤差	平均余命	誤差	平均余命	誤差	平均余命	誤差	平均余命	誤差	平均余命	誤差
氷見市		20 717	81.5	0.1	61.7	0.1	42.3	0.1	19.7	0.0	12.1	0.0	8.9	0.0
滑川市		15 554	81.9	0.1	62.1	0.1	42.7	0.1	20.0	0.1	12.4	0.1	9.2	0.1
黒部市		19 340	81.7	0.1	62.1	0.1	42.6	0.1	19.8	0.1	12.3	0.1	9.1	0.1
砺波市		23 071	82.1	0.1	62.4	0.1	43.0	0.1	20.2	0.0	12.3	0.1	9.0	0.1
小矢部市		13 782	82.3	0.1	62.6	0.1	43.2	0.1	20.5	0.1	13.0	0.1	9.5	0.1
南砺市		22 636	82.3	0.1	62.7	0.1	43.4	0.1	20.5	0.0	12.8	0.1	9.3	0.0
射水市		42 927	81.5	0.1	61.7	0.1	42.6	0.0	19.7	0.0	12.0	0.0	8.8	0.0
中新川郡	舟橋村	1 494	81.7	0.1	61.9	0.1	42.6	0.1	19.8	0.1	12.3	0.1	9.0	0.1
中新川郡	上市町	9 160	81.5	0.1	61.9	0.1	42.5	0.1	19.7	0.1	12.2	0.1	8.8	0.1
中新川郡	立山町	11 918	81.7	0.1	61.9	0.1	42.4	0.1	19.7	0.1	12.2	0.1	8.8	0.1
下新川郡	入善町	11 174	81.3	0.1	61.6	0.1	42.3	0.1	19.7	0.1	12.0	0.1	8.7	0.1
下新川郡	朝日町	5 189	81.6	0.1	61.9	0.1	42.5	0.1	20.1	0.1	12.6	0.1	9.3	0.1
石川県		541 717	82.0	…	62.3	…	42.9	…	20.1	…	12.4	…	9.1	…
金沢市		221 746	82.2	0.1	62.5	0.0	43.0	0.0	20.2	0.0	12.5	0.0	9.3	0.0
七尾市		23 770	81.7	0.1	61.9	0.1	42.4	0.1	19.8	0.1	12.5	0.1	9.1	0.0
小松市		50 636	82.1	0.1	62.5	0.1	43.0	0.1	20.2	0.1	12.5	0.1	9.3	0.1
輪島市		11 638	81.6	0.2	62.0	0.1	42.5	0.1	19.9	0.1	12.5	0.1	9.1	0.1
珠洲市		5 911	81.9	0.2	62.2	0.1	42.9	0.1	20.2	0.1	12.5	0.1	9.2	0.1
加賀市		29 515	81.2	0.1	61.5	0.1	42.1	0.1	19.6	0.0	12.1	0.1	9.0	0.1
羽咋市		9 621	81.8	0.2	62.2	0.1	42.7	0.1	20.1	0.1	12.3	0.1	8.9	0.1
かほく市		16 670	82.3	0.1	62.6	0.1	43.0	0.1	20.0	0.1	12.4	0.1	9.1	0.1
白山市		52 684	82.3	0.1	62.8	0.1	43.3	0.0	20.3	0.1	12.5	0.0	9.1	0.0
能美市		23 375	82.3	0.1	62.7	0.1	43.2	0.1	20.2	0.1	12.3	0.1	9.1	0.1
野々市市		29 245	82.5	0.1	62.8	0.1	43.0	0.1	20.3	0.1	12.7	0.1	9.4	0.1
能美郡	川北町	2 986	82.2	0.2	62.6	0.1	43.2	0.1	20.2	0.1	12.5	0.1	9.2	0.1
河北郡	津幡町	17 882	81.5	0.1	61.9	0.1	42.6	0.1	19.7	0.1	12.2	0.1	9.1	0.1
河北郡	内灘町	12 562	82.4	0.1	62.7	0.1	43.2	0.1	20.3	0.1	12.5	0.1	9.1	0.1
羽咋郡	志賀町	8 836	82.4	0.1	62.7	0.1	43.1	0.1	20.3	0.1	12.4	0.1	9.0	0.1
羽咋郡	宝達志水町	5 666	81.9	0.2	62.3	0.1	42.8	0.1	20.0	0.1	12.5	0.1	9.2	0.1
鹿島郡	中能登町	7 925	81.7	0.1	62.0	0.1	42.5	0.1	19.8	0.1	12.4	0.1	9.2	0.1
鳳珠郡	穴水町	3 747	81.4	0.2	61.7	0.1	42.4	0.1	19.8	0.1	12.1	0.1	8.8	0.1
鳳珠郡	能登町	7 302	81.5	0.2	61.7	0.1	42.4	0.1	19.9	0.1	12.5	0.1	9.1	0.1
福井県		367 290	82.0	…	62.4	…	43.0	…	20.1	…	12.4	…	9.1	…
福井市		125 945	82.4	0.1	62.9	0.0	43.3	0.0	20.3	0.0	12.6	0.0	9.3	0.0
敦賀市		31 449	81.6	0.1	62.1	0.1	42.5	0.1	19.8	0.1	12.2	0.0	9.0	0.0
小浜市		14 216	81.5	0.1	62.0	0.1	42.6	0.1	19.8	0.1	12.2	0.0	8.9	0.0
大野市		14 852	81.5	0.1	61.8	0.1	42.7	0.1	20.0	0.1	12.1	0.1	9.0	0.1
勝山市		10 517	81.8	0.1	62.2	0.1	42.8	0.1	19.9	0.1	12.4	0.1	9.0	0.1
鯖江市		32 949	82.4	0.1	62.6	0.1	43.3	0.1	20.3	0.1	12.5	0.1	9.2	0.0
あわら市		12 861	81.6	0.1	62.1	0.1	42.6	0.1	19.9	0.1	12.2	0.1	9.0	0.1
越前市		37 200	81.8	0.1	62.2	0.1	42.8	0.0	20.0	0.1	12.4	0.0	9.1	0.0
坂井市		42 011	82.1	0.1	62.7	0.1	43.3	0.0	20.3	0.0	12.5	0.0	9.1	0.0

		女												
		人口	平均余命（年）											
			0歳		20歳		40歳		65歳		75歳		80歳	
		（人）	平均寿命	誤差	平均余命	誤差	平均余命	誤差	平均余命	誤差	平均余命	誤差	平均余命	誤差
氷見市		22 808	87.8	0.1	68.1	0.1	48.4	0.0	24.7	0.0	16.1	0.0	12.1	0.0
滑川市		16 398	88.0	0.1	68.2	0.1	48.4	0.1	24.9	0.0	16.2	0.0	12.3	0.0
黒部市		19 982	88.2	0.1	68.4	0.1	48.6	0.0	25.0	0.0	16.3	0.0	12.3	0.0
砺波市		24 344	88.2	0.1	68.3	0.1	48.7	0.0	25.0	0.0	16.3	0.0	12.4	0.0
小矢部市		14 673	88.0	0.1	68.1	0.1	48.5	0.1	25.1	0.0	16.4	0.0	12.4	0.0
南砺市		24 479	88.3	0.1	68.6	0.0	48.9	0.0	25.2	0.0	16.4	0.0	12.4	0.0
射水市		45 331	87.6	0.1	67.9	0.0	48.3	0.0	24.9	0.0	16.1	0.0	12.2	0.0
中新川郡	舟橋村	1 587	88.1	0.1	68.3	0.1	48.6	0.1	24.9	0.1	16.2	0.1	12.3	0.1
中新川郡	上市町	9 974	88.0	0.2	68.3	0.1	48.6	0.1	24.9	0.0	16.1	0.0	12.1	0.0
中新川郡	立山町	12 666	87.9	0.1	68.1	0.1	48.4	0.1	24.8	0.0	16.1	0.0	12.0	0.0
下新川郡	入善町	12 192	87.2	0.2	68.0	0.1	48.4	0.1	24.9	0.0	16.3	0.0	12.3	0.0
下新川郡	朝日町	5 768	87.9	0.1	68.2	0.1	48.5	0.1	25.0	0.0	16.3	0.0	12.2	0.0
石川県		575 647	88.1	…	68.4	…	48.7	…	25.0	…	16.2	…	12.2	…
金沢市		235 804	88.1	0.1	68.3	0.0	48.6	0.0	24.9	0.0	16.2	0.0	12.2	0.0
七尾市		25 848	87.4	0.2	68.0	0.1	48.3	0.1	24.8	0.0	16.1	0.0	12.1	0.0
小松市		53 034	88.3	0.1	68.5	0.0	48.8	0.0	25.2	0.0	16.4	0.0	12.3	0.0
輪島市		12 796	87.8	0.1	68.3	0.1	48.6	0.1	24.9	0.0	16.2	0.0	12.1	0.0
珠洲市		6 943	88.1	0.2	68.3	0.1	48.7	0.1	25.1	0.1	16.3	0.0	12.3	0.0
加賀市		32 776	87.4	0.1	67.7	0.0	48.0	0.0	24.4	0.0	15.9	0.0	12.1	0.0
羽咋市		10 641	88.2	0.1	68.5	0.1	48.9	0.1	25.2	0.0	16.4	0.0	12.3	0.0
かほく市		17 917	88.4	0.1	68.5	0.1	48.8	0.1	25.0	0.0	16.2	0.0	12.2	0.0
白山市		56 245	88.6	0.1	68.8	0.0	49.2	0.0	25.1	0.0	16.2	0.0	12.1	0.0
能美市		23 978	88.5	0.1	68.6	0.1	48.9	0.1	25.0	0.0	16.3	0.0	12.3	0.0
野々市市		27 435	88.5	0.1	68.7	0.1	49.0	0.1	25.2	0.0	16.5	0.0	12.6	0.0
能美郡	川北町	3 086	88.1	0.2	68.3	0.1	48.6	0.1	25.0	0.1	16.2	0.1	12.2	0.1
河北郡	津幡町	18 789	88.5	0.1	68.6	0.1	48.9	0.1	25.3	0.0	16.4	0.0	12.3	0.0
河北郡	内灘町	13 667	87.9	0.2	68.4	0.1	48.7	0.1	25.0	0.1	16.3	0.0	12.3	0.0
羽咋郡	志賀町	9 631	87.8	0.2	68.2	0.1	48.5	0.1	24.9	0.0	16.1	0.0	12.1	0.0
羽咋郡	宝達志水町	6 282	88.2	0.2	68.4	0.1	48.7	0.1	25.0	0.1	16.3	0.1	12.2	0.0
鹿島郡	中能登町	8 436	87.5	0.1	67.9	0.1	48.2	0.1	24.6	0.1	16.1	0.0	12.0	0.0
鳳珠郡	穴水町	4 060	88.0	0.2	68.2	0.1	48.6	0.1	24.9	0.1	16.3	0.1	12.3	0.0
鳳珠郡	能登町	8 279	87.9	0.2	68.1	0.1	48.6	0.1	24.9	0.0	16.1	0.0	12.1	0.0
福井県		384 728	87.8	…	68.3	…	48.6	…	24.9	…	16.1	…	12.1	…
福井市		131 957	87.9	0.1	68.2	0.0	48.6	0.0	25.1	0.0	16.3	0.0	12.2	0.0
敦賀市		31 961	87.8	0.2	68.4	0.1	48.7	0.0	24.9	0.0	16.1	0.0	12.1	0.0
小浜市		14 475	87.8	0.2	68.1	0.1	48.5	0.1	24.9	0.0	16.2	0.0	12.1	0.0
大野市		15 965	87.7	0.2	68.1	0.1	48.3	0.1	24.6	0.0	15.8	0.0	11.9	0.0
勝山市		11 354	87.8	0.3	68.4	0.1	48.7	0.1	25.0	0.0	16.1	0.0	12.1	0.0
鯖江市		34 482	87.9	0.2	68.4	0.1	48.6	0.0	25.1	0.0	16.2	0.0	12.2	0.0
あわら市		14 189	88.2	0.2	68.5	0.1	48.7	0.1	25.1	0.0	16.2	0.0	12.2	0.0
越前市		38 620	88.0	0.1	68.3	0.0	48.7	0.0	24.9	0.0	16.1	0.0	12.1	0.0
坂井市		44 949	88.3	0.1	68.6	0.0	48.9	0.0	25.1	0.0	16.1	0.0	12.1	0.0

		人口(人)	男												
			0歳		平均余命（年）										
					20歳		40歳		65歳		75歳		80歳		
			平均寿命	誤差	平均余命	誤差	平均余命	誤差	平均余命	誤差	平均余命	誤差	平均余命	誤差	
吉田郡	永平寺町	9 129	82.5	0.2	63.0	0.1	43.5	0.1	20.3	0.1	12.4	0.1	9.1	0.1	
今立郡	池田町	1 183	82.0	0.2	62.5	0.1	43.0	0.1	20.2	0.1	12.4	0.1	9.1	0.1	
南条郡	南越前町	4 781	81.6	0.2	62.0	0.1	42.9	0.1	20.2	0.1	12.5	0.1	9.3	0.1	
丹生郡	越前町	9 616	81.4	0.2	61.8	0.1	42.6	0.1	19.7	0.1	12.1	0.1	8.9	0.1	
三方郡	美浜町	4 591	82.1	0.2	62.5	0.1	43.0	0.1	20.1	0.1	12.3	0.1	9.0	0.1	
大飯郡	高浜町	5 376	81.9	0.2	62.3	0.1	42.8	0.1	20.2	0.1	12.4	0.1	9.1	0.1	
大飯郡	おおい町	3 962	82.2	0.2	62.7	0.1	43.2	0.1	20.1	0.1	12.3	0.1	9.1	0.1	
三方上中郡	若狭町	6 652	81.7	0.2	62.3	0.1	42.9	0.1	20.1	0.1	12.4	0.1	9.1	0.1	
山梨県		390 141	81.7	…	62.1	…	42.7	…	20.2	…	12.7	…	9.4	…	
甲府市		90 235	81.5	0.1	61.8	0.0	42.4	0.0	19.9	0.0	12.7	0.0	9.5	0.0	
富士吉田市		22 429	81.4	0.1	61.7	0.1	42.6	0.1	20.3	0.1	12.6	0.1	9.2	0.1	
都留市		14 676	81.8	0.2	62.2	0.1	42.9	0.1	20.4	0.1	12.6	0.1	9.4	0.1	
山梨市		16 012	81.5	0.2	61.8	0.1	42.5	0.1	20.1	0.1	12.7	0.1	9.3	0.1	
大月市		10 842	81.6	0.2	62.2	0.1	42.8	0.1	20.4	0.1	12.7	0.1	9.2	0.1	
韮崎市		14 279	81.5	0.2	62.0	0.1	42.6	0.1	20.1	0.1	12.7	0.1	9.4	0.1	
南アルプス市		33 703	81.9	0.1	62.2	0.1	42.8	0.1	20.1	0.1	12.6	0.1	9.3	0.1	
北杜市		21 290	82.5	0.2	62.9	0.1	43.4	0.1	20.8	0.1	13.0	0.1	9.6	0.1	
甲斐市		36 741	82.3	0.1	62.7	0.1	43.3	0.1	20.7	0.1	12.9	0.1	9.7	0.1	
笛吹市		32 071	81.7	0.1	62.1	0.1	42.7	0.1	20.0	0.1	12.7	0.0	9.6	0.1	
上野原市		11 130	81.5	0.2	62.1	0.1	42.8	0.1	20.1	0.1	12.4	0.1	9.0	0.1	
甲州市		14 013	81.4	0.2	61.8	0.1	42.7	0.1	20.2	0.1	12.9	0.1	9.6	0.1	
中央市		14 600	81.9	0.2	62.3	0.1	43.0	0.1	20.3	0.1	12.5	0.1	9.2	0.1	
西八代郡	市川三郷町	7 053	81.4	0.2	61.7	0.1	42.5	0.1	20.0	0.1	12.5	0.1	9.3	0.1	
南巨摩郡	早川町	624	81.7	0.2	62.1	0.1	42.7	0.1	20.1	0.1	12.6	0.1	9.3	0.1	
南巨摩郡	身延町	5 168	81.0	0.2	61.3	0.1	42.0	0.1	19.8	0.1	12.5	0.1	9.3	0.1	
南巨摩郡	南部町	3 457	81.4	0.2	61.7	0.1	42.5	0.1	20.1	0.1	12.5	0.1	9.2	0.1	
南巨摩郡	富士川町	6 802	80.8	0.2	61.2	0.1	41.9	0.1	19.5	0.1	12.1	0.1	8.7	0.1	
中巨摩郡	昭和町	10 134	82.4	0.1	62.6	0.1	43.2	0.1	20.4	0.1	12.7	0.1	9.4	0.1	
南都留郡	道志村	806	81.6	0.2	61.9	0.1	42.5	0.1	20.2	0.1	12.8	0.1	9.5	0.1	
南都留郡	西桂町	1 934	81.7	0.2	62.1	0.1	42.8	0.1	20.4	0.1	12.7	0.1	9.4	0.1	
南都留郡	忍野村	5 012	81.4	0.2	62.0	0.1	42.4	0.1	19.9	0.1	12.5	0.1	9.1	0.1	
南都留郡	山中湖村	2 490	81.7	0.2	62.1	0.1	42.9	0.1	20.5	0.1	13.0	0.1	9.7	0.1	
南都留郡	鳴沢村	1 380	81.8	0.2	62.2	0.1	42.9	0.1	20.3	0.1	12.8	0.1	9.4	0.1	
南都留郡	富士河口湖町	12 649	82.6	0.1	62.8	0.1	43.4	0.1	21.0	0.1	13.2	0.1	9.9	0.1	
北都留郡	小菅村	339	81.6	0.2	62.0	0.1	42.6	0.1	20.2	0.1	12.8	0.1	9.6	0.1	
北都留郡	丹波山村	272	81.6	0.2	62.0	0.1	42.6	0.1	20.1	0.1	12.6	0.1	9.3	0.1	
長野県		985 058	82.7	…	63.1	…	43.7	…	20.9	…	13.1	…	9.7	…	
長野市		179 537	83.1	0.1	63.5	0.0	44.2	0.0	21.0	0.0	13.2	0.0	9.8	0.0	
松本市		116 572	82.9	0.1	63.2	0.0	43.8	0.0	20.8	0.0	13.1	0.0	9.8	0.0	
上田市		73 636	82.0	0.1	62.4	0.1	43.1	0.1	20.5	0.1	12.9	0.1	9.5	0.1	
岡谷市		22 896	83.1	0.1	63.5	0.1	44.1	0.1	20.8	0.1	13.2	0.1	9.6	0.1	
飯田市		46 436	83.1	0.1	63.4	0.1	44.0	0.0	21.0	0.0	13.3	0.0	9.8	0.0	

		女												
		人口	平均余命（年）											
			0歳		20歳		40歳		65歳		75歳		80歳	
		（人）	平均寿命	誤差	平均余命	誤差	平均余命	誤差	平均余命	誤差	平均余命	誤差	平均余命	誤差
吉田郡	永平寺町	9 596	87.6	0.4	68.3	0.1	48.5	0.1	24.6	0.1	15.9	0.1	11.9	0.0
今立郡	池田町	1 226	87.9	0.3	68.3	0.1	48.6	0.1	24.9	0.1	16.1	0.1	12.1	0.1
南条郡	南越前町	5 164	87.9	0.2	68.2	0.1	48.5	0.1	25.0	0.1	16.2	0.1	12.2	0.1
丹生郡	越前町	10 327	87.9	0.2	68.2	0.1	48.5	0.1	24.8	0.1	16.0	0.0	12.0	0.0
三方郡	美浜町	4 517	87.3	0.4	68.0	0.1	48.4	0.1	24.6	0.1	15.8	0.1	11.7	0.1
大飯郡	高浜町　*	4 802	87.0	0.5	68.0	0.1	48.5	0.1	24.8	0.1	16.0	0.1	12.0	0.1
大飯郡	おおい町	3 878	87.8	0.2	68.2	0.1	48.5	0.1	24.9	0.1	16.2	0.1	12.1	0.1
三方上中郡	若狭町	7 266	87.6	0.2	67.9	0.1	48.2	0.1	24.6	0.1	15.9	0.1	11.8	0.0
山梨県		404 217	87.9	…	68.2	…	48.6	…	25.0	…	16.3	…	12.3	…
甲府市		93 819	88.1	0.1	68.3	0.0	48.6	0.0	25.0	0.0	16.3	0.0	12.4	0.0
富士吉田市		23 597	87.7	0.1	68.0	0.1	48.6	0.1	24.8	0.0	16.1	0.1	12.1	0.0
都留市		15 794	88.1	0.1	68.2	0.1	48.5	0.1	24.9	0.1	16.0	0.1	12.1	0.0
山梨市		17 233	87.8	0.1	68.0	0.1	48.3	0.1	25.0	0.1	16.2	0.0	12.2	0.0
大月市		11 496	87.7	0.1	67.9	0.1	48.3	0.1	24.7	0.1	16.1	0.1	12.1	0.0
韮崎市		14 296	87.9	0.1	68.2	0.1	48.7	0.1	25.0	0.1	16.3	0.1	12.4	0.1
南アルプス市		34 748	87.6	0.1	67.8	0.1	48.3	0.1	24.8	0.1	16.2	0.1	12.2	0.1
北杜市		22 256	87.8	0.1	68.2	0.1	48.6	0.1	25.2	0.0	16.4	0.0	12.3	0.0
甲斐市		37 469	88.2	0.1	68.4	0.1	48.7	0.1	25.4	0.1	16.5	0.1	12.4	0.0
笛吹市		33 856	87.6	0.1	67.8	0.1	48.3	0.1	24.8	0.1	16.3	0.0	12.3	0.0
上野原市		11 211	87.7	0.1	68.0	0.1	48.4	0.1	25.0	0.1	16.3	0.1	12.3	0.1
甲州市		15 056	88.0	0.1	68.4	0.1	48.7	0.1	25.2	0.1	16.4	0.0	12.3	0.1
中央市		14 748	88.0	0.1	68.4	0.1	48.9	0.1	25.3	0.1	16.4	0.1	12.4	0.1
西八代郡	市川三郷町	7 426	87.5	0.2	68.5	0.1	49.0	0.1	25.4	0.1	16.6	0.1	12.5	0.1
南巨摩郡	早川町	467	87.9	0.2	68.2	0.1	48.6	0.1	25.0	0.1	16.3	0.1	12.2	0.1
南巨摩郡	身延町	5 399	87.7	0.1	67.9	0.1	48.2	0.1	24.9	0.1	16.3	0.1	12.3	0.1
南巨摩郡	南部町	3 640	88.0	0.1	68.2	0.1	48.5	0.1	25.0	0.1	16.3	0.1	12.3	0.1
南巨摩郡	富士川町	7 265	87.6	0.1	68.1	0.1	48.3	0.1	25.1	0.1	16.5	0.1	12.5	0.1
中巨摩郡	昭和町	10 009	88.3	0.1	68.5	0.1	48.8	0.1	25.3	0.1	16.4	0.1	12.3	0.1
南都留郡	道志村	792	88.0	0.2	68.3	0.1	48.6	0.1	25.0	0.1	16.4	0.1	12.4	0.1
南都留郡	西桂町	2 078	87.3	0.2	68.2	0.1	48.5	0.1	25.0	0.1	16.3	0.1	12.3	0.1
南都留郡	忍野村	3 972	87.9	0.1	68.1	0.1	48.4	0.1	25.1	0.1	16.3	0.1	12.4	0.1
南都留郡	山中湖村	2 568	88.4	0.1	68.7	0.1	49.0	0.1	25.3	0.1	16.6	0.1	12.6	0.1
南都留郡	鳴沢村	1 423	87.5	0.2	67.7	0.1	48.3	0.1	24.8	0.1	16.1	0.1	12.1	0.1
南都留郡	富士河口湖町	13 005	88.8	0.1	69.0	0.1	49.2	0.1	25.5	0.1	16.7	0.1	12.7	0.1
北都留郡	小菅村	337	88.0	0.2	68.2	0.1	48.6	0.1	25.1	0.1	16.3	0.1	12.3	0.1
北都留郡	丹波山村	257	88.0	0.2	68.2	0.1	48.6	0.1	25.0	0.1	16.3	0.1	12.4	0.1
長野県		1 028 481	88.2	…	68.5	…	48.9	…	25.4	…	16.5	…	12.4	…
長野市		189 320	88.3	0.1	68.6	0.0	49.0	0.0	25.4	0.0	16.6	0.0	12.5	0.0
松本市		120 519	88.3	0.1	68.7	0.0	49.0	0.0	25.4	0.0	16.5	0.0	12.4	0.0
上田市		76 806	87.6	0.1	68.1	0.0	48.5	0.0	25.2	0.0	16.4	0.0	12.3	0.0
岡谷市		24 164	88.3	0.1	68.4	0.1	48.8	0.1	25.4	0.0	16.5	0.0	12.5	0.0
飯田市		49 608	88.1	0.1	68.4	0.0	48.5	0.0	25.1	0.0	16.4	0.0	12.5	0.0

			男												
		人口	平均余命（年）												
			0歳		20歳		40歳		65歳		75歳		80歳		
		（人）	平均寿命	誤差	平均余命	誤差	平均余命	誤差	平均余命	誤差	平均余命	誤差	平均余命	誤差	
諏訪市		23 275	82.5	0.1	62.9	0.1	43.4	0.1	20.6	0.1	13.0	0.1	9.6	0.1	
須坂市		24 053	82.6	0.2	63.0	0.1	43.6	0.1	20.7	0.1	12.8	0.1	9.4	0.1	
小諸市		19 732	82.4	0.1	62.7	0.1	43.4	0.1	21.0	0.1	13.2	0.1	9.7	0.1	
伊那市		31 717	83.2	0.1	63.4	0.1	44.0	0.1	20.9	0.0	13.4	0.0	9.9	0.0	
駒ヶ根市		15 473	82.9	0.1	63.1	0.1	43.8	0.1	20.9	0.1	13.2	0.1	9.8	0.1	
中野市		20 421	82.9	0.2	63.6	0.1	44.1	0.1	21.2	0.1	13.2	0.1	9.8	0.1	
大町市		12 472	81.8	0.2	62.2	0.1	43.4	0.1	20.9	0.1	13.2	0.1	9.9	0.1	
飯山市		9 425	82.2	0.2	62.7	0.1	43.4	0.1	20.5	0.1	12.9	0.1	9.6	0.1	
茅野市		27 746	83.0	0.2	63.5	0.1	44.1	0.1	21.3	0.1	13.4	0.1	10.1	0.1	
塩尻市		32 992	82.2	0.1	62.7	0.1	43.5	0.1	20.7	0.1	13.1	0.0	9.7	0.0	
佐久市		47 550	82.6	0.1	63.0	0.1	43.7	0.1	20.9	0.0	13.2	0.0	9.9	0.0	
千曲市		28 098	82.3	0.1	62.7	0.1	43.4	0.1	20.6	0.1	12.8	0.0	9.4	0.1	
東御市		14 576	82.5	0.1	63.0	0.1	43.6	0.1	20.6	0.1	12.9	0.1	9.4	0.1	
安曇野市		44 948	82.9	0.1	63.3	0.1	43.9	0.1	21.1	0.0	13.2	0.0	9.7	0.0	
南佐久郡	小海町	2 088	82.7	0.2	63.0	0.1	44.0	0.1	21.2	0.1	13.4	0.1	9.9	0.1	
南佐久郡	川上村	1 815	82.3	0.2	62.7	0.1	43.8	0.1	20.9	0.1	13.2	0.1	9.8	0.1	
南佐久郡	南牧村	1 382	82.6	0.2	62.9	0.1	43.8	0.1	20.9	0.1	13.1	0.1	9.6	0.1	
南佐久郡	南相木村	463	82.7	0.2	63.1	0.1	43.8	0.1	20.8	0.1	13.1	0.1	9.6	0.1	
南佐久郡	北相木村	347	82.8	0.2	63.1	0.1	43.8	0.1	20.8	0.1	13.0	0.1	9.6	0.1	
南佐久郡	佐久穂町	4 944	81.6	0.2	62.4	0.1	43.3	0.1	20.5	0.1	12.9	0.1	9.6	0.1	
北佐久郡	軽井沢町	8 976	82.5	0.2	62.9	0.1	43.7	0.1	20.9	0.1	13.2	0.1	9.8	0.1	
北佐久郡	御代田町	7 574	82.6	0.3	63.2	0.1	43.8	0.1	21.1	0.1	13.2	0.1	9.9	0.1	
北佐久郡	立科町	3 261	82.7	0.2	63.0	0.1	43.6	0.1	20.8	0.1	12.9	0.1	9.5	0.1	
小県郡	青木村	1 958	82.8	0.2	63.1	0.1	43.7	0.1	20.8	0.1	13.1	0.1	9.6	0.1	
小県郡	長和町	2 759	82.3	0.2	62.7	0.1	43.3	0.1	20.9	0.1	12.9	0.1	9.5	0.1	
諏訪郡	下諏訪町	9 156	82.0	0.2	62.3	0.1	42.9	0.1	20.5	0.1	12.9	0.1	9.5	0.1	
諏訪郡	富士見町	6 740	82.8	0.2	63.1	0.1	43.5	0.1	20.8	0.1	13.0	0.1	9.7	0.1	
諏訪郡	原村	3 732	83.3	0.2	63.6	0.1	44.2	0.1	21.0	0.1	13.1	0.1	9.6	0.1	
上伊那郡	辰野町	8 861	81.9	0.2	62.7	0.1	43.7	0.1	20.9	0.1	13.2	0.1	9.7	0.1	
上伊那郡	箕輪町	12 169	83.0	0.2	63.4	0.1	44.3	0.1	21.2	0.1	13.3	0.1	9.9	0.1	
上伊那郡	飯島町	4 286	82.8	0.2	63.1	0.1	43.7	0.1	20.9	0.1	13.2	0.1	9.8	0.1	
上伊那郡	南箕輪村	7 723	83.0	0.2	63.3	0.1	43.8	0.1	21.1	0.1	13.6	0.1	10.1	0.1	
上伊那郡	中川村	2 175	83.1	0.2	63.4	0.1	44.1	0.1	21.0	0.1	13.2	0.1	9.7	0.1	
上伊那郡	宮田村	4 041	83.4	0.2	63.7	0.1	44.4	0.1	21.3	0.1	13.4	0.1	10.0	0.1	
下伊那郡	松川町	6 007	83.2	0.2	63.5	0.1	44.3	0.1	21.2	0.1	13.0	0.1	9.6	0.1	
下伊那郡	高森町	6 088	82.6	0.2	63.0	0.1	43.8	0.1	21.2	0.1	13.4	0.1	9.9	0.1	
下伊那郡	阿南町	2 062	82.2	0.2	62.6	0.1	43.1	0.1	20.5	0.1	12.9	0.1	9.6	0.1	
下伊那郡	阿智村	2 843	82.8	0.2	63.2	0.1	43.7	0.1	20.7	0.1	13.0	0.1	9.5	0.1	
下伊那郡	平谷村	189	82.7	0.2	63.0	0.1	43.7	0.1	20.8	0.1	13.1	0.1	9.6	0.1	
下伊那郡	根羽村	410	82.7	0.2	63.1	0.1	43.8	0.1	20.9	0.1	13.2	0.1	9.8	0.1	
下伊那郡	下條村	1 702	82.8	0.2	63.2	0.1	43.8	0.1	21.0	0.1	13.2	0.1	9.7	0.1	
下伊那郡	売木村	246	82.8	0.2	63.2	0.1	43.8	0.1	20.9	0.1	13.2	0.1	9.7	0.1	
下伊那郡	天龍村	552	82.6	0.2	63.0	0.1	43.6	0.1	20.7	0.1	13.1	0.1	9.6	0.1	
下伊那郡	泰阜村	716	82.6	0.2	62.9	0.1	43.6	0.1	20.7	0.1	13.1	0.1	9.7	0.1	
下伊那郡	喬木村	2 887	83.0	0.2	63.3	0.1	44.0	0.1	21.0	0.1	13.3	0.1	9.8	0.1	
下伊那郡	豊丘村	3 141	83.3	0.2	63.6	0.1	44.1	0.1	21.2	0.1	13.4	0.1	10.0	0.1	

		人口	女 平均余命（年）											
			0歳		20歳		40歳		65歳		75歳		80歳	
		（人）	平均寿命	誤差	平均余命	誤差	平均余命	誤差	平均余命	誤差	平均余命	誤差	平均余命	誤差
諏訪市		24 272	88.4	0.1	68.6	0.1	49.0	0.1	25.6	0.0	16.8	0.0	12.8	0.0
須坂市		24 851	88.5	0.1	68.7	0.1	49.2	0.1	25.3	0.0	16.5	0.0	12.3	0.0
小諸市		20 502	88.3	0.1	68.5	0.1	49.2	0.1	25.6	0.1	16.9	0.0	12.9	0.0
伊那市		32 752	88.8	0.1	69.0	0.1	49.2	0.1	25.7	0.0	16.8	0.0	12.6	0.0
駒ヶ根市		16 133	87.9	0.1	68.1	0.1	48.5	0.1	25.0	0.1	16.2	0.1	12.2	0.1
中野市		21 334	87.9	0.1	68.4	0.1	48.6	0.1	25.0	0.1	16.1	0.0	12.1	0.0
大町市		13 054	88.6	0.1	68.8	0.1	49.5	0.1	25.9	0.1	17.0	0.1	13.0	0.1
飯山市		9 920	88.4	0.1	68.6	0.1	48.9	0.1	25.2	0.1	16.4	0.1	12.3	0.1
茅野市		27 670	87.9	0.1	68.3	0.1	48.9	0.1	25.4	0.0	16.8	0.0	12.7	0.0
塩尻市		32 927	88.5	0.1	68.7	0.1	49.0	0.1	25.3	0.0	16.5	0.0	12.4	0.0
佐久市		49 385	88.8	0.1	68.9	0.1	49.3	0.0	25.6	0.0	16.8	0.0	12.6	0.0
千曲市		29 929	88.4	0.1	68.5	0.1	48.8	0.1	25.3	0.0	16.4	0.0	12.3	0.0
東御市		15 081	88.0	0.1	68.3	0.1	48.7	0.1	25.1	0.1	16.3	0.1	12.1	0.1
安曇野市		48 053	88.4	0.1	68.7	0.1	49.2	0.0	25.5	0.0	16.6	0.0	12.4	0.0
南佐久郡	小海町	2 197	88.3	0.2	68.6	0.1	48.9	0.1	25.4	0.1	16.5	0.1	12.4	0.1
南佐久郡	川上村	1 704	88.2	0.2	68.5	0.1	48.8	0.1	25.4	0.1	16.6	0.1	12.5	0.1
南佐久郡	南牧村	1 406	88.3	0.2	68.6	0.1	48.9	0.1	25.4	0.1	16.5	0.1	12.4	0.1
南佐久郡	南相木村	478	88.4	0.2	68.7	0.1	49.1	0.1	25.5	0.1	16.7	0.1	12.6	0.1
南佐久郡	北相木村	371	88.3	0.2	68.6	0.1	49.0	0.1	25.5	0.1	16.7	0.1	12.6	0.1
南佐久郡	佐久穂町	5 204	86.9	0.2	67.7	0.1	48.6	0.1	25.1	0.1	16.4	0.1	12.4	0.1
北佐久郡	軽井沢町	9 805	88.3	0.1	68.6	0.1	49.0	0.1	25.6	0.1	16.8	0.1	12.5	0.1
北佐久郡	御代田町	7 580	87.9	0.1	68.3	0.1	48.6	0.1	25.0	0.1	16.2	0.1	12.0	0.1
北佐久郡	立科町	3 244	88.1	0.2	68.3	0.1	48.7	0.1	25.0	0.1	16.2	0.1	12.1	0.1
小県郡	青木村	2 133	88.3	0.2	68.6	0.1	48.9	0.1	25.3	0.1	16.4	0.1	12.2	0.1
小県郡	長和町	2 793	88.4	0.2	68.6	0.1	49.1	0.1	25.4	0.1	16.5	0.1	12.4	0.1
諏訪郡	下諏訪町	9 761	88.3	0.1	68.4	0.1	48.8	0.1	25.3	0.1	16.4	0.1	12.3	0.1
諏訪郡	富士見町	7 124	88.5	0.1	68.8	0.1	49.4	0.1	25.7	0.1	16.9	0.1	12.6	0.1
諏訪郡	原村	3 832	88.5	0.2	68.7	0.1	49.0	0.1	25.3	0.1	16.5	0.1	12.5	0.1
上伊那郡	辰野町	9 324	88.2	0.1	68.4	0.1	48.8	0.1	25.3	0.1	16.6	0.1	12.5	0.1
上伊那郡	箕輪町	12 067	88.8	0.1	69.2	0.1	49.6	0.1	26.0	0.1	17.1	0.1	12.9	0.1
上伊那郡	飯島町	4 495	88.2	0.2	68.5	0.1	48.8	0.1	25.4	0.1	16.5	0.1	12.4	0.1
上伊那郡	南箕輪村	7 787	87.9	0.1	68.2	0.1	48.7	0.1	25.2	0.1	16.4	0.1	12.3	0.1
上伊那郡	中川村	2 413	88.6	0.2	68.8	0.1	49.3	0.1	25.8	0.1	17.0	0.1	12.8	0.1
上伊那郡	宮田村	4 249	88.0	0.2	68.3	0.1	48.8	0.1	25.4	0.1	16.6	0.1	12.5	0.1
下伊那郡	松川町	6 409	88.2	0.1	68.4	0.1	48.8	0.1	25.3	0.1	16.5	0.1	12.3	0.1
下伊那郡	高森町	6 561	89.0	0.1	69.2	0.1	49.4	0.1	26.0	0.1	17.0	0.1	12.9	0.1
下伊那郡	阿南町	2 196	88.0	0.2	68.2	0.1	48.6	0.1	25.1	0.1	16.2	0.1	12.1	0.1
下伊那郡	阿智村	3 098	88.3	0.2	68.6	0.1	49.1	0.1	25.4	0.1	16.7	0.1	12.5	0.1
下伊那郡	平谷村	195	88.3	0.2	68.5	0.1	48.9	0.1	25.4	0.1	16.5	0.1	12.4	0.1
下伊那郡	根羽村	427	88.4	0.2	68.6	0.1	49.0	0.1	25.4	0.1	16.7	0.1	12.5	0.1
下伊那郡	下條村	1 807	88.4	0.2	68.7	0.1	49.0	0.1	25.4	0.1	16.5	0.1	12.3	0.1
下伊那郡	売木村	295	88.3	0.2	68.5	0.1	48.9	0.1	25.4	0.1	16.6	0.1	12.4	0.1
下伊那郡	天龍村	615	88.0	0.2	68.2	0.1	48.6	0.1	25.2	0.1	16.3	0.1	12.2	0.1
下伊那郡	泰阜村	800	87.9	0.2	68.2	0.1	48.9	0.1	25.3	0.1	16.4	0.1	12.3	0.1
下伊那郡	喬木村	3 029	88.1	0.2	68.5	0.1	49.0	0.1	25.5	0.1	16.6	0.1	12.5	0.1
下伊那郡	豊丘村	3 166	88.5	0.2	68.7	0.1	49.0	0.1	25.5	0.1	16.6	0.1	12.4	0.1

		男												
		人口	平均余命（年）											
			0歳		20歳		40歳		65歳		75歳		80歳	
		（人）	平均寿命	誤差	平均余命	誤差	平均余命	誤差	平均余命	誤差	平均余命	誤差	平均余命	誤差
下伊那郡	大鹿村	532	82.7	0.2	63.1	0.1	43.7	0.1	20.9	0.1	13.2	0.1	9.8	0.1
木曽郡	上松町	2 034	82.3	0.2	62.6	0.1	43.2	0.1	20.3	0.1	12.7	0.1	9.3	0.1
木曽郡	南木曽町	1 886	83.2	0.2	63.5	0.1	44.1	0.1	21.1	0.1	13.2	0.1	9.6	0.1
木曽郡	木祖村	1 231	82.2	0.2	62.6	0.1	43.2	0.1	20.6	0.1	12.9	0.1	9.6	0.1
木曽郡	王滝村	337	82.6	0.2	63.0	0.1	43.6	0.1	20.8	0.1	13.1	0.1	9.7	0.1
木曽郡	大桑村	1 637	82.6	0.2	63.0	0.1	43.7	0.1	21.0	0.1	13.3	0.1	9.8	0.1
木曽郡	木曽町	5 128	81.9	0.2	62.2	0.1	43.3	0.1	20.6	0.1	13.0	0.1	9.7	0.1
東筑摩郡	麻績村	1 214	82.5	0.2	62.8	0.1	43.5	0.1	20.6	0.1	12.9	0.1	9.4	0.1
東筑摩郡	生坂村	818	82.5	0.2	62.9	0.1	43.5	0.1	20.8	0.1	13.1	0.1	9.8	0.1
東筑摩郡	山形村	4 046	82.7	0.2	63.0	0.1	43.6	0.1	20.8	0.1	12.8	0.1	9.4	0.1
東筑摩郡	朝日村	2 096	82.7	0.2	63.1	0.1	43.7	0.1	20.8	0.1	13.0	0.1	9.5	0.1
東筑摩郡	筑北村	2 035	82.4	0.2	62.8	0.1	43.5	0.1	20.8	0.1	13.2	0.1	9.7	0.1
北安曇郡	池田町	4 486	82.8	0.3	63.3	0.1	43.8	0.1	21.2	0.1	13.3	0.1	9.8	0.1
北安曇郡	松川村	4 557	82.8	0.2	63.4	0.1	44.0	0.1	21.1	0.1	13.3	0.1	9.7	0.1
北安曇郡	白馬村	4 061	83.2	0.3	63.7	0.1	44.2	0.1	21.3	0.1	13.5	0.1	10.0	0.1
北安曇郡	小谷村	1 332	82.5	0.2	63.0	0.1	43.7	0.1	20.8	0.1	13.0	0.1	9.6	0.1
埴科郡	坂城町	6 679	82.4	0.2	62.8	0.1	43.3	0.1	20.3	0.1	12.8	0.1	9.2	0.1
上高井郡	小布施町	5 109	83.1	0.2	63.7	0.1	44.2	0.1	21.2	0.1	13.3	0.1	9.9	0.1
上高井郡	高山村	3 176	82.1	0.2	62.4	0.1	43.5	0.1	20.6	0.1	12.7	0.1	9.3	0.1
下高井郡	山ノ内町	5 480	82.2	0.2	62.5	0.1	43.6	0.1	21.0	0.1	13.3	0.1	10.0	0.1
下高井郡	木島平村	2 110	82.4	0.2	62.7	0.1	43.3	0.1	20.4	0.1	12.7	0.1	9.4	0.1
下高井郡	野沢温泉村	1 553	82.4	0.2	62.8	0.1	43.4	0.1	20.4	0.1	12.8	0.1	9.3	0.1
上水内郡	信濃町	3 786	82.5	0.2	62.9	0.1	43.4	0.1	20.7	0.1	13.0	0.1	9.4	0.1
上水内郡	小川村	1 093	82.6	0.2	63.0	0.1	43.6	0.1	20.7	0.1	13.0	0.1	9.5	0.1
上水内郡	飯綱町	4 997	82.1	0.2	62.4	0.1	43.8	0.1	21.0	0.1	13.2	0.1	9.6	0.1
下水内郡	栄村	797	82.1	0.2	62.5	0.1	43.5	0.1	20.9	0.1	13.2	0.1	9.8	0.1
岐阜県		934 429	81.9	…	62.2	…	42.8	…	20.1	…	12.4	…	9.1	…
岐阜市		188 221	81.8	0.1	62.1	0.0	42.7	0.0	19.9	0.0	12.5	0.0	9.2	0.0
大垣市		74 305	81.9	0.1	62.2	0.0	42.8	0.0	19.8	0.0	12.2	0.0	9.0	0.0
高山市		40 179	81.9	0.1	62.3	0.1	42.9	0.1	20.1	0.0	12.5	0.0	9.1	0.0
多治見市		50 562	82.2	0.1	62.4	0.1	42.9	0.1	20.0	0.1	12.5	0.1	9.1	0.1
関市		40 635	81.7	0.1	62.1	0.1	42.8	0.1	20.0	0.1	12.4	0.1	9.0	0.1
中津川市		36 460	82.2	0.1	62.6	0.1	43.2	0.1	20.4	0.1	12.8	0.1	9.3	0.0
美濃市		9 069	81.9	0.1	62.2	0.1	42.7	0.1	20.1	0.1	12.4	0.1	9.0	0.1
瑞浪市		17 655	82.2	0.1	62.4	0.1	42.8	0.1	20.0	0.1	12.3	0.1	9.0	0.1
羽島市		31 701	81.4	0.1	61.7	0.1	42.4	0.1	19.9	0.1	12.3	0.1	9.1	0.1
恵那市		22 720	81.9	0.1	62.2	0.1	42.8	0.1	20.1	0.1	12.4	0.1	9.2	0.1
美濃加茂市		25 485	82.2	0.1	62.4	0.1	43.0	0.1	20.3	0.1	12.5	0.1	9.2	0.1
土岐市		25 999	81.1	0.1	61.4	0.1	42.0	0.1	19.7	0.1	12.0	0.1	8.7	0.1
各務原市		69 537	82.4	0.1	62.8	0.0	43.4	0.0	20.5	0.0	12.7	0.0	9.2	0.0
可児市		45 266	82.0	0.1	62.2	0.1	42.9	0.1	20.4	0.1	12.6	0.0	9.3	0.0
山県市		12 006	82.0	0.1	62.4	0.1	43.0	0.1	20.4	0.1	12.7	0.1	9.2	0.1
瑞穂市		26 891	82.4	0.1	62.9	0.1	43.4	0.1	20.3	0.1	12.6	0.1	9.2	0.1
飛騨市		10 808	81.7	0.2	62.2	0.1	43.0	0.1	20.2	0.1	12.5	0.1	9.2	0.1

		人口 (人)	女											
			平均余命（年）											
			0歳		20歳		40歳		65歳		75歳		80歳	
			平均寿命	誤差	平均余命	誤差	平均余命	誤差	平均余命	誤差	平均余命	誤差	平均余命	誤差
下伊那郡	大鹿村	479	88.2	0.2	68.4	0.1	48.8	0.1	25.4	0.1	16.6	0.1	12.5	0.1
木曽郡	上松町	2 042	87.6	0.2	67.8	0.1	48.2	0.1	24.8	0.1	16.2	0.1	12.3	0.1
木曽郡	南木曽町	2 000	88.3	0.2	68.5	0.1	49.1	0.1	25.5	0.1	16.7	0.1	12.5	0.1
木曽郡	木祖村	1 437	87.8	0.2	68.0	0.1	48.6	0.1	25.0	0.1	16.2	0.1	12.3	0.1
木曽郡	王滝村	365	88.3	0.2	68.6	0.1	49.0	0.1	25.4	0.1	16.5	0.1	12.4	0.1
木曽郡	大桑村	1 726	88.2	0.2	68.5	0.1	49.0	0.1	25.4	0.1	16.6	0.1	12.6	0.1
木曽郡	木曽町	5 335	87.8	0.2	68.2	0.1	48.5	0.1	24.9	0.1	16.1	0.1	12.0	0.1
東筑摩郡	麻績村	1 361	88.2	0.2	68.5	0.1	48.8	0.1	25.3	0.1	16.4	0.1	12.3	0.1
東筑摩郡	生坂村	810	88.5	0.2	68.7	0.1	49.1	0.1	25.5	0.1	16.6	0.1	12.5	0.1
東筑摩郡	山形村	4 191	88.1	0.2	68.5	0.1	48.7	0.1	25.0	0.1	16.2	0.1	12.1	0.1
東筑摩郡	朝日村	2 142	88.6	0.2	68.9	0.1	49.2	0.1	25.6	0.1	16.7	0.1	12.6	0.1
東筑摩郡	筑北村	2 086	88.2	0.2	68.4	0.1	48.8	0.1	25.3	0.1	16.6	0.1	12.5	0.1
北安曇郡	池田町	4 776	87.8	0.2	68.0	0.1	48.4	0.1	25.0	0.1	16.2	0.1	12.2	0.1
北安曇郡	松川村	4 908	88.5	0.2	68.8	0.1	49.3	0.1	25.8	0.1	16.8	0.1	12.8	0.1
北安曇郡	白馬村	4 188	88.1	0.2	68.3	0.1	48.9	0.1	25.2	0.1	16.2	0.1	12.2	0.1
北安曇郡	小谷村	1 254	88.3	0.2	68.6	0.1	49.0	0.1	25.5	0.1	16.6	0.1	12.5	0.1
埴科郡	坂城町	6 943	88.0	0.1	68.2	0.1	48.7	0.1	25.1	0.1	16.3	0.1	12.3	0.1
上高井郡	小布施町	5 504	88.3	0.2	68.7	0.1	49.1	0.1	25.6	0.1	16.7	0.1	12.6	0.1
上高井郡	高山村	3 343	88.2	0.2	68.4	0.1	48.8	0.1	25.3	0.1	16.5	0.1	12.3	0.1
下高井郡	山ノ内町	5 704	87.5	0.2	67.8	0.1	48.3	0.1	25.1	0.1	16.2	0.1	12.1	0.1
下高井郡	木島平村	2 244	87.9	0.2	68.2	0.1	48.5	0.1	24.9	0.1	16.0	0.1	12.0	0.1
下高井郡	野沢温泉村	1 694	88.1	0.2	68.3	0.1	48.9	0.1	25.2	0.1	16.4	0.1	12.3	0.1
上水内郡	信濃町	3 894	87.6	0.2	67.8	0.1	48.7	0.1	25.1	0.1	16.2	0.1	12.2	0.1
上水内郡	小川村	1 106	88.4	0.2	68.7	0.1	49.1	0.1	25.5	0.1	16.6	0.1	12.6	0.1
上水内郡	飯綱町	5 256	87.8	0.2	68.2	0.1	48.5	0.1	25.1	0.1	16.4	0.1	12.3	0.1
下水内郡	栄村	848	88.4	0.2	68.7	0.1	49.1	0.1	25.6	0.1	16.7	0.1	12.6	0.1
岐阜県		990 252	87.5	…	67.8	…	48.2	…	24.6	…	15.9	…	11.9	…
岐阜市		205 958	87.3	0.1	67.6	0.0	47.9	0.0	24.4	0.0	15.8	0.0	11.8	0.0
大垣市		78 665	87.4	0.1	67.6	0.0	48.1	0.0	24.5	0.0	15.8	0.0	11.8	0.0
高山市		43 531	87.8	0.1	68.1	0.0	48.4	0.0	25.0	0.0	16.1	0.0	12.1	0.0
多治見市		54 205	87.7	0.1	67.9	0.0	48.4	0.0	24.8	0.0	16.0	0.0	12.0	0.0
関市		42 545	87.7	0.1	67.9	0.0	48.1	0.0	24.5	0.0	15.8	0.0	11.7	0.0
中津川市		38 203	87.9	0.1	68.1	0.1	48.4	0.0	25.0	0.0	16.2	0.0	12.2	0.0
美濃市		9 688	87.7	0.2	67.9	0.1	48.3	0.1	24.7	0.1	16.0	0.1	11.9	0.1
瑞浪市		18 522	87.9	0.2	68.2	0.1	48.5	0.1	24.9	0.1	16.0	0.1	12.0	0.0
羽島市		32 791	87.0	0.2	67.5	0.1	47.9	0.1	24.4	0.1	15.9	0.1	11.9	0.0
恵那市		24 184	87.1	0.2	67.8	0.1	48.3	0.1	24.7	0.1	16.1	0.1	12.1	0.0
美濃加茂市		26 052	87.7	0.1	68.0	0.1	48.2	0.1	24.8	0.0	16.0	0.0	12.1	0.0
土岐市		27 652	87.0	0.2	67.1	0.1	47.6	0.1	24.2	0.1	15.5	0.1	11.5	0.0
各務原市		71 784	87.7	0.1	67.9	0.0	48.4	0.0	24.6	0.0	15.8	0.0	11.9	0.0
可児市		46 676	88.2	0.1	68.5	0.0	48.7	0.0	25.1	0.0	16.1	0.0	12.1	0.0
山県市		12 677	87.5	0.1	67.7	0.1	48.1	0.1	24.4	0.1	15.7	0.1	11.6	0.1
瑞穂市		27 071	87.5	0.1	67.8	0.1	48.1	0.1	24.6	0.1	15.9	0.0	11.9	0.0
飛驒市		11 607	88.3	0.2	68.5	0.1	48.9	0.1	25.4	0.1	16.6	0.0	12.5	0.0

		人口	男												
			平均余命（年）												
			0歳		20歳		40歳		65歳		75歳		80歳	
		（人）	平均寿命	誤差	平均余命	誤差	平均余命	誤差	平均余命	誤差	平均余命	誤差	平均余命	誤差
本巣市		15 652	82.4	0.2	62.8	0.1	43.2	0.1	20.1	0.1	12.5	0.1	9.1	0.1
郡上市		18 806	82.1	0.1	62.4	0.1	43.1	0.1	20.3	0.1	12.5	0.0	9.2	0.0
下呂市		14 265	82.2	0.1	62.6	0.1	43.0	0.1	20.5	0.1	12.8	0.1	9.5	0.1
海津市		15 707	81.4	0.2	62.1	0.1	42.6	0.1	19.9	0.1	12.3	0.1	8.9	0.1
羽島郡	岐南町	12 389	82.2	0.1	62.5	0.1	42.9	0.1	20.3	0.1	12.5	0.1	9.3	0.1
羽島郡	笠松町	10 389	81.8	0.2	62.3	0.1	43.0	0.1	20.2	0.1	12.5	0.1	9.2	0.1
養老郡	養老町	12 870	81.1	0.1	61.4	0.1	42.0	0.1	19.5	0.1	11.9	0.1	8.7	0.1
不破郡	垂井町	12 571	81.9	0.1	62.1	0.1	42.8	0.1	19.9	0.1	12.3	0.1	9.0	0.1
不破郡	関ケ原町	3 136	81.9	0.2	62.2	0.1	42.8	0.1	20.0	0.1	12.3	0.1	8.9	0.1
安八郡	神戸町	8 944	81.4	0.1	61.7	0.1	42.6	0.1	19.8	0.1	12.2	0.1	8.9	0.1
安八郡	輪之内町	4 513	82.2	0.2	62.5	0.1	42.9	0.1	20.2	0.1	12.5	0.1	9.1	0.1
安八郡	安八町	6 898	81.8	0.2	62.1	0.1	42.8	0.1	19.9	0.1	12.3	0.1	8.9	0.1
揖斐郡	揖斐川町	9 238	81.5	0.1	61.9	0.1	42.5	0.1	19.7	0.1	12.2	0.1	8.8	0.1
揖斐郡	大野町	10 637	81.3	0.2	61.8	0.1	43.0	0.1	20.2	0.1	12.7	0.1	9.2	0.1
揖斐郡	池田町	11 144	82.0	0.1	62.2	0.1	42.8	0.1	20.0	0.1	12.3	0.1	8.9	0.1
本巣郡	北方町	8 459	82.1	0.1	62.3	0.1	42.8	0.1	20.0	0.1	12.4	0.1	9.0	0.1
加茂郡	坂祝町	3 847	81.9	0.2	62.2	0.1	42.8	0.1	20.1	0.1	12.3	0.1	9.0	0.1
加茂郡	富加町	2 631	82.2	0.2	62.4	0.1	43.0	0.1	20.2	0.1	12.5	0.1	9.2	0.1
加茂郡	川辺町	4 748	82.0	0.2	62.5	0.1	43.0	0.1	20.2	0.1	12.6	0.1	9.2	0.1
加茂郡	七宗町	1 607	81.7	0.2	62.0	0.1	42.6	0.1	19.9	0.1	12.3	0.1	8.9	0.1
加茂郡	八百津町	4 860	81.8	0.2	62.1	0.1	42.8	0.1	20.1	0.1	12.4	0.1	9.0	0.1
加茂郡	白川町	3 439	82.0	0.2	62.3	0.1	42.8	0.1	20.2	0.1	12.5	0.1	9.0	0.1
加茂郡	東白川村	952	81.3	0.2	61.6	0.1	42.9	0.1	20.2	0.1	12.6	0.1	9.2	0.1
可児郡	御嵩町	8 482	82.0	0.1	62.3	0.1	42.8	0.1	20.2	0.1	12.6	0.1	9.2	0.1
大野郡	白川村	746	82.0	0.2	62.3	0.1	42.9	0.1	20.1	0.1	12.4	0.1	9.1	0.1
静岡県		1 745 786	81.6	…	62.0	…	42.6	…	20.0	…	12.5	…	9.2	…
静岡市		332 451	81.7	…	62.0	…	42.6	…	19.9	…	12.4	…	9.2	…
静岡市	葵区	118 497	81.9	0.1	62.2	0.0	42.8	0.0	20.1	0.0	12.6	0.0	9.3	0.0
静岡市	駿河区	102 726	81.8	0.1	62.2	0.0	42.7	0.0	19.8	0.0	12.3	0.0	9.2	0.0
静岡市	清水区	111 228	81.3	0.1	61.7	0.0	42.2	0.0	19.6	0.0	12.3	0.0	9.1	0.0
浜松市		381 284	82.2	…	62.7	…	43.2	…	20.4	…	12.7	…	9.4	…
浜松市	中区	113 471	81.8	0.1	62.2	0.0	42.6	0.0	20.0	0.0	12.5	0.0	9.2	0.0
浜松市	東区	62 640	82.6	0.1	63.0	0.0	43.6	0.0	20.6	0.0	12.9	0.0	9.4	0.0
浜松市	西区	52 084	82.5	0.1	62.9	0.0	43.5	0.0	20.4	0.0	12.7	0.0	9.3	0.0
浜松市	南区	47 677	82.6	0.1	63.0	0.0	43.5	0.0	20.5	0.0	12.9	0.0	9.4	0.0
浜松市	北区	44 688	81.8	0.1	62.3	0.0	43.1	0.0	20.4	0.0	12.8	0.0	9.4	0.0
浜松市	浜北区	47 940	82.7	0.1	63.0	0.0	43.6	0.0	20.8	0.0	12.9	0.0	9.4	0.0
浜松市	天竜区	12 784	81.9	0.1	62.4	0.1	42.9	0.1	20.3	0.1	12.7	0.1	9.3	0.1
沼津市		90 950	80.6	0.1	61.2	0.0	41.8	0.0	19.5	0.0	12.3	0.0	9.1	0.0
熱海市		15 236	80.3	0.1	60.8	0.1	41.5	0.1	19.3	0.1	12.3	0.1	9.2	0.1
三島市		51 783	81.4	0.1	61.8	0.0	42.6	0.0	20.0	0.0	12.7	0.0	9.4	0.0
富士宮市		62 232	81.3	0.1	61.6	0.0	42.3	0.0	19.8	0.0	12.4	0.0	9.3	0.0
伊東市		30 458	80.8	0.2	61.4	0.1	42.1	0.1	19.7	0.1	12.4	0.1	9.2	0.0
島田市		46 169	81.9	0.1	62.2	0.1	43.0	0.0	20.2	0.0	12.4	0.0	9.2	0.0

		女												
		人口	平均余命（年）											
			0歳		20歳		40歳		65歳		75歳		80歳	
		（人）	平均寿命	誤差	平均余命	誤差	平均余命	誤差	平均余命	誤差	平均余命	誤差	平均余命	誤差
本巣市		16 659	87.3	0.1	67.5	0.1	47.8	0.1	24.5	0.1	15.6	0.1	11.6	0.1
郡上市		19 693	87.7	0.1	67.9	0.1	48.4	0.1	24.8	0.0	16.1	0.0	12.0	0.0
下呂市		15 696	87.8	0.2	68.1	0.1	48.4	0.1	25.0	0.0	16.3	0.0	12.3	0.0
海津市		16 333	87.0	0.1	67.3	0.1	47.7	0.1	24.3	0.1	15.6	0.1	11.6	0.0
羽島郡	岐南町	12 865	87.6	0.2	68.0	0.1	48.4	0.1	24.8	0.1	16.3	0.1	12.3	0.1
羽島郡	笠松町	11 453	87.2	0.1	67.4	0.1	47.9	0.1	24.2	0.1	15.9	0.1	12.0	0.1
養老郡	養老町	13 564	87.4	0.1	67.6	0.1	47.9	0.1	24.4	0.1	15.7	0.1	11.7	0.1
不破郡	垂井町	13 037	87.7	0.1	67.9	0.1	48.2	0.1	24.5	0.1	15.7	0.1	11.7	0.1
不破郡	関ケ原町	3 335	87.6	0.2	67.9	0.1	48.4	0.1	24.8	0.1	16.0	0.1	12.0	0.1
安八郡	神戸町	9 276	87.2	0.2	67.5	0.1	48.0	0.1	24.6	0.1	15.9	0.1	11.9	0.1
安八郡	輪之内町	4 677	87.4	0.2	67.8	0.1	48.1	0.1	24.6	0.1	16.0	0.1	11.9	0.1
安八郡	安八町	7 170	87.7	0.2	67.9	0.1	48.2	0.1	24.7	0.1	15.8	0.1	11.8	0.1
揖斐郡	揖斐川町	10 069	86.9	0.2	67.1	0.1	47.5	0.1	24.0	0.1	15.4	0.1	11.4	0.1
揖斐郡	大野町	11 133	87.3	0.2	67.6	0.1	47.9	0.1	24.3	0.1	15.7	0.1	11.8	0.1
揖斐郡	池田町	11 693	87.3	0.3	67.8	0.1	48.0	0.1	24.6	0.1	15.8	0.1	11.8	0.1
本巣郡	北方町	9 244	87.3	0.2	67.7	0.1	48.0	0.1	24.5	0.1	15.6	0.1	11.6	0.1
加茂郡	坂祝町	3 692	87.8	0.2	68.1	0.1	48.4	0.1	24.8	0.1	16.1	0.1	12.1	0.1
加茂郡	富加町	2 860	87.8	0.2	68.0	0.1	48.4	0.1	24.9	0.1	16.3	0.1	12.3	0.1
加茂郡	川辺町	4 912	87.9	0.2	68.2	0.1	48.5	0.1	24.8	0.1	16.0	0.1	12.1	0.1
加茂郡	七宗町	1 768	87.3	0.2	67.6	0.1	48.1	0.1	24.5	0.1	15.8	0.1	11.8	0.1
加茂郡	八百津町	5 195	87.3	0.2	67.6	0.1	47.9	0.1	24.4	0.1	15.6	0.1	11.6	0.1
加茂郡	白川町	3 869	87.6	0.2	67.9	0.1	48.2	0.1	24.9	0.1	16.1	0.1	12.2	0.1
加茂郡	東白川村	1 044	87.7	0.2	68.0	0.1	48.4	0.1	24.8	0.1	16.1	0.1	12.1	0.1
可児郡	御嵩町	8 468	87.2	0.2	67.6	0.1	47.9	0.1	24.5	0.1	15.9	0.1	12.0	0.1
大野郡	白川村	736	87.5	0.2	67.7	0.1	48.1	0.1	24.6	0.1	15.9	0.1	11.9	0.1
静岡県		1 795 148	87.5	…	67.8	…	48.2	…	24.7	…	16.0	…	12.1	…
静岡市		350 082	87.5	…	67.8	…	48.2	…	24.7	…	16.0	…	12.1	…
静岡市	葵区	127 782	87.4	0.1	67.8	0.0	48.3	0.0	24.7	0.0	16.0	0.0	12.0	0.0
静岡市	駿河区	105 476	87.7	0.0	67.9	0.0	48.2	0.0	24.8	0.0	16.2	0.0	12.2	0.0
静岡市	清水区	116 824	87.5	0.1	67.7	0.0	48.0	0.0	24.5	0.0	15.9	0.0	11.9	0.0
浜松市		385 816	87.8	…	68.2	…	48.5	…	25.0	…	16.2	…	12.2	…
浜松市	中区	113 519	87.7	0.1	68.0	0.0	48.3	0.0	24.8	0.0	16.0	0.0	12.0	0.0
浜松市	東区	63 254	87.9	0.1	68.3	0.0	48.6	0.0	24.9	0.0	16.2	0.0	12.2	0.0
浜松市	西区	53 331	88.1	0.1	68.4	0.0	48.6	0.0	25.1	0.0	16.4	0.0	12.3	0.0
浜松市	南区	47 456	87.4	0.2	68.1	0.0	48.4	0.0	24.8	0.0	16.0	0.0	11.9	0.0
浜松市	北区	46 082	87.6	0.1	68.1	0.0	48.5	0.0	24.9	0.0	16.3	0.0	12.3	0.0
浜松市	浜北区	48 585	87.9	0.1	68.4	0.0	48.7	0.0	25.2	0.0	16.5	0.0	12.4	0.0
浜松市	天竜区	13 589	87.9	0.2	68.3	0.0	48.6	0.0	25.1	0.0	16.3	0.0	12.3	0.0
沼津市		94 018	86.8	0.1	67.2	0.0	47.8	0.0	24.4	0.0	15.9	0.0	12.0	0.0
熱海市		18 427	85.9	0.3	66.7	0.1	47.2	0.1	24.1	0.1	15.9	0.1	12.0	0.1
三島市		54 645	87.1	0.1	67.5	0.1	48.0	0.1	24.6	0.1	15.9	0.1	12.0	0.1
富士宮市		63 710	87.2	0.1	67.4	0.1	47.9	0.1	24.5	0.1	15.8	0.1	11.9	0.0
伊東市		34 460	87.2	0.2	67.6	0.0	47.9	0.1	24.5	0.1	15.9	0.1	12.0	0.1
島田市		48 170	87.9	0.1	68.1	0.0	48.4	0.0	24.8	0.0	16.1	0.0	12.2	0.0

		男												
		人口	平均余命（年）											
			0歳		20歳		40歳		65歳		75歳		80歳	
		（人）	平均寿命	誤差	平均余命	誤差	平均余命	誤差	平均余命	誤差	平均余命	誤差	平均余命	誤差
富士市		118 024	80.9	0.1	61.2	0.0	42.0	0.0	19.6	0.0	12.4	0.0	9.2	0.0
磐田市		79 684	82.2	0.1	62.5	0.0	43.1	0.0	20.3	0.0	12.6	0.0	9.1	0.0
焼津市		64 838	81.5	0.1	61.8	0.0	42.6	0.0	19.8	0.0	12.3	0.0	8.9	0.0
掛川市		55 636	82.3	0.1	62.7	0.1	43.4	0.0	20.5	0.0	12.7	0.0	9.3	0.0
藤枝市		67 990	81.9	0.1	62.3	0.0	43.1	0.0	20.4	0.0	12.6	0.0	9.4	0.0
御殿場市		43 419	81.5	0.1	61.8	0.1	42.4	0.1	19.9	0.0	12.5	0.0	9.3	0.0
袋井市		42 127	82.1	0.1	62.5	0.1	43.0	0.1	20.2	0.1	12.6	0.0	9.4	0.0
下田市		9 615	81.3	0.2	61.7	0.1	42.4	0.1	19.7	0.1	12.3	0.1	9.1	0.1
裾野市		25 364	82.1	0.1	62.4	0.1	42.9	0.1	20.2	0.1	12.5	0.1	9.2	0.1
湖西市		27 799	82.0	0.1	62.4	0.1	42.9	0.0	20.2	0.0	12.4	0.0	9.0	0.0
伊豆市		13 282	81.1	0.2	61.6	0.1	42.3	0.1	19.9	0.1	12.5	0.1	9.2	0.1
御前崎市		15 317	81.5	0.2	62.0	0.1	42.7	0.1	19.9	0.1	12.4	0.1	9.1	0.1
菊川市		22 342	82.4	0.1	62.7	0.1	43.3	0.1	20.6	0.1	12.8	0.0	9.4	0.0
伊豆の国市		22 169	81.1	0.1	61.5	0.1	42.3	0.1	19.7	0.1	12.3	0.1	9.3	0.0
牧之原市		20 329	81.3	0.2	61.8	0.1	42.3	0.1	19.7	0.1	12.2	0.1	9.1	0.0
賀茂郡	東伊豆町	5 402	80.8	0.2	61.4	0.1	42.0	0.1	19.6	0.1	12.4	0.1	9.2	0.1
賀茂郡	河津町	3 302	81.1	0.2	61.5	0.1	42.2	0.1	19.8	0.1	12.4	0.1	9.2	0.1
賀茂郡	南伊豆町	3 706	81.4	0.2	61.8	0.1	42.4	0.1	19.8	0.1	12.4	0.1	9.2	0.1
賀茂郡	松崎町	2 832	81.5	0.2	61.9	0.1	42.6	0.1	19.9	0.1	12.4	0.1	9.2	0.1
賀茂郡	西伊豆町	3 315	81.0	0.2	61.4	0.1	42.2	0.1	19.6	0.1	12.3	0.1	9.0	0.1
田方郡	函南町	17 766	81.2	0.2	61.6	0.1	42.2	0.1	20.0	0.1	12.5	0.1	9.3	0.1
駿東郡	清水町	14 775	81.0	0.2	61.5	0.1	42.2	0.1	19.6	0.1	12.2	0.1	9.1	0.1
駿東郡	長泉町	21 218	81.6	0.1	62.0	0.1	42.7	0.1	20.0	0.1	12.5	0.1	9.2	0.1
駿東郡	小山町	9 769	81.3	0.2	61.6	0.1	42.3	0.1	19.7	0.1	12.3	0.1	9.1	0.1
榛原郡	吉田町	13 698	81.4	0.1	61.7	0.1	42.3	0.1	19.5	0.1	12.2	0.1	9.1	0.1
榛原郡	川根本町	3 034	81.7	0.2	62.0	0.1	42.7	0.1	20.1	0.1	12.5	0.1	9.2	0.1
周智郡	森町	8 471	81.6	0.2	61.9	0.1	42.9	0.1	20.1	0.1	12.4	0.1	9.1	0.1
愛知県		3 632 555	81.8	…	62.1	…	42.7	…	19.9	…	12.4	…	9.1	…
名古屋市		1 107 823	81.3	…	61.7	…	42.1	…	19.5	…	12.2	…	9.0	…
名古屋市	千種区	77 176	82.2	0.1	62.5	0.0	42.9	0.0	20.0	0.0	12.5	0.0	9.2	0.0
名古屋市	東区	38 838	81.7	0.1	61.9	0.1	42.4	0.1	19.7	0.0	12.1	0.0	9.0	0.0
名古屋市	北区	76 846	80.9	0.1	61.2	0.0	41.7	0.0	19.3	0.0	12.1	0.0	9.1	0.0
名古屋市	西区	72 670	80.9	0.1	61.3	0.0	41.8	0.0	19.2	0.0	11.9	0.0	8.8	0.0
名古屋市	中村区	67 168	80.3	0.1	60.5	0.0	41.0	0.0	18.5	0.0	11.6	0.0	8.7	0.0
名古屋市	中区	41 868	81.4	0.1	61.6	0.1	42.1	0.1	19.4	0.1	12.2	0.0	9.2	0.0
名古屋市	昭和区	50 956	81.7	0.1	62.0	0.1	42.5	0.1	19.7	0.0	12.2	0.0	9.1	0.0
名古屋市	瑞穂区	51 113	82.1	0.1	62.5	0.0	42.9	0.0	20.0	0.0	12.4	0.0	9.1	0.0
名古屋市	熱田区	32 298	81.2	0.1	61.7	0.1	42.2	0.1	19.4	0.0	12.2	0.0	8.9	0.0
名古屋市	中川区	105 530	80.4	0.1	60.9	0.0	41.4	0.0	18.9	0.0	11.7	0.0	8.5	0.0
名古屋市	港区	67 739	80.7	0.1	60.9	0.0	41.5	0.0	19.0	0.0	11.9	0.0	8.9	0.0
名古屋市	南区	65 422	80.0	0.1	60.4	0.0	41.0	0.0	18.7	0.0	11.8	0.0	8.9	0.0
名古屋市	守山区	84 617	81.6	0.1	62.0	0.0	42.4	0.0	19.5	0.0	12.3	0.0	9.2	0.0
名古屋市	緑区	119 358	82.3	0.1	62.6	0.0	43.1	0.0	20.1	0.0	12.6	0.0	9.3	0.0
名古屋市	名東区	76 964	82.1	0.1	62.3	0.0	42.9	0.0	20.1	0.0	12.6	0.0	9.3	0.0

			女												
		人口	平均余命（年）												
			0歳		20歳		40歳		65歳		75歳		80歳		
		（人）	平均寿命	誤差	平均余命	誤差	平均余命	誤差	平均余命	誤差	平均余命	誤差	平均余命	誤差	
富士市		121 805	87.5	0.1	67.8	0.0	48.3	0.0	24.6	0.0	15.9	0.0	12.0	0.0	
磐田市		78 932	87.8	0.1	68.3	0.0	48.6	0.0	24.9	0.0	16.0	0.0	11.9	0.0	
焼津市		67 524	87.3	0.1	67.6	0.0	48.0	0.0	24.5	0.0	15.9	0.0	12.0	0.0	
掛川市		55 106	87.9	0.1	68.2	0.0	48.5	0.0	24.9	0.0	16.1	0.0	12.2	0.0	
藤枝市		71 623	88.1	0.1	68.3	0.0	48.5	0.0	24.8	0.0	15.9	0.0	11.9	0.0	
御殿場市		40 886	87.8	0.1	68.0	0.0	48.5	0.0	24.9	0.0	16.2	0.0	12.3	0.0	
袋井市		41 096	87.5	0.1	67.9	0.1	48.5	0.0	24.9	0.0	16.1	0.0	12.1	0.0	
下田市		10 392	87.0	0.2	67.5	0.1	47.9	0.1	24.5	0.0	16.1	0.0	12.2	0.0	
裾野市		24 788	87.2	0.2	67.6	0.1	48.0	0.1	24.6	0.0	16.0	0.0	12.0	0.0	
湖西市		26 785	88.0	0.1	68.3	0.1	48.6	0.0	24.9	0.0	16.0	0.0	12.0	0.0	
伊豆市		14 711	87.6	0.2	67.9	0.1	48.4	0.1	24.9	0.0	16.3	0.0	12.4	0.0	
御前崎市		14 780	87.5	0.1	67.8	0.1	48.2	0.1	24.7	0.0	16.0	0.0	12.0	0.0	
菊川市		21 835	87.2	0.2	67.8	0.1	48.2	0.1	24.8	0.0	16.1	0.0	12.0	0.0	
伊豆の国市		24 028	87.2	0.1	67.5	0.1	47.9	0.1	24.5	0.0	15.9	0.0	11.9	0.0	
牧之原市		21 074	87.8	0.1	68.1	0.1	48.5	0.0	24.9	0.0	16.1	0.0	12.1	0.0	
賀茂郡	東伊豆町	5 946	86.9	0.2	67.3	0.1	47.7	0.1	24.5	0.1	16.0	0.0	12.1	0.0	
賀茂郡	河津町	3 524	87.4	0.2	67.7	0.1	48.1	0.1	24.6	0.1	16.0	0.1	12.1	0.0	
賀茂郡	南伊豆町	4 126	87.2	0.3	67.7	0.1	48.1	0.1	24.6	0.1	15.9	0.0	11.9	0.0	
賀茂郡	松崎町	3 185	87.3	0.2	67.6	0.1	48.1	0.1	24.6	0.1	16.0	0.1	12.0	0.1	
賀茂郡	西伊豆町	3 687	87.3	0.2	67.7	0.1	48.0	0.1	24.6	0.1	15.9	0.0	11.9	0.0	
田方郡	函南町	18 741	87.7	0.2	68.0	0.1	48.3	0.1	24.7	0.0	16.1	0.0	12.2	0.0	
駿東郡	清水町	15 678	87.6	0.1	67.8	0.1	48.2	0.1	24.5	0.0	15.9	0.0	12.0	0.0	
駿東郡	長泉町	21 695	87.5	0.1	67.7	0.1	48.0	0.1	24.5	0.0	15.9	0.0	12.0	0.0	
駿東郡	小山町	8 603	87.7	0.2	68.0	0.1	48.4	0.1	24.7	0.0	16.2	0.0	12.2	0.0	
榛原郡	吉田町	13 560	87.4	0.1	67.7	0.1	48.2	0.1	24.8	0.0	16.0	0.0	12.0	0.0	
榛原郡	川根本町	3 085	87.5	0.2	67.8	0.1	48.2	0.1	24.6	0.1	15.9	0.0	12.0	0.0	
周智郡	森町	8 625	87.9	0.2	68.2	0.1	48.5	0.1	24.9	0.1	16.1	0.0	12.2	0.0	
愛知県		3 650 705	87.5	…	67.8	…	48.2	…	24.6	…	15.9	…	12.0	…	
名古屋市		1 142 941	87.4	…	67.7	…	48.0	…	24.5	…	16.0	…	12.0	…	
名古屋市	千種区	81 647	88.0	0.1	68.2	0.0	48.5	0.0	24.9	0.0	16.3	0.0	12.3	0.0	
名古屋市	東区	41 745	87.4	0.1	67.6	0.0	48.0	0.0	24.4	0.0	15.9	0.0	12.0	0.0	
名古屋市	北区	80 818	86.9	0.1	67.4	0.0	47.8	0.0	24.3	0.0	15.7	0.0	11.8	0.0	
名古屋市	西区	74 163	87.4	0.1	67.7	0.0	47.9	0.0	24.3	0.0	15.8	0.0	11.9	0.0	
名古屋市	中村区	65 734	87.0	0.1	67.3	0.0	47.7	0.0	24.1	0.0	15.6	0.0	11.8	0.0	
名古屋市	中区	41 545	87.7	0.1	68.0	0.0	48.4	0.0	24.8	0.0	16.4	0.0	12.4	0.0	
名古屋市	昭和区	52 526	87.3	0.1	67.6	0.0	48.0	0.0	24.4	0.0	15.7	0.0	11.8	0.0	
名古屋市	瑞穂区	55 196	87.9	0.1	68.2	0.0	48.4	0.0	24.8	0.0	16.1	0.0	12.0	0.0	
名古屋市	熱田区	32 316	87.3	0.1	67.8	0.0	48.0	0.0	24.6	0.0	16.0	0.0	12.1	0.0	
名古屋市	中川区	108 175	86.7	0.1	67.1	0.0	47.5	0.0	24.1	0.0	15.6	0.0	11.7	0.0	
名古屋市	港区	67 242	86.5	0.1	66.9	0.0	47.2	0.0	23.9	0.0	15.4	0.0	11.5	0.0	
名古屋市	南区	63 215	86.7	0.1	67.0	0.0	47.5	0.0	24.2	0.0	15.7	0.0	11.8	0.0	
名古屋市	守山区	88 671	87.8	0.1	68.1	0.0	48.4	0.0	24.9	0.0	16.4	0.0	12.4	0.0	
名古屋市	緑区	124 029	88.0	0.1	68.3	0.0	48.6	0.0	25.0	0.0	16.3	0.0	12.3	0.0	
名古屋市	名東区	83 975	87.8	0.1	68.2	0.0	48.5	0.0	24.9	0.0	16.5	0.0	12.6	0.0	

		人口	男												
			平均余命（年）												
			0歳		20歳		40歳		65歳		75歳		80歳		
		(人)	平均寿命	誤差	平均余命	誤差	平均余命	誤差	平均余命	誤差	平均余命	誤差	平均余命	誤差
名古屋市	天白区	79 260	82.2	0.1	62.5	0.0	43.1	0.0	20.1	0.0	12.7	0.0	9.3	0.0
豊橋市		176 642	81.4	0.1	61.8	0.0	42.4	0.0	19.8	0.0	12.4	0.0	9.2	0.0
岡崎市		187 789	82.4	0.1	62.7	0.0	43.3	0.0	20.5	0.0	12.7	0.0	9.2	0.0
一宮市		181 897	81.7	0.1	62.1	0.0	42.7	0.0	20.0	0.0	12.4	0.0	9.2	0.0
瀬戸市		60 519	82.2	0.1	62.4	0.0	42.9	0.0	20.1	0.0	12.6	0.0	9.3	0.0
半田市		57 145	81.6	0.1	61.8	0.0	42.4	0.0	19.6	0.0	12.1	0.0	9.0	0.0
春日井市		148 548	81.8	0.1	62.3	0.0	42.8	0.0	20.0	0.0	12.6	0.0	9.3	0.0
豊川市		88 581	81.7	0.1	62.0	0.0	42.6	0.0	19.8	0.0	12.3	0.0	9.1	0.0
津島市		28 969	81.2	0.1	61.5	0.1	41.9	0.1	19.3	0.1	12.0	0.1	8.9	0.0
碧南市		34 404	81.6	0.1	62.1	0.1	42.5	0.1	19.8	0.1	12.2	0.1	9.0	0.0
刈谷市		77 558	82.2	0.1	62.6	0.0	43.2	0.0	20.2	0.0	12.4	0.0	9.2	0.0
豊田市		211 945	82.7	0.1	62.9	0.0	43.5	0.0	20.4	0.0	12.7	0.0	9.4	0.0
安城市		92 213	82.1	0.1	62.6	0.0	43.2	0.0	20.3	0.0	12.6	0.0	9.2	0.0
西尾市		80 504	81.5	0.1	62.0	0.0	42.5	0.0	19.8	0.0	12.2	0.0	9.0	0.0
蒲郡市		37 856	81.9	0.1	62.2	0.1	42.6	0.1	19.9	0.1	12.5	0.0	9.1	0.0
犬山市		34 853	82.0	0.1	62.3	0.1	42.8	0.1	20.1	0.0	12.4	0.0	9.1	0.0
常滑市		27 932	81.8	0.1	62.1	0.1	42.6	0.1	19.8	0.1	12.3	0.0	9.1	0.0
江南市		47 068	82.1	0.1	62.4	0.1	42.7	0.0	19.8	0.0	12.3	0.0	9.0	0.0
小牧市		70 676	81.7	0.1	62.1	0.0	42.5	0.0	19.9	0.0	12.3	0.0	9.1	0.0
稲沢市		64 664	81.6	0.1	62.1	0.0	42.7	0.0	19.9	0.0	12.3	0.0	9.1	0.0
新城市		21 532	81.9	0.1	62.3	0.1	42.8	0.1	20.1	0.1	12.6	0.0	9.2	0.0
東海市		58 062	81.8	0.1	62.2	0.1	42.7	0.0	20.1	0.0	12.5	0.0	9.3	0.0
大府市		45 623	82.6	0.1	62.9	0.1	43.4	0.1	20.6	0.0	13.0	0.0	9.6	0.0
知多市		41 338	82.1	0.1	62.4	0.1	43.0	0.1	20.2	0.1	12.6	0.0	9.3	0.0
知立市		35 513	82.0	0.1	62.3	0.1	42.8	0.1	20.0	0.1	12.3	0.1	9.1	0.1
尾張旭市		39 812	82.6	0.1	62.9	0.1	43.5	0.0	20.4	0.0	12.7	0.0	9.3	0.0
高浜市		22 075	81.1	0.1	61.4	0.1	42.0	0.1	19.4	0.1	12.1	0.1	9.1	0.1
岩倉市		22 466	81.7	0.1	62.1	0.1	42.6	0.1	19.7	0.1	12.2	0.1	9.1	0.1
豊明市		33 266	82.7	0.1	63.0	0.1	43.5	0.1	20.6	0.1	12.8	0.0	9.5	0.0
日進市		44 335	83.4	0.1	63.6	0.1	44.0	0.1	20.7	0.1	13.0	0.1	9.5	0.1
田原市		29 714	81.8	0.1	62.1	0.1	42.6	0.1	19.9	0.1	12.3	0.0	9.0	0.0
愛西市		29 127	81.8	0.1	62.1	0.1	42.7	0.1	19.7	0.0	12.3	0.0	9.1	0.0
清須市		32 608	81.7	0.1	61.9	0.1	42.5	0.1	19.9	0.1	12.4	0.1	9.0	0.0
北名古屋市		42 008	82.0	0.1	62.3	0.1	42.7	0.0	20.0	0.0	12.4	0.0	9.1	0.0
弥富市		20 445	81.7	0.1	62.1	0.1	42.7	0.1	19.7	0.1	12.1	0.1	8.9	0.1
みよし市		30 914	82.4	0.1	62.7	0.1	43.1	0.1	20.2	0.1	12.4	0.1	9.3	0.1
あま市		41 469	80.8	0.1	61.1	0.1	41.8	0.1	19.4	0.0	12.0	0.1	8.9	0.1
長久手市		28 630	82.9	0.1	63.3	0.1	43.7	0.1	20.5	0.1	12.8	0.1	9.4	0.1
愛知郡	東郷町	21 250	82.1	0.1	62.4	0.1	42.9	0.1	20.1	0.1	12.3	0.1	9.1	0.1
西春日井郡	豊山町	7 690	81.6	0.1	62.0	0.1	42.6	0.1	20.0	0.1	12.3	0.1	9.1	0.1
丹羽郡	大口町	11 984	82.2	0.1	62.5	0.1	43.1	0.1	20.2	0.1	12.7	0.1	9.4	0.1
丹羽郡	扶桑町	16 577	82.1	0.1	62.4	0.1	42.8	0.1	19.8	0.1	12.3	0.1	9.1	0.1
海部郡	大治町	15 896	81.3	0.1	61.6	0.1	42.5	0.1	19.7	0.1	12.1	0.1	9.0	0.1
海部郡	蟹江町	17 639	81.6	0.1	62.0	0.1	42.5	0.1	19.8	0.1	12.4	0.1	9.2	0.1
海部郡	飛島村	2 096	81.8	0.1	62.2	0.1	42.8	0.1	19.9	0.1	12.4	0.1	9.0	0.1
知多郡	阿久比町	13 781	81.9	0.1	62.3	0.1	42.8	0.1	19.9	0.1	12.5	0.1	9.4	0.1

		女												
		人口	平均余命（年）											
			0歳		20歳		40歳		65歳		75歳		80歳	
		(人)	平均寿命	誤差	平均余命	誤差	平均余命	誤差	平均余命	誤差	平均余命	誤差	平均余命	誤差
名古屋市	天白区	81 944	88.0	0.1	68.2	0.0	48.5	0.0	24.9	0.0	16.3	0.0	12.2	0.0
豊橋市		176 795	87.5	0.0	67.7	0.0	48.0	0.0	24.4	0.0	15.8	0.0	11.8	0.0
岡崎市		184 509	87.9	0.1	68.4	0.0	48.7	0.0	24.9	0.0	16.1	0.0	12.1	0.0
一宮市		191 428	87.3	0.0	67.6	0.0	48.0	0.0	24.5	0.0	15.9	0.0	11.9	0.0
瀬戸市		63 084	87.6	0.1	68.0	0.0	48.3	0.0	24.7	0.0	15.9	0.0	11.9	0.0
半田市		56 557	86.9	0.1	67.1	0.0	47.6	0.0	24.2	0.0	15.6	0.0	11.6	0.0
春日井市		152 458	87.8	0.0	68.1	0.0	48.5	0.0	24.9	0.0	16.1	0.0	12.1	0.0
豊川市		89 406	87.6	0.1	67.8	0.0	48.1	0.0	24.5	0.0	15.9	0.0	12.0	0.0
津島市		30 526	87.6	0.1	67.9	0.1	48.2	0.0	24.6	0.0	16.0	0.0	12.1	0.0
碧南市		32 781	87.4	0.1	67.6	0.1	47.8	0.0	24.4	0.0	15.8	0.0	11.9	0.0
刈谷市		71 150	87.4	0.1	67.7	0.0	48.0	0.0	24.4	0.0	15.8	0.0	11.8	0.0
豊田市		192 904	87.8	0.0	68.1	0.0	48.5	0.0	24.8	0.0	16.1	0.0	12.1	0.0
安城市		88 044	87.7	0.1	67.9	0.0	48.2	0.0	24.7	0.0	15.9	0.0	11.9	0.0
西尾市		79 369	87.4	0.1	67.7	0.0	48.1	0.0	24.4	0.0	15.7	0.0	11.8	0.0
蒲郡市		38 484	87.5	0.1	67.7	0.0	48.1	0.0	24.6	0.0	16.0	0.0	12.1	0.0
犬山市		35 738	87.7	0.1	68.1	0.0	48.3	0.0	24.6	0.0	16.0	0.0	12.1	0.0
常滑市		29 405	87.7	0.1	68.0	0.1	48.3	0.1	24.8	0.0	16.1	0.0	12.1	0.0
江南市		49 336	87.3	0.1	67.6	0.0	47.8	0.0	24.3	0.0	15.8	0.0	11.7	0.0
小牧市		68 663	87.3	0.1	67.6	0.0	48.0	0.0	24.4	0.0	15.8	0.0	11.8	0.0
稲沢市		66 769	87.5	0.1	67.7	0.0	48.1	0.0	24.4	0.0	15.8	0.0	11.8	0.0
新城市		21 869	87.6	0.1	67.9	0.1	48.2	0.0	24.7	0.0	15.9	0.0	11.9	0.0
東海市		53 589	87.6	0.1	67.9	0.0	48.2	0.0	24.6	0.0	15.9	0.0	11.9	0.0
大府市		44 281	87.9	0.1	68.2	0.0	48.5	0.0	24.9	0.0	16.1	0.0	12.1	0.0
知多市		40 905	87.6	0.1	68.1	0.0	48.3	0.0	24.7	0.0	15.9	0.0	11.9	0.0
知立市		31 609	87.4	0.1	67.8	0.1	48.1	0.1	24.6	0.0	15.8	0.0	11.8	0.0
尾張旭市		41 892	88.2	0.1	68.5	0.0	48.8	0.0	25.0	0.0	16.2	0.0	12.2	0.0
高浜市		20 719	87.0	0.1	67.4	0.1	47.8	0.1	24.3	0.1	15.7	0.0	11.9	0.0
岩倉市		22 811	87.4	0.1	67.8	0.1	48.1	0.0	24.6	0.0	15.8	0.0	11.9	0.0
豊明市		32 713	88.0	0.1	68.2	0.0	48.5	0.0	24.9	0.0	16.3	0.0	12.2	0.0
日進市		45 688	88.0	0.1	68.4	0.0	48.6	0.0	24.9	0.0	16.0	0.0	12.0	0.0
田原市		28 352	87.6	0.1	67.9	0.0	48.2	0.0	24.6	0.0	15.8	0.0	11.8	0.0
愛西市		30 830	87.3	0.1	67.6	0.0	47.9	0.0	24.2	0.0	15.6	0.0	11.5	0.0
清須市		33 040	87.1	0.1	67.5	0.0	47.9	0.0	24.3	0.0	15.6	0.0	11.6	0.0
北名古屋市		42 304	87.5	0.1	67.9	0.0	48.2	0.0	24.5	0.0	15.9	0.0	11.9	0.0
弥富市		20 860	87.4	0.1	67.8	0.1	48.1	0.1	24.5	0.0	15.9	0.0	12.0	0.0
みよし市		28 751	87.6	0.1	68.0	0.1	48.3	0.0	24.5	0.0	15.8	0.0	11.8	0.0
あま市		42 608	87.2	0.1	67.4	0.0	47.7	0.0	24.1	0.0	15.5	0.0	11.5	0.0
長久手市		30 539	88.2	0.1	68.5	0.1	48.9	0.1	25.2	0.0	16.3	0.0	12.3	0.0
愛知郡	東郷町	21 363	88.0	0.1	68.3	0.1	48.6	0.1	24.7	0.1	16.0	0.0	12.0	0.0
西春日井郡	豊山町	7 410	87.2	0.1	67.6	0.1	47.9	0.1	24.4	0.1	15.8	0.1	11.8	0.1
丹羽郡	大口町	11 684	87.6	0.1	67.9	0.1	48.3	0.0	24.8	0.0	16.1	0.0	12.0	0.1
丹羽郡	扶桑町	17 053	87.5	0.1	67.8	0.1	48.1	0.0	24.5	0.0	15.8	0.0	11.9	0.0
海部郡	大治町	15 711	87.0	0.1	67.3	0.1	47.7	0.1	24.2	0.1	15.6	0.1	11.5	0.1
海部郡	蟹江町	18 115	87.6	0.1	67.8	0.1	48.1	0.0	24.5	0.0	15.7	0.0	11.8	0.0
海部郡	飛島村	2 232	87.6	0.1	67.9	0.1	48.2	0.1	24.7	0.1	16.0	0.1	12.1	0.1
知多郡	阿久比町	14 241	87.8	0.1	68.1	0.1	48.4	0.1	24.9	0.1	16.2	0.0	12.2	0.0

		人口	男												
			平均余命（年）												
			0歳		20歳		40歳		65歳		75歳		80歳		
		(人)	平均寿命	誤差	平均余命	誤差	平均余命	誤差	平均余命	誤差	平均余命	誤差	平均余命	誤差
知多郡	東浦町	23 928	81.7	0.1	62.1	0.1	42.9	0.1	20.0	0.1	12.3	0.1	9.0	0.1
知多郡	南知多町	7 893	81.0	0.1	61.4	0.1	42.0	0.1	19.3	0.1	12.1	0.1	8.7	0.1
知多郡	美浜町	11 058	82.0	0.1	62.3	0.1	42.8	0.1	20.1	0.1	12.5	0.1	9.1	0.1
知多郡	武豊町	21 362	81.6	0.1	62.1	0.1	42.6	0.1	19.8	0.1	12.2	0.1	8.9	0.1
額田郡	幸田町	20 844	82.3	0.1	62.7	0.1	43.1	0.1	20.4	0.1	12.6	0.1	9.2	0.1
北設楽郡	設楽町	2 151	81.9	0.1	62.3	0.1	42.8	0.1	20.0	0.1	12.5	0.1	9.2	0.1
北設楽郡	東栄町	1 409	81.7	0.1	62.0	0.1	42.6	0.1	19.9	0.1	12.3	0.1	9.1	0.1
北設楽郡	豊根村	474	81.7	0.1	62.1	0.1	42.7	0.1	19.9	0.1	12.4	0.1	9.2	0.1
三重県		837 934	81.7	…	62.0	…	42.6	…	20.0	…	12.4	…	9.1	…
津市		129 151	82.1	0.1	62.5	0.0	43.0	0.0	20.2	0.0	12.6	0.0	9.3	0.0
四日市市		147 424	81.0	0.1	61.4	0.0	42.1	0.0	19.3	0.0	12.0	0.0	8.7	0.0
伊勢市		57 683	82.0	0.1	62.2	0.0	42.8	0.0	20.1	0.0	12.6	0.0	9.3	0.0
松阪市		74 617	81.8	0.1	62.1	0.0	42.7	0.0	20.1	0.0	12.4	0.0	9.1	0.0
桑名市		65 816	82.0	0.1	62.4	0.0	42.9	0.0	20.3	0.0	12.6	0.0	9.2	0.0
鈴鹿市		93 043	82.0	0.1	62.4	0.0	43.1	0.0	20.3	0.0	12.5	0.0	9.1	0.0
名張市		36 321	82.2	0.1	62.4	0.1	43.2	0.1	20.4	0.1	12.7	0.1	9.3	0.1
尾鷲市		7 491	81.1	0.2	61.4	0.1	42.1	0.1	19.6	0.1	12.3	0.1	9.0	0.1
亀山市		24 083	81.5	0.1	61.8	0.1	42.6	0.1	20.0	0.1	12.3	0.1	9.0	0.1
鳥羽市		8 194	81.5	0.1	61.8	0.1	42.4	0.1	19.8	0.1	12.5	0.1	9.2	0.1
熊野市		7 340	81.3	0.2	61.8	0.1	42.5	0.1	19.9	0.1	12.3	0.1	9.0	0.1
いなべ市		21 906	81.5	0.1	61.9	0.1	42.4	0.1	19.7	0.1	12.1	0.1	8.7	0.1
志摩市		21 120	80.7	0.2	61.0	0.1	41.8	0.1	19.5	0.0	12.2	0.0	8.9	0.0
伊賀市		40 385	81.6	0.1	61.8	0.1	42.4	0.0	19.8	0.1	12.2	0.1	8.9	0.0
桑名郡	木曽岬町	2 796	81.6	0.2	61.9	0.1	42.5	0.1	20.0	0.1	12.4	0.1	9.2	0.1
員弁郡	東員町	12 269	82.6	0.1	62.9	0.1	43.5	0.1	20.6	0.1	12.6	0.1	9.2	0.1
三重郡	菰野町	19 331	81.6	0.1	61.9	0.1	42.5	0.1	19.6	0.1	12.0	0.1	8.7	0.1
三重郡	朝日町	5 379	82.0	0.1	62.2	0.1	42.7	0.1	20.2	0.1	12.6	0.1	9.3	0.1
三重郡	川越町	7 453	81.4	0.1	61.7	0.1	42.3	0.1	20.0	0.1	12.4	0.1	9.1	0.1
多気郡	多気町	6 712	81.8	0.1	62.2	0.1	42.9	0.1	20.1	0.1	12.5	0.1	9.2	0.1
多気郡	明和町	10 565	81.7	0.2	62.2	0.1	42.8	0.1	20.2	0.1	12.5	0.1	9.3	0.1
多気郡	大台町	4 075	81.8	0.2	62.1	0.1	42.9	0.1	20.1	0.1	12.6	0.1	9.4	0.1
度会郡	玉城町	7 137	81.5	0.1	61.9	0.1	42.4	0.1	20.0	0.1	12.4	0.1	9.1	0.1
度会郡	度会町	3 792	81.9	0.2	62.2	0.1	42.7	0.1	20.2	0.1	12.5	0.1	9.3	0.1
度会郡	大紀町	3 615	81.2	0.2	61.5	0.1	42.2	0.1	19.9	0.1	12.7	0.1	9.3	0.1
度会郡	南伊勢町	5 077	81.3	0.2	61.6	0.1	42.2	0.1	19.7	0.1	12.3	0.1	9.0	0.1
北牟婁郡	紀北町	6 636	80.6	0.2	61.0	0.1	41.8	0.1	19.5	0.1	12.4	0.1	9.1	0.1
南牟婁郡	御浜町	3 762	81.8	0.2	62.0	0.1	42.7	0.1	20.0	0.1	12.5	0.1	9.2	0.1
南牟婁郡	紀宝町	4 761	81.7	0.2	61.9	0.1	42.5	0.1	19.8	0.1	12.2	0.1	8.9	0.1
滋賀県		679 646	82.7	…	63.1	…	43.7	…	20.7	…	12.9	…	9.5	…
大津市		164 187	83.1	0.1	63.3	0.0	43.9	0.0	20.9	0.0	13.0	0.0	9.5	0.0
彦根市		55 150	82.7	0.1	63.1	0.0	43.6	0.0	20.7	0.0	13.0	0.0	9.6	0.0
長浜市		53 567	82.2	0.1	62.7	0.0	43.5	0.0	20.6	0.0	12.9	0.0	9.4	0.0

		女												
		人口 (人)	平均余命（年）											
			0歳		20歳		40歳		65歳		75歳		80歳	
			平均寿命	誤差	平均余命	誤差	平均余命	誤差	平均余命	誤差	平均余命	誤差	平均余命	誤差
知多郡	東浦町	24 183	87.4	0.1	67.6	0.1	48.0	0.1	24.4	0.0	15.8	0.0	11.8	0.0
知多郡	南知多町	8 334	87.5	0.1	67.8	0.1	48.1	0.1	24.5	0.1	15.9	0.0	11.9	0.0
知多郡	美浜町	11 116	87.4	0.1	67.7	0.1	48.0	0.1	24.4	0.1	16.0	0.1	12.0	0.0
知多郡	武豊町	20 913	87.2	0.1	67.6	0.1	47.9	0.1	24.3	0.0	15.8	0.0	11.9	0.0
額田郡	幸田町	20 344	87.9	0.1	68.1	0.1	48.4	0.1	24.8	0.1	16.1	0.0	12.1	0.0
北設楽郡	設楽町	2 260	87.8	0.1	68.1	0.1	48.4	0.1	24.8	0.1	16.1	0.1	12.2	0.1
北設楽郡	東栄町	1 516	87.5	0.1	67.8	0.1	48.1	0.1	24.5	0.1	15.8	0.1	11.8	0.1
北設楽郡	豊根村	523	87.6	0.1	67.9	0.1	48.2	0.1	24.7	0.1	16.0	0.1	12.0	0.1
三重県		880 774	87.6	…	67.9	…	48.2	…	24.6	…	15.9	…	11.9	…
津市		137 060	87.6	0.1	67.8	0.0	48.2	0.0	24.7	0.0	16.0	0.0	12.0	0.0
四日市市		147 625	87.2	0.1	67.5	0.0	47.7	0.0	24.2	0.0	15.4	0.0	11.4	0.0
伊勢市		63 969	88.0	0.1	68.2	0.0	48.4	0.0	24.7	0.0	16.0	0.0	12.0	0.0
松阪市		80 450	87.7	0.1	67.8	0.0	48.3	0.0	24.6	0.0	15.9	0.0	11.9	0.0
桑名市		68 506	87.7	0.1	68.0	0.1	48.3	0.0	24.5	0.0	15.9	0.0	11.8	0.0
鈴鹿市		94 327	87.5	0.1	67.8	0.1	48.2	0.0	24.6	0.0	15.9	0.0	11.9	0.0
名張市		39 053	87.4	0.1	67.7	0.1	48.2	0.1	24.6	0.1	15.8	0.1	11.8	0.0
尾鷲市		8 573	87.4	0.3	67.9	0.1	48.2	0.1	24.5	0.1	16.0	0.1	11.9	0.0
亀山市		23 787	87.7	0.1	68.0	0.1	48.3	0.1	24.6	0.1	15.9	0.0	11.8	0.0
鳥羽市		9 158	87.5	0.2	67.7	0.1	48.2	0.1	24.6	0.1	16.0	0.0	12.1	0.0
熊野市		8 520	87.2	0.3	67.9	0.1	48.2	0.1	24.7	0.1	16.0	0.1	12.0	0.0
いなべ市		21 081	87.6	0.2	67.9	0.1	48.3	0.1	24.5	0.1	15.8	0.0	11.7	0.0
志摩市		24 585	87.0	0.2	67.5	0.1	47.9	0.0	24.4	0.1	15.7	0.0	11.8	0.0
伊賀市		42 910	87.8	0.1	68.0	0.0	48.3	0.0	24.7	0.0	16.0	0.0	12.1	0.0
桑名郡	木曽岬町	2 882	87.6	0.2	67.9	0.1	48.2	0.1	24.6	0.1	16.0	0.1	11.9	0.1
員弁郡	東員町	12 922	88.0	0.1	68.2	0.1	48.5	0.1	24.9	0.1	16.0	0.1	12.0	0.1
三重郡	菰野町	20 314	87.8	0.2	68.1	0.1	48.4	0.1	24.7	0.1	15.9	0.1	11.8	0.0
三重郡	朝日町	5 474	87.8	0.2	68.0	0.1	48.3	0.1	24.5	0.1	15.8	0.1	11.9	0.1
三重郡	川越町	7 116	87.6	0.2	67.9	0.1	48.2	0.1	24.6	0.1	15.8	0.1	11.9	0.1
多気郡	多気町	7 171	87.8	0.2	68.0	0.1	48.3	0.1	24.6	0.1	16.0	0.1	11.9	0.0
多気郡	明和町	11 700	88.3	0.1	68.5	0.1	48.7	0.1	25.1	0.1	16.3	0.0	12.3	0.0
多気郡	大台町	4 490	87.5	0.3	67.9	0.1	48.3	0.1	24.6	0.1	15.9	0.1	11.9	0.1
度会郡	玉城町	7 733	87.9	0.2	68.1	0.1	48.4	0.1	24.7	0.1	15.9	0.1	11.9	0.1
度会郡	度会町	4 006	87.7	0.2	67.9	0.1	48.4	0.1	24.7	0.1	15.9	0.1	11.9	0.1
度会郡	大紀町	4 117	87.6	0.2	67.8	0.1	48.2	0.1	24.7	0.1	16.0	0.1	12.0	0.1
度会郡	南伊勢町	5 833	87.2	0.2	67.8	0.1	48.1	0.1	24.5	0.1	15.8	0.0	11.9	0.0
北牟婁郡	紀北町	7 688	87.3	0.2	67.5	0.1	47.9	0.1	24.3	0.1	15.7	0.1	11.8	0.0
南牟婁郡	御浜町	4 271	86.9	0.3	67.8	0.1	48.2	0.1	24.6	0.1	16.0	0.1	12.0	0.1
南牟婁郡	紀宝町	5 453	87.6	0.2	67.9	0.1	48.3	0.1	24.6	0.1	15.9	0.1	12.0	0.1
滋賀県		700 840	88.3	…	68.6	…	48.9	…	25.1	…	16.3	…	12.3	…
大津市		175 875	88.4	0.1	68.8	0.0	49.1	0.0	25.2	0.0	16.4	0.0	12.4	0.0
彦根市		55 856	88.2	0.1	68.4	0.0	48.8	0.0	25.0	0.0	16.1	0.0	12.0	0.0
長浜市		56 372	88.2	0.1	68.5	0.0	48.8	0.0	25.0	0.0	16.2	0.0	12.2	0.0

		人口	男												
			平均余命（年）												
			0歳		20歳		40歳		65歳		75歳		80歳	
		（人）	平均寿命	誤差	平均余命	誤差	平均余命	誤差	平均余命	誤差	平均余命	誤差	平均余命	誤差
近江八幡市		38 862	82.5	0.1	62.7	0.1	43.4	0.0	20.4	0.0	12.7	0.0	9.2	0.0
草津市		70 702	83.3	0.1	63.6	0.0	44.1	0.0	21.1	0.0	13.4	0.0	9.7	0.0
守山市		40 414	82.9	0.1	63.3	0.1	43.8	0.1	20.7	0.0	12.9	0.0	9.3	0.0
栗東市		33 410	82.4	0.1	62.8	0.1	43.4	0.1	20.3	0.1	12.7	0.1	9.5	0.1
甲賀市		41 918	82.9	0.1	63.2	0.1	43.8	0.0	20.8	0.0	13.0	0.0	9.6	0.0
野洲市		24 738	83.0	0.1	63.2	0.1	43.9	0.1	20.8	0.1	13.0	0.1	9.5	0.1
湖南市		26 287	82.6	0.1	62.8	0.1	43.5	0.1	20.6	0.1	12.9	0.1	9.4	0.1
高島市		22 508	82.3	0.1	62.7	0.1	43.3	0.1	20.6	0.0	12.8	0.0	9.4	0.0
東近江市		54 118	82.7	0.1	63.1	0.0	43.7	0.0	20.6	0.0	12.8	0.0	9.5	0.0
米原市		17 811	82.7	0.1	63.1	0.1	43.6	0.1	20.7	0.1	12.7	0.1	9.4	0.1
蒲生郡	日野町	10 162	83.0	0.1	63.4	0.1	44.0	0.1	20.9	0.1	13.2	0.1	9.6	0.1
蒲生郡	竜王町	6 121	82.5	0.1	62.8	0.1	43.4	0.1	20.4	0.1	12.6	0.1	9.3	0.1
愛知郡	愛荘町	9 816	82.3	0.1	62.7	0.1	43.3	0.1	20.3	0.1	12.7	0.1	9.5	0.1
犬上郡	豊郷町	3 345	82.4	0.1	62.7	0.1	43.3	0.1	20.3	0.1	12.5	0.1	9.4	0.1
犬上郡	甲良町	3 039	82.2	0.1	62.7	0.1	43.3	0.1	20.3	0.1	12.6	0.1	9.4	0.1
犬上郡	多賀町	3 491	82.6	0.2	63.0	0.1	43.6	0.1	20.6	0.1	12.8	0.1	9.4	0.1
京都府		1 202 697	82.2	…	62.5	…	43.1	…	20.4	…	12.8	…	9.5	…
京都市		670 407	82.1	…	62.4	…	42.9	…	20.2	…	12.7	…	9.5	…
京都市	北区	54 286	82.6	0.1	62.8	0.0	43.3	0.0	20.6	0.0	13.0	0.0	9.5	0.0
京都市	上京区	37 046	82.2	0.1	62.4	0.1	43.0	0.0	20.1	0.0	12.7	0.0	9.5	0.0
京都市	左京区	76 161	83.0	0.1	63.2	0.0	43.6	0.0	20.8	0.0	13.1	0.0	9.7	0.0
京都市	中京区	49 188	81.9	0.1	62.2	0.0	42.7	0.0	20.1	0.0	12.5	0.0	9.3	0.0
京都市	東山区	15 637	81.7	0.1	62.0	0.1	42.6	0.1	20.0	0.1	12.6	0.1	9.2	0.1
京都市	下京区	36 826	81.9	0.1	62.1	0.1	42.7	0.1	20.0	0.1	12.8	0.1	9.5	0.0
京都市	南区	48 145	81.6	0.1	61.9	0.0	42.3	0.0	19.6	0.0	12.2	0.0	9.0	0.0
京都市	右京区	92 333	82.0	0.1	62.4	0.1	43.0	0.1	20.2	0.1	12.6	0.1	9.4	0.1
京都市	伏見区	128 535	81.5	0.1	61.8	0.1	42.3	0.1	19.9	0.1	12.4	0.1	9.3	0.1
京都市	山科区	62 421	82.0	0.1	62.4	0.1	43.0	0.1	20.3	0.1	13.0	0.1	9.8	0.1
京都市	西京区	69 829	82.8	0.1	63.1	0.1	43.7	0.1	20.9	0.1	13.1	0.1	9.7	0.1
福知山市		38 067	81.9	0.1	62.3	0.1	42.9	0.1	20.4	0.1	12.7	0.1	9.4	0.0
舞鶴市		39 749	81.5	0.1	62.0	0.1	42.7	0.1	20.2	0.1	12.8	0.1	9.6	0.1
綾部市		15 077	82.0	0.1	62.2	0.1	42.9	0.1	20.1	0.1	12.7	0.1	9.4	0.1
宇治市		85 039	82.5	0.1	62.8	0.0	43.4	0.0	20.5	0.0	12.8	0.0	9.5	0.0
宮津市		7 910	82.1	0.1	62.3	0.1	42.9	0.1	20.5	0.1	12.9	0.1	9.5	0.1
亀岡市		41 186	82.3	0.1	62.6	0.1	43.3	0.1	20.4	0.1	12.7	0.1	9.4	0.0
城陽市		35 479	82.7	0.1	62.9	0.1	43.5	0.1	20.6	0.1	12.9	0.1	9.4	0.0
向日市		26 863	82.4	0.1	62.5	0.1	43.2	0.1	20.5	0.1	12.9	0.1	9.7	0.1
長岡京市		38 436	83.0	0.1	63.4	0.1	44.0	0.1	21.1	0.0	13.2	0.0	9.8	0.0
八幡市		33 061	82.2	0.1	62.4	0.1	43.0	0.1	20.4	0.1	13.0	0.1	9.6	0.1
京田辺市		35 555	82.9	0.1	63.2	0.1	43.7	0.1	20.8	0.1	13.1	0.1	9.5	0.1
京丹後市		24 251	81.9	0.2	62.3	0.1	43.0	0.1	20.3	0.1	12.9	0.1	9.5	0.0
南丹市		15 200	82.0	0.1	62.3	0.1	43.0	0.1	20.2	0.1	12.6	0.1	9.3	0.1
木津川市		36 990	83.3	0.1	63.6	0.1	44.2	0.1	21.2	0.1	13.3	0.1	9.8	0.1
乙訓郡	大山崎町	7 653	82.6	0.1	62.8	0.1	43.6	0.1	20.9	0.1	13.1	0.1	9.6	0.1

		人口 (人)	女												
			平均余命（年）												
			0歳		20歳		40歳		65歳		75歳		80歳		
			平均寿命	誤差	平均余命	誤差	平均余命	誤差	平均余命	誤差	平均余命	誤差	平均余命	誤差
近江八幡市		40 773	88.2	0.1	68.4	0.0	48.7	0.0	25.1	0.0	16.3	0.0	12.2	0.0
草津市		69 913	89.0	0.1	69.2	0.0	49.4	0.0	25.5	0.0	16.6	0.0	12.5	0.0
守山市		41 708	88.3	0.1	68.5	0.0	48.8	0.0	25.2	0.0	16.3	0.0	12.3	0.0
栗東市		34 059	88.1	0.1	68.3	0.1	48.6	0.1	24.9	0.0	16.2	0.0	12.1	0.0
甲賀市		42 811	88.3	0.1	68.6	0.0	48.8	0.0	25.1	0.0	16.3	0.0	12.3	0.0
野洲市		25 123	87.9	0.1	68.2	0.1	48.5	0.1	24.8	0.0	16.0	0.0	11.9	0.0
湖南市		24 815	88.0	0.2	68.4	0.1	48.8	0.1	25.1	0.0	16.4	0.0	12.3	0.0
高島市		23 390	87.9	0.2	68.2	0.1	48.9	0.0	25.3	0.0	16.4	0.0	12.3	0.0
東近江市		54 845	88.2	0.1	68.6	0.0	49.0	0.0	25.2	0.0	16.4	0.0	12.4	0.0
米原市		18 877	88.2	0.2	68.5	0.1	49.0	0.1	25.3	0.0	16.4	0.0	12.3	0.0
蒲生郡	日野町	10 177	88.6	0.1	68.8	0.1	49.0	0.1	25.2	0.1	16.5	0.1	12.4	0.0
蒲生郡	竜王町 ＊	5 557	87.5	0.5	68.5	0.1	48.9	0.1	25.1	0.1	16.2	0.1	12.1	0.1
愛知郡	愛荘町	10 076	88.1	0.2	68.5	0.1	48.8	0.1	25.0	0.1	16.2	0.1	12.1	0.1
犬上郡	豊郷町	3 599	88.2	0.2	68.5	0.1	48.9	0.1	25.1	0.1	16.3	0.1	12.3	0.1
犬上郡	甲良町	3 268	88.1	0.2	68.4	0.1	48.7	0.1	24.9	0.1	16.0	0.1	11.9	0.1
犬上郡	多賀町	3 746	88.3	0.2	68.5	0.1	48.8	0.1	25.1	0.1	16.3	0.1	12.2	0.1
京都府		1 317 315	88.3	…	68.5	…	48.8	…	25.2	…	16.4	…	12.4	…
京都市		749 291	88.2	…	68.5	…	48.8	…	25.2	…	16.5	…	12.5	…
京都市	北区	60 065	88.5	0.1	68.7	0.0	49.0	0.0	25.4	0.0	16.7	0.0	12.8	0.0
京都市	上京区	43 907	88.4	0.1	68.6	0.1	48.8	0.0	25.2	0.0	16.5	0.0	12.5	0.0
京都市	左京区	82 471	88.7	0.1	69.0	0.0	49.2	0.0	25.5	0.0	16.8	0.0	12.7	0.0
京都市	中京区	58 455	88.2	0.1	68.5	0.0	48.7	0.0	25.1	0.0	16.4	0.0	12.5	0.0
京都市	東山区	19 956	87.9	0.1	68.2	0.0	48.4	0.0	24.9	0.0	16.1	0.0	12.2	0.0
京都市	下京区	43 341	87.8	0.1	68.1	0.0	48.3	0.0	24.7	0.0	16.0	0.0	12.1	0.0
京都市	南区	48 717	87.6	0.1	67.8	0.0	48.1	0.0	24.5	0.0	15.9	0.0	12.1	0.0
京都市	右京区	104 324	88.2	0.1	68.5	0.0	48.8	0.0	25.2	0.0	16.6	0.0	12.5	0.0
京都市	伏見区	140 499	87.9	0.1	68.2	0.0	48.6	0.0	25.1	0.0	16.4	0.0	12.5	0.0
京都市	山科区	70 340	88.4	0.1	68.8	0.0	49.0	0.0	25.5	0.0	16.9	0.0	12.9	0.0
京都市	西京区	77 216	88.6	0.1	68.8	0.0	49.1	0.0	25.5	0.0	16.7	0.0	12.6	0.0
福知山市		38 188	87.9	0.1	68.2	0.1	48.7	0.0	25.0	0.0	16.3	0.0	12.3	0.0
舞鶴市		39 643	88.1	0.1	68.3	0.1	48.7	0.0	25.1	0.0	16.5	0.0	12.3	0.0
綾部市		16 316	88.3	0.1	68.5	0.1	48.8	0.1	25.0	0.0	16.1	0.0	12.3	0.0
宇治市		92 038	88.4	0.1	68.6	0.0	49.0	0.0	25.4	0.0	16.6	0.0	12.5	0.0
宮津市		8 721	88.2	0.1	68.4	0.1	48.8	0.0	25.2	0.1	16.4	0.0	12.3	0.0
亀岡市		44 001	87.9	0.1	68.2	0.0	48.7	0.0	25.0	0.0	16.2	0.0	12.2	0.0
城陽市		38 386	88.3	0.1	68.6	0.0	48.9	0.0	25.2	0.0	16.3	0.0	12.3	0.0
向日市		29 485	88.4	0.1	68.6	0.1	48.9	0.0	25.2	0.0	16.5	0.0	12.4	0.0
長岡京市		41 457	88.6	0.1	68.8	0.0	49.1	0.0	25.3	0.0	16.5	0.0	12.4	0.0
八幡市		35 696	88.2	0.1	68.4	0.0	48.7	0.0	25.0	0.0	16.3	0.0	12.1	0.0
京田辺市		37 167	88.5	0.1	68.7	0.1	49.0	0.0	25.2	0.0	16.5	0.0	12.5	0.0
京丹後市		26 182	88.0	0.1	68.4	0.1	48.9	0.0	25.3	0.0	16.5	0.0	12.7	0.0
南丹市		16 082	87.9	0.1	68.1	0.1	48.4	0.1	24.9	0.0	16.1	0.0	12.1	0.0
木津川市		40 304	88.5	0.1	68.7	0.1	49.1	0.0	25.3	0.0	16.5	0.0	12.5	0.0
乙訓郡	大山崎町	8 188	88.5	0.1	68.7	0.1	49.0	0.1	25.3	0.1	16.6	0.1	12.5	0.1

			男												
		人口	平均余命（年）												
			0歳		20歳		40歳		65歳		75歳		80歳			
		（人）	平均寿命	誤差	平均余命	誤差	平均余命	誤差	平均余命	誤差	平均余命	誤差	平均余命	誤差
久世郡	久御山町	7 170	81.8	0.1	62.1	0.1	42.8	0.1	20.2	0.1	12.8	0.1	9.6	0.1
綴喜郡	井手町	3 494	82.0	0.2	62.3	0.1	42.8	0.1	20.1	0.1	12.5	0.1	9.4	0.1
綴喜郡	宇治田原町	4 245	82.3	0.2	62.6	0.1	43.1	0.1	20.3	0.1	12.6	0.1	9.2	0.1
相楽郡	笠置町	540	82.3	0.2	62.6	0.1	43.1	0.1	20.4	0.1	12.8	0.1	9.5	0.1
相楽郡	和束町	1 610	81.9	0.2	62.2	0.1	42.8	0.1	20.0	0.1	12.5	0.1	9.3	0.1
相楽郡	精華町	17 077	83.1	0.2	63.5	0.1	44.0	0.1	21.0	0.1	13.0	0.1	9.4	0.1
相楽郡	南山城村	1 116	82.2	0.2	62.5	0.1	43.1	0.1	20.4	0.1	12.7	0.1	9.3	0.1
船井郡	京丹波町	6 060	82.1	0.1	62.4	0.1	43.0	0.1	20.4	0.1	12.5	0.1	9.1	0.1
与謝郡	伊根町	944	82.0	0.2	62.5	0.1	43.0	0.1	20.4	0.1	12.6	0.1	9.3	0.1
与謝郡	与謝野町	9 518	81.8	0.1	62.1	0.1	42.8	0.1	20.4	0.1	12.7	0.1	9.3	0.1
大阪府		4 116 865	80.8	...	61.2	...	41.7	...	19.4	...	12.2	...	9.1	...
大阪市		1 260 619	79.3	...	59.7	...	40.3	...	18.2	...	11.5	...	8.7	...
大阪市	都島区	50 019	80.1	0.1	60.5	0.1	41.0	0.1	18.6	0.0	11.4	0.0	8.6	0.0
大阪市	福島区	36 860	80.9	0.1	61.3	0.1	41.7	0.1	19.0	0.1	12.3	0.1	8.9	0.1
大阪市	此花区	30 585	79.6	0.1	60.0	0.1	40.5	0.1	18.4	0.1	11.5	0.1	8.5	0.1
大阪市	西区	47 333	80.1	0.1	60.6	0.1	41.2	0.1	18.9	0.1	11.9	0.1	8.8	0.1
大阪市	港区	37 889	79.2	0.1	59.5	0.1	40.0	0.1	18.3	0.1	11.5	0.0	8.5	0.0
大阪市	大正区	29 348	78.8	0.1	59.1	0.1	39.6	0.1	17.8	0.1	11.2	0.1	8.3	0.1
大阪市	天王寺区	35 800	81.5	0.1	61.9	0.1	42.4	0.1	20.0	0.1	12.2	0.1	9.1	0.1
大阪市	浪速区	33 917	77.9	0.1	58.3	0.1	39.0	0.1	17.5	0.1	10.9	0.1	8.4	0.1
大阪市	西淀川区	44 969	79.8	0.1	60.2	0.1	40.8	0.1	18.9	0.1	11.7	0.0	8.8	0.0
大阪市	東淀川区	83 046	79.1	0.1	59.4	0.0	40.1	0.0	18.2	0.0	11.5	0.0	8.6	0.0
大阪市	東成区	36 921	79.9	0.1	60.3	0.1	40.9	0.1	18.8	0.1	11.8	0.1	8.8	0.1
大阪市	生野区	47 174	78.0	0.1	58.3	0.1	38.8	0.1	17.7	0.0	11.3	0.0	8.8	0.0
大阪市	旭区	41 642	79.2	0.1	59.5	0.1	40.1	0.1	18.3	0.1	11.7	0.0	8.8	0.0
大阪市	城東区	77 786	80.4	0.1	60.7	0.0	41.3	0.0	19.0	0.0	11.8	0.0	8.7	0.0
大阪市	阿倍野区	49 536	81.8	0.1	62.1	0.1	42.4	0.1	19.7	0.1	12.3	0.1	9.0	0.1
大阪市	住吉区	69 581	80.0	0.1	60.4	0.0	40.9	0.0	18.9	0.0	12.0	0.0	9.1	0.0
大阪市	東住吉区	58 381	79.3	0.1	59.6	0.1	40.1	0.1	18.0	0.1	11.6	0.0	8.9	0.0
大阪市	西成区	57 623	73.2	0.1	53.5	0.1	34.4	0.0	14.9	0.0	9.8	0.0	7.6	0.0
大阪市	淀川区	87 794	80.4	0.1	60.8	0.0	41.3	0.0	19.0	0.0	12.2	0.0	9.0	0.0
大阪市	鶴見区	52 124	80.4	0.1	60.7	0.1	41.3	0.0	18.7	0.0	11.8	0.0	9.0	0.0
大阪市	住之江区	55 619	79.7	0.1	59.9	0.1	40.6	0.0	18.4	0.0	11.5	0.0	8.5	0.0
大阪市	平野区	86 435	78.7	0.1	59.2	0.0	39.8	0.0	18.1	0.0	11.4	0.0	8.7	0.0
大阪市	北区	65 049	81.4	0.1	61.9	0.1	42.3	0.1	19.6	0.1	12.3	0.1	9.2	0.0
大阪市	中央区	45 188	81.3	0.1	61.8	0.1	42.4	0.1	19.6	0.1	12.3	0.1	9.3	0.1
堺市		386 336	81.1	...	61.3	...	41.9	...	19.5	...	12.3	...	9.1	...
堺市	堺区	71 074	80.7	0.1	60.9	0.0	41.4	0.0	19.0	0.0	12.0	0.0	8.9	0.0
堺市	中区	57 308	80.6	0.1	60.8	0.1	41.5	0.0	19.4	0.0	12.1	0.0	9.0	0.0
堺市	東区	39 943	81.2	0.1	61.6	0.1	42.2	0.1	19.9	0.0	12.6	0.0	9.2	0.0
堺市	西区	63 503	80.8	0.1	61.0	0.1	41.5	0.0	19.2	0.0	12.1	0.0	9.0	0.0
堺市	南区	62 716	81.8	0.1	62.2	0.1	42.7	0.1	20.3	0.1	12.8	0.1	9.5	0.1
堺市	北区	74 070	81.3	0.1	61.5	0.0	42.0	0.0	19.4	0.0	12.3	0.0	9.2	0.0
堺市	美原区	17 722	81.1	0.1	61.4	0.1	42.0	0.1	19.7	0.1	12.4	0.1	9.2	0.1

			女												
		人口	平均余命（年）												
			0歳		20歳		40歳		65歳		75歳		80歳			
		（人）	平均寿命	誤差	平均余命	誤差	平均余命	誤差	平均余命	誤差	平均余命	誤差	平均余命	誤差
久世郡	久御山町	7 504	88.2	0.1	68.6	0.1	49.0	0.1	25.2	0.1	16.5	0.1	12.5	0.1
綴喜郡	井手町	3 704	88.3	0.1	68.5	0.1	48.9	0.1	25.2	0.1	16.4	0.1	12.4	0.1
綴喜郡	宇治田原町	4 307	88.0	0.1	68.3	0.1	48.7	0.1	25.0	0.1	16.2	0.1	12.2	0.1
相楽郡	笠置町	601	88.2	0.1	68.5	0.1	48.8	0.1	25.1	0.1	16.4	0.1	12.3	0.1
相楽郡	和束町	1 852	88.2	0.1	68.5	0.1	48.8	0.1	25.1	0.1	16.4	0.1	12.3	0.1
相楽郡	精華町	18 799	88.5	0.1	68.7	0.1	49.0	0.1	25.3	0.1	16.6	0.1	12.5	0.1
相楽郡	南山城村	1 255	88.2	0.1	68.4	0.1	48.7	0.1	25.1	0.1	16.4	0.1	12.4	0.1
船井郡	京丹波町	6 696	88.0	0.1	68.5	0.1	48.7	0.1	25.0	0.1	16.3	0.1	12.2	0.1
与謝郡	伊根町	976	88.3	0.1	68.5	0.1	48.8	0.1	25.2	0.1	16.5	0.1	12.5	0.1
与謝郡	与謝野町	10 476	88.3	0.1	68.7	0.1	48.9	0.1	25.3	0.1	16.5	0.0	12.4	0.0
大阪府		4 478 618	87.4	…	67.6	…	48.0	…	24.6	…	16.0	…	12.1	…
大阪市		1 353 729	86.8	…	67.1	…	47.4	…	24.1	…	15.7	…	11.9	…
大阪市	都島区	54 455	87.0	0.1	67.3	0.0	47.6	0.0	24.3	0.0	15.9	0.0	12.1	0.0
大阪市	福島区	40 840	87.5	0.1	67.7	0.1	48.1	0.0	24.5	0.0	16.1	0.0	12.2	0.0
大阪市	此花区	32 585	86.8	0.1	67.1	0.1	47.4	0.0	24.2	0.0	15.8	0.0	12.1	0.0
大阪市	西区	53 776	87.3	0.1	67.5	0.1	47.8	0.0	24.5	0.0	16.0	0.0	12.1	0.0
大阪市	港区	39 861	86.5	0.1	66.8	0.0	47.1	0.0	24.0	0.0	15.5	0.0	11.7	0.0
大阪市	大正区	31 192	86.6	0.1	66.9	0.1	47.3	0.0	24.0	0.0	15.6	0.0	11.7	0.0
大阪市	天王寺区	41 599	87.4	0.1	67.7	0.0	48.0	0.0	24.5	0.0	15.9	0.0	11.9	0.0
大阪市	浪速区	32 188	85.9	0.1	66.2	0.1	46.6	0.1	23.6	0.0	15.4	0.0	11.6	0.0
大阪市	西淀川区	46 807	86.7	0.1	66.9	0.0	47.3	0.0	24.0	0.0	15.6	0.0	11.7	0.0
大阪市	東淀川区	86 804	86.5	0.1	66.9	0.0	47.4	0.0	24.2	0.0	15.9	0.0	12.0	0.0
大阪市	東成区	40 736	87.0	0.1	67.3	0.0	47.7	0.0	24.3	0.0	15.8	0.0	12.0	0.0
大阪市	生野区	52 404	86.3	0.1	66.8	0.0	47.1	0.0	23.9	0.0	15.5	0.0	11.9	0.0
大阪市	旭区	45 830	86.9	0.1	67.1	0.0	47.5	0.0	24.1	0.0	15.7	0.0	12.0	0.0
大阪市	城東区	86 113	87.0	0.1	67.3	0.0	47.7	0.0	24.3	0.0	15.7	0.0	11.9	0.0
大阪市	阿倍野区	58 161	87.7	0.1	67.9	0.0	48.3	0.0	24.8	0.0	16.2	0.0	12.2	0.0
大阪市	住吉区	80 091	87.2	0.1	67.4	0.0	47.8	0.0	24.4	0.0	16.0	0.0	12.2	0.0
大阪市	東住吉区	65 833	86.5	0.1	66.7	0.0	47.0	0.0	23.8	0.0	15.4	0.0	11.7	0.0
大阪市	西成区	41 156	84.9	0.1	65.2	0.0	45.7	0.0	22.8	0.0	14.7	0.0	11.2	0.0
大阪市	淀川区	88 309	87.0	0.1	67.4	0.0	47.8	0.0	24.4	0.0	16.0	0.0	12.1	0.0
大阪市	鶴見区	58 426	86.9	0.1	67.1	0.0	47.5	0.0	24.3	0.0	15.6	0.0	11.7	0.0
大阪市	住之江区	60 278	86.4	0.1	66.8	0.0	47.3	0.0	24.1	0.0	15.5	0.0	11.7	0.0
大阪市	平野区	97 307	86.3	0.1	66.7	0.0	47.1	0.0	24.0	0.0	15.7	0.0	11.9	0.0
大阪市	北区	68 548	87.1	0.1	67.5	0.0	47.8	0.0	24.5	0.0	16.0	0.0	12.0	0.0
大阪市	中央区	50 430	87.1	0.1	67.3	0.1	47.8	0.0	24.4	0.0	15.8	0.0	11.9	0.0
堺市		424 934	87.5	…	67.7	…	48.1	…	24.7	…	16.1	…	12.1	…
堺市	堺区	72 529	87.0	0.1	67.4	0.0	47.7	0.0	24.4	0.0	15.9	0.0	12.0	0.0
堺市	中区	62 397	87.5	0.1	67.7	0.0	48.0	0.0	24.6	0.0	15.9	0.0	12.1	0.0
堺市	東区	44 269	87.5	0.1	67.7	0.0	48.1	0.0	24.6	0.0	16.1	0.0	12.2	0.0
堺市	西区	69 966	87.3	0.1	67.4	0.0	47.8	0.0	24.5	0.0	15.8	0.0	11.9	0.0
堺市	南区	72 989	88.3	0.1	68.5	0.0	48.7	0.0	25.3	0.0	16.7	0.0	12.6	0.0
堺市	北区	83 570	87.6	0.1	67.8	0.0	48.2	0.0	24.8	0.0	16.2	0.0	12.2	0.0
堺市	美原区	19 214	87.3	0.2	67.7	0.0	48.0	0.0	24.5	0.0	15.9	0.0	12.0	0.0

		男													
		人口	平均余命（年）												
			0歳		20歳		40歳		65歳		75歳		80歳			
		（人）	平均寿命	誤差	平均余命	誤差	平均余命	誤差	平均余命	誤差	平均余命	誤差	平均余命	誤差
岸和田市		88 912	80.0	0.1	60.4	0.0	41.1	0.0	18.9	0.0	11.6	0.0	8.5	0.0
豊中市		186 353	81.9	0.1	62.3	0.0	42.8	0.0	20.1	0.0	12.7	0.0	9.5	0.0
池田市		48 738	82.8	0.1	63.0	0.1	43.4	0.1	20.6	0.0	12.9	0.0	9.7	0.0
吹田市		182 642	83.1	0.0	63.3	0.0	43.6	0.0	20.5	0.0	12.9	0.0	9.5	0.0
泉大津市		34 489	80.9	0.1	61.2	0.1	41.7	0.1	19.4	0.1	12.1	0.1	8.7	0.1
高槻市		166 428	82.9	0.1	63.1	0.0	43.7	0.0	20.8	0.0	13.1	0.0	9.8	0.0
貝塚市		39 981	80.9	0.1	61.4	0.1	41.9	0.1	19.5	0.1	12.4	0.1	9.3	0.1
守口市		67 927	80.3	0.1	60.7	0.0	41.2	0.0	19.1	0.0	11.9	0.0	9.1	0.0
枚方市		185 951	82.2	0.1	62.6	0.0	43.3	0.0	20.6	0.0	12.9	0.0	9.6	0.0
茨木市		136 888	82.4	0.1	62.8	0.0	43.3	0.0	20.5	0.0	12.9	0.0	9.6	0.0
八尾市		122 019	80.8	0.1	61.1	0.0	41.6	0.0	19.1	0.0	11.8	0.0	8.9	0.0
泉佐野市		46 920	80.7	0.1	60.9	0.1	41.5	0.1	19.2	0.1	12.0	0.1	8.9	0.1
富田林市		50 146	81.1	0.1	61.4	0.1	42.2	0.1	19.6	0.1	12.0	0.1	8.8	0.0
寝屋川市		109 198	80.4	0.1	60.8	0.0	41.5	0.0	19.5	0.0	12.1	0.0	9.1	0.0
河内長野市		47 043	82.1	0.1	62.5	0.1	43.2	0.1	20.5	0.1	12.8	0.1	9.5	0.1
松原市		55 479	80.6	0.1	61.0	0.1	41.6	0.0	19.4	0.0	12.1	0.0	8.9	0.0
大東市		56 491	80.5	0.1	60.8	0.1	41.4	0.1	19.0	0.1	12.0	0.0	9.1	0.0
和泉市		87 387	81.7	0.1	62.0	0.1	42.6	0.0	20.1	0.0	12.6	0.0	9.2	0.0
箕面市		63 788	83.2	0.1	63.5	0.1	44.1	0.0	21.1	0.0	13.4	0.0	10.0	0.0
柏原市		32 178	81.2	0.1	61.5	0.1	42.1	0.1	19.6	0.1	12.1	0.1	8.8	0.1
羽曳野市		50 520	80.7	0.1	61.1	0.1	41.7	0.1	19.4	0.1	12.1	0.1	8.9	0.1
門真市		57 117	79.6	0.1	59.9	0.1	40.5	0.0	18.8	0.0	11.7	0.0	8.9	0.0
摂津市		42 293	81.6	0.1	62.0	0.1	42.4	0.1	19.8	0.1	12.5	0.1	9.3	0.1
高石市		26 091	81.0	0.1	61.4	0.1	41.9	0.1	19.3	0.1	12.1	0.1	8.9	0.1
藤井寺市		29 554	81.3	0.1	61.6	0.1	42.3	0.1	19.8	0.1	12.6	0.1	9.3	0.1
東大阪市		230 328	80.6	0.0	60.9	0.0	41.4	0.0	19.0	0.0	12.0	0.0	8.9	0.0
泉南市		28 380	80.5	0.1	61.1	0.1	41.6	0.1	19.4	0.1	12.2	0.1	9.1	0.1
四條畷市		26 483	80.5	0.1	61.0	0.1	41.7	0.1	19.5	0.1	12.3	0.1	9.2	0.1
交野市		35 557	82.2	0.1	62.6	0.1	43.2	0.1	20.4	0.1	12.8	0.0	9.6	0.0
大阪狭山市		27 201	81.8	0.1	62.2	0.1	42.8	0.1	20.2	0.1	12.7	0.1	9.4	0.1
阪南市		24 068	81.3	0.1	61.7	0.1	42.2	0.1	19.8	0.1	12.1	0.1	8.9	0.1
三島郡	島本町	14 502	82.0	0.1	62.3	0.1	42.9	0.1	20.4	0.1	12.7	0.1	9.2	0.1
豊能郡	豊能町	8 634	82.8	0.1	63.1	0.1	43.7	0.1	21.1	0.1	13.3	0.1	9.6	0.1
豊能郡	能勢町	4 312	81.2	0.2	61.5	0.1	42.2	0.1	20.0	0.1	12.3	0.1	9.0	0.1
泉北郡	忠岡町	7 738	80.8	0.1	61.1	0.1	41.7	0.1	19.3	0.1	12.0	0.1	9.1	0.1
泉南郡	熊取町	21 163	81.8	0.1	62.1	0.1	42.6	0.1	20.0	0.1	12.5	0.1	9.4	0.1
泉南郡	田尻町	4 124	81.4	0.2	61.7	0.1	42.3	0.1	19.7	0.1	12.0	0.1	8.9	0.1
泉南郡	岬町	6 784	80.9	0.1	61.2	0.1	41.8	0.1	19.4	0.1	12.0	0.1	9.1	0.1
南河内郡	太子町	6 248	81.8	0.1	62.1	0.1	42.7	0.1	20.2	0.1	12.7	0.1	9.5	0.1
南河内郡	河南町	7 544	81.7	0.1	62.0	0.1	42.6	0.1	20.3	0.1	12.8	0.1	9.4	0.1
南河内郡	千早赤阪村	2 311	81.1	0.2	61.5	0.1	42.1	0.1	19.6	0.1	12.0	0.1	9.0	0.1
兵庫県		2 546 706	81.7	…	62.0	…	42.7	…	20.1	…	12.6	…	9.3	…
神戸市		693 873	81.8	…	62.1	…	42.7	…	20.1	…	12.7	…	9.4	…
神戸市	東灘区	96 379	82.8	0.1	63.2	0.0	43.6	0.0	20.7	0.0	13.0	0.0	9.7	0.0

		人口	女												
			平均余命（年）												
			0歳		20歳		40歳		65歳		75歳		80歳		
		（人）	平均寿命	誤差	平均余命	誤差	平均余命	誤差	平均余命	誤差	平均余命	誤差	平均余命	誤差
岸和田市		99 008	87.3	0.1	67.5	0.0	47.8	0.0	24.4	0.0	15.9	0.0	12.0	0.0
豊中市		209 884	88.0	0.0	68.2	0.0	48.5	0.0	24.9	0.0	16.3	0.0	12.3	0.0
池田市		53 944	88.3	0.1	68.5	0.0	48.8	0.0	25.2	0.0	16.5	0.0	12.4	0.0
吹田市		197 373	88.5	0.1	68.8	0.0	49.0	0.0	25.4	0.0	16.5	0.0	12.4	0.0
泉大津市		38 408	87.1	0.1	67.3	0.1	47.7	0.0	24.2	0.0	15.6	0.0	11.8	0.0
高槻市		182 879	88.4	0.1	68.6	0.0	48.9	0.0	25.3	0.0	16.6	0.0	12.6	0.0
貝塚市		43 476	87.2	0.1	67.4	0.0	47.7	0.0	24.2	0.0	15.9	0.0	12.0	0.0
守口市		72 526	86.7	0.1	67.0	0.0	47.4	0.0	24.0	0.0	15.6	0.0	11.7	0.0
枚方市		206 791	88.0	0.1	68.4	0.0	48.8	0.0	25.2	0.0	16.4	0.0	12.4	0.0
茨木市		147 220	88.3	0.1	68.5	0.0	48.8	0.0	25.2	0.0	16.5	0.0	12.6	0.0
八尾市		134 991	87.0	0.1	67.3	0.0	47.7	0.0	24.3	0.0	15.8	0.0	11.9	0.0
泉佐野市		51 213	87.1	0.1	67.2	0.0	47.7	0.0	24.2	0.0	15.6	0.0	11.8	0.0
富田林市		57 138	87.6	0.1	67.9	0.0	48.2	0.0	24.8	0.0	16.0	0.0	11.9	0.0
寝屋川市		117 476	87.2	0.1	67.5	0.0	47.8	0.0	24.4	0.0	15.9	0.0	11.9	0.0
河内長野市		54 005	87.8	0.1	68.2	0.0	48.4	0.0	24.9	0.0	16.1	0.0	12.1	0.0
松原市		60 262	86.7	0.1	66.9	0.0	47.2	0.0	24.1	0.0	15.7	0.0	11.8	0.0
大東市		60 053	87.2	0.1	67.5	0.0	47.7	0.0	24.3	0.0	15.6	0.0	11.7	0.0
和泉市		94 568	87.6	0.1	67.9	0.0	48.2	0.0	24.8	0.0	16.2	0.0	12.2	0.0
箕面市		70 630	88.3	0.1	68.7	0.0	49.0	0.0	25.4	0.0	16.6	0.0	12.5	0.0
柏原市		35 212	87.4	0.1	67.7	0.1	48.0	0.0	24.5	0.0	15.8	0.0	11.9	0.0
羽曳野市		57 160	87.4	0.1	67.6	0.0	48.0	0.0	24.5	0.0	15.9	0.0	11.9	0.0
門真市		59 443	86.7	0.1	67.0	0.0	47.4	0.0	24.0	0.0	15.6	0.0	11.7	0.0
摂津市		43 595	87.4	0.1	67.7	0.1	48.2	0.0	24.8	0.0	16.1	0.0	12.2	0.0
高石市		29 022	86.7	0.1	67.1	0.1	47.7	0.1	24.3	0.0	15.9	0.0	12.1	0.0
藤井寺市		33 385	87.5	0.1	67.8	0.1	48.1	0.0	24.6	0.0	16.0	0.0	12.0	0.0
東大阪市		244 022	86.7	0.1	67.0	0.0	47.3	0.0	24.0	0.0	15.6	0.0	11.7	0.0
泉南市		31 057	87.1	0.1	67.5	0.1	47.8	0.1	24.4	0.0	15.9	0.0	12.0	0.0
四條畷市		28 174	87.5	0.1	67.8	0.1	48.1	0.1	24.7	0.0	16.1	0.0	12.1	0.0
交野市		38 975	87.8	0.1	68.0	0.1	48.3	0.0	24.8	0.0	16.1	0.0	12.2	0.0
大阪狭山市		30 798	88.1	0.1	68.4	0.1	48.7	0.0	25.1	0.0	16.3	0.0	12.3	0.0
阪南市		26 839	87.5	0.1	67.7	0.1	48.2	0.1	24.7	0.0	16.0	0.0	12.0	0.0
三島郡	島本町	16 200	87.9	0.1	68.2	0.1	48.4	0.1	25.0	0.1	16.3	0.1	12.3	0.0
豊能郡	豊能町	9 552	88.2	0.1	68.5	0.1	48.8	0.1	25.3	0.1	16.5	0.1	12.3	0.1
豊能郡	能勢町	4 672	87.1	0.1	67.4	0.1	47.9	0.1	24.5	0.1	15.9	0.1	12.0	0.1
泉北郡	忠岡町	8 390	87.5	0.1	67.8	0.1	48.1	0.1	24.7	0.1	16.1	0.1	12.0	0.1
泉南郡	熊取町	22 336	87.6	0.1	67.8	0.1	48.2	0.1	24.7	0.1	16.0	0.0	12.1	0.0
泉南郡	田尻町	4 200	87.2	0.2	67.6	0.1	47.9	0.1	24.4	0.1	15.7	0.1	11.8	0.1
泉南郡	岬町	7 860	87.4	0.1	67.8	0.1	48.1	0.1	24.8	0.1	16.1	0.1	12.1	0.1
南河内郡	太子町	6 638	87.7	0.1	67.9	0.1	48.2	0.1	24.7	0.1	16.0	0.1	12.1	0.1
南河内郡	河南町	7 997	87.8	0.1	68.0	0.1	48.4	0.1	24.9	0.1	16.2	0.1	12.2	0.1
南河内郡	千早赤阪村	2 583	87.4	0.1	67.7	0.1	48.0	0.1	24.6	0.1	15.9	0.1	12.0	0.1
兵庫県		2 809 942	87.9	…	68.2	…	48.5	…	25.0	…	16.2	…	12.2	…
神戸市		785 292	88.0	…	68.3	…	48.6	…	25.1	…	16.4	…	12.4	…
神戸市	東灘区	111 154	88.6	0.1	68.8	0.0	49.1	0.0	25.5	0.0	16.8	0.0	12.7	0.0

		男													
		人口	平均余命（年）												
			0歳		20歳		40歳		65歳		75歳		80歳			
		（人）	平均寿命	誤差	平均余命	誤差	平均余命	誤差	平均余命	誤差	平均余命	誤差	平均余命	誤差
神戸市	灘区	61 545	82.1	0.1	62.4	0.0	42.9	0.0	20.2	0.0	12.7	0.0	9.4	0.0
神戸市	兵庫区	49 894	79.4	0.1	59.8	0.1	40.4	0.0	18.4	0.0	11.7	0.0	8.8	0.0
神戸市	長田区	41 352	79.6	0.1	59.9	0.1	40.5	0.1	18.7	0.0	11.8	0.0	8.8	0.0
神戸市	須磨区	71 483	82.2	0.1	62.5	0.0	43.2	0.0	20.6	0.0	13.0	0.0	9.7	0.0
神戸市	垂水区	99 127	81.7	0.1	62.0	0.0	42.6	0.0	20.2	0.0	12.7	0.0	9.5	0.0
神戸市	北区	98 422	82.3	0.1	62.6	0.0	43.3	0.0	20.7	0.0	13.0	0.0	9.7	0.0
神戸市	中央区	62 329	81.4	0.1	61.8	0.1	42.4	0.0	19.7	0.0	12.5	0.0	9.4	0.0
神戸市	西区	113 342	82.6	0.1	62.9	0.0	43.4	0.0	20.6	0.0	12.9	0.0	9.6	0.0
姫路市		251 414	80.8	0.0	61.1	0.0	41.8	0.0	19.4	0.0	12.1	0.0	9.0	0.0
尼崎市		216 160	80.6	0.0	60.9	0.0	41.6	0.0	19.3	0.0	12.2	0.0	9.0	0.0
明石市		144 776	81.5	0.1	61.9	0.0	42.6	0.0	19.9	0.0	12.4	0.0	9.2	0.0
西宮市		222 588	82.4	0.1	62.7	0.0	43.2	0.0	20.4	0.0	12.7	0.0	9.4	0.0
洲本市		19 498	81.7	0.1	62.0	0.1	42.7	0.1	20.1	0.1	12.6	0.1	9.3	0.0
芦屋市		41 211	83.0	0.1	63.3	0.1	43.9	0.1	21.0	0.0	13.1	0.0	9.7	0.0
伊丹市		94 273	82.2	0.1	62.4	0.1	43.0	0.0	20.3	0.0	12.9	0.0	9.5	0.0
相生市		13 373	81.7	0.1	62.0	0.1	42.7	0.1	20.1	0.1	12.7	0.1	9.5	0.1
豊岡市		37 071	81.7	0.1	62.0	0.1	42.7	0.1	20.0	0.1	12.6	0.1	9.2	0.0
加古川市		125 928	81.6	0.1	61.8	0.0	42.5	0.0	19.9	0.0	12.4	0.0	9.0	0.0
赤穂市		21 889	81.7	0.1	61.9	0.1	42.6	0.1	20.2	0.1	12.6	0.1	9.5	0.1
西脇市		18 166	81.6	0.1	62.0	0.1	42.8	0.1	20.1	0.1	12.5	0.1	9.4	0.1
宝塚市		102 415	82.8	0.1	63.1	0.0	43.7	0.0	20.9	0.0	13.1	0.0	9.6	0.0
三木市		35 328	82.7	0.1	62.9	0.1	43.4	0.1	20.7	0.0	13.0	0.0	9.5	0.0
高砂市		41 769	81.1	0.1	61.4	0.1	42.1	0.1	19.6	0.1	12.0	0.0	9.0	0.0
川西市		70 694	82.3	0.1	62.8	0.0	43.3	0.0	20.8	0.0	13.1	0.0	9.7	0.0
小野市		22 744	82.3	0.1	62.5	0.1	43.2	0.1	20.4	0.1	12.8	0.1	9.4	0.1
三田市		51 900	82.7	0.1	63.0	0.1	43.8	0.0	20.8	0.0	12.8	0.0	9.3	0.0
加西市		20 378	82.2	0.1	62.4	0.1	43.0	0.1	20.3	0.1	12.5	0.1	9.2	0.1
丹波篠山市		18 570	81.9	0.1	62.3	0.1	42.9	0.1	20.2	0.1	12.4	0.1	9.2	0.1
養父市		10 596	81.4	0.1	61.8	0.1	42.5	0.1	19.9	0.1	12.4	0.1	9.2	0.1
丹波市		28 975	81.9	0.1	62.3	0.1	43.1	0.1	20.4	0.0	12.7	0.0	9.4	0.1
南あわじ市		20 978	81.6	0.1	61.9	0.1	42.5	0.1	19.8	0.1	12.6	0.1	9.4	0.0
朝来市		13 806	81.3	0.1	61.7	0.1	42.3	0.1	20.1	0.1	12.7	0.1	9.6	0.1
淡路市		19 729	81.8	0.1	62.0	0.1	42.7	0.1	20.1	0.1	12.8	0.1	9.5	0.0
宍粟市		16 567	81.4	0.1	61.7	0.1	42.5	0.1	19.7	0.1	12.4	0.1	9.2	0.1
加東市		19 026	82.1	0.1	62.4	0.1	43.0	0.1	20.3	0.1	12.8	0.1	9.5	0.1
たつの市		35 650	81.2	0.1	61.5	0.1	42.1	0.1	19.5	0.0	12.1	0.0	8.8	0.0
川辺郡	猪名川町	13 894	82.6	0.1	62.8	0.1	43.5	0.1	20.8	0.1	13.1	0.1	9.6	0.1
多可郡	多可町	9 117	81.9	0.1	62.2	0.1	42.8	0.1	20.2	0.1	12.8	0.1	9.4	0.1
加古郡	稲美町	14 508	81.9	0.1	62.3	0.1	42.9	0.1	20.2	0.1	12.5	0.1	9.3	0.1
加古郡	播磨町	16 041	81.5	0.1	61.8	0.1	42.3	0.1	19.6	0.1	12.3	0.1	9.1	0.1
神崎郡	市川町	5 402	81.6	0.1	61.9	0.1	42.5	0.1	19.7	0.1	12.3	0.1	9.0	0.1
神崎郡	福崎町	9 288	81.7	0.1	62.1	0.1	42.7	0.1	20.0	0.1	12.4	0.1	9.3	0.1
神崎郡	神河町	4 936	81.7	0.1	62.1	0.1	42.8	0.1	20.2	0.1	12.6	0.1	9.2	0.1
揖保郡	太子町	16 138	81.7	0.1	62.0	0.1	42.6	0.1	20.0	0.1	12.8	0.1	9.3	0.1
赤穂郡	上郡町	6 654	81.8	0.1	62.2	0.1	42.8	0.1	20.3	0.1	12.7	0.1	9.3	0.1
佐用郡	佐用町	7 503	81.8	0.1	62.1	0.1	42.8	0.1	19.9	0.1	12.6	0.1	9.3	0.1

		女													
		人口	平均余命（年）												
			0歳		20歳		40歳		65歳		75歳		80歳		
		（人）	平均寿命	誤差	平均余命	誤差	平均余命	誤差	平均余命	誤差	平均余命	誤差	平均余命	誤差	
神戸市	灘区	71 070	88.2	0.1	68.4	0.0	48.8	0.0	25.2	0.0	16.5	0.0	12.5	0.0	
神戸市	兵庫区	53 521	87.1	0.1	67.3	0.0	47.7	0.0	24.5	0.0	16.2	0.0	12.2	0.0	
神戸市	長田区	46 791	87.0	0.1	67.2	0.0	47.6	0.0	24.4	0.0	16.0	0.0	12.1	0.0	
神戸市	須磨区	83 843	88.1	0.1	68.3	0.0	48.7	0.0	25.1	0.0	16.4	0.0	12.3	0.0	
神戸市	垂水区	113 648	88.0	0.1	68.3	0.0	48.7	0.0	25.1	0.0	16.4	0.0	12.5	0.0	
神戸市	北区	109 882	88.2	0.0	68.5	0.0	48.8	0.0	25.3	0.0	16.5	0.0	12.4	0.0	
神戸市	中央区	72 794	88.1	0.1	68.3	0.0	48.6	0.0	25.1	0.0	16.6	0.0	12.7	0.0	
神戸市	西区	122 589	88.3	0.1	68.5	0.0	48.8	0.0	25.2	0.0	16.3	0.0	12.3	0.0	
姫路市		268 266	87.1	0.1	67.5	0.0	47.9	0.0	24.4	0.0	15.8	0.0	11.8	0.0	
尼崎市		231 176	87.3	0.1	67.6	0.0	47.9	0.0	24.5	0.0	15.9	0.0	11.9	0.0	
明石市		155 102	87.7	0.1	68.0	0.0	48.4	0.0	24.8	0.0	16.1	0.0	12.1	0.0	
西宮市		255 396	88.2	0.0	68.5	0.0	48.8	0.0	25.1	0.0	16.3	0.0	12.3	0.0	
洲本市		21 439	88.1	0.1	68.4	0.1	48.7	0.0	25.1	0.0	16.4	0.0	12.4	0.0	
芦屋市		51 105	88.9	0.1	69.2	0.0	49.6	0.0	25.8	0.0	17.0	0.0	12.8	0.0	
伊丹市		101 063	88.2	0.1	68.4	0.0	48.7	0.0	25.1	0.0	16.4	0.0	12.4	0.0	
相生市		14 575	87.9	0.1	68.2	0.1	48.6	0.1	24.9	0.0	16.2	0.0	12.2	0.0	
豊岡市		39 760	87.7	0.1	68.1	0.0	48.5	0.0	24.9	0.0	16.2	0.0	12.3	0.0	
加古川市		132 002	87.6	0.1	67.8	0.0	48.2	0.0	24.6	0.0	15.8	0.0	11.8	0.0	
赤穂市		23 636	87.9	0.1	68.1	0.1	48.4	0.1	24.9	0.0	16.2	0.0	12.2	0.0	
西脇市		19 797	87.8	0.1	68.2	0.1	48.6	0.1	24.9	0.0	16.2	0.0	12.1	0.0	
宝塚市		121 314	88.4	0.1	68.6	0.0	49.0	0.0	25.4	0.0	16.6	0.0	12.5	0.0	
三木市		38 244	88.3	0.1	68.5	0.0	48.9	0.0	25.4	0.0	16.6	0.0	12.4	0.0	
高砂市		44 769	87.0	0.1	67.4	0.0	47.9	0.0	24.2	0.0	15.6	0.0	11.7	0.0	
川西市		80 437	88.5	0.1	68.9	0.0	49.2	0.0	25.6	0.0	16.8	0.0	12.8	0.0	
小野市		23 929	88.0	0.1	68.3	0.1	48.8	0.1	25.0	0.0	16.3	0.0	12.3	0.0	
三田市		56 456	88.3	0.1	68.6	0.0	49.0	0.0	25.2	0.0	16.5	0.0	12.4	0.0	
加西市		21 050	88.2	0.1	68.4	0.1	48.8	0.1	25.2	0.0	16.4	0.0	12.4	0.0	
丹波篠山市		20 257	88.0	0.1	68.2	0.1	48.5	0.1	24.9	0.1	16.1	0.0	12.0	0.0	
養父市		11 427	88.0	0.1	68.3	0.1	48.7	0.1	25.0	0.0	16.2	0.0	12.1	0.0	
丹波市		31 558	88.1	0.1	68.5	0.1	48.8	0.0	25.3	0.0	16.5	0.0	12.4	0.0	
南あわじ市		22 780	88.1	0.1	68.5	0.1	48.8	0.1	25.2	0.0	16.4	0.0	12.4	0.0	
朝来市		14 855	88.0	0.1	68.3	0.1	48.7	0.1	25.2	0.0	16.4	0.0	12.4	0.0	
淡路市		21 921	87.9	0.1	68.2	0.1	48.6	0.0	24.9	0.0	16.2	0.0	12.3	0.0	
宍粟市		18 014	87.3	0.1	67.6	0.1	48.1	0.1	24.5	0.0	15.8	0.0	11.8	0.0	
加東市		19 754	88.3	0.1	68.5	0.1	48.8	0.1	25.1	0.0	16.3	0.0	12.3	0.0	
たつの市		38 122	87.5	0.1	67.6	0.0	48.0	0.0	24.5	0.0	15.7	0.0	11.8	0.0	
川辺郡	猪名川町	15 597	88.4	0.1	68.7	0.1	49.0	0.1	25.5	0.1	16.7	0.0	12.6	0.0	
多可郡	多可町	9 861	87.9	0.1	68.2	0.1	48.6	0.1	24.9	0.1	16.2	0.1	12.2	0.0	
加古郡	稲美町	15 316	87.8	0.1	68.0	0.1	48.3	0.1	24.8	0.1	16.0	0.1	12.0	0.1	
加古郡	播磨町	17 057	87.5	0.1	67.8	0.1	48.1	0.1	24.5	0.1	15.8	0.1	11.7	0.1	
神崎郡	市川町	5 697	87.7	0.1	68.0	0.1	48.3	0.1	24.7	0.1	16.0	0.1	12.0	0.1	
神崎郡	福崎町	9 601	88.0	0.1	68.2	0.1	48.6	0.1	25.0	0.1	16.2	0.1	12.1	0.1	
神崎郡	神河町	5 618	88.0	0.1	68.4	0.1	48.7	0.1	25.1	0.1	16.3	0.1	12.4	0.1	
揖保郡	太子町	17 097	87.8	0.1	68.1	0.1	48.5	0.1	24.9	0.1	16.2	0.1	12.2	0.1	
赤穂郡	上郡町	7 106	88.0	0.1	68.4	0.1	48.7	0.1	25.1	0.1	16.3	0.1	12.3	0.1	
佐用郡	佐用町	8 217	88.1	0.1	68.4	0.1	48.7	0.1	25.2	0.1	16.5	0.0	12.6	0.0	

			男												
		人口	平均余命（年）												
			0歳		20歳		40歳		65歳		75歳		80歳		
		（人）	平均寿命	誤差	平均余命	誤差	平均余命	誤差	平均余命	誤差	平均余命	誤差	平均余命	誤差
美方郡	香美町	7 623	81.2	0.1	61.5	0.1	42.3	0.1	19.7	0.1	12.3	0.1	9.1	0.1
美方郡	新温泉町	6 257	81.6	0.1	62.0	0.1	42.7	0.1	20.0	0.1	12.4	0.1	9.4	0.1
奈良県		617 815	82.4	…	62.8	…	43.4	…	20.5	…	12.8	…	9.5	…
奈良市		163 107	82.8	0.1	63.1	0.0	43.7	0.0	20.9	0.0	13.1	0.0	9.8	0.0
大和高田市		28 746	80.8	0.2	61.5	0.1	42.1	0.1	19.5	0.1	12.0	0.1	9.0	0.1
大和郡山市		38 928	82.3	0.1	62.6	0.1	43.3	0.1	20.4	0.0	12.9	0.0	9.5	0.0
天理市		30 820	81.9	0.1	62.3	0.1	42.9	0.1	20.4	0.1	12.6	0.1	9.3	0.1
橿原市		56 794	82.7	0.1	63.0	0.1	43.5	0.0	20.8	0.0	13.0	0.0	9.5	0.0
桜井市		25 622	81.8	0.1	62.1	0.1	42.7	0.1	20.0	0.1	12.5	0.1	9.3	0.1
五條市		13 074	81.7	0.2	62.5	0.1	43.1	0.1	20.6	0.1	12.8	0.1	9.4	0.1
御所市		11 024	81.5	0.2	61.7	0.1	42.3	0.1	19.6	0.1	12.1	0.1	9.0	0.1
生駒市		54 436	83.2	0.1	63.8	0.1	44.3	0.0	21.1	0.0	13.3	0.0	9.8	0.0
香芝市		36 674	83.1	0.1	63.3	0.1	43.9	0.1	20.9	0.1	13.0	0.1	9.7	0.1
葛城市		17 316	82.6	0.1	62.8	0.1	43.5	0.1	20.7	0.1	12.8	0.1	9.4	0.1
宇陀市		13 276	82.1	0.2	62.3	0.1	43.0	0.1	20.4	0.1	12.6	0.1	9.2	0.1
山辺郡	山添村 *	1 526	82.1	0.4	62.2	0.1	43.4	0.1	20.5	0.1	12.7	0.1	9.2	0.1
生駒郡	平群町	8 394	82.6	0.2	63.0	0.1	43.6	0.1	20.7	0.1	12.9	0.1	9.4	0.1
生駒郡	三郷町	10 816	82.7	0.1	62.9	0.1	43.6	0.1	20.6	0.1	12.8	0.1	9.4	0.1
生駒郡	斑鳩町	12 886	83.0	0.2	63.4	0.1	44.0	0.1	20.9	0.1	13.1	0.1	9.5	0.1
生駒郡	安堵町	3 304	82.0	0.2	62.3	0.1	43.0	0.1	20.2	0.1	12.4	0.1	9.1	0.1
磯城郡	川西町	3 844	82.6	0.2	62.9	0.1	43.4	0.1	20.5	0.1	12.8	0.1	9.4	0.1
磯城郡	三宅町	3 011	82.1	0.2	62.4	0.1	43.1	0.1	20.4	0.1	12.8	0.1	9.3	0.1
磯城郡	田原本町	14 760	82.5	0.1	62.8	0.1	43.3	0.1	20.3	0.1	12.6	0.1	9.2	0.1
宇陀郡	曽爾村	586	82.4	0.3	62.8	0.1	43.4	0.1	20.5	0.1	12.7	0.1	9.3	0.1
宇陀郡	御杖村	688	82.3	0.3	62.7	0.1	43.3	0.1	20.6	0.1	12.9	0.1	9.6	0.1
高市郡	高取町	3 137	82.4	0.2	62.7	0.1	43.3	0.1	20.5	0.1	12.9	0.1	9.4	0.1
高市郡	明日香村	2 433	82.4	0.2	62.7	0.1	43.3	0.1	20.6	0.1	12.8	0.1	9.6	0.1
北葛城郡	上牧町	10 053	82.3	0.2	62.5	0.1	42.9	0.1	20.3	0.1	12.6	0.1	9.5	0.1
北葛城郡	王寺町	11 276	82.3	0.1	62.8	0.1	43.5	0.1	20.5	0.1	12.8	0.1	9.4	0.1
北葛城郡	広陵町	15 938	82.6	0.2	63.0	0.1	43.6	0.1	20.4	0.1	12.6	0.1	9.2	0.1
北葛城郡	河合町	7 864	82.9	0.2	63.2	0.1	43.8	0.1	20.9	0.1	13.0	0.1	9.5	0.1
吉野郡	吉野町	2 797	82.1	0.2	62.4	0.1	43.0	0.1	20.3	0.1	12.4	0.1	9.0	0.1
吉野郡	大淀町	7 835	82.0	0.2	62.3	0.1	42.8	0.1	20.0	0.1	12.3	0.1	9.0	0.1
吉野郡	下市町	2 342	82.2	0.2	62.6	0.1	43.1	0.1	20.3	0.1	12.6	0.1	9.3	0.1
吉野郡	黒滝村	292	82.4	0.3	62.7	0.1	43.3	0.1	20.5	0.1	12.8	0.1	9.5	0.1
吉野郡	天川村	566	82.3	0.3	62.6	0.1	43.2	0.1	20.4	0.1	12.6	0.1	9.3	0.1
吉野郡	野迫川村	171	82.5	0.3	62.8	0.1	43.4	0.1	20.6	0.1	12.9	0.1	9.5	0.1
吉野郡	十津川村	1 651	82.2	0.2	62.5	0.1	43.2	0.1	20.3	0.1	12.7	0.1	9.2	0.1
吉野郡	下北山村	356	82.3	0.3	62.6	0.1	43.2	0.1	20.4	0.1	12.7	0.1	9.4	0.1
吉野郡	上北山村	226	82.4	0.3	62.8	0.1	43.3	0.1	20.5	0.1	12.7	0.1	9.3	0.1
吉野郡	川上村	544	82.0	0.3	62.3	0.1	42.9	0.1	20.2	0.1	12.5	0.1	9.2	0.1
吉野郡	東吉野村	702	82.0	0.3	62.3	0.1	42.9	0.1	20.1	0.1	12.5	0.1	9.2	0.1

		女												
		人口	平均余命（年）											
			0歳		20歳		40歳		65歳		75歳		80歳	
		（人）	平均寿命	誤差	平均余命	誤差	平均余命	誤差	平均余命	誤差	平均余命	誤差	平均余命	誤差
美方郡	香美町	8 342	88.1	0.1	68.4	0.1	48.7	0.1	25.1	0.1	16.4	0.0	12.4	0.0
美方郡	新温泉町	6 937	88.1	0.1	68.3	0.1	48.7	0.1	25.1	0.1	16.4	0.1	12.4	0.1
奈良県		693 915	88.0	…	68.3	…	48.7	…	25.1	…	16.3	…	12.3	…
奈良市		187 802	88.4	0.1	68.8	0.0	49.2	0.0	25.6	0.0	16.8	0.0	12.8	0.0
大和高田市		32 448	86.9	0.1	67.2	0.1	47.6	0.1	24.1	0.1	15.5	0.0	11.6	0.0
大和郡山市		43 618	88.0	0.2	68.6	0.1	48.9	0.0	25.4	0.0	16.7	0.0	12.6	0.0
天理市		32 235	87.4	0.2	67.8	0.1	48.2	0.1	24.6	0.1	15.8	0.1	11.7	0.0
橿原市		63 083	87.8	0.1	68.1	0.0	48.5	0.0	24.9	0.0	16.2	0.0	12.2	0.0
桜井市		28 611	87.7	0.2	68.2	0.1	48.5	0.1	24.9	0.1	16.1	0.1	12.1	0.0
五條市		14 573	87.0	0.2	67.6	0.1	48.1	0.1	24.7	0.1	15.9	0.1	11.9	0.1
御所市		12 788	87.2	0.3	67.7	0.1	48.0	0.1	24.5	0.1	15.8	0.1	11.8	0.1
生駒市		60 945	88.0	0.2	68.6	0.0	49.0	0.0	25.4	0.0	16.6	0.0	12.4	0.0
香芝市		40 873	88.7	0.1	68.8	0.1	49.0	0.1	25.3	0.0	16.4	0.0	12.3	0.0
葛城市		19 164	87.8	0.1	68.0	0.1	48.5	0.1	24.9	0.1	16.1	0.1	12.0	0.1
宇陀市		14 607	88.1	0.2	68.3	0.1	48.6	0.1	25.2	0.1	16.2	0.1	12.1	0.1
山辺郡	山添村	1 666	87.8	0.3	68.1	0.1	48.6	0.1	25.1	0.1	16.2	0.1	12.1	0.1
生駒郡	平群町	9 515	88.4	0.2	68.6	0.1	49.0	0.1	25.2	0.1	16.4	0.1	12.4	0.1
生駒郡	三郷町	12 254	88.2	0.2	68.4	0.1	48.7	0.1	25.3	0.1	16.3	0.1	12.4	0.1
生駒郡	斑鳩町	14 517	88.0	0.1	68.2	0.1	48.6	0.1	25.1	0.1	16.3	0.1	12.3	0.1
生駒郡	安堵町	3 708	87.6	0.3	68.2	0.1	48.6	0.1	25.1	0.1	16.3	0.1	12.2	0.1
磯城郡	川西町	4 163	87.4	0.2	67.7	0.1	48.1	0.1	24.5	0.1	15.8	0.1	11.7	0.1
磯城郡	三宅町	3 345	87.5	0.2	67.8	0.1	48.1	0.1	24.5	0.1	15.8	0.1	11.6	0.1
磯城郡	田原本町	16 190	88.5	0.2	68.8	0.1	49.2	0.1	25.5	0.1	16.7	0.1	12.6	0.1
宇陀郡	曽爾村	694	88.1	0.3	68.5	0.1	48.9	0.1	25.3	0.1	16.4	0.1	12.3	0.1
宇陀郡	御杖村	782	88.0	0.3	68.4	0.1	48.7	0.1	25.2	0.1	16.4	0.1	12.4	0.1
高市郡	高取町	3 583	88.2	0.2	68.5	0.1	48.8	0.1	25.2	0.1	16.5	0.1	12.5	0.1
高市郡	明日香村	2 731	87.5	0.4	68.5	0.1	48.9	0.1	25.2	0.1	16.4	0.1	12.4	0.1
北葛城郡	上牧町	11 524	87.7	0.2	68.2	0.1	48.5	0.1	24.9	0.1	16.3	0.1	12.4	0.1
北葛城郡	王寺町	12 571	87.9	0.1	68.2	0.1	48.6	0.1	24.9	0.1	16.1	0.1	12.1	0.1
北葛城郡	広陵町	17 686	88.4	0.1	68.7	0.1	49.1	0.1	25.3	0.1	16.4	0.1	12.3	0.1
北葛城郡	河合町	9 042	88.4	0.2	68.6	0.1	48.9	0.1	25.3	0.1	16.3	0.1	12.3	0.1
吉野郡	吉野町	3 367	86.7	0.3	67.5	0.1	48.1	0.1	24.4	0.1	15.5	0.1	11.6	0.1
吉野郡	大淀町	8 682	87.4	0.2	67.7	0.1	48.1	0.1	24.4	0.1	15.8	0.1	11.9	0.1
吉野郡	下市町	2 658	87.6	0.2	67.9	0.1	48.3	0.1	24.6	0.1	15.7	0.1	11.7	0.1
吉野郡	黒滝村	325	88.0	0.3	68.4	0.1	48.7	0.1	25.1	0.1	16.4	0.1	12.3	0.1
吉野郡	天川村	609	88.1	0.3	68.5	0.1	48.9	0.1	25.2	0.1	16.5	0.1	12.4	0.1
吉野郡	野迫川村	180	88.1	0.3	68.5	0.1	48.9	0.1	25.3	0.1	16.6	0.1	12.5	0.1
吉野郡	十津川村	1 392	88.0	0.2	68.3	0.1	48.7	0.1	25.3	0.1	16.5	0.1	12.4	0.1
吉野郡	下北山村	390	87.8	0.3	68.2	0.1	48.5	0.1	24.9	0.1	16.2	0.1	12.2	0.1
吉野郡	上北山村	217	87.8	0.3	68.2	0.1	48.6	0.1	25.0	0.1	16.2	0.1	12.2	0.1
吉野郡	川上村	599	87.9	0.3	68.2	0.1	48.6	0.1	25.0	0.1	16.2	0.1	12.2	0.1
吉野郡	東吉野村	778	87.9	0.3	68.2	0.1	48.6	0.1	25.0	0.1	16.2	0.1	12.2	0.1

			男												
		人口	平均余命（年）												
			0歳		20歳		40歳		65歳		75歳		80歳		
		（人）	平均寿命	誤差	平均余命	誤差	平均余命	誤差	平均余命	誤差	平均余命	誤差	平均余命	誤差
和歌山県		432 415	81.0	…	61.4	…	42.0	…	19.6	…	12.2	…	9.0	…
和歌山市		166 646	81.0	0.1	61.3	0.0	42.0	0.0	19.6	0.0	12.1	0.0	9.0	0.0
海南市		22 454	81.8	0.1	62.0	0.1	42.4	0.1	19.8	0.1	12.3	0.1	9.0	0.1
橋本市		28 503	81.8	0.1	62.0	0.1	42.8	0.1	20.1	0.1	12.5	0.1	9.1	0.1
有田市		12 504	81.0	0.2	61.6	0.1	42.1	0.1	19.6	0.1	12.2	0.1	9.0	0.1
御坊市		11 342	80.3	0.1	60.5	0.1	41.3	0.1	19.0	0.1	12.1	0.1	9.0	0.1
田辺市		32 706	80.4	0.1	60.8	0.1	41.6	0.1	19.4	0.0	12.1	0.0	9.1	0.0
新宮市		12 538	81.4	0.1	61.7	0.1	42.5	0.1	20.0	0.1	12.4	0.1	9.0	0.1
紀の川市		27 595	81.3	0.1	61.7	0.1	42.3	0.1	19.7	0.1	12.2	0.1	8.8	0.1
岩出市		25 753	81.7	0.1	62.0	0.1	42.6	0.1	20.0	0.1	12.5	0.1	9.0	0.1
海草郡	紀美野町	3 780	81.3	0.2	61.6	0.1	42.2	0.1	20.1	0.1	12.8	0.1	9.4	0.1
伊都郡	かつらぎ町	7 398	81.4	0.1	61.6	0.1	42.3	0.1	19.7	0.1	12.1	0.1	8.8	0.1
伊都郡	九度山町	1 781	81.1	0.2	61.4	0.1	42.1	0.1	19.5	0.1	12.1	0.1	9.0	0.1
伊都郡	高野町	1 485	81.0	0.2	61.3	0.1	41.8	0.1	19.4	0.1	12.3	0.1	8.9	0.1
有田郡	湯浅町	5 177	80.9	0.2	61.1	0.1	41.6	0.1	19.2	0.1	11.8	0.1	8.5	0.1
有田郡	広川町	3 162	81.1	0.2	61.4	0.1	42.0	0.1	19.7	0.1	12.1	0.1	8.9	0.1
有田郡	有田川町	11 918	81.5	0.2	61.7	0.1	42.3	0.1	19.8	0.1	12.4	0.1	9.0	0.1
日高郡	美浜町	3 209	80.6	0.2	60.9	0.1	41.4	0.1	19.1	0.1	11.9	0.1	8.6	0.1
日高郡	日高町	3 650	81.5	0.2	61.8	0.1	42.3	0.1	19.7	0.1	11.9	0.1	8.6	0.1
日高郡	由良町	2 655	80.3	0.2	60.6	0.1	41.4	0.1	19.1	0.1	11.7	0.1	8.4	0.1
日高郡	印南町	3 644	81.5	0.2	61.8	0.1	42.3	0.1	19.9	0.1	12.2	0.1	8.7	0.1
日高郡	みなべ町	5 588	81.1	0.2	61.3	0.1	42.0	0.1	19.6	0.1	12.2	0.1	9.1	0.1
日高郡	日高川町	4 427	81.4	0.2	61.6	0.1	42.2	0.1	20.0	0.1	12.4	0.1	8.9	0.1
西牟婁郡	白浜町	9 385	79.9	0.2	60.5	0.1	41.7	0.1	19.7	0.1	12.2	0.1	8.9	0.1
西牟婁郡	上富田町	7 228	81.3	0.1	61.6	0.1	42.2	0.1	19.7	0.1	12.3	0.1	8.8	0.1
西牟婁郡	すさみ町	1 730	80.5	0.2	60.8	0.1	41.5	0.1	19.3	0.1	12.1	0.1	8.9	0.1
東牟婁郡	那智勝浦町	6 499	80.5	0.2	61.0	0.1	41.7	0.1	19.3	0.1	11.9	0.1	8.9	0.1
東牟婁郡	太地町	1 226	80.2	0.2	61.1	0.1	41.7	0.1	19.2	0.1	11.9	0.1	9.0	0.1
東牟婁郡	古座川町	1 129	80.4	0.2	60.7	0.1	41.6	0.1	19.5	0.1	12.1	0.1	8.9	0.1
東牟婁郡	北山村	183	81.0	0.2	61.3	0.1	41.9	0.1	19.5	0.1	12.1	0.1	8.9	0.1
東牟婁郡	串本町	7 120	80.1	0.2	60.6	0.1	41.7	0.1	19.6	0.1	12.3	0.1	9.0	0.1
鳥取県		262 748	81.4	…	61.7	…	42.3	…	19.8	…	12.5	…	9.3	…
鳥取市		90 736	81.7	0.1	62.0	0.0	42.5	0.0	19.9	0.0	12.6	0.0	9.3	0.0
米子市		69 263	81.2	0.1	61.8	0.0	42.5	0.0	19.9	0.0	12.6	0.0	9.4	0.0
倉吉市		21 710	81.3	0.1	61.7	0.1	42.2	0.1	19.9	0.1	12.5	0.1	9.1	0.1
境港市		15 637	81.3	0.1	61.5	0.1	42.2	0.1	19.5	0.1	12.2	0.1	9.0	0.1
岩美郡	岩美町	5 139	81.4	0.2	61.7	0.1	42.2	0.1	19.7	0.1	12.5	0.1	9.3	0.1
八頭郡	若桜町	1 351	81.3	0.2	61.7	0.1	42.3	0.1	19.9	0.1	12.7	0.1	9.4	0.1
八頭郡	智頭町	2 989	81.1	0.2	61.5	0.1	42.2	0.1	19.7	0.1	12.5	0.1	9.4	0.1
八頭郡	八頭町	7 603	81.1	0.1	61.4	0.1	42.1	0.1	19.7	0.1	12.4	0.1	9.2	0.1
東伯郡	三朝町	2 850	81.1	0.2	61.7	0.1	42.4	0.1	20.0	0.1	12.7	0.1	9.4	0.1
東伯郡	湯梨浜町	7 639	80.7	0.2	60.9	0.1	41.9	0.1	19.4	0.1	12.3	0.1	9.1	0.1
東伯郡	琴浦町	7 630	81.4	0.2	61.7	0.1	42.4	0.1	19.8	0.1	12.5	0.1	9.2	0.1

		人口 (人)	女											
			平均余命（年）											
			0歳		20歳		40歳		65歳		75歳		80歳	
			平均寿命	誤差	平均余命	誤差	平均余命	誤差	平均余命	誤差	平均余命	誤差	平均余命	誤差
和歌山県		483 764	87.4	…	67.7	…	48.1	…	24.5	…	15.9	…	12.0	…
和歌山市		186 787	87.2	0.1	67.5	0.0	47.9	0.0	24.4	0.0	15.8	0.0	11.8	0.0
海南市		25 657	87.7	0.1	68.1	0.1	48.5	0.1	24.8	0.0	16.0	0.0	11.9	0.0
橋本市		31 995	87.3	0.2	67.7	0.1	48.1	0.1	24.5	0.0	16.0	0.0	12.0	0.0
有田市		13 886	87.8	0.2	68.1	0.1	48.5	0.1	25.0	0.1	16.3	0.1	12.1	0.0
御坊市		11 971	86.9	0.2	67.1	0.1	47.7	0.1	24.2	0.1	15.7	0.1	12.2	0.1
田辺市		36 896	87.7	0.2	68.2	0.1	48.4	0.0	25.0	0.0	16.2	0.0	12.2	0.0
新宮市		14 454	87.3	0.1	67.5	0.1	47.9	0.1	24.5	0.1	16.1	0.0	12.1	0.0
紀の川市		30 810	87.7	0.1	67.8	0.1	48.1	0.1	24.5	0.0	15.7	0.0	11.7	0.0
岩出市		27 801	87.7	0.1	68.1	0.1	48.5	0.1	24.8	0.1	16.1	0.1	12.1	0.0
海草郡	紀美野町	4 441	87.7	0.2	68.2	0.1	48.5	0.1	24.9	0.1	16.2	0.1	12.2	0.1
伊都郡	かつらぎ町	8 492	87.7	0.2	68.1	0.1	48.6	0.1	25.0	0.1	16.3	0.1	12.2	0.1
伊都郡	九度山町	2 071	87.0	0.3	67.9	0.1	48.2	0.1	24.6	0.1	16.2	0.1	12.3	0.1
伊都郡	高野町	1 456	87.1	0.2	67.5	0.1	47.9	0.1	24.4	0.1	15.9	0.1	11.9	0.1
有田郡	湯浅町	5 907	87.5	0.2	67.7	0.1	48.0	0.1	24.4	0.1	16.0	0.1	12.0	0.1
有田郡	広川町	3 575	87.4	0.2	67.7	0.1	48.1	0.1	24.5	0.1	15.9	0.1	12.1	0.1
有田郡	有田川町	13 264	87.7	0.2	68.1	0.1	48.3	0.1	24.7	0.1	15.8	0.1	11.8	0.0
日高郡	美浜町	3 629	87.3	0.2	67.6	0.1	47.9	0.1	24.4	0.1	15.6	0.1	11.8	0.1
日高郡	日高町	4 006	87.4	0.2	67.9	0.1	48.3	0.1	24.7	0.1	16.3	0.1	12.3	0.1
日高郡	由良町	2 672	87.0	0.2	67.3	0.1	47.6	0.1	24.0	0.1	15.6	0.1	11.8	0.1
日高郡	印南町	4 044	87.1	0.2	67.4	0.1	47.8	0.1	24.2	0.1	15.4	0.1	11.6	0.1
日高郡	みなべ町	6 152	87.6	0.2	67.9	0.1	48.2	0.1	24.5	0.1	15.8	0.1	11.9	0.1
日高郡	日高川町	4 759	87.3	0.3	67.8	0.1	48.1	0.1	24.5	0.1	15.8	0.1	12.1	0.1
西牟婁郡	白浜町	10 715	86.7	0.2	67.2	0.1	47.4	0.1	24.1	0.1	15.7	0.1	11.8	0.1
西牟婁郡	上富田町	7 969	87.1	0.3	67.7	0.1	48.0	0.1	24.5	0.1	15.8	0.1	12.0	0.1
西牟婁郡	すさみ町	1 933	87.4	0.2	67.7	0.1	48.1	0.1	24.6	0.1	15.9	0.1	11.9	0.1
東牟婁郡	那智勝浦町	7 530	87.2	0.2	67.4	0.1	48.0	0.1	24.5	0.1	15.9	0.1	12.1	0.1
東牟婁郡	太地町	1 555	87.1	0.2	67.5	0.1	47.9	0.1	24.3	0.1	15.6	0.1	11.7	0.1
東牟婁郡	古座川町	1 339	87.8	0.2	68.2	0.1	48.5	0.1	25.0	0.1	16.2	0.1	12.1	0.1
東牟婁郡	北山村	221	87.5	0.3	67.8	0.1	48.2	0.1	24.6	0.1	16.0	0.1	12.0	0.1
東牟婁郡	串本町	7 777	87.1	0.3	67.6	0.1	48.0	0.1	24.5	0.1	15.9	0.1	11.9	0.1
鳥取県		286 018	87.9	…	68.2	…	48.6	…	25.1	…	16.4	…	12.4	…
鳥取市		96 313	88.0	0.1	68.2	0.0	48.6	0.0	25.2	0.0	16.5	0.0	12.5	0.0
米子市		76 709	88.0	0.1	68.2	0.1	48.6	0.1	25.0	0.0	16.5	0.0	12.4	0.0
倉吉市		24 454	87.9	0.2	68.3	0.1	48.7	0.1	25.1	0.1	16.4	0.0	12.5	0.0
境港市		16 601	87.8	0.1	68.1	0.1	48.4	0.1	24.8	0.1	16.1	0.0	12.2	0.0
岩美郡	岩美町	5 580	88.1	0.2	68.4	0.1	48.8	0.1	25.0	0.1	16.3	0.1	12.4	0.1
八頭郡	若桜町	1 483	87.6	0.3	67.9	0.1	48.3	0.1	25.0	0.1	16.4	0.1	12.3	0.1
八頭郡	智頭町	3 370	88.6	0.2	68.8	0.1	49.2	0.1	25.5	0.1	16.6	0.1	12.6	0.1
八頭郡	八頭町	8 265	87.8	0.2	68.0	0.1	48.7	0.1	25.1	0.1	16.3	0.1	12.3	0.1
東伯郡	三朝町	3 148	87.9	0.2	68.2	0.1	48.5	0.1	25.2	0.1	16.4	0.1	12.4	0.1
東伯郡	湯梨浜町	8 325	87.3	0.4	68.1	0.1	48.5	0.1	24.9	0.1	16.5	0.1	12.4	0.1
東伯郡	琴浦町	8 536	87.9	0.3	68.4	0.1	48.7	0.1	25.0	0.1	16.3	0.1	12.3	0.1

			男											
		人口	平均余命（年）											
			0歳		20歳		40歳		65歳		75歳		80歳	
		（人）	平均寿命	誤差	平均余命	誤差	平均余命	誤差	平均余命	誤差	平均余命	誤差	平均余命	誤差
東伯郡	北栄町	6 794	81.0	0.2	61.3	0.1	41.9	0.1	19.6	0.1	12.4	0.1	9.2	0.1
西伯郡	日吉津村	1 617	81.2	0.2	61.5	0.1	42.0	0.1	19.8	0.1	12.5	0.1	9.2	0.1
西伯郡	大山町	7 343	81.2	0.2	61.5	0.1	42.2	0.1	19.6	0.1	12.4	0.1	9.2	0.1
西伯郡	南部町	4 885	81.2	0.2	61.6	0.1	42.4	0.1	20.2	0.1	13.0	0.1	9.6	0.1
西伯郡	伯耆町	5 036	81.7	0.2	62.1	0.1	42.7	0.1	20.2	0.1	12.8	0.1	9.5	0.1
日野郡	日南町	1 964	81.5	0.2	61.8	0.1	42.4	0.1	19.9	0.1	12.7	0.1	9.4	0.1
日野郡	日野町	1 322	81.5	0.2	61.8	0.1	42.4	0.1	19.7	0.1	12.4	0.1	9.2	0.1
日野郡	江府町	1 240	81.4	0.2	61.8	0.1	42.3	0.1	19.7	0.1	12.5	0.1	9.2	0.1
島根県		319 954	81.6	…	61.9	…	42.6	…	20.0	…	12.6	…	9.3	…
松江市		97 812	81.8	0.1	62.0	0.0	42.7	0.0	20.1	0.0	12.7	0.0	9.4	0.0
浜田市		27 074	81.1	0.1	61.4	0.1	42.0	0.1	19.5	0.0	12.2	0.0	8.9	0.0
出雲市		80 906	82.1	0.1	62.4	0.0	43.1	0.0	20.2	0.0	12.7	0.0	9.3	0.0
益田市		21 224	80.9	0.2	61.3	0.1	42.1	0.1	19.8	0.1	12.5	0.1	9.3	0.1
大田市		15 572	81.5	0.2	61.9	0.1	42.4	0.1	19.8	0.1	12.5	0.1	9.4	0.1
安来市		17 643	81.8	0.2	62.2	0.1	42.8	0.1	20.1	0.1	12.6	0.1	9.4	0.1
江津市		10 797	81.1	0.1	61.3	0.1	42.1	0.1	19.5	0.1	12.2	0.1	9.1	0.1
雲南市		17 262	81.8	0.1	62.0	0.1	42.8	0.1	20.3	0.1	12.9	0.1	9.6	0.1
仁多郡	奥出雲町	5 684	82.3	0.2	62.6	0.1	43.1	0.1	20.2	0.1	12.7	0.1	9.6	0.1
飯石郡	飯南町	2 147	81.9	0.2	62.1	0.1	42.7	0.1	20.3	0.1	12.8	0.1	9.5	0.1
邑智郡	川本町	1 552	81.7	0.2	62.0	0.1	42.6	0.1	20.0	0.1	12.5	0.1	9.2	0.1
邑智郡	美郷町	2 074	81.5	0.2	61.8	0.1	42.4	0.1	20.1	0.1	12.6	0.1	9.4	0.1
邑智郡	邑南町	4 829	81.8	0.2	62.1	0.1	42.7	0.1	20.4	0.1	13.1	0.1	9.8	0.1
鹿足郡	津和野町	3 216	81.2	0.2	61.4	0.1	42.4	0.1	20.0	0.1	12.6	0.1	9.4	0.1
鹿足郡	吉賀町	2 817	81.9	0.2	62.2	0.1	42.7	0.1	20.3	0.1	12.8	0.1	9.4	0.1
隠岐郡	海士町	1 107	81.7	0.2	62.0	0.1	42.6	0.1	20.1	0.1	12.7	0.1	9.4	0.1
隠岐郡	西ノ島町	1 407	81.5	0.2	61.7	0.1	42.3	0.1	19.9	0.1	12.4	0.1	9.1	0.1
隠岐郡	知夫村	321	81.5	0.2	61.8	0.1	42.7	0.1	20.1	0.1	12.6	0.1	9.4	0.1
隠岐郡	隠岐の島町	6 510	80.7	0.2	61.1	0.1	41.7	0.1	19.6	0.1	12.2	0.1	9.0	0.1
岡山県		893 546	81.9	…	62.3	…	42.9	…	20.2	…	12.7	…	9.3	…
岡山市		341 544	82.3	…	62.6	…	43.1	…	20.3	…	12.8	…	9.5	…
岡山市	北区	149 531	82.4	0.0	62.6	0.0	43.1	0.0	20.3	0.0	12.9	0.0	9.6	0.0
岡山市	中区	68 957	82.3	0.1	62.7	0.0	43.2	0.0	20.4	0.0	12.9	0.0	9.6	0.0
岡山市	東区	43 488	82.2	0.1	62.5	0.1	43.1	0.0	20.3	0.0	12.7	0.0	9.4	0.0
岡山市	南区	79 568	82.1	0.1	62.5	0.1	43.1	0.0	20.2	0.0	12.7	0.0	9.4	0.0
倉敷市		225 241	82.1	0.0	62.4	0.0	43.0	0.0	20.4	0.0	12.7	0.0	9.4	0.0
津山市		47 600	81.5	0.1	62.1	0.1	42.7	0.0	19.9	0.0	12.5	0.0	9.3	0.0
玉野市		27 133	81.6	0.1	62.1	0.1	42.7	0.1	20.2	0.0	12.7	0.0	9.3	0.0
笠岡市		21 641	81.6	0.2	62.0	0.1	42.8	0.1	20.2	0.1	12.7	0.1	9.4	0.1
井原市		18 190	81.8	0.1	62.2	0.1	42.9	0.1	20.1	0.1	12.6	0.1	9.3	0.0
総社市		32 633	82.0	0.1	62.5	0.1	43.3	0.1	20.4	0.1	12.6	0.1	9.3	0.0
高梁市		13 655	81.6	0.2	62.1	0.1	42.9	0.1	20.2	0.0	12.7	0.0	9.5	0.0
新見市		13 330	81.6	0.1	61.9	0.1	42.6	0.1	19.9	0.0	12.5	0.0	9.1	0.0

		女													
		人口 (人)	平均余命（年）												
			0歳		20歳		40歳		65歳		75歳		80歳		
			平均寿命	誤差	平均余命	誤差	平均余命	誤差	平均余命	誤差	平均余命	誤差	平均余命	誤差
東伯郡	北栄町	7 330	87.5	0.3	68.0	0.1	48.4	0.1	25.1	0.1	16.3	0.1	12.3	0.1
西伯郡	日吉津村	1 851	88.1	0.2	68.3	0.1	48.8	0.1	25.3	0.1	16.6	0.1	12.6	0.1
西伯郡	大山町	7 908	87.8	0.2	68.3	0.1	48.7	0.1	25.0	0.1	16.2	0.1	12.3	0.1
西伯郡	南部町	5 345	87.6	0.4	68.3	0.1	48.7	0.1	25.2	0.1	16.4	0.1	12.3	0.1
西伯郡	伯耆町	5 612	87.9	0.2	68.1	0.1	48.9	0.1	25.5	0.1	16.6	0.1	12.6	0.1
日野郡	日南町	2 204	87.9	0.3	68.2	0.1	48.6	0.1	25.1	0.1	16.3	0.1	12.2	0.1
日野郡	日野町	1 562	88.1	0.3	68.4	0.1	48.7	0.1	25.2	0.1	16.4	0.1	12.4	0.1
日野郡	江府町	1 422	88.0	0.3	68.3	0.1	48.7	0.1	25.3	0.1	16.6	0.1	12.5	0.1
島根県		342 161	88.2	…	68.5	…	48.9	…	25.3	…	16.5	…	12.5	…
松江市		104 296	88.4	0.1	68.7	0.0	49.0	0.0	25.4	0.0	16.6	0.0	12.6	0.0
浜田市		26 835	87.6	0.2	68.0	0.1	48.3	0.1	25.0	0.0	16.3	0.0	12.3	0.0
出雲市		87 196	88.4	0.1	68.6	0.0	49.0	0.0	25.4	0.0	16.5	0.0	12.5	0.0
益田市		23 414	88.1	0.1	68.3	0.1	48.7	0.1	25.1	0.1	16.3	0.0	12.4	0.0
大田市		16 906	88.0	0.2	68.3	0.1	48.6	0.1	25.1	0.0	16.4	0.0	12.4	0.0
安来市		19 150	88.1	0.1	68.4	0.1	48.8	0.1	25.3	0.1	16.4	0.0	12.4	0.0
江津市		11 876	87.8	0.3	68.2	0.1	48.5	0.1	25.0	0.1	16.3	0.0	12.3	0.0
雲南市		18 530	88.3	0.2	68.7	0.1	49.1	0.1	25.5	0.0	16.6	0.0	12.5	0.0
仁多郡	奥出雲町	6 076	88.6	0.2	68.8	0.1	49.1	0.1	25.6	0.1	16.7	0.1	12.7	0.0
飯石郡	飯南町	2 388	88.4	0.2	68.7	0.1	49.0	0.1	25.3	0.1	16.5	0.1	12.5	0.1
邑智郡	川本町	1 677	88.1	0.2	68.3	0.1	48.9	0.1	25.3	0.1	16.5	0.1	12.5	0.1
邑智郡	美郷町	2 263	88.2	0.2	68.5	0.1	48.8	0.1	25.3	0.1	16.5	0.1	12.5	0.1
邑智郡	邑南町	5 250	88.4	0.2	68.6	0.1	48.9	0.1	25.3	0.1	16.6	0.1	12.6	0.0
鹿足郡	津和野町	3 607	88.2	0.4	68.8	0.1	49.1	0.1	25.5	0.1	16.7	0.1	12.6	0.0
鹿足郡	吉賀町	3 039	88.1	0.4	68.6	0.1	48.9	0.1	25.5	0.1	16.8	0.1	12.7	0.1
隠岐郡	海士町	1 148	88.4	0.2	68.7	0.1	49.0	0.1	25.5	0.1	16.6	0.1	12.6	0.1
隠岐郡	西ノ島町	1 350	88.0	0.2	68.3	0.1	48.7	0.1	25.1	0.1	16.5	0.1	12.4	0.1
隠岐郡	知夫村	310	88.3	0.2	68.6	0.1	48.9	0.1	25.4	0.1	16.6	0.1	12.5	0.1
隠岐郡	隠岐の島町	6 850	88.2	0.2	68.4	0.1	48.8	0.1	25.4	0.1	16.7	0.0	12.7	0.0
岡山県		965 466	88.3	…	68.6	…	48.9	…	25.3	…	16.5	…	12.4	…
岡山市		369 497	88.4	…	68.7	…	49.0	…	25.4	…	16.6	…	12.6	…
岡山市	北区	157 664	88.4	0.0	68.8	0.0	49.1	0.0	25.4	0.0	16.7	0.0	12.6	0.0
岡山市	中区	78 002	88.6	0.0	68.8	0.0	49.1	0.0	25.5	0.0	16.7	0.0	12.6	0.0
岡山市	東区	47 984	88.4	0.0	68.6	0.0	48.9	0.0	25.4	0.0	16.6	0.0	12.6	0.0
岡山市	南区	85 847	88.4	0.0	68.6	0.0	49.0	0.0	25.4	0.0	16.6	0.0	12.5	0.0
倉敷市		243 004	88.3	0.1	68.6	0.0	48.9	0.0	25.2	0.0	16.4	0.0	12.3	0.0
津山市		51 401	88.2	0.1	68.4	0.0	48.7	0.0	25.1	0.0	16.4	0.0	12.4	0.0
玉野市		28 727	87.8	0.1	68.1	0.1	48.5	0.0	25.0	0.0	16.2	0.0	12.0	0.0
笠岡市		23 919	88.0	0.1	68.3	0.0	48.6	0.0	25.1	0.0	16.4	0.0	12.4	0.0
井原市		19 667	88.3	0.1	68.6	0.1	48.9	0.1	25.3	0.0	16.6	0.0	12.5	0.0
総社市		34 642	88.5	0.1	68.9	0.1	49.1	0.1	25.4	0.0	16.6	0.0	12.5	0.0
高梁市		14 497	88.4	0.1	68.6	0.1	49.0	0.1	25.4	0.0	16.7	0.0	12.6	0.0
新見市		14 469	88.5	0.1	68.8	0.1	49.1	0.1	25.5	0.0	16.9	0.0	12.7	0.0

			男												
		人口	平均余命（年）												
			0歳		20歳		40歳		65歳		75歳		80歳		
		（人）	平均寿命	誤差	平均余命	誤差	平均余命	誤差	平均余命	誤差	平均余命	誤差	平均余命	誤差	
備前市		15 130	81.2	0.2	61.7	0.1	42.6	0.1	19.9	0.0	12.4	0.0	9.2	0.0	
瀬戸内市		17 130	81.8	0.2	62.3	0.1	43.0	0.1	20.4	0.0	12.7	0.0	9.4	0.0	
赤磐市		20 184	82.1	0.1	62.4	0.1	43.1	0.1	20.4	0.0	12.8	0.0	9.4	0.0	
真庭市		20 268	81.5	0.2	61.9	0.1	42.5	0.1	20.0	0.0	12.5	0.0	9.2	0.0	
美作市		12 199	81.2	0.3	62.1	0.1	42.7	0.1	20.0	0.0	12.5	0.0	9.2	0.0	
浅口市		15 689	82.2	0.1	62.5	0.1	43.1	0.1	20.3	0.0	12.6	0.0	9.3	0.0	
和気郡	和気町	6 335	81.8	0.2	62.1	0.1	42.8	0.1	20.1	0.1	12.6	0.1	9.3	0.1	
都窪郡	早島町	5 905	82.2	0.1	62.5	0.1	43.1	0.1	20.3	0.1	12.7	0.1	9.4	0.1	
浅口郡	里庄町	5 156	82.1	0.2	62.5	0.1	43.0	0.1	20.4	0.1	12.8	0.1	9.5	0.1	
小田郡	矢掛町	6 233	81.9	0.2	62.3	0.1	42.8	0.1	20.2	0.1	12.6	0.1	9.3	0.1	
真庭郡	新庄村	370	81.8	0.2	62.2	0.1	42.9	0.1	20.2	0.1	12.7	0.1	9.4	0.1	
苫田郡	鏡野町	5 783	81.9	0.2	62.2	0.1	42.7	0.1	20.1	0.1	12.5	0.1	9.2	0.1	
勝田郡	勝央町	5 187	81.9	0.2	62.2	0.1	42.9	0.1	20.3	0.1	12.6	0.1	9.3	0.1	
勝田郡	奈義町	2 774	82.0	0.2	62.3	0.1	43.0	0.1	20.2	0.1	12.6	0.1	9.3	0.1	
英田郡	西粟倉村	647	81.9	0.2	62.3	0.1	42.9	0.1	20.1	0.1	12.6	0.1	9.2	0.1	
久米郡	久米南町	2 162	81.8	0.2	62.1	0.1	42.7	0.1	20.2	0.1	12.7	0.1	9.4	0.1	
久米郡	美咲町	6 218	80.7	0.2	61.2	0.1	42.1	0.1	19.8	0.1	12.4	0.1	9.1	0.1	
加賀郡	吉備中央町	5 209	81.9	0.2	62.3	0.1	42.9	0.1	20.1	0.1	12.7	0.1	9.3	0.1	
広島県		1 330 215	82.0	...	62.3	...	42.9	...	20.3	...	12.8	...	9.5	...	
広島市		570 075	82.5	...	62.8	...	43.4	...	20.6	...	13.0	...	9.7	...	
広島市	中区	65 712	82.1	0.1	62.4	0.0	42.9	0.0	20.2	0.0	12.6	0.0	9.4	0.0	
広島市	東区	56 000	82.5	0.1	62.8	0.0	43.4	0.0	20.5	0.0	12.9	0.0	9.5	0.0	
広島市	南区	70 459	82.1	0.1	62.4	0.0	42.9	0.0	20.2	0.0	12.7	0.0	9.4	0.0	
広島市	西区	88 865	82.3	0.1	62.6	0.0	43.2	0.0	20.3	0.0	12.8	0.0	9.5	0.0	
広島市	安佐南区	119 255	83.0	0.0	63.2	0.0	43.8	0.0	20.9	0.0	13.2	0.0	10.0	0.0	
広島市	安佐北区	65 145	82.4	0.1	62.7	0.0	43.4	0.0	20.7	0.0	13.0	0.0	9.7	0.0	
広島市	安芸区	37 563	82.7	0.1	62.9	0.1	43.5	0.0	20.7	0.0	13.1	0.0	9.7	0.0	
広島市	佐伯区	67 076	83.0	0.1	63.2	0.0	43.7	0.0	20.9	0.0	13.2	0.0	9.8	0.0	
呉市		102 097	80.7	0.1	61.1	0.0	41.7	0.0	19.4	0.0	12.3	0.0	9.0	0.0	
竹原市		11 327	81.7	0.2	62.1	0.1	42.6	0.1	20.2	0.1	12.8	0.1	9.6	0.1	
三原市		42 017	81.6	0.1	61.9	0.0	42.5	0.0	20.1	0.0	12.7	0.0	9.4	0.0	
尾道市		61 319	81.1	0.1	61.5	0.0	42.0	0.0	19.9	0.0	12.5	0.0	9.2	0.0	
福山市		219 229	81.5	0.1	61.8	0.0	42.4	0.0	20.2	0.0	12.6	0.0	9.3	0.0	
府中市		17 809	81.9	0.1	62.1	0.1	42.8	0.1	20.5	0.1	12.9	0.1	9.6	0.1	
三次市		23 892	81.8	0.1	62.1	0.1	42.6	0.1	20.1	0.0	12.7	0.0	9.5	0.0	
庄原市		15 818	81.7	0.1	62.0	0.1	42.6	0.1	20.3	0.1	12.7	0.1	9.6	0.1	
大竹市		12 636	82.0	0.1	62.2	0.1	42.7	0.1	20.2	0.1	12.8	0.1	9.5	0.1	
東広島市		96 050	82.6	0.1	62.9	0.0	43.6	0.0	20.7	0.0	13.0	0.0	9.7	0.0	
廿日市市		53 758	82.6	0.1	63.0	0.1	43.6	0.0	20.8	0.0	13.1	0.0	9.7	0.0	
安芸高田市		12 295	81.8	0.1	62.0	0.1	42.7	0.1	20.1	0.1	12.7	0.1	9.4	0.1	
江田島市		10 647	81.4	0.1	61.8	0.1	42.3	0.1	19.6	0.1	12.5	0.1	9.2	0.1	
安芸郡	府中町	24 703	82.8	0.1	63.1	0.1	43.7	0.1	20.8	0.1	13.0	0.1	9.7	0.1	
安芸郡	海田町	14 174	81.8	0.1	62.2	0.1	42.9	0.1	20.3	0.1	13.1	0.1	9.6	0.1	
安芸郡	熊野町	10 862	81.9	0.1	62.2	0.1	42.9	0.1	20.3	0.1	12.7	0.1	9.3	0.1	

			女												
		人口	平均余命（年）												
			0歳		20歳		40歳		65歳		75歳		80歳		
		（人）	平均寿命	誤差	平均余命	誤差	平均余命	誤差	平均余命	誤差	平均余命	誤差	平均余命	誤差
備前市		16 609	87.8	0.1	68.0	0.1	48.4	0.1	25.0	0.0	16.2	0.0	12.2	0.0
瀬戸内市		18 470	88.0	0.1	68.3	0.1	48.7	0.1	25.1	0.0	16.4	0.0	12.2	0.0
赤磐市		21 978	88.4	0.1	68.6	0.1	48.8	0.1	25.2	0.0	16.4	0.0	12.3	0.0
真庭市		22 158	88.3	0.1	68.6	0.1	48.8	0.0	25.3	0.0	16.5	0.0	12.4	0.0
美作市		13 355	88.2	0.1	68.7	0.1	48.9	0.1	25.3	0.0	16.6	0.0	12.5	0.0
浅口市		16 847	88.5	0.1	68.7	0.1	49.0	0.1	25.3	0.0	16.6	0.0	12.5	0.0
和気郡	和気町	7 035	88.4	0.1	68.7	0.1	49.0	0.1	25.3	0.1	16.6	0.0	12.5	0.0
都窪郡	早島町	6 396	88.4	0.1	68.6	0.1	48.9	0.1	25.3	0.1	16.4	0.1	12.4	0.1
浅口郡	里庄町	5 639	88.8	0.1	69.0	0.1	49.3	0.1	25.6	0.1	16.9	0.1	12.9	0.1
小田郡	矢掛町	6 812	88.6	0.1	68.8	0.1	49.1	0.1	25.4	0.1	16.6	0.1	12.6	0.0
真庭郡	新庄村	432	88.3	0.1	68.6	0.1	48.9	0.1	25.3	0.1	16.5	0.1	12.4	0.1
苫田郡	鏡野町	6 194	88.2	0.1	68.5	0.1	48.8	0.1	25.1	0.1	16.3	0.1	12.2	0.1
勝田郡	勝央町	5 655	88.4	0.1	68.7	0.1	49.1	0.1	25.5	0.1	16.8	0.1	12.7	0.1
勝田郡	奈義町	2 778	88.4	0.1	68.7	0.1	49.0	0.1	25.4	0.1	16.6	0.1	12.5	0.1
英田郡	西粟倉村	745	88.3	0.1	68.6	0.1	48.9	0.1	25.3	0.1	16.5	0.1	12.4	0.1
久米郡	久米南町	2 331	88.3	0.1	68.6	0.1	48.9	0.1	25.3	0.1	16.5	0.1	12.4	0.1
久米郡	美咲町	6 760	88.0	0.1	68.3	0.1	48.5	0.1	24.9	0.1	16.2	0.0	12.2	0.0
加賀郡	吉備中央町	5 449	88.2	0.1	68.6	0.1	49.0	0.1	25.3	0.1	16.6	0.0	12.5	0.0
広島県		1 416 596	88.2	…	68.4	…	48.7	…	25.1	…	16.4	…	12.4	…
広島市		611 054	88.4	…	68.7	…	49.0	…	25.5	…	16.7	…	12.7	…
広島市	中区	72 651	88.1	0.1	68.3	0.0	48.6	0.0	25.3	0.0	16.6	0.0	12.7	0.0
広島市	東区	61 512	88.3	0.1	68.6	0.0	48.9	0.0	25.3	0.0	16.6	0.0	12.7	0.0
広島市	南区	73 187	88.6	0.1	68.8	0.0	49.1	0.0	25.5	0.0	16.7	0.0	12.7	0.0
広島市	西区	96 864	88.4	0.1	68.8	0.0	49.1	0.0	25.5	0.0	16.8	0.0	12.8	0.0
広島市	安佐南区	125 539	88.5	0.1	68.7	0.0	49.0	0.0	25.5	0.0	16.8	0.0	12.7	0.0
広島市	安佐北区	71 906	88.2	0.1	68.6	0.0	49.0	0.0	25.4	0.0	16.7	0.0	12.7	0.0
広島市	安芸区	38 063	88.7	0.1	68.9	0.0	49.2	0.0	25.5	0.0	16.7	0.0	12.7	0.0
広島市	佐伯区	71 332	88.5	0.1	68.7	0.0	49.2	0.0	25.6	0.0	16.8	0.0	12.7	0.0
呉市		109 365	87.7	0.1	68.0	0.0	48.3	0.0	24.7	0.0	16.1	0.0	12.0	0.0
竹原市		12 431	88.0	0.1	68.2	0.1	48.5	0.1	25.1	0.0	16.5	0.0	12.5	0.0
三原市		46 368	87.8	0.1	68.1	0.0	48.4	0.0	24.9	0.0	16.3	0.0	12.3	0.0
尾道市		66 974	87.9	0.1	68.1	0.0	48.4	0.0	24.7	0.0	16.1	0.0	12.1	0.0
福山市		232 052	88.0	0.1	68.3	0.0	48.6	0.0	25.0	0.0	16.3	0.0	12.3	0.0
府中市		19 266	88.0	0.1	68.2	0.0	48.5	0.0	25.0	0.0	16.4	0.0	12.4	0.0
三次市		26 126	88.0	0.1	68.2	0.0	48.6	0.0	25.0	0.0	16.3	0.0	12.3	0.0
庄原市		17 391	88.6	0.1	68.8	0.0	49.1	0.0	25.4	0.0	16.7	0.0	12.7	0.0
大竹市		13 356	88.1	0.2	68.6	0.1	48.8	0.1	25.2	0.0	16.5	0.0	12.5	0.0
東広島市		92 914	88.3	0.1	68.7	0.0	49.0	0.0	25.3	0.0	16.6	0.0	12.5	0.0
廿日市市		59 079	88.5	0.1	68.7	0.0	49.0	0.0	25.4	0.0	16.6	0.0	12.5	0.0
安芸高田市		13 457	88.6	0.1	68.8	0.0	49.1	0.0	25.4	0.0	16.7	0.0	12.6	0.0
江田島市		10 696	87.5	0.2	68.0	0.1	48.3	0.1	24.7	0.0	16.1	0.0	12.2	0.0
安芸郡	府中町	25 814	88.5	0.1	68.7	0.0	49.0	0.0	25.3	0.0	16.6	0.0	12.6	0.0
安芸郡	海田町	14 606	88.2	0.1	68.5	0.1	48.8	0.1	25.2	0.0	16.5	0.0	12.3	0.0
安芸郡	熊野町	11 768	88.2	0.1	68.5	0.1	48.8	0.1	25.1	0.0	16.3	0.0	12.2	0.0

		男												
		人口	平均余命（年）											
			0歳		20歳		40歳		65歳		75歳		80歳	
		（人）	平均寿命	誤差	平均余命	誤差	平均余命	誤差	平均余命	誤差	平均余命	誤差	平均余命	誤差
安芸郡	坂町	5 866	81.7	0.1	61.9	0.1	42.6	0.1	20.0	0.1	12.3	0.1	9.3	0.1
山県郡	安芸太田町	2 666	81.8	0.1	62.1	0.1	42.8	0.1	20.4	0.1	12.9	0.1	9.6	0.1
山県郡	北広島町	8 430	81.8	0.1	62.1	0.1	42.8	0.1	20.3	0.1	12.9	0.1	9.5	0.1
豊田郡	大崎上島町	3 564	81.8	0.1	62.1	0.1	42.7	0.1	20.1	0.1	12.7	0.1	9.3	0.1
世羅郡	世羅町	7 070	82.2	0.1	62.4	0.1	43.1	0.1	20.5	0.1	12.9	0.1	9.5	0.1
神石郡	神石高原町	3 911	82.3	0.1	62.6	0.1	43.3	0.1	20.7	0.1	13.0	0.1	9.7	0.1
山口県		629 146	81.1	…	61.5	…	42.1	…	19.6	…	12.3	…	9.1	…
下関市		116 748	80.7	0.1	61.2	0.0	41.7	0.0	19.6	0.0	12.3	0.0	9.1	0.0
宇部市		76 823	81.4	0.1	61.8	0.0	42.4	0.0	19.8	0.0	12.5	0.0	9.4	0.0
山口市		91 589	81.8	0.1	62.2	0.0	42.8	0.0	20.0	0.0	12.5	0.0	9.3	0.0
萩市		20 481	80.8	0.1	61.1	0.1	41.7	0.1	19.2	0.1	11.9	0.1	8.7	0.0
防府市		54 418	81.2	0.1	61.5	0.0	42.2	0.0	19.4	0.0	12.1	0.0	9.0	0.0
下松市		27 004	81.4	0.1	61.7	0.1	42.3	0.1	19.6	0.1	12.2	0.1	9.0	0.1
岩国市		60 146	81.2	0.1	61.6	0.1	42.3	0.0	19.7	0.0	12.3	0.0	9.1	0.0
光市		23 431	81.5	0.1	61.8	0.1	42.3	0.1	19.8	0.1	12.4	0.1	9.2	0.1
長門市		14 866	80.9	0.1	61.2	0.1	41.7	0.1	19.5	0.1	12.3	0.1	9.2	0.1
柳井市		14 288	80.8	0.1	61.1	0.1	41.8	0.1	19.5	0.1	12.2	0.1	9.0	0.1
美祢市		10 735	81.0	0.1	61.4	0.1	42.1	0.1	19.5	0.1	12.1	0.1	8.9	0.1
周南市		65 808	81.1	0.1	61.5	0.0	42.2	0.0	19.8	0.0	12.5	0.0	9.2	0.0
山陽小野田市		28 247	80.6	0.1	61.2	0.1	41.8	0.1	19.3	0.0	11.9	0.0	8.6	0.0
大島郡	周防大島町	6 796	80.5	0.1	61.1	0.1	41.8	0.1	19.5	0.1	12.3	0.1	9.2	0.1
玖珂郡	和木町	2 910	81.1	0.1	61.4	0.1	42.0	0.1	19.5	0.1	12.1	0.1	9.0	0.1
熊毛郡	上関町	1 082	80.2	0.2	61.1	0.1	41.9	0.1	19.4	0.1	12.1	0.1	8.8	0.1
熊毛郡	田布施町	6 891	81.1	0.1	61.4	0.1	42.2	0.1	19.7	0.1	12.4	0.1	9.3	0.1
熊毛郡	平生町	5 520	81.2	0.1	61.6	0.1	42.5	0.1	19.9	0.1	12.6	0.1	9.5	0.1
阿武郡	阿武町	1 363	81.0	0.1	61.4	0.1	42.1	0.1	19.5	0.1	12.2	0.1	9.0	0.1
徳島県		341 145	81.3	…	61.7	…	42.3	…	19.8	…	12.4	…	9.1	…
徳島市		119 313	81.6	0.1	62.0	0.0	42.7	0.0	20.1	0.0	12.7	0.0	9.4	0.0
鳴門市		25 728	81.2	0.2	61.6	0.1	42.3	0.1	19.6	0.1	12.2	0.1	8.7	0.1
小松島市		17 400	81.5	0.1	61.8	0.1	42.4	0.1	20.0	0.1	12.5	0.1	9.2	0.1
阿南市		33 613	81.6	0.1	61.9	0.1	42.6	0.1	20.0	0.0	12.5	0.0	9.2	0.0
吉野川市		18 113	80.3	0.1	60.5	0.1	41.7	0.1	19.8	0.1	12.4	0.1	9.1	0.1
阿波市		16 358	80.8	0.2	61.1	0.1	41.9	0.1	19.5	0.1	12.1	0.1	8.8	0.1
美馬市		13 203	80.7	0.2	61.2	0.1	42.0	0.1	19.6	0.1	12.2	0.1	8.9	0.1
三好市		11 066	80.4	0.2	60.8	0.1	41.5	0.1	19.7	0.1	12.4	0.1	9.0	0.1
勝浦郡	勝浦町	2 308	81.3	0.2	61.7	0.1	42.5	0.1	20.0	0.1	12.3	0.1	9.0	0.1
勝浦郡	上勝町	649	81.5	0.2	61.8	0.1	42.5	0.1	20.0	0.1	12.5	0.1	9.2	0.1
名東郡	佐那河内村	996	80.9	0.2	61.2	0.1	42.2	0.1	19.9	0.1	12.3	0.1	8.9	0.1
名西郡	石井町	11 695	81.5	0.1	61.7	0.1	42.2	0.1	19.7	0.1	12.3	0.1	9.0	0.1
名西郡	神山町	2 167	81.3	0.2	61.7	0.1	42.3	0.1	19.8	0.1	12.2	0.1	9.0	0.1
那賀郡	那賀町	3 515	81.7	0.2	62.1	0.1	42.7	0.1	20.1	0.1	12.6	0.1	9.1	0.1
海部郡	牟岐町	1 726	81.0	0.2	61.4	0.1	42.2	0.1	19.6	0.1	12.4	0.1	9.1	0.1

		人口 (人)	女											
			平均余命（年）											
			0歳		20歳		40歳		65歳		75歳		80歳	
			平均寿命	誤差	平均余命	誤差	平均余命	誤差	平均余命	誤差	平均余命	誤差	平均余命	誤差
安芸郡	坂町	6 534	88.1	0.1	68.4	0.1	48.7	0.1	25.1	0.1	16.3	0.1	12.3	0.1
山県郡	安芸太田町	3 032	88.3	0.1	68.6	0.1	48.9	0.1	25.3	0.1	16.6	0.1	12.6	0.0
山県郡	北広島町	8 815	88.3	0.1	68.5	0.1	48.8	0.1	25.2	0.0	16.5	0.0	12.3	0.0
豊田郡	大崎上島町	3 448	87.9	0.1	68.4	0.1	48.6	0.1	25.1	0.1	16.4	0.1	12.3	0.1
世羅郡	世羅町	7 799	88.4	0.1	68.7	0.1	49.0	0.1	25.3	0.0	16.6	0.0	12.5	0.0
神石郡	神石高原町	4 251	88.2	0.1	68.6	0.1	48.9	0.1	25.3	0.1	16.6	0.0	12.5	0.0
山口県		696 897	87.4	…	67.8	…	48.2	…	24.7	…	16.0	…	12.1	…
下関市		134 112	87.4	0.1	67.8	0.0	48.1	0.0	24.7	0.0	16.1	0.0	12.1	0.0
宇部市		83 840	87.2	0.1	67.7	0.0	48.1	0.0	24.7	0.0	16.0	0.0	12.2	0.0
山口市		100 646	88.3	0.1	68.5	0.0	48.8	0.0	25.1	0.0	16.4	0.0	12.4	0.0
萩市		23 758	87.1	0.1	67.4	0.1	47.9	0.0	24.3	0.0	15.7	0.0	11.7	0.0
防府市		58 272	87.1	0.1	67.6	0.0	48.1	0.0	24.7	0.0	16.0	0.0	12.1	0.0
下松市		28 294	87.4	0.1	67.7	0.0	48.1	0.0	24.6	0.0	16.0	0.0	12.0	0.0
岩国市		66 980	87.2	0.1	67.6	0.0	47.9	0.0	24.6	0.0	16.0	0.0	12.0	0.0
光市		25 909	87.7	0.1	68.1	0.0	48.4	0.0	24.9	0.0	16.2	0.0	12.2	0.0
長門市		17 192	87.5	0.2	68.0	0.1	48.3	0.1	24.7	0.0	16.1	0.0	12.2	0.0
柳井市		16 337	87.3	0.1	67.6	0.1	48.0	0.1	24.6	0.1	15.9	0.1	11.9	0.0
美祢市		12 311	87.5	0.1	67.8	0.1	48.1	0.1	24.5	0.1	15.8	0.1	11.9	0.1
周南市		70 150	87.4	0.1	67.7	0.0	48.1	0.0	24.7	0.0	16.0	0.0	12.0	0.0
山陽小野田市		31 388	87.3	0.1	67.7	0.0	48.0	0.0	24.5	0.0	15.9	0.0	11.9	0.0
大島郡	周防大島町	7 903	87.0	0.1	67.4	0.1	47.8	0.1	24.3	0.1	15.6	0.1	11.8	0.1
玖珂郡	和木町	3 045	87.5	0.1	67.9	0.1	48.2	0.1	24.7	0.1	16.0	0.1	12.1	0.1
熊毛郡	上関町	1 256	87.3	0.1	67.6	0.1	48.0	0.1	24.5	0.1	15.8	0.1	11.9	0.1
熊毛郡	田布施町	7 532	87.2	0.1	67.5	0.1	47.9	0.1	24.6	0.1	15.9	0.1	12.0	0.1
熊毛郡	平生町	6 306	87.8	0.1	68.1	0.1	48.5	0.1	25.1	0.0	16.4	0.0	12.5	0.0
阿武郡	阿武町	1 666	87.4	0.1	67.8	0.1	48.1	0.1	24.6	0.1	16.0	0.1	12.0	0.1
徳島県		372 571	87.4	…	67.7	…	48.1	…	24.6	…	15.9	…	11.9	…
徳島市		131 029	87.7	0.1	67.8	0.0	48.3	0.0	24.8	0.0	16.1	0.0	12.1	0.0
鳴門市		28 522	86.9	0.3	67.7	0.1	47.9	0.1	24.3	0.1	15.8	0.1	11.8	0.0
小松島市		18 543	87.6	0.1	67.8	0.1	48.0	0.1	24.4	0.1	15.9	0.0	12.0	0.0
阿南市		35 529	87.5	0.2	67.8	0.1	48.1	0.0	24.5	0.1	15.6	0.1	11.6	0.0
吉野川市		20 306	87.7	0.1	68.0	0.1	48.3	0.1	24.7	0.1	16.2	0.1	12.0	0.1
阿波市		17 941	87.4	0.1	67.5	0.1	47.8	0.1	24.1	0.0	15.5	0.0	11.6	0.0
美馬市		14 449	87.1	0.2	67.2	0.1	47.9	0.1	24.5	0.1	16.0	0.1	12.0	0.0
三好市		12 352	86.5	0.4	67.3	0.1	47.8	0.1	24.4	0.1	15.9	0.1	11.9	0.0
勝浦郡	勝浦町	2 498	87.5	0.3	67.8	0.1	48.1	0.1	24.7	0.1	16.1	0.1	12.1	0.1
勝浦郡	上勝町	726	87.7	0.3	68.0	0.1	48.3	0.1	24.8	0.1	16.2	0.1	12.1	0.1
名東郡	佐那河内村	1 057	87.5	0.3	67.7	0.1	48.1	0.1	24.6	0.1	16.0	0.1	12.0	0.1
名西郡	石井町	12 887	87.1	0.2	67.6	0.1	48.0	0.1	24.4	0.1	15.8	0.1	11.8	0.1
名西郡	神山町	2 426	87.5	0.3	67.7	0.1	48.0	0.1	24.5	0.1	15.9	0.1	11.9	0.1
那賀郡	那賀町 *	3 840	87.0	0.6	67.7	0.1	48.1	0.1	24.6	0.1	16.0	0.1	11.9	0.1
海部郡	牟岐町	1 996	87.6	0.3	67.8	0.1	48.2	0.1	24.7	0.1	16.1	0.1	12.1	0.1

			男												
		人口	平均余命（年）												
			0歳		20歳		40歳		65歳		75歳		80歳	
		（人）	平均寿命	誤差	平均余命	誤差	平均余命	誤差	平均余命	誤差	平均余命	誤差	平均余命	誤差
海部郡	美波町	2 907	81.4	0.2	61.7	0.1	42.3	0.1	19.9	0.1	12.4	0.1	9.1	0.1
海部郡	海陽町	3 885	80.8	0.2	61.1	0.1	42.2	0.1	19.8	0.1	12.2	0.1	8.9	0.1
板野郡	松茂町	7 149	81.8	0.3	62.3	0.1	42.8	0.1	20.1	0.1	12.4	0.1	9.1	0.1
板野郡	北島町	10 909	82.1	0.2	62.4	0.1	42.8	0.1	20.2	0.1	12.6	0.1	9.3	0.1
板野郡	藍住町	16 767	81.6	0.2	62.2	0.1	42.9	0.1	20.0	0.1	12.4	0.1	9.2	0.1
板野郡	板野町	6 220	80.7	0.2	61.1	0.1	41.8	0.1	19.4	0.1	12.3	0.1	9.2	0.1
板野郡	上板町	5 381	81.1	0.3	61.5	0.1	42.0	0.1	19.4	0.1	12.1	0.1	8.8	0.1
美馬郡	つるぎ町	3 599	80.6	0.2	61.0	0.1	41.5	0.1	19.1	0.1	11.8	0.1	8.6	0.1
三好郡	東みよし町	6 478	81.2	0.2	61.5	0.1	42.1	0.1	19.7	0.1	12.4	0.1	9.2	0.1
香川県		452 469	81.6	…	61.9	…	42.6	…	20.0	…	12.6	…	9.3	…
高松市		199 451	81.8	0.1	62.2	0.0	42.9	0.0	20.3	0.0	12.8	0.0	9.5	0.0
丸亀市		51 820	81.3	0.1	61.6	0.1	42.2	0.1	19.9	0.1	12.5	0.0	9.3	0.0
坂出市		23 745	80.3	0.1	60.7	0.1	41.7	0.1	19.4	0.1	12.2	0.0	9.2	0.0
善通寺市		15 574	81.1	0.1	61.6	0.1	42.3	0.1	20.0	0.1	12.5	0.1	9.3	0.1
観音寺市		27 284	81.2	0.1	61.4	0.1	42.2	0.1	19.9	0.1	12.6	0.0	9.3	0.0
さぬき市		22 271	82.1	0.1	62.4	0.1	43.0	0.1	20.2	0.1	12.9	0.0	9.6	0.1
東かがわ市		13 287	81.7	0.1	61.9	0.1	42.6	0.1	20.1	0.1	12.6	0.1	9.4	0.1
三豊市		29 427	81.5	0.1	61.8	0.1	42.5	0.1	19.9	0.0	12.5	0.0	9.1	0.0
小豆郡	土庄町	6 020	81.7	0.1	62.0	0.1	42.7	0.1	20.1	0.1	12.6	0.1	9.4	0.1
小豆郡	小豆島町	6 573	81.8	0.1	62.1	0.1	42.7	0.1	20.2	0.1	12.8	0.1	9.4	0.1
木田郡	三木町	12 846	81.9	0.1	62.1	0.1	42.7	0.1	20.0	0.1	12.5	0.1	9.2	0.1
香川郡	直島町	1 633	81.6	0.1	61.9	0.1	42.6	0.1	20.1	0.1	12.7	0.1	9.4	0.1
綾歌郡	宇多津町	8 943	81.7	0.1	62.0	0.1	42.7	0.1	19.9	0.1	12.5	0.1	9.4	0.1
綾歌郡	綾川町	10 807	81.6	0.1	62.0	0.1	42.7	0.1	19.8	0.1	12.2	0.1	8.9	0.1
仲多度郡	琴平町	3 841	81.4	0.1	61.9	0.1	42.6	0.1	20.0	0.1	12.7	0.1	9.4	0.1
仲多度郡	多度津町	10 657	82.1	0.1	62.3	0.1	42.9	0.1	20.0	0.1	12.6	0.1	9.3	0.1
仲多度郡	まんのう町	8 290	81.3	0.1	61.6	0.1	42.3	0.1	19.8	0.1	12.3	0.1	9.1	0.1
愛媛県		626 655	81.1	…	61.4	…	42.1	…	19.8	…	12.4	…	9.2	…
松山市		238 671	81.4	0.0	61.6	0.0	42.2	0.0	19.8	0.0	12.5	0.0	9.3	0.0
今治市		69 811	80.4	0.1	60.7	0.0	41.6	0.0	19.6	0.0	12.4	0.0	9.2	0.0
宇和島市		33 115	80.5	0.1	60.6	0.1	41.3	0.0	19.2	0.0	11.9	0.0	8.7	0.0
八幡浜市		14 906	81.1	0.1	61.3	0.1	41.8	0.1	19.8	0.1	12.3	0.1	9.1	0.1
新居浜市		55 348	81.0	0.1	61.2	0.1	41.9	0.0	19.7	0.1	12.3	0.1	9.2	0.0
西条市		49 612	81.5	0.1	61.9	0.0	42.5	0.0	19.8	0.1	12.6	0.0	9.3	0.0
大洲市		19 371	81.3	0.1	61.6	0.1	42.5	0.1	20.2	0.0	12.7	0.0	9.5	0.0
伊予市		16 331	81.2	0.1	61.4	0.1	42.2	0.1	19.9	0.1	12.4	0.1	9.1	0.1
四国中央市		40 178	81.1	0.1	61.5	0.1	42.3	0.1	19.8	0.0	12.4	0.0	9.1	0.0
西予市		16 574	81.3	0.1	61.5	0.1	42.2	0.1	19.8	0.0	12.6	0.0	9.3	0.0
東温市		16 090	81.5	0.1	61.9	0.1	42.4	0.1	20.0	0.1	12.6	0.1	9.4	0.1
越智郡	上島町	3 127	81.2	0.1	61.5	0.1	42.1	0.1	19.9	0.1	12.6	0.1	9.4	0.1
上浮穴郡	久万高原町	3 501	81.0	0.1	61.4	0.1	42.0	0.1	19.6	0.1	12.4	0.1	9.2	0.1
伊予郡	松前町	13 867	81.4	0.1	61.7	0.1	42.3	0.1	20.0	0.1	12.5	0.1	9.3	0.1

			女												
		人口	平均余命（年）												
			0歳		20歳		40歳		65歳		75歳		80歳		
		（人）	平均寿命	誤差	平均余命	誤差	平均余命	誤差	平均余命	誤差	平均余命	誤差	平均余命	誤差
海部郡	美波町 *	3 261	87.0	0.6	67.8	0.1	48.3	0.1	24.8	0.1	16.2	0.1	12.2	0.1
海部郡	海陽町 *	4 260	87.0	0.6	67.7	0.1	48.0	0.1	24.4	0.1	15.8	0.1	11.8	0.1
板野郡	松茂町	7 314	87.3	0.2	67.4	0.1	47.9	0.1	24.3	0.1	15.8	0.1	11.8	0.1
板野郡	北島町	11 715	87.8	0.1	68.0	0.1	48.4	0.1	24.7	0.1	16.0	0.1	12.1	0.1
板野郡	藍住町	18 240	87.8	0.2	68.2	0.1	48.5	0.1	24.8	0.1	16.1	0.1	12.2	0.1
板野郡	板野町	6 652	87.6	0.2	67.8	0.1	48.4	0.1	24.6	0.1	16.0	0.1	12.0	0.1
板野郡	上板町	5 891	87.5	0.2	67.7	0.1	48.0	0.1	24.3	0.1	15.5	0.1	11.6	0.1
美馬郡	つるぎ町	4 086	86.7	0.3	66.9	0.1	47.3	0.1	24.0	0.1	15.5	0.1	11.5	0.1
三好郡	東みよし町	7 051	87.0	0.2	67.2	0.1	47.7	0.1	24.3	0.1	15.8	0.1	11.9	0.1
香川県		484 873	87.6	…	67.9	…	48.3	…	24.8	…	16.2	…	12.2	…
高松市		213 140	87.8	0.1	68.1	0.0	48.4	0.0	25.0	0.0	16.3	0.0	12.2	0.0
丸亀市		55 621	87.8	0.1	67.9	0.0	48.4	0.0	24.7	0.0	16.1	0.0	12.0	0.0
坂出市		25 995	87.5	0.1	67.8	0.1	48.1	0.1	24.7	0.0	16.0	0.1	12.1	0.0
善通寺市		15 780	87.3	0.1	67.6	0.1	48.2	0.1	24.7	0.0	16.1	0.0	12.1	0.0
観音寺市		29 313	87.7	0.1	67.8	0.1	48.2	0.1	24.8	0.0	16.1	0.0	12.1	0.0
さぬき市		24 302	87.8	0.1	68.0	0.1	48.4	0.1	24.9	0.0	16.2	0.0	12.2	0.0
東かがわ市		14 751	87.8	0.1	67.9	0.1	48.5	0.1	24.9	0.0	16.3	0.0	12.3	0.0
三豊市		31 635	87.4	0.1	67.6	0.1	48.2	0.1	24.7	0.0	16.1	0.0	12.1	0.0
小豆郡	土庄町	6 747	87.6	0.2	67.8	0.1	48.4	0.1	24.8	0.0	16.2	0.0	12.2	0.0
小豆郡	小豆島町	7 163	87.7	0.1	67.9	0.1	48.3	0.1	24.9	0.0	16.2	0.0	12.2	0.0
木田郡	三木町	13 812	87.2	0.3	67.8	0.1	48.2	0.1	24.7	0.0	16.0	0.0	12.0	0.0
香川郡	直島町	1 441	87.1	0.4	67.6	0.1	48.3	0.1	24.8	0.1	16.1	0.1	12.1	0.0
綾歌郡	宇多津町	9 269	87.8	0.1	68.0	0.1	48.3	0.1	24.8	0.1	16.2	0.0	12.2	0.0
綾歌郡	綾川町	11 575	87.8	0.1	67.9	0.1	48.4	0.1	24.8	0.1	16.1	0.0	12.0	0.0
仲多度郡	琴平町	4 455	87.4	0.2	67.8	0.1	48.2	0.1	24.8	0.1	16.2	0.0	12.2	0.0
仲多度郡	多度津町	10 949	87.8	0.1	67.9	0.1	48.3	0.1	24.8	0.1	16.1	0.0	12.1	0.0
仲多度郡	まんのう町	8 925	87.5	0.1	67.8	0.1	48.2	0.1	25.0	0.0	16.2	0.0	12.2	0.0
愛媛県		695 602	87.3	…	67.7	…	48.0	…	24.6	…	16.0	…	12.1	…
松山市		268 943	87.5	0.0	67.8	0.0	48.1	0.0	24.6	0.0	16.1	0.0	12.1	0.0
今治市		78 722	87.3	0.1	67.6	0.0	47.8	0.0	24.7	0.0	16.0	0.0	12.1	0.0
宇和島市		37 317	86.5	0.1	67.1	0.1	47.6	0.0	24.3	0.0	15.7	0.0	11.9	0.0
八幡浜市		16 869	87.3	0.1	67.6	0.1	47.9	0.1	24.7	0.0	16.2	0.0	12.2	0.0
新居浜市		59 264	87.1	0.1	67.4	0.0	48.0	0.0	24.5	0.0	16.0	0.0	12.1	0.0
西条市		53 780	87.6	0.1	67.8	0.1	48.0	0.0	24.7	0.0	16.1	0.0	12.2	0.0
大洲市		21 032	87.3	0.1	67.7	0.1	48.1	0.1	24.6	0.0	16.0	0.0	12.1	0.0
伊予市		18 568	87.2	0.1	67.5	0.1	47.9	0.1	24.6	0.0	15.9	0.0	12.0	0.0
四国中央市		41 720	87.6	0.1	67.9	0.1	48.3	0.1	24.7	0.0	15.9	0.0	12.0	0.0
西予市		18 537	87.5	0.1	67.9	0.1	48.2	0.1	24.9	0.0	16.2	0.0	12.3	0.0
東温市		17 633	87.3	0.1	67.7	0.1	48.0	0.1	24.6	0.0	15.9	0.0	12.0	0.0
越智郡	上島町	3 073	87.1	0.1	67.4	0.1	47.8	0.1	24.6	0.1	15.9	0.0	12.0	0.0
上浮穴郡	久万高原町	3 869	87.4	0.1	67.7	0.1	48.1	0.1	24.6	0.0	16.0	0.0	12.1	0.0
伊予郡	松前町	15 615	87.4	0.1	67.7	0.1	48.0	0.1	24.6	0.0	16.0	0.0	12.1	0.0

			男												
		人口	平均余命（年）												
			0歳		20歳		40歳		65歳		75歳		80歳			
		（人）	平均寿命	誤差	平均余命	誤差	平均余命	誤差	平均余命	誤差	平均余命	誤差	平均余命	誤差
伊予郡	砥部町	9 500	81.6	0.1	61.9	0.1	42.4	0.1	20.1	0.1	12.6	0.1	9.4	0.1
喜多郡	内子町	7 299	80.9	0.1	61.5	0.1	42.2	0.1	19.8	0.1	12.4	0.1	9.1	0.1
西宇和郡	伊方町	4 018	81.0	0.1	61.2	0.1	41.9	0.1	19.6	0.1	12.3	0.1	9.2	0.1
北宇和郡	松野町	1 725	81.0	0.1	61.2	0.1	42.0	0.1	19.7	0.1	12.4	0.1	9.2	0.1
北宇和郡	鬼北町	4 451	81.1	0.1	61.5	0.1	42.1	0.1	19.9	0.1	12.5	0.1	9.3	0.1
南宇和郡	愛南町	9 160	80.9	0.1	61.4	0.1	42.1	0.1	19.8	0.1	12.5	0.1	9.4	0.1
高知県		324 153	80.8	…	61.4	…	42.1	…	19.7	…	12.4	…	9.3	…
高知市		151 556	81.0	0.1	61.5	0.0	42.1	0.0	19.7	0.0	12.4	0.0	9.3	0.0
室戸市		5 572	79.9	0.3	60.3	0.1	41.0	0.1	19.4	0.1	12.3	0.1	9.3	0.1
安芸市	*	7 727	80.1	0.4	60.9	0.1	41.7	0.1	19.6	0.1	12.6	0.1	9.4	0.1
南国市		22 011	81.5	0.3	62.4	0.1	43.1	0.1	20.4	0.1	12.7	0.1	9.7	0.1
土佐市		12 178	80.5	0.2	61.3	0.1	42.0	0.1	19.5	0.1	12.4	0.1	9.3	0.1
須崎市		9 798	80.2	0.4	60.9	0.1	42.1	0.1	19.9	0.1	12.8	0.1	9.4	0.1
宿毛市		8 895	80.7	0.2	61.0	0.1	41.7	0.1	19.5	0.1	12.4	0.1	9.0	0.1
土佐清水市		5 799	80.1	0.3	60.5	0.1	41.8	0.1	19.9	0.1	12.7	0.1	9.4	0.1
四万十市		15 417	81.3	0.2	61.9	0.1	42.4	0.1	19.9	0.1	12.6	0.1	9.4	0.1
香南市		15 374	81.5	0.2	62.0	0.1	42.5	0.1	20.1	0.1	12.6	0.1	9.3	0.1
香美市		12 694	81.1	0.3	61.6	0.1	42.3	0.1	19.8	0.1	12.6	0.1	9.3	0.1
安芸郡	東洋町	1 054	79.8	0.4	60.3	0.2	41.4	0.1	19.6	0.1	12.4	0.1	9.2	0.1
安芸郡	奈半利町	1 393	80.5	0.4	61.0	0.2	41.7	0.1	19.3	0.1	12.2	0.1	9.2	0.1
安芸郡	田野町	1 174	80.9	0.4	61.4	0.2	42.3	0.1	19.9	0.1	12.6	0.1	9.4	0.1
安芸郡	安田町	1 141	80.1	0.4	60.6	0.2	41.5	0.1	19.3	0.1	12.1	0.1	9.1	0.1
安芸郡	北川村	550	80.7	0.4	61.2	0.2	41.9	0.1	19.8	0.1	12.4	0.1	9.1	0.1
安芸郡	馬路村 *	356	80.1	0.7	61.3	0.2	41.9	0.1	19.8	0.1	12.4	0.1	9.2	0.1
安芸郡	芸西村	1 683	81.0	0.4	61.5	0.1	42.1	0.1	19.7	0.1	12.5	0.1	9.2	0.1
長岡郡	本山町	1 511	80.5	0.4	61.0	0.2	41.6	0.1	19.6	0.1	12.3	0.1	9.2	0.1
長岡郡	大豊町	1 535	80.2	0.4	60.7	0.2	42.0	0.1	19.7	0.1	12.3	0.1	9.0	0.1
土佐郡	土佐町	1 776	81.2	0.3	61.6	0.1	42.2	0.1	19.8	0.1	12.5	0.1	9.3	0.1
土佐郡	大川村 *	188	80.7	0.4	61.3	0.2	42.0	0.1	19.7	0.1	12.4	0.1	9.2	0.1
吾川郡	いの町	10 159	80.7	0.3	61.6	0.1	42.2	0.1	19.6	0.1	12.1	0.1	8.9	0.1
吾川郡	仁淀川町	2 287	80.4	0.3	61.1	0.2	42.1	0.1	20.0	0.1	12.5	0.1	9.5	0.1
高岡郡	中土佐町	2 750	79.6	0.3	60.0	0.2	41.3	0.1	19.3	0.1	12.1	0.1	8.8	0.1
高岡郡	佐川町	5 737	80.5	0.3	60.9	0.1	42.0	0.1	20.0	0.1	12.9	0.1	9.7	0.1
高岡郡	越知町	2 387	81.1	0.3	61.5	0.1	42.1	0.1	19.7	0.1	12.3	0.1	9.1	0.1
高岡郡	檮原町	1 607	80.8	0.4	61.6	0.2	42.4	0.1	19.9	0.1	12.6	0.1	9.3	0.1
高岡郡	日高村	2 277	81.3	0.3	61.7	0.1	42.3	0.1	19.9	0.1	12.7	0.1	9.3	0.1
高岡郡	津野町	2 511	81.1	0.3	61.6	0.1	42.1	0.1	19.9	0.1	12.5	0.1	9.4	0.1
高岡郡	四万十町	7 425	80.5	0.2	60.8	0.1	41.4	0.1	19.6	0.1	12.2	0.1	9.0	0.1
幡多郡	大月町	2 115	79.5	0.4	60.0	0.2	41.2	0.1	19.7	0.1	12.2	0.1	9.0	0.1
幡多郡	三原村	685	81.1	0.4	61.7	0.2	42.3	0.1	19.9	0.1	12.7	0.1	9.4	0.1
幡多郡	黒潮町	4 831	80.8	0.3	61.5	0.1	41.9	0.1	19.6	0.1	12.3	0.1	9.0	0.1

			女												
		人口	平均余命（年）												
			0歳		20歳		40歳		65歳		75歳		80歳		
		(人)	平均寿命	誤差	平均余命	誤差	平均余命	誤差	平均余命	誤差	平均余命	誤差	平均余命	誤差	
伊予郡	砥部町	10 906	87.4	0.1	67.7	0.1	48.2	0.1	24.8	0.0	16.2	0.0	12.3	0.0	
喜多郡	内子町	7 970	87.7	0.1	68.0	0.1	48.3	0.1	24.8	0.0	16.1	0.0	12.2	0.0	
西宇和郡	伊方町	4 312	86.9	0.1	67.2	0.1	47.8	0.1	24.5	0.0	15.9	0.0	11.9	0.0	
北宇和郡	松野町	1 931	87.4	0.1	67.7	0.1	48.0	0.1	24.7	0.1	16.1	0.0	12.2	0.0	
北宇和郡	鬼北町	5 145	87.4	0.1	67.9	0.1	48.2	0.1	24.6	0.0	16.1	0.0	12.1	0.0	
南宇和郡	愛南町	10 396	86.8	0.1	67.3	0.1	47.8	0.1	24.4	0.0	15.8	0.0	11.9	0.0	
高知県		362 829	87.8	…	68.2	…	48.6	…	25.1	…	16.5	…	12.5	…	
高知市		173 253	87.9	0.1	68.2	0.0	48.6	0.0	25.2	0.0	16.6	0.0	12.6	0.0	
室戸市		6 079	87.5	0.2	67.7	0.1	48.0	0.1	24.6	0.1	16.0	0.1	12.0	0.1	
安芸市		8 448	88.1	0.2	68.3	0.1	48.6	0.1	25.0	0.1	16.2	0.1	12.2	0.1	
南国市		24 355	88.0	0.1	68.2	0.1	48.8	0.1	25.2	0.0	16.7	0.0	12.7	0.0	
土佐市		13 189	88.0	0.2	68.2	0.1	48.7	0.1	25.2	0.1	16.6	0.1	12.6	0.1	
須崎市		10 400	87.7	0.2	68.4	0.1	48.8	0.1	25.5	0.1	16.9	0.1	12.9	0.1	
宿毛市		10 069	88.1	0.2	68.5	0.1	48.8	0.1	25.4	0.1	16.7	0.1	12.7	0.1	
土佐清水市		6 510	87.3	0.2	67.6	0.1	48.0	0.1	24.8	0.1	16.2	0.1	12.1	0.1	
四万十市		17 180	88.4	0.2	68.6	0.1	48.9	0.1	25.5	0.1	16.7	0.0	12.8	0.1	
香南市		16 522	87.7	0.1	68.2	0.1	48.5	0.1	25.0	0.1	16.5	0.1	12.4	0.1	
香美市		13 521	88.3	0.1	68.5	0.1	48.9	0.1	25.3	0.1	16.6	0.0	12.5	0.0	
安芸郡	東洋町	1 099	87.2	0.2	67.5	0.1	47.9	0.1	24.5	0.1	15.9	0.1	11.9	0.1	
安芸郡	奈半利町	1 630	88.0	0.2	68.3	0.1	48.7	0.1	25.3	0.1	16.8	0.1	12.8	0.1	
安芸郡	田野町	1 317	88.2	0.2	68.5	0.1	48.9	0.1	25.4	0.1	16.8	0.1	12.8	0.1	
安芸郡	安田町	1 224	87.1	0.2	67.4	0.2	48.5	0.1	25.0	0.1	16.3	0.1	12.3	0.1	
安芸郡	北川村	593	87.7	0.2	68.0	0.1	48.4	0.1	24.9	0.1	16.3	0.1	12.3	0.1	
安芸郡	馬路村	387	87.7	0.2	68.0	0.1	48.4	0.1	24.9	0.1	16.3	0.1	12.3	0.1	
安芸郡	芸西村	1 937	87.5	0.2	67.8	0.1	48.1	0.1	24.9	0.1	16.4	0.1	12.4	0.1	
長岡郡	本山町	1 728	88.3	0.2	68.6	0.1	48.9	0.1	25.6	0.1	16.9	0.1	12.9	0.1	
長岡郡	大豊町	1 684	87.4	0.2	67.6	0.1	48.3	0.1	25.0	0.1	16.2	0.1	12.3	0.1	
土佐郡	土佐町	1 944	86.7	0.2	67.5	0.2	48.6	0.1	25.2	0.1	16.6	0.1	12.6	0.1	
土佐郡	大川村	177	87.9	0.2	68.2	0.1	48.6	0.1	25.2	0.1	16.6	0.1	12.6	0.1	
吾川郡	いの町	11 176	88.2	0.1	68.3	0.1	48.7	0.1	25.0	0.1	16.4	0.1	12.4	0.1	
吾川郡	仁淀川町	2 502	87.4	0.2	67.7	0.1	48.4	0.1	24.9	0.1	16.1	0.1	12.1	0.1	
高岡郡	中土佐町	3 210	88.0	0.2	68.3	0.1	48.6	0.1	25.3	0.1	16.7	0.1	12.6	0.1	
高岡郡	佐川町	6 530	88.0	0.2	68.4	0.1	48.8	0.1	25.2	0.1	16.6	0.1	12.6	0.1	
高岡郡	越知町	2 784	87.9	0.2	68.2	0.1	48.5	0.1	25.1	0.1	16.3	0.1	12.3	0.1	
高岡郡	檮原町	1 695	88.2	0.2	68.5	0.1	48.8	0.1	25.3	0.1	16.6	0.1	12.5	0.1	
高岡郡	日高村	2 517	88.1	0.2	68.3	0.1	48.7	0.1	25.3	0.1	16.7	0.1	12.7	0.1	
高岡郡	津野町	2 752	88.0	0.2	68.2	0.1	48.8	0.1	25.2	0.1	16.5	0.1	12.6	0.1	
高岡郡	四万十町	8 098	87.1	0.2	67.3	0.1	47.8	0.1	24.7	0.1	16.1	0.1	12.1	0.1	
幡多郡	大月町	2 300	87.8	0.2	68.0	0.1	48.4	0.1	25.1	0.1	16.3	0.1	12.3	0.1	
幡多郡	三原村 *	739	85.6	0.5	68.3	0.1	48.7	0.1	25.1	0.1	16.5	0.1	12.5	0.1	
幡多郡	黒潮町	5 280	87.2	0.2	67.4	0.1	47.9	0.1	24.6	0.1	16.2	0.1	12.2	0.1	

		男													
		人口	平均余命（年）												
			0歳		20歳		40歳		65歳		75歳		80歳		
		（人）	平均寿命	誤差	平均余命	誤差	平均余命	誤差	平均余命	誤差	平均余命	誤差	平均余命	誤差
福岡県		2 389 133	81.4	…	61.7	…	42.3	…	19.8	…	12.4	…	9.2	…
北九州市		435 418	81.0	…	61.4	…	42.0	…	19.6	…	12.4	…	9.2	…
北九州市	門司区	42 576	80.9	0.1	61.3	0.0	41.9	0.0	19.5	0.0	12.4	0.0	9.2	0.0
北九州市	若松区	37 539	81.2	0.1	61.6	0.0	42.1	0.0	19.6	0.0	12.4	0.0	9.1	0.0
北九州市	戸畑区	27 598	80.8	0.1	61.1	0.1	41.6	0.0	19.6	0.0	12.5	0.0	9.2	0.0
北九州市	小倉北区	83 235	80.5	0.1	60.7	0.0	41.3	0.0	19.2	0.0	12.3	0.0	9.2	0.0
北九州市	小倉南区	98 588	81.3	0.1	61.6	0.0	42.4	0.0	19.8	0.0	12.5	0.0	9.3	0.0
北九州市	八幡東区	29 956	80.9	0.1	61.2	0.0	41.8	0.0	19.5	0.0	12.5	0.0	9.2	0.0
北九州市	八幡西区	115 926	81.4	0.1	61.8	0.0	42.3	0.0	19.7	0.0	12.5	0.0	9.2	0.0
福岡市		740 527	81.7	…	62.0	…	42.5	…	19.9	…	12.5	…	9.3	…
福岡市	東区	150 996	81.4	0.1	61.8	0.0	42.3	0.0	19.7	0.0	12.5	0.0	9.3	0.0
福岡市	博多区	116 779	80.9	0.1	61.2	0.0	41.7	0.0	19.1	0.0	12.0	0.0	9.0	0.0
福岡市	中央区	89 873	82.3	0.1	62.6	0.0	43.1	0.0	20.1	0.0	12.6	0.0	9.4	0.0
福岡市	南区	119 382	81.6	0.1	61.9	0.0	42.5	0.0	20.0	0.0	12.4	0.0	9.3	0.0
福岡市	西区	99 117	82.1	0.1	62.5	0.0	42.9	0.0	20.3	0.0	12.8	0.0	9.6	0.0
福岡市	城南区	61 618	81.8	0.1	62.0	0.0	42.6	0.0	20.1	0.0	12.6	0.0	9.5	0.0
福岡市	早良区	102 762	81.8	0.1	62.1	0.0	42.7	0.0	19.8	0.0	12.4	0.0	9.2	0.0
大牟田市		50 967	80.5	0.1	60.6	0.1	41.3	0.0	19.3	0.0	12.2	0.0	9.1	0.0
久留米市		142 789	81.3	0.1	61.7	0.0	42.3	0.0	20.0	0.0	12.5	0.0	9.2	0.0
直方市		26 047	81.2	0.1	61.4	0.1	42.1	0.1	19.8	0.1	12.4	0.0	9.3	0.0
飯塚市		59 441	80.6	0.1	61.0	0.1	41.5	0.0	19.2	0.0	12.0	0.0	9.0	0.0
田川市		20 849	79.8	0.1	60.3	0.1	41.2	0.1	18.8	0.1	11.7	0.1	8.7	0.1
柳川市		30 156	81.1	0.1	61.3	0.1	41.9	0.1	19.9	0.0	12.4	0.0	9.1	0.0
八女市		28 300	81.2	0.1	61.7	0.1	42.4	0.1	19.8	0.0	12.4	0.0	9.2	0.0
筑後市		23 204	81.6	0.1	61.9	0.1	42.6	0.1	20.1	0.1	12.5	0.1	9.1	0.1
大川市		15 318	80.9	0.1	61.1	0.1	41.7	0.1	19.5	0.1	12.3	0.1	9.2	0.1
行橋市		33 807	81.7	0.1	62.0	0.1	42.6	0.1	19.7	0.1	12.4	0.1	9.1	0.0
豊前市		11 197	80.8	0.1	61.1	0.1	41.9	0.1	19.4	0.1	12.0	0.1	8.9	0.1
中間市		18 746	81.3	0.1	61.7	0.1	42.3	0.1	19.9	0.1	12.4	0.1	9.1	0.1
小郡市		27 371	82.4	0.1	62.8	0.1	43.5	0.1	20.8	0.1	13.0	0.1	9.5	0.1
筑紫野市		48 936	82.0	0.1	62.4	0.1	43.0	0.1	20.2	0.0	12.5	0.0	9.4	0.0
春日市		52 643	82.4	0.1	62.8	0.1	43.3	0.1	20.4	0.1	12.8	0.0	9.5	0.0
大野城市		48 358	82.2	0.1	62.7	0.1	43.3	0.1	20.2	0.1	12.8	0.0	9.6	0.0
宗像市		45 853	82.4	0.1	62.6	0.1	43.3	0.1	20.6	0.0	12.8	0.0	9.4	0.0
太宰府市		34 444	82.3	0.1	62.7	0.1	43.3	0.1	20.7	0.1	13.1	0.0	9.8	0.0
古賀市		27 570	82.2	0.1	62.4	0.1	43.1	0.1	20.4	0.1	12.7	0.1	9.4	0.1
福津市		31 080	82.7	0.1	63.0	0.1	43.5	0.1	20.7	0.1	13.1	0.1	9.7	0.1
うきは市		13 036	80.8	0.2	61.1	0.1	42.1	0.1	19.4	0.1	12.0	0.1	8.9	0.1
宮若市		12 176	80.9	0.1	61.2	0.1	41.7	0.1	19.3	0.1	12.1	0.1	9.1	0.1
嘉麻市		16 278	80.3	0.2	60.6	0.1	41.3	0.1	19.1	0.1	12.0	0.1	9.0	0.1
朝倉市		23 241	81.3	0.1	61.5	0.1	42.2	0.1	19.8	0.1	12.2	0.1	9.1	0.1
みやま市		16 605	81.4	0.1	61.8	0.1	42.5	0.1	19.7	0.1	12.3	0.1	9.0	0.1
糸島市		46 361	82.0	0.1	62.3	0.1	42.9	0.1	20.2	0.0	12.6	0.0	9.2	0.0
那珂川市		24 002	81.9	0.1	62.3	0.1	42.9	0.1	20.3	0.1	12.7	0.1	9.4	0.1
糟屋郡	宇美町	18 624	81.1	0.2	61.7	0.1	42.1	0.1	19.7	0.1	12.1	0.1	9.1	0.1

		女												
		人口	平均余命（年）											
			0歳		20歳		40歳		65歳		75歳		80歳	
		(人)	平均寿命	誤差	平均余命	誤差	平均余命	誤差	平均余命	誤差	平均余命	誤差	平均余命	誤差
福岡県		2 666 323	87.7	…	68.0	…	48.4	…	24.9	…	16.3	…	12.3	…
北九州市		489 297	87.7	…	68.0	…	48.4	…	25.0	…	16.4	…	12.4	…
北九州市	門司区	50 414	87.6	0.1	67.9	0.0	48.3	0.0	24.9	0.0	16.3	0.0	12.4	0.0
北九州市	若松区	41 779	87.7	0.1	68.0	0.0	48.4	0.0	25.0	0.0	16.3	0.0	12.2	0.0
北九州市	戸畑区	29 077	87.7	0.1	68.1	0.0	48.4	0.0	25.0	0.0	16.4	0.0	12.4	0.0
北九州市	小倉北区	94 745	87.5	0.1	67.9	0.0	48.3	0.0	25.0	0.0	16.4	0.0	12.4	0.0
北九州市	小倉南区	108 687	87.9	0.1	68.3	0.0	48.6	0.0	25.2	0.0	16.6	0.0	12.5	0.0
北九州市	八幡東区	34 028	87.7	0.1	68.0	0.0	48.4	0.0	24.9	0.0	16.4	0.0	12.4	0.0
北九州市	八幡西区	130 567	87.7	0.1	68.0	0.0	48.4	0.0	24.9	0.0	16.3	0.0	12.3	0.0
福岡市		833 194	87.9	…	68.2	…	48.6	…	25.1	…	16.5	…	12.5	…
福岡市	東区	160 780	87.8	0.0	68.1	0.0	48.5	0.0	25.1	0.0	16.4	0.0	12.4	0.0
福岡市	博多区	125 827	87.3	0.0	67.7	0.0	48.1	0.0	24.7	0.0	16.2	0.0	12.3	0.0
福岡市	中央区	110 632	88.1	0.1	68.4	0.0	48.7	0.0	25.2	0.0	16.4	0.0	12.5	0.0
福岡市	南区	139 874	87.9	0.0	68.2	0.0	48.5	0.0	25.1	0.0	16.4	0.0	12.5	0.0
福岡市	西区	110 195	88.3	0.0	68.6	0.0	48.9	0.0	25.4	0.0	16.7	0.0	12.7	0.0
福岡市	城南区	69 939	88.0	0.1	68.4	0.0	48.7	0.0	25.3	0.0	16.6	0.0	12.6	0.0
福岡市	早良区	115 947	87.9	0.1	68.2	0.0	48.5	0.0	25.0	0.0	16.4	0.0	12.5	0.0
大牟田市		59 576	87.2	0.1	67.5	0.0	48.0	0.0	24.6	0.0	16.1	0.0	12.2	0.0
久留米市		156 431	87.2	0.1	67.6	0.0	47.9	0.0	24.6	0.0	16.0	0.0	12.0	0.0
直方市		29 574	87.7	0.1	67.9	0.1	48.2	0.0	24.7	0.0	16.2	0.0	12.3	0.0
飯塚市		65 572	87.4	0.1	67.9	0.0	48.2	0.0	24.7	0.0	16.2	0.0	12.3	0.0
田川市		24 888	87.2	0.1	67.5	0.1	47.9	0.1	24.5	0.0	15.8	0.0	12.0	0.0
柳川市		33 767	87.1	0.1	67.5	0.1	47.7	0.0	24.4	0.0	15.8	0.0	11.9	0.0
八女市		31 826	87.5	0.1	67.9	0.1	48.4	0.0	25.0	0.0	16.3	0.0	12.3	0.0
筑後市		25 100	87.9	0.1	68.1	0.1	48.4	0.1	24.8	0.0	16.0	0.0	12.0	0.0
大川市		17 432	87.0	0.1	67.4	0.1	47.7	0.1	24.4	0.0	15.9	0.0	12.0	0.0
行橋市		36 971	87.6	0.1	67.9	0.0	48.2	0.0	24.6	0.0	15.9	0.0	12.0	0.0
豊前市		12 853	87.3	0.1	67.7	0.1	48.0	0.1	24.5	0.1	16.0	0.0	12.1	0.0
中間市		21 268	87.2	0.2	67.7	0.1	48.0	0.1	24.7	0.0	16.0	0.0	12.0	0.0
小郡市		31 070	88.3	0.1	68.6	0.1	49.0	0.1	25.5	0.0	16.9	0.0	12.7	0.0
筑紫野市		53 742	88.2	0.1	68.4	0.0	48.7	0.0	25.2	0.0	16.5	0.0	12.5	0.0
春日市		57 518	87.9	0.1	68.1	0.0	48.4	0.0	25.0	0.0	16.3	0.0	12.3	0.0
大野城市		52 829	88.2	0.1	68.5	0.0	48.9	0.0	25.4	0.0	16.7	0.0	12.6	0.0
宗像市		50 466	88.3	0.1	68.6	0.0	48.9	0.0	25.4	0.0	16.7	0.0	12.6	0.0
太宰府市		38 189	88.4	0.1	68.6	0.1	49.0	0.1	25.5	0.0	16.8	0.0	12.7	0.0
古賀市		30 419	87.6	0.1	68.0	0.1	48.5	0.1	25.1	0.0	16.4	0.0	12.4	0.0
福津市		35 544	88.1	0.1	68.6	0.1	48.8	0.0	25.5	0.0	16.7	0.0	12.7	0.0
うきは市		14 700	87.8	0.1	68.0	0.1	48.4	0.1	25.0	0.0	16.2	0.0	12.2	0.0
宮若市		13 752	87.7	0.1	67.9	0.1	48.2	0.1	24.7	0.1	16.2	0.0	12.2	0.0
嘉麻市		18 936	87.0	0.2	67.5	0.1	47.8	0.1	24.4	0.0	15.9	0.0	12.0	0.0
朝倉市		26 310	87.9	0.1	68.2	0.1	48.5	0.0	24.9	0.0	16.4	0.0	12.3	0.0
みやま市		18 995	87.5	0.1	67.8	0.1	48.1	0.1	24.7	0.0	16.0	0.0	12.1	0.0
糸島市		51 336	88.0	0.1	68.3	0.0	48.8	0.0	25.2	0.0	16.5	0.0	12.4	0.0
那珂川市		25 817	87.9	0.2	68.4	0.1	48.7	0.1	25.1	0.1	16.3	0.0	12.3	0.0
糟屋郡	宇美町	18 546	87.2	0.1	67.6	0.1	48.0	0.1	24.4	0.1	15.7	0.1	11.8	0.1

			男												
		人口	平均余命（年）												
			0歳		20歳		40歳		65歳		75歳		80歳		
		（人）	平均寿命	誤差	平均余命	誤差	平均余命	誤差	平均余命	誤差	平均余命	誤差	平均余命	誤差	
糟屋郡	篠栗町	14 903	81.6	0.1	62.0	0.1	42.6	0.1	20.0	0.1	12.7	0.1	9.4	0.1	
糟屋郡	志免町	21 988	81.6	0.1	62.0	0.1	42.6	0.1	19.9	0.1	12.3	0.1	9.2	0.1	
糟屋郡	須恵町	13 544	81.5	0.1	61.9	0.1	42.4	0.1	19.3	0.1	12.3	0.1	9.1	0.1	
糟屋郡	新宮町	15 705	81.4	0.1	61.8	0.1	42.5	0.1	19.6	0.1	12.3	0.1	9.0	0.1	
糟屋郡	久山町	4 241	81.7	0.2	62.0	0.1	42.6	0.1	20.0	0.1	12.5	0.1	9.1	0.1	
糟屋郡	粕屋町	23 439	81.6	0.1	61.9	0.1	42.3	0.1	19.6	0.1	12.5	0.1	9.3	0.1	
遠賀郡	芦屋町	6 579	80.8	0.2	61.1	0.1	41.7	0.1	19.6	0.1	12.5	0.1	9.4	0.1	
遠賀郡	水巻町	12 871	80.7	0.1	61.1	0.1	41.7	0.1	19.3	0.1	12.2	0.1	9.0	0.1	
遠賀郡	岡垣町	14 393	81.7	0.2	62.1	0.1	42.7	0.1	20.5	0.1	12.8	0.1	9.4	0.1	
遠賀郡	遠賀町	8 706	81.6	0.1	61.8	0.1	42.5	0.1	20.0	0.1	12.4	0.1	9.2	0.1	
鞍手郡	小竹町	3 246	81.3	0.2	61.6	0.1	42.2	0.1	19.5	0.1	12.5	0.1	9.2	0.1	
鞍手郡	鞍手町	6 952	80.9	0.1	61.2	0.1	41.8	0.1	19.2	0.1	12.1	0.1	8.8	0.1	
嘉穂郡	桂川町	5 968	81.5	0.1	61.7	0.1	42.3	0.1	19.7	0.1	12.3	0.1	9.0	0.1	
朝倉郡	筑前町	13 966	81.5	0.1	61.8	0.1	42.4	0.1	20.0	0.1	12.7	0.1	9.3	0.1	
朝倉郡	東峰村	861	81.3	0.2	61.7	0.1	42.2	0.1	19.7	0.1	12.4	0.1	9.1	0.1	
三井郡	大刀洗町	7 290	81.4	0.2	62.1	0.1	42.6	0.1	20.0	0.1	12.3	0.1	9.2	0.1	
三潴郡	大木町	6 504	81.3	0.2	61.7	0.1	42.2	0.1	19.6	0.1	12.2	0.1	9.1	0.1	
八女郡	広川町	9 438	81.5	0.1	61.8	0.1	42.4	0.1	19.7	0.1	12.4	0.1	9.4	0.1	
田川郡	香春町	4 713	80.9	0.2	61.5	0.1	42.0	0.1	19.4	0.1	12.2	0.1	9.0	0.1	
田川郡	添田町	4 125	80.7	0.2	61.0	0.1	41.7	0.1	19.3	0.1	12.2	0.1	9.1	0.1	
田川郡	糸田町	3 821	80.3	0.2	60.8	0.1	41.3	0.1	19.1	0.1	11.9	0.1	8.9	0.1	
田川郡	川崎町	6 874	79.8	0.1	60.2	0.1	41.0	0.1	18.6	0.1	11.6	0.1	8.6	0.1	
田川郡	大任町	2 262	80.8	0.2	61.1	0.1	41.7	0.1	19.2	0.1	12.2	0.1	9.1	0.1	
田川郡	赤村	1 294	81.1	0.2	61.4	0.1	42.0	0.1	19.5	0.1	12.2	0.1	9.0	0.1	
田川郡	福智町	9 925	79.8	0.2	60.3	0.1	40.9	0.1	18.7	0.1	11.9	0.1	8.9	0.1	
京都郡	苅田町	18 770	81.1	0.1	61.5	0.1	42.2	0.1	19.6	0.1	12.3	0.1	8.9	0.1	
京都郡	みやこ町	8 712	81.6	0.1	62.0	0.1	42.5	0.1	20.0	0.1	12.4	0.1	9.1	0.1	
築上郡	吉富町	3 036	81.6	0.2	62.0	0.1	42.6	0.1	20.0	0.1	12.4	0.1	9.2	0.1	
築上郡	上毛町	3 439	81.4	0.2	61.8	0.1	42.4	0.1	19.9	0.1	12.4	0.1	9.0	0.1	
築上郡	築上町	8 224	81.4	0.1	61.7	0.1	42.4	0.1	19.8	0.1	12.3	0.1	9.2	0.1	
佐賀県		381 635	81.4	…	61.7	…	42.4	…	19.9	…	12.5	…	9.3	…	
佐賀市		109 423	81.7	0.1	62.0	0.0	42.7	0.0	20.1	0.0	12.6	0.0	9.5	0.0	
唐津市		54 855	80.3	0.1	60.6	0.1	41.4	0.0	19.4	0.0	12.3	0.0	9.2	0.0	
鳥栖市		34 797	81.8	0.1	62.0	0.1	42.6	0.1	19.9	0.1	12.6	0.1	9.2	0.1	
多久市		8 472	81.3	0.2	61.6	0.1	42.2	0.1	19.7	0.1	12.4	0.1	9.3	0.1	
伊万里市		25 122	80.7	0.1	61.1	0.1	41.8	0.1	19.5	0.1	12.1	0.1	9.0	0.1	
武雄市		22 648	81.7	0.1	61.9	0.1	42.6	0.1	20.0	0.1	12.3	0.1	9.0	0.1	
鹿島市		13 076	81.5	0.1	61.7	0.1	42.3	0.1	19.9	0.1	12.4	0.1	9.2	0.1	
小城市		20 666	82.0	0.1	62.4	0.1	42.9	0.1	20.5	0.1	12.6	0.1	9.4	0.1	
嬉野市		11 925	81.8	0.1	62.1	0.1	42.7	0.1	20.2	0.1	12.7	0.1	9.4	0.1	
神埼市		14 796	81.4	0.2	61.9	0.1	42.7	0.1	20.1	0.1	12.6	0.1	9.3	0.1	
神埼郡	吉野ヶ里町	7 929	82.3	0.1	62.5	0.1	43.2	0.1	20.4	0.1	12.7	0.1	9.4	0.1	
三養基郡	基山町	8 099	82.3	0.2	62.7	0.1	43.3	0.1	20.5	0.1	12.8	0.1	9.5	0.1	
三養基郡	上峰町	4 443	81.9	0.2	62.2	0.1	42.8	0.1	20.1	0.1	12.6	0.1	9.4	0.1	

		人口	女												
			平均余命（年）												
			0歳		20歳		40歳		65歳		75歳		80歳		
		（人）	平均寿命	誤差	平均余命	誤差	平均余命	誤差	平均余命	誤差	平均余命	誤差	平均余命	誤差
糟屋郡	篠栗町	16 116	88.0	0.1	68.2	0.1	48.5	0.1	25.0	0.1	16.4	0.1	12.5	0.0
糟屋郡	志免町	23 772	88.0	0.1	68.4	0.1	48.7	0.1	25.3	0.1	16.6	0.0	12.5	0.0
糟屋郡	須恵町	14 778	87.8	0.1	68.1	0.1	48.4	0.1	24.9	0.1	16.4	0.1	12.4	0.1
糟屋郡	新宮町	16 780	88.1	0.1	68.3	0.1	48.6	0.1	24.9	0.1	16.2	0.1	12.3	0.1
糟屋郡	久山町	4 573	87.8	0.1	68.1	0.1	48.4	0.1	24.9	0.1	16.2	0.1	12.2	0.1
糟屋郡	粕屋町	24 052	87.8	0.1	68.0	0.1	48.3	0.1	24.9	0.1	16.3	0.1	12.3	0.1
遠賀郡	芦屋町	6 880	87.6	0.1	67.9	0.1	48.3	0.1	24.9	0.1	16.2	0.1	12.4	0.1
遠賀郡	水巻町	14 813	87.4	0.2	67.8	0.1	48.1	0.1	24.6	0.1	16.1	0.1	12.2	0.0
遠賀郡	岡垣町	16 444	88.1	0.2	68.4	0.1	48.8	0.1	25.4	0.0	16.7	0.0	12.7	0.0
遠賀郡	遠賀町	9 815	88.0	0.1	68.3	0.1	48.8	0.1	25.2	0.1	16.6	0.1	12.5	0.1
鞍手郡	小竹町	3 709	87.3	0.2	67.6	0.1	47.9	0.1	24.6	0.1	16.0	0.1	12.1	0.1
鞍手郡	鞍手町	7 937	87.5	0.1	67.8	0.1	48.1	0.1	24.6	0.1	15.9	0.1	12.1	0.1
嘉穂郡	桂川町	6 808	87.2	0.1	67.7	0.1	48.0	0.1	24.5	0.1	15.9	0.1	12.1	0.1
朝倉郡	筑前町	15 395	88.0	0.1	68.4	0.1	48.8	0.1	25.2	0.1	16.5	0.0	12.5	0.0
朝倉郡	東峰村	1 027	87.7	0.2	68.0	0.1	48.3	0.1	24.9	0.1	16.3	0.1	12.3	0.1
三井郡	大刀洗町	7 909	87.6	0.2	68.1	0.1	48.4	0.1	25.0	0.1	16.4	0.1	12.4	0.1
三潴郡	大木町	7 195	87.9	0.1	68.1	0.1	48.4	0.1	24.9	0.1	16.2	0.1	12.3	0.1
八女郡	広川町	10 240	87.9	0.1	68.1	0.1	48.5	0.1	25.1	0.1	16.5	0.1	12.5	0.1
田川郡	香春町	5 429	87.5	0.1	67.8	0.1	48.2	0.1	24.6	0.1	15.9	0.1	11.9	0.1
田川郡	添田町	4 667	87.6	0.2	67.9	0.1	48.2	0.1	24.6	0.1	16.1	0.1	12.1	0.1
田川郡	糸田町	4 548	87.2	0.2	67.7	0.1	48.0	0.1	24.6	0.1	16.0	0.1	12.0	0.1
田川郡	川崎町	8 203	86.8	0.2	67.2	0.1	47.6	0.1	24.2	0.1	15.6	0.1	11.8	0.1
田川郡	大任町	2 737	87.6	0.2	67.9	0.1	48.2	0.1	24.7	0.1	16.1	0.1	12.3	0.1
田川郡	赤村	1 477	87.6	0.2	67.9	0.1	48.2	0.1	24.8	0.1	16.1	0.1	12.2	0.1
田川郡	福智町	11 352	87.3	0.1	67.5	0.1	47.8	0.1	24.5	0.1	16.0	0.1	12.1	0.0
京都郡	苅田町	17 701	87.7	0.1	67.9	0.1	48.3	0.1	24.9	0.1	16.2	0.1	12.2	0.0
京都郡	みやこ町	9 966	87.8	0.1	68.1	0.1	48.5	0.1	25.0	0.1	16.5	0.0	12.5	0.0
築上郡	吉富町	3 442	87.9	0.2	68.2	0.1	48.5	0.1	25.0	0.1	16.4	0.1	12.5	0.1
築上郡	上毛町	3 778	87.7	0.2	68.0	0.1	48.3	0.1	24.9	0.1	16.2	0.1	12.1	0.1
築上郡	築上町	8 862	87.5	0.1	67.7	0.1	48.1	0.1	24.6	0.1	16.0	0.1	12.0	0.1
佐賀県		423 243	87.8	…	68.1	…	48.5	…	24.9	…	16.2	…	12.2	…
佐賀市		122 181	87.8	0.1	68.1	0.0	48.4	0.0	24.8	0.0	16.0	0.0	12.1	0.0
唐津市		61 775	87.6	0.1	68.0	0.0	48.2	0.0	24.6	0.0	15.9	0.0	12.0	0.0
鳥栖市		38 060	87.4	0.1	67.9	0.1	48.4	0.1	24.7	0.1	16.1	0.1	12.1	0.1
多久市		9 658	87.7	0.2	68.3	0.1	48.8	0.1	25.1	0.1	16.4	0.1	12.4	0.0
伊万里市		27 056	87.7	0.1	68.1	0.1	48.3	0.1	24.8	0.0	16.2	0.0	12.2	0.0
武雄市		25 044	87.9	0.1	68.3	0.1	48.6	0.1	25.2	0.1	16.5	0.1	12.5	0.1
鹿島市		14 659	87.7	0.1	68.2	0.1	48.5	0.1	24.9	0.1	16.1	0.1	12.1	0.0
小城市		23 009	88.1	0.1	68.3	0.1	48.6	0.1	25.1	0.0	16.4	0.0	12.5	0.0
嬉野市		13 762	87.9	0.1	68.2	0.1	48.6	0.1	24.9	0.1	16.3	0.0	12.3	0.0
神埼市		16 009	87.7	0.1	68.0	0.1	48.4	0.1	24.8	0.0	15.9	0.0	11.9	0.0
神埼郡	吉野ヶ里町	8 200	87.3	0.1	67.5	0.1	48.2	0.1	24.7	0.1	16.2	0.1	12.2	0.1
三養基郡	基山町	8 893	87.8	0.1	68.2	0.1	48.6	0.1	25.0	0.1	16.2	0.1	12.3	0.1
三養基郡	上峰町	4 784	87.7	0.2	68.1	0.1	48.4	0.1	25.1	0.1	16.3	0.1	12.3	0.1

		人口	男												
			平均余命（年）												
			0歳		20歳		40歳		65歳		75歳		80歳	
		（人）	平均寿命	誤差	平均余命	誤差	平均余命	誤差	平均余命	誤差	平均余命	誤差	平均余命	誤差
三養基郡	みやき町	12 109	81.9	0.2	62.4	0.1	43.0	0.1	20.3	0.1	12.5	0.1	9.2	0.1
東松浦郡	玄海町	3 064	80.6	0.2	61.4	0.1	41.9	0.1	19.7	0.1	12.3	0.1	9.1	0.1
西松浦郡	有田町	8 722	81.0	0.2	61.6	0.1	42.2	0.1	19.9	0.1	12.6	0.1	9.5	0.1
杵島郡	大町町	2 898	80.9	0.2	61.1	0.1	41.8	0.1	19.4	0.1	12.3	0.1	9.1	0.1
杵島郡	江北町	4 449	81.0	0.2	61.2	0.1	41.9	0.1	19.4	0.1	12.3	0.1	9.2	0.1
杵島郡	白石町	10 322	81.4	0.2	61.9	0.1	42.7	0.1	20.1	0.1	12.2	0.1	8.9	0.1
藤津郡	太良町	3 820	81.3	0.2	61.5	0.1	42.4	0.1	19.9	0.1	12.3	0.1	9.1	0.1
長崎県		612 353	81.0	…	61.4	…	42.0	…	19.7	…	12.4	…	9.2	…
長崎市		186 788	81.2	0.1	61.5	0.0	42.1	0.0	19.7	0.0	12.5	0.0	9.2	0.0
佐世保市		114 058	80.5	0.1	60.9	0.0	41.6	0.0	19.3	0.0	12.2	0.0	9.1	0.0
島原市		20 037	81.0	0.1	61.4	0.1	42.1	0.1	20.0	0.1	12.6	0.1	9.3	0.0
諫早市		63 192	81.6	0.1	62.0	0.0	42.6	0.0	20.1	0.0	12.5	0.0	9.2	0.0
大村市		45 233	81.7	0.1	62.0	0.1	42.6	0.1	20.0	0.1	12.6	0.1	9.2	0.0
平戸市		13 705	80.6	0.1	61.0	0.1	41.7	0.1	19.3	0.1	12.3	0.1	9.1	0.0
松浦市		10 187	80.5	0.1	60.8	0.1	41.7	0.1	19.5	0.1	12.2	0.1	9.0	0.1
対馬市		13 991	80.9	0.1	61.2	0.1	41.9	0.1	19.4	0.1	12.0	0.1	9.0	0.1
壱岐市		11 819	80.4	0.2	60.8	0.1	41.6	0.1	19.8	0.1	12.3	0.1	9.2	0.1
五島市		16 093	80.5	0.2	60.9	0.1	41.6	0.1	19.5	0.1	12.4	0.1	9.3	0.1
西海市		12 747	81.1	0.1	61.4	0.1	42.1	0.1	19.6	0.1	12.4	0.1	9.1	0.0
雲仙市		19 297	80.7	0.1	61.0	0.1	41.8	0.1	19.6	0.1	12.3	0.1	9.0	0.0
南島原市		19 562	81.1	0.1	61.3	0.1	42.1	0.1	19.7	0.0	12.5	0.0	9.2	0.0
西彼杵郡	長与町	19 144	82.0	0.1	62.4	0.1	43.0	0.1	20.3	0.1	12.7	0.1	9.3	0.1
西彼杵郡	時津町	13 989	81.3	0.1	61.6	0.1	42.3	0.1	19.9	0.1	12.5	0.1	9.2	0.1
東彼杵郡	東彼杵町	3 667	80.9	0.2	61.3	0.1	41.9	0.1	19.9	0.1	12.7	0.1	9.4	0.1
東彼杵郡	川棚町	6 269	81.0	0.1	61.3	0.1	42.1	0.1	19.8	0.1	12.4	0.1	9.4	0.1
東彼杵郡	波佐見町	6 744	80.8	0.2	61.4	0.1	42.0	0.1	19.7	0.1	12.4	0.1	9.2	0.1
北松浦郡	小値賀町	1 052	80.8	0.2	61.1	0.1	41.8	0.1	19.5	0.1	12.3	0.1	9.1	0.1
北松浦郡	佐々町	6 572	81.6	0.1	61.8	0.1	42.6	0.1	20.0	0.1	12.5	0.1	9.1	0.1
南松浦郡	新上五島町	8 207	80.0	0.1	60.4	0.1	41.2	0.1	19.3	0.1	11.9	0.1	8.9	0.1
熊本県		815 405	81.9	…	62.3	…	42.9	…	20.5	…	12.9	…	9.5	…
熊本市		345 813	82.3	…	62.7	…	43.2	…	20.6	…	13.0	…	9.6	…
熊本市	中央区	87 121	82.0	0.1	62.5	0.0	42.9	0.0	20.4	0.0	12.8	0.0	9.5	0.0
熊本市	東区	89 006	82.5	0.1	62.9	0.0	43.4	0.0	20.7	0.0	13.0	0.0	9.8	0.0
熊本市	西区	42 436	82.1	0.1	62.4	0.0	42.9	0.0	20.3	0.0	12.9	0.0	9.4	0.0
熊本市	南区	61 263	82.3	0.1	62.7	0.0	43.2	0.0	20.6	0.0	13.0	0.0	9.6	0.0
熊本市	北区	65 987	82.4	0.1	62.9	0.0	43.4	0.0	20.8	0.0	13.2	0.0	9.8	0.0
八代市		56 837	82.0	0.1	62.1	0.1	42.6	0.1	20.1	0.1	12.6	0.0	9.3	0.0
人吉市		14 291	81.7	0.1	62.0	0.1	42.6	0.1	20.4	0.1	12.7	0.1	9.5	0.1
荒尾市		23 736	81.0	0.1	61.2	0.1	42.2	0.1	20.1	0.1	12.7	0.1	9.3	0.0
水俣市		10 893	82.0	0.2	62.5	0.1	42.9	0.1	20.2	0.1	12.9	0.1	9.5	0.1
玉名市		29 868	82.0	0.2	62.4	0.1	43.0	0.1	20.4	0.1	12.9	0.0	9.4	0.0
山鹿市		22 905	81.4	0.1	61.7	0.1	42.5	0.1	20.4	0.1	13.0	0.0	9.6	0.0

		女												
		人口	平均余命（年）											
			0歳		20歳		40歳		65歳		75歳		80歳	
		(人)	平均寿命	誤差	平均余命	誤差	平均余命	誤差	平均余命	誤差	平均余命	誤差	平均余命	誤差
三養基郡	みやき町	13 227	87.8	0.1	68.1	0.1	48.4	0.1	24.9	0.1	16.2	0.0	12.3	0.0
東松浦郡	玄海町	2 537	87.6	0.2	68.1	0.1	48.4	0.1	24.8	0.1	16.1	0.1	12.1	0.1
西松浦郡	有田町	10 144	88.4	0.1	68.7	0.1	49.0	0.1	25.4	0.1	16.7	0.1	12.6	0.0
杵島郡	大町町	3 379	87.8	0.2	68.1	0.1	48.4	0.1	24.8	0.1	16.1	0.1	12.1	0.1
杵島郡	江北町	5 050	87.7	0.2	68.1	0.1	48.5	0.1	24.9	0.1	16.2	0.1	12.3	0.1
杵島郡	白石町	11 572	88.3	0.1	68.6	0.1	48.9	0.1	25.2	0.1	16.5	0.0	12.5	0.0
藤津郡	太良町	4 244	87.9	0.2	68.2	0.1	48.7	0.1	25.0	0.1	16.2	0.1	12.3	0.1
長崎県		690 714	87.4	…	67.8	…	48.2	…	24.7	…	16.1	…	12.1	…
長崎市		219 076	87.4	0.1	67.9	0.0	48.3	0.0	24.9	0.0	16.2	0.0	12.3	0.0
佐世保市		127 340	87.2	0.1	67.5	0.0	47.9	0.0	24.5	0.0	15.8	0.0	11.9	0.0
島原市		22 937	87.8	0.1	68.1	0.1	48.7	0.1	25.1	0.0	16.4	0.0	12.4	0.0
諫早市		69 794	87.9	0.1	68.1	0.0	48.4	0.0	24.8	0.0	16.1	0.0	12.1	0.0
大村市		49 758	87.2	0.1	67.6	0.0	48.0	0.0	24.7	0.0	16.0	0.0	12.0	0.0
平戸市		15 505	87.4	0.2	67.7	0.1	48.1	0.1	24.6	0.0	15.9	0.0	12.0	0.0
松浦市		10 844	87.0	0.2	67.4	0.1	47.8	0.1	24.7	0.1	16.0	0.0	12.1	0.0
対馬市		14 357	87.3	0.1	67.6	0.1	47.9	0.1	24.4	0.0	15.8	0.0	11.8	0.0
壱岐市		13 050	87.1	0.1	67.4	0.1	47.9	0.1	24.7	0.0	16.0	0.0	12.0	0.0
五島市		18 170	86.9	0.1	67.3	0.1	47.9	0.1	24.4	0.0	15.9	0.0	11.9	0.0
西海市		13 070	87.1	0.2	67.5	0.1	47.9	0.1	24.5	0.0	15.9	0.0	12.0	0.0
雲仙市		21 371	87.8	0.1	68.2	0.1	48.4	0.0	24.7	0.0	16.1	0.0	12.2	0.0
南島原市		22 509	87.2	0.1	67.5	0.1	47.9	0.1	24.5	0.0	15.8	0.0	11.8	0.0
西彼杵郡	長与町	21 474	88.4	0.1	68.6	0.1	48.9	0.1	25.3	0.0	16.6	0.0	12.6	0.0
西彼杵郡	時津町	15 146	87.5	0.2	68.1	0.1	48.4	0.1	25.0	0.0	16.4	0.0	12.4	0.0
東彼杵郡	東彼杵町	4 012	87.6	0.2	68.1	0.1	48.4	0.1	25.0	0.1	16.4	0.1	12.4	0.1
東彼杵郡	川棚町	7 010	87.4	0.2	67.7	0.1	48.2	0.1	24.7	0.1	16.1	0.1	12.1	0.1
東彼杵郡	波佐見町	7 518	87.6	0.1	67.9	0.1	48.3	0.1	24.9	0.1	16.1	0.1	12.1	0.1
北松浦郡	小値賀町	1 230	87.4	0.2	67.7	0.1	48.1	0.1	24.7	0.1	16.0	0.1	12.1	0.1
北松浦郡	佐々町	7 292	87.6	0.1	67.9	0.1	48.3	0.1	24.9	0.1	16.2	0.1	12.3	0.1
南松浦郡	新上五島町	9 251	87.2	0.2	67.8	0.1	48.2	0.1	24.6	0.0	15.9	0.0	12.0	0.0
熊本県		906 600	88.2	…	68.5	…	48.8	…	25.3	…	16.5	…	12.5	…
熊本市		386 383	88.3	…	68.6	…	49.0	…	25.3	…	16.6	…	12.5	…
熊本市	中央区	97 497	88.1	0.1	68.5	0.0	48.8	0.0	25.2	0.0	16.5	0.0	12.4	0.0
熊本市	東区	99 229	88.4	0.1	68.7	0.0	48.9	0.0	25.3	0.0	16.6	0.0	12.5	0.0
熊本市	西区	47 992	88.3	0.1	68.6	0.0	49.0	0.0	25.4	0.0	16.7	0.0	12.6	0.0
熊本市	南区	68 776	88.7	0.0	68.9	0.0	49.2	0.0	25.5	0.0	16.8	0.0	12.8	0.0
熊本市	北区	72 889	88.1	0.1	68.5	0.0	48.9	0.0	25.3	0.0	16.6	0.0	12.5	0.0
八代市		64 037	87.7	0.1	68.0	0.1	48.4	0.1	25.0	0.1	16.2	0.0	12.2	0.0
人吉市		16 628	88.0	0.1	68.1	0.1	48.3	0.1	25.1	0.1	16.5	0.0	12.5	0.0
荒尾市		26 778	87.9	0.1	68.1	0.1	48.6	0.1	25.1	0.0	16.3	0.0	12.3	0.0
水俣市		12 598	87.9	0.2	68.2	0.1	48.6	0.1	25.3	0.1	16.6	0.0	12.4	0.0
玉名市		33 553	88.0	0.2	68.7	0.1	48.9	0.1	25.5	0.0	16.8	0.0	12.6	0.0
山鹿市		25 755	87.9	0.1	68.1	0.1	48.6	0.1	25.3	0.0	16.5	0.0	12.4	0.0

			男												
		人口	平均余命（年）												
			0歳		20歳		40歳		65歳		75歳		80歳		
		（人）	平均寿命	誤差	平均余命	誤差	平均余命	誤差	平均余命	誤差	平均余命	誤差	平均余命	誤差
菊池市		21 881	81.9	0.1	62.3	0.1	42.9	0.1	20.6	0.1	13.1	0.1	9.7	0.0
宇土市		17 186	82.0	0.2	62.4	0.1	43.3	0.1	20.6	0.1	13.0	0.1	9.6	0.1
上天草市		11 468	80.8	0.2	61.3	0.1	41.9	0.1	20.1	0.1	12.5	0.1	9.2	0.1
宇城市		26 793	82.0	0.1	62.3	0.1	43.0	0.1	20.6	0.0	13.0	0.0	9.7	0.0
阿蘇市		11 640	81.4	0.2	62.1	0.1	43.1	0.1	20.7	0.1	13.3	0.1	9.9	0.1
天草市		35 313	80.6	0.2	60.9	0.1	42.1	0.1	19.9	0.0	12.5	0.0	9.3	0.0
合志市		29 553	82.5	0.1	63.1	0.1	43.5	0.1	20.7	0.1	13.0	0.1	9.7	0.1
下益城郡	美里町	4 336	81.8	0.2	62.1	0.1	42.6	0.1	20.3	0.1	12.8	0.1	9.5	0.1
玉名郡	玉東町	2 382	81.6	0.2	61.9	0.1	43.1	0.1	20.5	0.1	12.9	0.1	9.4	0.1
玉名郡	南関町	4 185	82.3	0.2	62.6	0.1	43.1	0.1	20.5	0.1	12.9	0.1	9.4	0.1
玉名郡	長洲町	7 191	81.8	0.2	62.4	0.1	43.3	0.1	20.8	0.1	13.1	0.1	9.6	0.1
玉名郡	和水町	4 374	82.2	0.2	62.5	0.1	43.2	0.1	20.6	0.1	13.0	0.1	9.6	0.1
菊池郡	大津町	17 288	82.4	0.1	62.7	0.1	43.3	0.1	20.7	0.1	12.8	0.1	9.2	0.1
菊池郡	菊陽町	21 018	83.1	0.2	63.5	0.1	43.9	0.1	21.0	0.1	13.2	0.1	10.0	0.1
阿蘇郡	南小国町	1 745	81.9	0.2	62.2	0.1	42.9	0.1	20.5	0.1	12.9	0.1	9.5	0.1
阿蘇郡	小国町	3 132	81.8	0.2	62.1	0.1	43.1	0.1	20.4	0.1	12.9	0.1	9.6	0.1
阿蘇郡	産山村	695	81.9	0.2	62.2	0.1	42.8	0.1	20.4	0.1	12.8	0.1	9.4	0.1
阿蘇郡	高森町	2 768	81.9	0.2	62.4	0.1	42.9	0.1	20.6	0.1	12.9	0.1	9.6	0.1
阿蘇郡	西原村	3 085	81.9	0.3	62.4	0.1	43.2	0.1	20.6	0.1	12.9	0.1	9.6	0.1
阿蘇郡	南阿蘇村	4 734	81.9	0.2	62.4	0.1	43.2	0.1	20.7	0.1	13.1	0.1	9.7	0.1
上益城郡	御船町	7 731	81.7	0.2	61.9	0.1	42.9	0.1	20.4	0.1	12.6	0.1	9.3	0.1
上益城郡	嘉島町	4 511	81.6	0.2	62.0	0.1	42.7	0.1	20.3	0.1	12.8	0.1	9.6	0.1
上益城郡	益城町	15 546	82.5	0.1	62.9	0.1	43.7	0.1	21.1	0.1	13.4	0.1	9.9	0.1
上益城郡	甲佐町	4 766	82.4	0.2	62.7	0.1	43.2	0.1	20.7	0.1	13.2	0.1	9.7	0.1
上益城郡	山都町	6 390	80.5	0.2	61.2	0.1	42.7	0.1	20.6	0.1	13.0	0.1	9.7	0.1
八代郡	氷川町	5 071	81.2	0.2	61.5	0.1	42.3	0.1	20.3	0.1	12.7	0.1	9.4	0.1
葦北郡	芦北町	7 362	81.3	0.2	61.6	0.1	42.4	0.1	20.4	0.1	12.9	0.1	9.6	0.1
葦北郡	津奈木町	1 990	81.9	0.3	62.4	0.1	42.9	0.1	20.5	0.1	12.9	0.1	9.5	0.1
球磨郡	錦町	4 866	81.3	0.2	61.6	0.1	42.4	0.1	20.3	0.1	12.8	0.1	9.4	0.1
球磨郡	多良木町	4 242	81.2	0.2	61.5	0.1	42.6	0.1	20.6	0.1	13.1	0.1	9.6	0.1
球磨郡	湯前町	1 698	81.5	0.2	61.9	0.1	42.6	0.1	20.4	0.1	12.7	0.1	9.3	0.1
球磨郡	水上村	937	81.9	0.2	62.3	0.1	42.8	0.1	20.4	0.1	12.8	0.1	9.5	0.1
球磨郡	相良村	1 919	81.7	0.2	62.0	0.1	42.7	0.1	20.4	0.1	12.8	0.1	9.5	0.1
球磨郡	五木村	447	81.4	0.3	62.4	0.1	43.0	0.1	20.5	0.1	12.9	0.1	9.5	0.1
球磨郡	山江村	1 497	81.9	0.2	62.2	0.1	42.9	0.1	20.4	0.1	12.7	0.1	9.4	0.1
球磨郡	球磨村	1 174	…	…	…	…	…	…	…	…	…	…	…	…
球磨郡	あさぎり町	6 766	82.1	0.2	62.4	0.1	42.8	0.1	20.5	0.1	12.9	0.1	9.4	0.1
天草郡	苓北町	3 382	82.1	0.2	62.4	0.1	43.1	0.1	20.6	0.1	13.0	0.1	9.7	0.1
大分県		527 592	81.9	…	62.2	…	42.9	…	20.2	…	12.7	…	9.4	…
大分市		226 657	82.6	0.0	62.8	0.0	43.5	0.0	20.6	0.0	12.9	0.0	9.5	0.0
別府市		50 791	81.4	0.1	61.9	0.1	42.4	0.0	19.9	0.0	12.6	0.0	9.4	0.0
中津市		39 330	81.0	0.1	61.3	0.1	42.1	0.1	19.7	0.0	12.3	0.0	8.9	0.0
日田市		29 504	81.1	0.1	61.6	0.1	42.3	0.1	19.9	0.0	12.6	0.0	9.4	0.0
佐伯市		30 709	81.5	0.1	61.8	0.1	42.7	0.1	20.1	0.0	12.7	0.0	9.3	0.0

			女												
		人口	平均余命（年）												
			0歳		20歳		40歳		65歳		75歳		80歳		
		(人)	平均寿命	誤差	平均余命	誤差	平均余命	誤差	平均余命	誤差	平均余命	誤差	平均余命	誤差
菊池市		23 914	88.2	0.1	68.4	0.1	48.6	0.1	25.3	0.0	16.5	0.0	12.5	0.0
宇土市		18 721	88.7	0.1	68.9	0.1	49.1	0.1	25.6	0.0	16.8	0.0	12.7	0.0
上天草市		12 999	88.2	0.1	68.4	0.1	48.7	0.1	25.3	0.0	16.6	0.0	12.6	0.0
宇城市		29 742	88.1	0.1	68.3	0.1	48.9	0.1	25.3	0.0	16.6	0.0	12.6	0.0
阿蘇市		12 877	88.0	0.1	68.5	0.1	48.7	0.1	25.3	0.1	16.6	0.0	12.7	0.0
天草市		40 144	88.2	0.1	68.4	0.1	48.8	0.0	25.0	0.0	16.4	0.0	12.4	0.0
合志市		31 948	88.6	0.1	68.9	0.1	49.1	0.1	25.4	0.0	16.7	0.0	12.6	0.0
下益城郡	美里町	4 993	88.6	0.2	68.8	0.1	49.1	0.1	25.5	0.1	16.7	0.1	12.7	0.1
玉名郡	玉東町	2 637	88.3	0.2	68.5	0.1	48.8	0.1	25.1	0.1	16.5	0.1	12.5	0.1
玉名郡	南関町	4 647	88.1	0.2	68.3	0.1	48.5	0.1	25.1	0.1	16.4	0.1	12.3	0.1
玉名郡	長洲町	7 588	88.0	0.2	68.2	0.1	48.5	0.1	25.2	0.1	16.4	0.1	12.3	0.1
玉名郡	和水町	4 929	87.8	0.2	68.2	0.1	48.5	0.1	25.1	0.1	16.4	0.1	12.3	0.1
菊池郡	大津町	17 476	88.5	0.1	68.8	0.1	49.0	0.1	25.2	0.1	16.5	0.1	12.5	0.0
菊池郡	菊陽町	21 894	88.6	0.1	68.9	0.1	49.2	0.1	25.5	0.1	16.8	0.1	12.8	0.0
阿蘇郡	南小国町	1 934	88.1	0.2	68.3	0.1	48.6	0.1	25.1	0.1	16.4	0.1	12.4	0.1
阿蘇郡	小国町	3 417	88.5	0.2	68.7	0.1	49.1	0.1	25.5	0.1	16.8	0.1	12.7	0.1
阿蘇郡	産山村	660	88.3	0.2	68.6	0.1	49.0	0.1	25.4	0.1	16.7	0.1	12.6	0.1
阿蘇郡	高森町	2 959	88.5	0.2	68.7	0.1	49.0	0.1	25.6	0.1	16.8	0.1	12.7	0.1
阿蘇郡	西原村	3 254	88.4	0.2	68.6	0.1	48.9	0.1	25.3	0.1	16.6	0.1	12.5	0.1
阿蘇郡	南阿蘇村	5 008	88.4	0.2	68.7	0.1	49.2	0.1	25.5	0.1	16.8	0.1	12.7	0.1
上益城郡	御船町	8 500	88.1	0.1	68.3	0.1	48.9	0.1	25.1	0.1	16.4	0.1	12.3	0.1
上益城郡	嘉島町	4 932	88.2	0.2	68.5	0.1	48.7	0.1	25.1	0.1	16.4	0.1	12.3	0.1
上益城郡	益城町	16 821	89.0	0.1	69.2	0.1	49.4	0.1	25.8	0.1	17.0	0.0	12.9	0.0
上益城郡	甲佐町	5 307	88.5	0.2	68.7	0.1	49.1	0.1	25.4	0.1	16.7	0.1	12.6	0.1
上益城郡	山都町	7 010	88.5	0.2	68.7	0.1	49.0	0.1	25.4	0.1	16.7	0.1	12.6	0.0
八代郡	氷川町	5 868	88.2	0.2	68.4	0.1	48.7	0.1	25.0	0.1	16.3	0.1	12.3	0.1
葦北郡	芦北町	8 288	88.0	0.2	68.3	0.1	48.6	0.1	25.1	0.1	16.6	0.1	12.4	0.0
葦北郡	津奈木町	2 257	88.3	0.2	68.5	0.1	48.8	0.1	25.2	0.1	16.5	0.1	12.5	0.1
球磨郡	錦町	5 373	88.2	0.2	68.5	0.1	48.9	0.1	25.3	0.1	16.6	0.1	12.5	0.1
球磨郡	多良木町	4 773	88.4	0.2	68.8	0.1	49.1	0.1	25.5	0.1	16.7	0.1	12.6	0.1
球磨郡	湯前町	1 924	88.2	0.2	68.4	0.1	48.7	0.1	25.2	0.1	16.5	0.1	12.4	0.1
球磨郡	水上村	1 089	88.5	0.2	68.7	0.1	49.1	0.1	25.5	0.1	16.7	0.1	12.7	0.1
球磨郡	相良村	2 136	87.9	0.2	68.2	0.1	48.6	0.1	25.1	0.1	16.5	0.1	12.5	0.1
球磨郡	五木村	481	88.3	0.2	68.5	0.1	48.9	0.1	25.3	0.1	16.6	0.1	12.5	0.1
球磨郡	山江村	1 736	88.2	0.2	68.4	0.1	48.7	0.1	25.3	0.1	16.5	0.1	12.5	0.1
球磨郡	球磨村	1 258	…	…	…	…	…	…	…	…	…	…	…	…
球磨郡	あさぎり町	7 706	87.9	0.2	68.1	0.1	48.5	0.1	25.0	0.1	16.4	0.1	12.4	0.1
天草郡	苓北町	3 668	88.5	0.2	68.7	0.1	49.0	0.1	25.4	0.1	16.7	0.1	12.7	0.1
大分県		584 000	88.0	…	68.3	…	48.7	…	25.1	…	16.3	…	12.3	…
大分市		245 637	88.3	0.1	68.7	0.0	48.9	0.0	25.3	0.0	16.5	0.0	12.4	0.0
別府市		61 125	87.7	0.1	68.0	0.0	48.4	0.0	24.9	0.0	16.2	0.0	12.3	0.0
中津市		41 953	87.8	0.1	68.1	0.0	48.4	0.0	24.8	0.0	16.0	0.0	12.0	0.0
日田市		32 726	87.6	0.1	67.9	0.1	48.2	0.0	24.7	0.0	16.0	0.0	12.1	0.0
佐伯市		35 803	87.7	0.1	68.1	0.1	48.6	0.0	25.2	0.0	16.4	0.0	12.3	0.0

		男												
		人口	平均余命（年）											
			0歳		20歳		40歳		65歳		75歳		80歳	
		（人）	平均寿命	誤差	平均余命	誤差	平均余命	誤差	平均余命	誤差	平均余命	誤差	平均余命	誤差
臼杵市		16 858	82.0	0.1	62.4	0.1	42.9	0.1	20.2	0.1	12.6	0.0	9.3	0.0
津久見市		7 487	81.3	0.1	61.6	0.1	42.8	0.1	20.3	0.1	12.5	0.1	9.2	0.1
竹田市		9 453	81.7	0.1	62.0	0.1	43.1	0.1	20.4	0.1	12.9	0.1	9.5	0.1
豊後高田市		10 342	81.6	0.1	61.9	0.1	42.5	0.1	19.8	0.1	12.4	0.1	9.3	0.1
杵築市		13 346	82.3	0.1	62.5	0.1	43.1	0.1	20.3	0.1	12.6	0.1	9.2	0.1
宇佐市		24 669	81.7	0.1	62.0	0.1	42.6	0.1	20.1	0.0	12.5	0.0	9.1	0.0
豊後大野市		15 643	82.3	0.1	62.7	0.1	43.4	0.1	20.7	0.1	13.0	0.1	9.7	0.1
由布市		15 476	81.8	0.1	62.1	0.1	42.7	0.1	20.1	0.1	12.7	0.1	9.3	0.1
国東市		12 437	81.6	0.1	61.8	0.1	42.8	0.1	20.0	0.1	12.4	0.0	9.0	0.0
東国東郡	姫島村	802	81.9	0.1	62.2	0.1	42.9	0.1	20.2	0.1	12.8	0.1	9.4	0.1
速見郡	日出町	13 168	82.2	0.1	62.5	0.1	43.0	0.1	20.3	0.1	12.6	0.1	9.3	0.1
玖珠郡	九重町	3 999	82.1	0.1	62.4	0.1	43.2	0.1	20.4	0.1	12.8	0.1	9.5	0.1
玖珠郡	玖珠町	6 921	81.7	0.1	62.1	0.1	42.7	0.1	20.0	0.1	12.6	0.1	9.4	0.1
宮崎県		501 859	81.2	…	61.6	…	42.2	…	20.0	…	12.6	…	9.4	…
宮崎市		188 093	82.0	0.1	62.4	0.0	42.9	0.0	20.4	0.0	12.9	0.0	9.6	0.0
都城市		74 823	80.6	0.1	61.0	0.0	41.7	0.0	19.6	0.0	12.3	0.0	9.0	0.0
延岡市		55 868	80.9	0.1	61.1	0.1	41.9	0.0	19.9	0.0	12.5	0.0	9.2	0.0
日南市		23 667	80.9	0.1	61.0	0.1	41.6	0.1	19.6	0.1	12.5	0.1	9.1	0.1
小林市		20 215	80.7	0.2	61.1	0.1	41.8	0.1	19.9	0.1	12.6	0.0	9.4	0.0
日向市		28 237	81.4	0.1	61.7	0.1	42.1	0.1	19.9	0.1	12.7	0.0	9.4	0.0
串間市		7 860	80.4	0.2	60.7	0.1	41.5	0.1	19.7	0.1	12.5	0.1	9.3	0.1
西都市		13 383	81.0	0.2	61.3	0.1	42.3	0.1	19.9	0.1	12.6	0.1	9.3	0.1
えびの市		8 318	80.4	0.2	60.9	0.1	41.7	0.1	19.8	0.1	12.5	0.1	9.1	0.1
北諸県郡	三股町	11 879	81.3	0.1	61.6	0.1	42.2	0.1	20.0	0.1	12.7	0.1	9.5	0.1
西諸県郡	高原町	4 116	80.3	0.3	61.0	0.1	42.2	0.1	20.1	0.1	12.8	0.1	9.5	0.1
東諸県郡	国富町	8 538	81.0	0.2	61.3	0.1	42.6	0.1	20.1	0.1	12.7	0.1	9.4	0.1
東諸県郡	綾町	3 260	81.5	0.2	61.8	0.1	42.4	0.1	20.0	0.1	12.7	0.1	9.3	0.1
児湯郡	高鍋町	9 473	80.8	0.2	61.5	0.1	42.2	0.1	20.0	0.1	12.6	0.1	9.3	0.1
児湯郡	新富町	8 030	81.1	0.3	61.7	0.1	42.1	0.1	19.9	0.1	12.7	0.1	9.5	0.1
児湯郡	西米良村	491	81.1	0.2	61.5	0.1	42.1	0.1	20.0	0.1	12.7	0.1	9.4	0.1
児湯郡	木城町	2 247	80.5	0.3	61.4	0.1	42.0	0.1	19.8	0.1	12.5	0.1	9.3	0.1
児湯郡	川南町	7 117	81.5	0.2	61.9	0.1	42.5	0.1	20.1	0.1	12.8	0.1	9.6	0.1
児湯郡	都農町	4 653	81.0	0.3	61.8	0.1	42.3	0.1	20.0	0.1	12.9	0.1	9.5	0.1
東臼杵郡	門川町	8 235	80.6	0.2	61.1	0.1	42.0	0.1	19.8	0.1	12.3	0.1	9.1	0.1
東臼杵郡	諸塚村	724	81.1	0.2	61.5	0.1	42.3	0.1	20.0	0.1	12.8	0.1	9.5	0.1
東臼杵郡	椎葉村	1 268	81.5	0.2	61.9	0.1	42.5	0.1	20.2	0.1	12.7	0.1	9.5	0.1
東臼杵郡	美郷町	2 336	80.1	0.3	60.8	0.1	42.2	0.1	20.0	0.1	12.5	0.1	9.2	0.1
西臼杵郡	高千穂町	5 591	81.5	0.3	62.0	0.1	42.6	0.1	20.2	0.1	12.8	0.1	9.5	0.1
西臼杵郡	日之影町	1 744	81.1	0.2	61.5	0.1	42.2	0.1	19.9	0.1	12.6	0.1	9.4	0.1
西臼杵郡	五ヶ瀬町	1 693	81.2	0.2	61.7	0.1	42.4	0.1	20.3	0.1	12.9	0.1	9.6	0.1

		人口 (人)	女											
			平均余命（年）											
			0歳		20歳		40歳		65歳		75歳		80歳	
			平均寿命	誤差	平均余命	誤差	平均余命	誤差	平均余命	誤差	平均余命	誤差	平均余命	誤差
臼杵市		18 985	88.0	0.1	68.3	0.1	48.8	0.1	25.2	0.0	16.4	0.0	12.4	0.0
津久見市		8 579	87.9	0.1	68.2	0.1	48.8	0.1	25.1	0.0	16.4	0.0	12.4	0.0
竹田市		10 639	88.3	0.1	68.6	0.1	49.0	0.1	25.4	0.0	16.5	0.0	12.5	0.0
豊後高田市		11 147	88.2	0.1	68.5	0.1	48.8	0.1	25.1	0.0	16.3	0.0	12.4	0.0
杵築市		14 483	88.0	0.1	68.4	0.1	48.8	0.1	25.2	0.0	16.6	0.0	12.4	0.0
宇佐市		27 463	87.8	0.1	68.0	0.1	48.4	0.0	24.9	0.0	16.1	0.0	12.1	0.0
豊後大野市		17 834	88.0	0.2	68.5	0.1	48.8	0.1	25.3	0.0	16.5	0.0	12.5	0.0
由布市		16 917	88.0	0.1	68.3	0.1	48.7	0.1	25.1	0.0	16.2	0.0	12.1	0.0
国東市		13 547	88.0	0.1	68.2	0.1	48.5	0.1	25.0	0.0	16.3	0.0	12.1	0.0
東国東郡	姫島村	920	88.1	0.1	68.4	0.1	48.7	0.1	25.2	0.1	16.4	0.1	12.3	0.1
速見郡	日出町	14 427	88.0	0.1	68.2	0.1	48.8	0.1	25.1	0.0	16.4	0.0	12.4	0.0
玖珠郡	九重町	4 456	88.0	0.1	68.3	0.1	48.6	0.1	25.0	0.1	16.4	0.1	12.4	0.0
玖珠郡	玖珠町	7 359	87.6	0.1	67.9	0.1	48.7	0.1	25.0	0.0	16.3	0.0	12.2	0.0
宮崎県		560 714	87.6	…	67.9	…	48.3	…	24.9	…	16.2	…	12.3	…
宮崎市		210 779	87.9	0.1	68.2	0.0	48.5	0.0	25.0	0.0	16.3	0.0	12.4	0.0
都城市		84 312	87.4	0.1	67.6	0.0	48.0	0.0	24.6	0.0	16.0	0.0	12.2	0.0
延岡市		62 063	87.6	0.1	67.8	0.0	48.2	0.0	24.9	0.0	16.3	0.0	12.3	0.0
日南市		26 778	87.3	0.2	67.6	0.1	48.0	0.1	24.7	0.1	16.2	0.1	12.2	0.0
小林市		22 947	87.8	0.1	68.1	0.1	48.6	0.1	25.2	0.0	16.5	0.0	12.6	0.0
日向市		31 039	87.8	0.1	68.1	0.1	48.4	0.0	24.9	0.0	16.3	0.0	12.4	0.0
串間市		8 886	87.1	0.2	67.5	0.1	48.0	0.1	24.7	0.1	16.2	0.1	12.3	0.0
西都市		15 133	87.1	0.2	67.6	0.1	48.1	0.1	24.7	0.0	16.1	0.0	12.3	0.0
えびの市		9 187	87.2	0.2	67.4	0.1	48.0	0.1	24.6	0.1	16.0	0.1	12.1	0.0
北諸県郡	三股町	13 555	87.7	0.2	68.0	0.1	48.3	0.1	24.9	0.1	16.3	0.0	12.4	0.0
西諸県郡	高原町	4 500	87.5	0.2	67.7	0.1	48.3	0.1	25.0	0.1	16.3	0.1	12.3	0.0
東諸県郡	国富町	9 730	87.3	0.2	67.8	0.1	48.3	0.1	24.9	0.1	16.2	0.0	12.3	0.0
東諸県郡	綾町	3 657	87.8	0.2	68.0	0.1	48.4	0.1	25.0	0.1	16.3	0.1	12.4	0.1
児湯郡	高鍋町	10 391	87.5	0.1	67.8	0.1	48.2	0.1	24.7	0.1	16.0	0.1	12.1	0.0
児湯郡	新富町	8 380	87.7	0.2	67.9	0.1	48.3	0.1	24.9	0.1	16.3	0.0	12.4	0.0
児湯郡	西米良村	508	87.6	0.2	67.9	0.1	48.3	0.1	24.8	0.1	16.2	0.1	12.3	0.1
児湯郡	木城町	2 642	87.6	0.2	67.9	0.1	48.3	0.1	24.8	0.1	16.1	0.1	12.2	0.1
児湯郡	川南町	7 840	87.4	0.3	67.9	0.1	48.5	0.1	25.0	0.1	16.3	0.0	12.3	0.0
児湯郡	都農町	5 192	87.3	0.2	67.6	0.1	48.1	0.1	24.9	0.1	16.3	0.1	12.2	0.0
東臼杵郡	門川町	9 049	87.8	0.2	68.0	0.1	48.3	0.1	24.9	0.1	16.2	0.1	12.2	0.0
東臼杵郡	諸塚村	760	87.8	0.2	68.1	0.1	48.5	0.1	25.0	0.1	16.3	0.1	12.4	0.1
東臼杵郡	椎葉村	1 231	87.2	0.3	67.8	0.1	48.2	0.1	24.9	0.1	16.2	0.1	12.3	0.1
東臼杵郡	美郷町	2 478	87.5	0.2	67.7	0.1	48.2	0.1	24.8	0.1	16.0	0.1	12.1	0.1
西臼杵郡	高千穂町	6 019	87.9	0.2	68.2	0.1	48.5	0.1	25.1	0.1	16.5	0.0	12.6	0.0
西臼杵郡	日之影町	1 888	87.8	0.2	68.0	0.1	48.4	0.1	24.9	0.1	16.3	0.1	12.4	0.1
西臼杵郡	五ヶ瀬町	1 770	87.7	0.2	68.0	0.1	48.3	0.1	24.9	0.1	16.3	0.1	12.3	0.1

		男												
		人口	平均余命（年）											
			0歳		20歳		40歳		65歳		75歳		80歳	
		（人）	平均寿命	誤差	平均余命	誤差	平均余命	誤差	平均余命	誤差	平均余命	誤差	平均余命	誤差
鹿児島県		744 313	81.0	…	61.4	…	42.1	…	19.9	…	12.6	…	9.4	…
鹿児島市		274 496	81.5	0.0	61.9	0.0	42.6	0.0	20.3	0.0	12.9	0.0	9.6	0.0
鹿屋市		48 181	81.5	0.1	61.9	0.1	42.5	0.1	20.0	0.0	12.6	0.0	9.3	0.0
枕崎市		9 140	80.0	0.2	60.6	0.1	42.0	0.1	19.8	0.1	12.3	0.1	9.1	0.1
阿久根市		9 028	80.7	0.2	61.2	0.1	41.9	0.1	19.7	0.1	12.4	0.1	9.6	0.1
出水市		24 067	81.0	0.1	61.5	0.1	42.3	0.1	20.2	0.1	12.9	0.1	9.6	0.1
指宿市		18 041	81.3	0.1	61.5	0.1	42.5	0.1	20.5	0.1	13.0	0.1	9.8	0.1
西之表市		7 024	80.4	0.2	60.9	0.1	41.8	0.1	19.9	0.1	12.6	0.1	9.3	0.1
垂水市		6 361	81.1	0.2	61.6	0.1	42.1	0.1	19.8	0.1	12.4	0.1	9.0	0.1
薩摩川内市		44 441	81.5	0.1	61.8	0.1	42.5	0.1	20.0	0.0	12.5	0.0	9.3	0.0
日置市		21 991	81.8	0.1	62.2	0.1	43.0	0.1	20.2	0.1	12.9	0.1	9.5	0.1
曽於市		15 487	80.3	0.1	60.8	0.1	41.5	0.1	19.6	0.1	12.6	0.1	9.2	0.1
霧島市		58 602	81.4	0.1	61.7	0.1	42.3	0.0	19.8	0.0	12.3	0.0	9.3	0.0
いちき串木野市		12 666	81.3	0.1	61.6	0.1	42.2	0.1	19.8	0.1	12.3	0.1	9.1	0.1
南さつま市		15 058	80.6	0.1	60.9	0.1	41.8	0.1	19.6	0.1	12.1	0.1	9.0	0.1
志布志市		13 887	80.5	0.1	60.8	0.1	41.5	0.1	19.4	0.1	12.3	0.1	9.2	0.1
奄美市		19 728	79.2	0.1	59.9	0.1	40.7	0.1	19.3	0.1	12.3	0.1	9.2	0.1
南九州市		15 310	80.6	0.1	61.1	0.1	41.8	0.1	19.7	0.1	12.3	0.1	9.3	0.1
伊佐市		11 287	80.4	0.1	60.7	0.1	41.4	0.1	19.5	0.1	12.4	0.1	9.1	0.1
姶良市		35 597	81.3	0.2	61.9	0.1	42.8	0.1	20.3	0.0	12.9	0.0	9.6	0.0
鹿児島郡	三島村	189	81.1	0.2	61.5	0.1	42.2	0.1	20.0	0.1	12.6	0.1	9.4	0.1
鹿児島郡	十島村	404	80.9	0.2	61.3	0.1	42.0	0.1	19.8	0.1	12.6	0.1	9.4	0.1
薩摩郡	さつま町	9 332	81.6	0.2	61.9	0.1	42.6	0.1	20.1	0.1	12.6	0.1	9.4	0.1
出水郡	長島町	4 676	80.7	0.2	61.2	0.1	41.8	0.1	19.8	0.1	12.4	0.1	9.1	0.1
姶良郡	湧水町	4 386	80.9	0.2	61.2	0.1	41.9	0.1	20.1	0.1	12.8	0.1	9.6	0.1
曽於郡	大崎町	5 817	79.9	0.2	60.2	0.1	41.3	0.1	19.6	0.1	12.5	0.1	9.4	0.1
肝属郡	東串良町	2 922	80.1	0.2	60.6	0.1	41.6	0.1	19.6	0.1	12.3	0.1	9.1	0.1
肝属郡	錦江町	3 246	80.8	0.2	61.2	0.1	41.9	0.1	19.8	0.1	12.5	0.1	9.2	0.1
肝属郡	南大隅町	3 073	80.2	0.2	60.6	0.1	41.5	0.1	19.5	0.1	12.3	0.1	9.3	0.1
肝属郡	肝付町	6 948	80.6	0.2	60.9	0.1	41.6	0.1	19.7	0.1	12.4	0.1	9.2	0.1
熊毛郡	中種子町	3 545	80.2	0.2	60.5	0.1	41.4	0.1	19.4	0.1	12.5	0.1	9.5	0.1
熊毛郡	南種子町	2 720	81.0	0.2	61.4	0.1	42.1	0.1	20.0	0.1	12.7	0.1	9.4	0.1
熊毛郡	屋久島町	5 771	80.5	0.2	61.0	0.1	41.7	0.1	19.7	0.1	12.5	0.1	9.3	0.1
大島郡	大和村	672	80.9	0.2	61.3	0.1	42.0	0.1	19.8	0.1	12.5	0.1	9.3	0.1
大島郡	宇検村	788	80.8	0.2	61.2	0.1	41.9	0.1	19.8	0.1	12.5	0.1	9.3	0.1
大島郡	瀬戸内町	4 204	80.4	0.2	60.9	0.1	41.7	0.1	19.7	0.1	12.6	0.1	9.5	0.1
大島郡	龍郷町	2 802	80.7	0.2	61.2	0.1	41.9	0.1	20.0	0.1	12.6	0.1	9.4	0.1
大島郡	喜界町	3 250	80.6	0.2	60.9	0.1	41.7	0.1	19.8	0.1	12.5	0.1	9.3	0.1
大島郡	徳之島町	4 961	79.7	0.2	60.4	0.1	41.2	0.1	19.8	0.1	12.7	0.1	9.5	0.1
大島郡	天城町	2 787	79.1	0.2	59.5	0.1	40.5	0.1	19.5	0.1	12.5	0.1	9.3	0.1
大島郡	伊仙町	3 067	79.8	0.2	60.3	0.1	41.4	0.1	19.5	0.1	12.5	0.1	9.3	0.1
大島郡	和泊町	3 047	80.5	0.2	60.9	0.1	41.6	0.1	19.8	0.1	12.4	0.1	9.2	0.1
大島郡	知名町	2 857	80.7	0.2	61.0	0.1	41.9	0.1	20.2	0.1	13.1	0.1	9.8	0.1
大島郡	与論町	2 457	80.5	0.2	60.9	0.1	42.0	0.1	20.1	0.1	12.8	0.1	9.7	0.1

			女											
		人口	平均余命（年）											
			0歳		20歳		40歳		65歳		75歳		80歳	
		（人）	平均寿命	誤差	平均余命	誤差	平均余命	誤差	平均余命	誤差	平均余命	誤差	平均余命	誤差
鹿児島県		832 709	87.5	…	67.9	…	48.3	…	24.9	…	16.2	…	12.2	…
鹿児島市		315 422	87.9	0.1	68.3	0.0	48.7	0.0	25.2	0.0	16.4	0.0	12.4	0.0
鹿屋市		52 282	86.8	0.1	67.2	0.1	47.8	0.0	24.5	0.0	15.9	0.0	12.0	0.0
枕崎市		10 517	87.0	0.2	67.4	0.1	47.8	0.1	24.5	0.1	15.8	0.1	11.7	0.1
阿久根市		10 122	87.2	0.2	67.6	0.1	48.0	0.1	24.7	0.1	15.9	0.1	12.2	0.0
出水市		27 120	87.7	0.1	68.2	0.1	48.6	0.1	25.2	0.1	16.4	0.0	12.3	0.0
指宿市		20 615	87.4	0.1	67.7	0.1	48.2	0.1	24.9	0.0	16.2	0.0	12.4	0.0
西之表市		7 607	87.4	0.2	67.7	0.1	48.2	0.1	24.6	0.1	15.9	0.1	12.0	0.1
垂水市		7 193	87.3	0.2	67.6	0.1	48.0	0.1	24.5	0.1	15.8	0.1	11.9	0.1
薩摩川内市		47 461	87.7	0.1	68.0	0.1	48.5	0.0	24.9	0.0	16.3	0.0	12.4	0.0
日置市		24 842	87.9	0.1	68.3	0.1	48.7	0.1	25.1	0.1	16.3	0.0	12.2	0.0
曽於市		17 460	87.3	0.1	67.6	0.1	48.2	0.1	24.6	0.1	16.0	0.0	12.1	0.0
霧島市		63 748	87.5	0.1	67.9	0.0	48.2	0.0	24.8	0.0	16.1	0.0	12.0	0.0
いちき串木野市		14 618	87.8	0.1	68.0	0.1	48.6	0.1	25.0	0.1	16.2	0.1	12.4	0.1
南さつま市		17 609	87.4	0.1	67.7	0.1	48.1	0.1	24.8	0.0	16.2	0.0	12.3	0.0
志布志市		15 082	87.1	0.2	67.4	0.1	47.8	0.1	24.4	0.1	15.8	0.0	11.9	0.0
奄美市		21 557	87.4	0.1	67.7	0.1	48.3	0.1	25.0	0.1	16.4	0.1	12.4	0.1
南九州市		17 398	87.6	0.2	67.9	0.1	48.4	0.1	25.0	0.0	16.1	0.0	12.2	0.0
伊佐市		13 037	87.0	0.1	67.4	0.1	47.8	0.1	24.4	0.1	15.6	0.1	11.7	0.0
姶良市		40 371	88.0	0.1	68.3	0.1	48.7	0.0	25.1	0.0	16.3	0.0	12.4	0.0
鹿児島郡	三島村	213	87.6	0.2	67.9	0.1	48.4	0.1	24.9	0.1	16.2	0.1	12.3	0.1
鹿児島郡	十島村	327	87.6	0.2	67.9	0.1	48.3	0.1	24.9	0.1	16.2	0.1	12.2	0.1
薩摩郡	さつま町	10 506	88.0	0.2	68.4	0.1	48.7	0.1	25.2	0.1	16.5	0.1	12.6	0.0
出水郡	長島町	4 951	87.4	0.2	67.7	0.1	48.1	0.1	24.6	0.1	15.7	0.1	11.6	0.1
姶良郡	湧水町	4 645	87.6	0.2	67.9	0.1	48.4	0.1	24.9	0.1	16.5	0.1	12.5	0.1
曽於郡	大崎町	6 265	87.2	0.2	67.5	0.1	48.0	0.1	24.5	0.1	15.9	0.1	11.8	0.1
肝属郡	東串良町	3 189	87.1	0.2	67.4	0.1	47.9	0.1	24.6	0.1	16.0	0.1	11.9	0.1
肝属郡	錦江町	3 629	87.2	0.2	67.5	0.1	48.0	0.1	24.6	0.1	15.9	0.1	11.9	0.1
肝属郡	南大隅町	3 385	87.4	0.2	67.7	0.1	48.2	0.1	24.8	0.1	16.0	0.1	12.0	0.1
肝属郡	肝付町	7 211	86.7	0.2	67.0	0.1	47.4	0.1	24.1	0.1	15.5	0.1	11.6	0.1
熊毛郡	中種子町	3 975	87.8	0.2	68.2	0.1	48.7	0.1	25.1	0.1	16.4	0.1	12.4	0.1
熊毛郡	南種子町	2 712	87.5	0.2	67.8	0.1	48.2	0.1	24.7	0.1	16.1	0.1	12.1	0.1
熊毛郡	屋久島町	5 985	87.5	0.2	67.8	0.1	48.4	0.1	24.8	0.1	16.2	0.1	12.1	0.1
大島郡	大和村	691	87.3	0.2	67.6	0.1	48.1	0.1	24.8	0.1	16.1	0.1	12.2	0.1
大島郡	宇検村	829	87.7	0.2	68.0	0.1	48.4	0.1	24.9	0.1	16.2	0.1	12.3	0.1
大島郡	瀬戸内町	4 327	87.3	0.2	67.6	0.1	48.2	0.1	24.8	0.1	16.2	0.1	12.3	0.1
大島郡	龍郷町	2 998	87.5	0.2	67.8	0.1	48.2	0.1	24.8	0.1	16.3	0.1	12.3	0.1
大島郡	喜界町	3 340	87.6	0.2	67.9	0.1	48.4	0.1	24.9	0.1	16.3	0.1	12.2	0.1
大島郡	徳之島町	5 145	87.2	0.2	67.5	0.1	47.9	0.1	24.7	0.1	16.0	0.1	12.1	0.1
大島郡	天城町	2 700	87.3	0.2	67.6	0.1	48.1	0.1	24.9	0.1	16.3	0.1	12.2	0.1
大島郡	伊仙町	3 048	87.2	0.2	67.6	0.1	48.2	0.1	24.7	0.1	16.3	0.1	12.3	0.1
大島郡	和泊町	3 091	87.3	0.2	67.8	0.1	48.2	0.1	24.8	0.1	16.1	0.1	12.2	0.1
大島郡	知名町	2 840	87.0	0.2	67.4	0.1	47.9	0.1	24.5	0.1	15.9	0.1	12.1	0.1
大島郡	与論町	2 646	88.0	0.2	68.4	0.1	48.8	0.1	25.4	0.1	16.6	0.1	12.6	0.1

		男												
		人口	平均余命（年）											
			0歳		20歳		40歳		65歳		75歳		80歳	
		（人）	平均寿命	誤差	平均余命	誤差	平均余命	誤差	平均余命	誤差	平均余命	誤差	平均余命	誤差
沖縄県		711 068	80.7	…	61.1	…	41.7	…	20.1	…	12.9	…	9.7	…
那覇市		151 140	80.7	0.1	61.0	0.0	41.5	0.0	19.8	0.0	12.7	0.0	9.6	0.0
宜野湾市		47 858	81.3	0.1	61.7	0.1	42.2	0.1	20.3	0.1	13.0	0.1	9.9	0.1
石垣市		23 655	80.9	0.1	61.1	0.1	41.7	0.1	20.0	0.1	13.1	0.1	9.8	0.1
浦添市		55 221	81.2	0.1	61.7	0.1	42.3	0.1	20.5	0.1	13.1	0.1	9.8	0.1
名護市		31 317	80.8	0.1	61.1	0.1	41.7	0.1	20.2	0.1	13.1	0.1	9.8	0.1
糸満市		30 100	80.2	0.1	60.3	0.1	41.2	0.1	20.0	0.1	13.0	0.1	9.9	0.1
沖縄市		68 063	80.5	0.1	60.9	0.1	41.6	0.1	19.8	0.0	12.9	0.0	9.6	0.0
豊見城市		31 239	81.1	0.1	61.3	0.1	41.8	0.1	20.1	0.1	12.8	0.1	9.6	0.1
うるま市		62 096	80.4	0.1	60.7	0.1	41.4	0.1	19.8	0.0	12.8	0.0	9.6	0.0
宮古島市		26 279	79.4	0.1	59.8	0.1	40.6	0.1	19.4	0.1	12.3	0.1	9.1	0.1
南城市		22 013	80.8	0.2	61.4	0.1	42.0	0.1	20.4	0.1	13.0	0.1	9.7	0.1
国頭郡	国頭村	2 297	80.6	0.2	60.9	0.1	41.5	0.1	20.1	0.1	13.0	0.1	9.8	0.1
国頭郡	大宜味村	1 629	81.2	0.3	61.5	0.1	42.1	0.1	20.4	0.1	13.5	0.1	10.3	0.1
国頭郡	東村	875	80.5	0.3	60.9	0.1	41.5	0.1	20.1	0.1	12.9	0.1	9.8	0.1
国頭郡	今帰仁村	4 441	80.8	0.2	61.1	0.1	41.9	0.1	20.4	0.1	13.1	0.1	9.9	0.1
国頭郡	本部町	6 266	80.5	0.2	60.8	0.1	41.5	0.1	20.1	0.1	13.0	0.1	9.7	0.1
国頭郡	恩納村	5 097	81.1	0.2	61.4	0.1	42.0	0.1	20.4	0.1	13.2	0.1	10.0	0.1
国頭郡	宜野座村	2 873	80.7	0.2	60.9	0.1	41.6	0.1	19.8	0.1	12.7	0.1	9.5	0.1
国頭郡	金武町	5 310	79.9	0.3	60.4	0.1	40.9	0.1	19.8	0.1	12.6	0.1	9.3	0.1
国頭郡	伊江村	2 066	81.1	0.2	61.4	0.1	42.1	0.1	20.2	0.1	12.9	0.1	9.8	0.1
中頭郡	読谷村	19 810	81.0	0.1	61.1	0.1	41.9	0.1	20.4	0.1	13.1	0.1	10.0	0.1
中頭郡	嘉手納町	6 505	80.4	0.3	60.9	0.1	41.6	0.1	20.0	0.1	12.9	0.1	9.9	0.1
中頭郡	北谷町	13 026	80.7	0.2	61.2	0.1	41.7	0.1	20.0	0.1	12.9	0.1	9.6	0.1
中頭郡	北中城村	8 407	81.3	0.2	61.7	0.1	42.3	0.1	21.1	0.1	14.2	0.1	11.1	0.1
中頭郡	中城村	10 801	80.6	0.2	61.1	0.1	41.7	0.1	20.0	0.1	12.9	0.1	9.8	0.1
中頭郡	西原町	17 207	82.1	0.1	62.2	0.1	42.8	0.1	20.6	0.1	13.1	0.1	10.0	0.1
島尻郡	与那原町	9 496	80.9	0.1	61.2	0.1	41.8	0.1	20.0	0.1	12.8	0.1	9.7	0.1
島尻郡	南風原町	19 661	81.4	0.2	61.9	0.1	42.7	0.1	20.8	0.1	13.9	0.1	10.5	0.1
島尻郡	渡嘉敷村	383	80.9	0.3	61.2	0.1	41.9	0.1	20.2	0.1	13.0	0.1	9.8	0.1
島尻郡	座間味村 ＊	476	80.5	0.5	61.2	0.1	41.8	0.1	20.1	0.1	13.0	0.1	9.8	0.1
島尻郡	粟国村	384	80.8	0.3	61.1	0.1	41.7	0.1	20.1	0.1	13.0	0.1	9.8	0.1
島尻郡	渡名喜村	205	80.8	0.3	61.1	0.1	41.8	0.1	20.1	0.1	13.0	0.1	9.8	0.1
島尻郡	南大東村	732	80.9	0.3	61.3	0.1	42.0	0.1	20.4	0.1	13.2	0.1	10.0	0.1
島尻郡	北大東村	364	80.8	0.3	61.1	0.1	41.8	0.1	20.1	0.1	13.0	0.1	9.7	0.1
島尻郡	伊平屋村	606	80.6	0.3	60.9	0.1	41.6	0.1	20.1	0.1	12.9	0.1	9.8	0.1
島尻郡	伊是名村	705	80.3	0.3	60.7	0.1	41.3	0.1	19.9	0.1	12.8	0.1	9.6	0.1
島尻郡	久米島町	3 804	80.1	0.3	60.6	0.1	41.2	0.1	19.9	0.1	12.8	0.1	9.6	0.1
島尻郡	八重瀬町	15 150	81.2	0.1	61.3	0.1	42.1	0.1	20.4	0.1	13.1	0.1	9.9	0.1
宮古郡	多良間村 ＊	574	80.5	0.5	61.2	0.1	41.8	0.1	20.1	0.1	13.0	0.1	9.9	0.1
八重山郡	竹富町	2 024	80.3	0.4	61.1	0.1	41.7	0.1	20.1	0.1	12.8	0.1	9.7	0.1
八重山郡	与那国町	913	80.3	0.3	60.6	0.1	41.2	0.1	19.6	0.1	12.6	0.1	9.5	0.1

		女											
		人口	平均余命（年）										
			0歳		20歳		40歳		65歳		75歳		80歳	
		（人）	平均寿命	誤差	平均余命	誤差	平均余命	誤差	平均余命	誤差	平均余命	誤差	平均余命	誤差
沖縄県		736 177	87.9	…	68.2	…	48.6	…	25.4	…	16.9	…	12.9	…
那覇市		160 837	87.8	0.1	68.2	0.0	48.6	0.0	25.4	0.0	16.9	0.0	13.0	0.0
宜野湾市		50 524	88.2	0.1	68.4	0.1	48.8	0.1	25.7	0.0	17.1	0.0	13.1	0.0
石垣市		23 408	87.9	0.2	68.4	0.1	48.7	0.1	25.7	0.1	16.9	0.1	13.0	0.1
浦添市		59 246	88.0	0.1	68.2	0.1	48.6	0.1	25.6	0.0	17.1	0.0	13.2	0.0
名護市		31 653	88.0	0.1	68.2	0.1	48.6	0.1	25.5	0.1	16.8	0.1	12.8	0.0
糸満市		30 013	87.4	0.1	67.6	0.1	48.0	0.1	25.0	0.1	16.5	0.1	12.6	0.1
沖縄市		72 505	87.5	0.1	67.9	0.0	48.3	0.1	25.1	0.0	16.5	0.0	12.6	0.0
豊見城市		32 981	88.7	0.1	68.9	0.1	49.3	0.1	25.9	0.1	17.5	0.1	13.4	0.1
うるま市		61 848	87.3	0.1	67.8	0.1	48.1	0.0	25.1	0.0	16.6	0.0	12.7	0.0
宮古島市		26 136	87.7	0.1	67.9	0.1	48.3	0.1	25.2	0.1	16.3	0.1	12.4	0.0
南城市		21 769	87.7	0.1	68.1	0.1	48.5	0.1	25.5	0.1	16.8	0.1	12.8	0.1
国頭郡	国頭村	2 188	88.2	0.2	68.7	0.1	49.1	0.1	25.9	0.1	17.3	0.1	13.3	0.1
国頭郡	大宜味村	1 440	87.8	0.2	68.1	0.1	48.4	0.1	25.3	0.1	16.8	0.1	12.9	0.1
国頭郡	東村	712	87.9	0.2	68.2	0.1	48.6	0.1	25.5	0.1	16.9	0.1	13.0	0.1
国頭郡	今帰仁村	4 409	88.5	0.2	68.8	0.1	49.1	0.1	25.9	0.1	17.1	0.1	13.2	0.1
国頭郡	本部町	6 128	88.0	0.1	68.3	0.1	48.8	0.1	25.8	0.1	17.1	0.1	13.1	0.1
国頭郡	恩納村	5 029	88.0	0.1	68.3	0.1	48.7	0.1	25.4	0.1	16.9	0.1	12.9	0.1
国頭郡	宜野座村	2 917	87.4	0.2	67.7	0.1	48.0	0.1	25.1	0.1	16.6	0.1	12.7	0.1
国頭郡	金武町	5 395	87.4	0.1	67.8	0.1	48.2	0.1	25.1	0.1	16.7	0.1	13.0	0.1
国頭郡	伊江村	2 026	87.8	0.2	68.1	0.1	48.4	0.1	25.3	0.1	16.8	0.1	12.9	0.1
中頭郡	読谷村	20 638	87.8	0.1	67.9	0.1	48.2	0.1	25.1	0.1	16.6	0.1	12.7	0.1
中頭郡	嘉手納町	6 915	87.5	0.1	67.8	0.1	48.1	0.1	25.0	0.1	16.4	0.1	12.5	0.1
中頭郡	北谷町	14 307	88.0	0.1	68.2	0.1	48.5	0.1	25.2	0.1	16.5	0.1	12.7	0.1
中頭郡	北中城村	9 161	88.7	0.2	69.0	0.1	49.4	0.1	26.3	0.1	17.6	0.1	13.6	0.1
中頭郡	中城村	11 011	88.2	0.1	68.5	0.1	48.8	0.1	25.7	0.1	17.1	0.1	13.2	0.1
中頭郡	西原町	17 202	88.5	0.1	68.8	0.1	49.2	0.1	25.9	0.1	17.4	0.1	13.4	0.1
島尻郡	与那原町	10 086	88.0	0.2	68.4	0.1	48.8	0.1	25.6	0.1	16.9	0.1	12.9	0.1
島尻郡	南風原町	20 552	88.5	0.1	68.8	0.1	49.2	0.1	26.0	0.1	17.4	0.1	13.4	0.1
島尻郡	渡嘉敷村	329	88.0	0.2	68.3	0.1	48.7	0.1	25.5	0.1	17.0	0.1	13.0	0.1
島尻郡	座間味村	401	87.8	0.2	68.1	0.1	48.5	0.1	25.3	0.1	16.8	0.1	12.9	0.1
島尻郡	粟国村	297	88.0	0.2	68.3	0.1	48.7	0.1	25.5	0.1	16.9	0.1	13.1	0.1
島尻郡	渡名喜村	139	87.8	0.2	68.1	0.1	48.4	0.1	25.4	0.1	16.9	0.1	12.9	0.1
島尻郡	南大東村	522	87.7	0.2	68.0	0.1	48.4	0.1	25.2	0.1	16.8	0.1	12.8	0.1
島尻郡	北大東村	221	87.9	0.2	68.2	0.1	48.6	0.1	25.5	0.1	16.9	0.1	13.0	0.1
島尻郡	伊平屋村	512	87.9	0.2	68.2	0.1	48.6	0.1	25.4	0.1	17.0	0.1	13.0	0.1
島尻郡	伊是名村	594	87.6	0.2	67.9	0.1	48.2	0.1	25.2	0.1	16.6	0.1	12.7	0.1
島尻郡	久米島町	3 353	87.8	0.2	68.0	0.1	48.4	0.1	25.3	0.1	16.8	0.1	12.8	0.1
島尻郡	八重瀬町	15 661	88.0	0.1	68.1	0.1	48.5	0.1	25.5	0.1	16.7	0.1	12.9	0.1
宮古郡	多良間村	473	87.9	0.2	68.2	0.1	48.6	0.1	25.4	0.1	16.8	0.1	12.9	0.1
八重山郡	竹富町	1 891	88.0	0.2	68.2	0.1	48.6	0.1	25.4	0.1	16.8	0.1	12.9	0.1
八重山郡	与那国町	748	87.9	0.2	68.2	0.1	48.5	0.1	25.4	0.1	16.8	0.1	12.8	0.1

付録　市区町村の合併等一覧（平成30年〜令和3年）

都道府県	新市区町村	旧市区町村	施行年月日
兵　庫　県	丹波篠山市	篠山市	令和元年 5月 1日
福　岡　県	那珂川市	那珂川町	平成30年10月 1日

平成 27 年市区町村別生命表報告書　正誤情報

Ⅳ　統計表　市区町村別人口・特定年齢の平均余命

	男・平均余命・20歳		該当頁
	正	誤	
北海道 　網走郡　　　　大空町	61.0	60.9	32 頁

	男・平均寿命・0歳		該当頁
	正	誤	
神奈川県 　相模原市	81.3	81.2	68 頁
兵庫県 　川西市	82.4	82.3	104 頁

令和5年12月18日　発行	定価は表紙に表示してあります。

令 和 2 年
市区町村別生命表

編　集	厚生労働省政策統括官(統計・情報システム管理、労使関係担当)
発　行	一般財団法人　厚生労働統計協会 郵便番号　103-0001 東京都中央区日本橋小伝馬町4－9 小伝馬町新日本橋ビルディング3Ｆ 電　話　03－5623－4123（代表）
印　刷	統計プリント株式会社